토목일반 이론·문제해설

장성묵 지음

도서출판 금 호

머리말

긴 터널을 빠져나왔다.

현직 특성화고 교사로 재직하면서 제자들이 조금이나마 더 높은 목표를 품고 살아가기를 바라는 마음이 있었고, 그렇게 제자들의 손을 잡고 함께 그 목표를 향해 나아가는 작은 몸부림을 겁 없이 시작했다.

토목일반 교과목이 기술직 공무원 시험과목으로 정해진 그해 겨울, 적잖이 당황했던 기억이 난다. 아쉽지만 그동안 준비해왔던 응용역학 과목의 방대한 자료와 문제들을 한쪽으로 밀어내야 했고, 교과서조차 마련되지 않은 상황에서 당장 어찌할 바를 몰랐다. 마치 지금의 코로나 상황처럼… 평범했던 우리의 일상이 얼마나 소중했던 것이었는지 이전에는 미처 알지 못했다.

공무원 시험에서 토목일반 교과의 역사는 코로나의 역사와 같다. 이제 2년 차가 되어간다. 준비되지 않은 채 예측하지 못한 변화를 맞닥뜨리며 혼란스러웠고, 그 혼란의 시간의 끝에 새로운 일상이 서서히 자리 잡아 가고 있다. 그 일상을 조금 더 빨리 회복하는 데에 내가 할 수 있는 한 힘을 싣고자 이 책을 출간하게 되었다.

현직 교사로 근무하며 책을 쓰는 것이 결코 쉬울 것이라 생각하지는 않았지만, 막상 그 과정을 겪어보니 생각했던 것 이상으로 힘든 점이 많았다. 그럼에도 누군가는 해야 했기에, 학생들이 필요로 하기에, 아이들이 원한다고 했기에, 무작정 시작했다. 성경에 "한 알의 밀이 땅에 떨어져 죽지 아니하면 한 알 그대로 있고 죽으면 많은 열매를 맺느니라 (요12:24)"는 말씀이 있다. 자신의 삶을 다른 사람을 위해 내놓을 것을 가르치고 지키게 하는, 근 이십 년 동안 몸담은 교회의 권유와 도움이 큰 힘이 되었다.

다른 교과목들은 시중에 참고서적이 넘쳐나지만 토목일반에 관한 참고서적은 찾아볼 수 없기에 누군가는 첫걸음을 내딛어야 했다. 특히 토목분야는 도로, 항만, 공항, 철도, 지하철, 교량, 상하수도, 댐, 발전소 및 플랜트 설비 등 사회 기반 시설의 계획, 설계, 해석, 시공, 유지 관리는 물론 수자원 및 교통, 도시계획, 국토 계획, 단지 조성 등 매우 다양하며 그 범위 또한 넓다. 이러한 토목 관련 분야의 방대함으로 인해 공업계 고등학생과 대학생 및 토목직 공무원 등 각종 시험을 준비하는 수험생들에게는 어려움이 많다. 오랜 기간 축적된 실무 경험과 수업 경험을 토대로, 관련 전공 학생과 토목직 공무원을 준비하는 수험생들을 위한 한 알의 밀이 되고자 하는 마음으로 이 책을 내어놓는다.

많이 부족하지만, 이제 한 걸음을 뗀 만큼 앞으로 보다 나은 걸음걸음이 이어질 것을 이 책을 통해 공부하는 학생들과 그 아이들을 지도하시는 대한민국의 현직 선생님들께 미리 약속드린다. 무엇보다도 나의 소중한 제자들과 같이 특성화고 마이스터고 공무원 시험을 준비하며 토목일반 교과를 공부하는 학생들에게 이 책이 조금이나마 도움이 될 수 있기를 진심으로 바란다.

이 책의 시작부터 끝까지 마음을 다해 도와주신 송풍호 목사님 조순애 사모님, 스마트폰으로 생소한 기능들을 하나하나 배우며 눈의 실핏줄이 터져가면서까지 책의 삽도와 표지를 그려주신 황상대 형제님, 많은 아이들을 돌보며 틈틈이 워드작업과 교정작업을 해준 아내 조영애, 아빠와 함께하는 토요일을 기꺼이 양보해준 주희, 주아, 특히 기도를 많이 해준 주원이에게 감사의 마음을 전합니다. 책이 나오기까지 끝까지 기다려 주신 금호출판사 사장님과 편집자분께도 다시 한번 감사를 드립니다.

이 모든 것을 계획하시고 허락하시고 또 가능케 하신 변찮는 주님께 영광 돌립니다.

저자 장 성 묵

〈본 교재의 특징〉

1. 기출문제가 거의 없기에 다량의 예상문제를 수록하여 문제의 출제 경향과 출제 빈도를 수험생들이 쉽게 파악할 수 있도록 하였다.

2. 오랜 기간 토목 실무 분야에 종사하면서 얻은 실무 지식과 다년간의 현직 학교에서의 강의 경험을 바탕으로 작성된 상세한 해설로 학생들의 이해를 돕고자 노력하였다.

3. 15회분의 예상문제 모의고사를 수록하여 완성도 있는 학습에 도움을 주고자 하였다.

수험가이드

♣ 토목직 공무원을 위한 합격전략

1. 평소 모의고사를 이렇게 이용하라.

공무원 시험준비를 하는 학생의 대부분은 학교나 학원에서 모의고사를 보게 될 것이다. 학교나 학원에서 보는 모의고사 점수에 일희일비(一喜一悲)하지 말아야 한다. 모의고사에서 평균 95점을 맞았더라도 틀린 문제가 내가 이미 공부한 문제인데도 불구하고 틀렸다면 95점에 기뻐해야 할 것이 아니라 그 틀린 한문제 때문에 땅을 치며 괴로워 해야 한다. 그러나, 내가 50점을 맞았더라도 내가 공부한 문제는 다맞고 아직 공부하지 않은 부분에서 문제가 나와서 틀렸다면 95점 맞은 친구보다도 더 기뻐해야 할 것이다. 그리고, 앞으로 내가 공부하지 않은 부분을 정복하면 되는 것이다. 그만큼 모의고사를 본 후에 내가 공부한 부분, 공부하지 않은 부분을 분석해내는 수고가 반드시 필요하다. 내가 공부한 부분은 틀리지 말아야 하는 부분이다. 그러나 내가 공부하지 않은 부분은 과감하게 틀려라. 그리고, 이제 그 부분을 알았으니 열심히 해서 채워라. 마지막에 웃는 자가 되어야 한다.

2. 자신있는 전공과목 1과목을 우선 정복하라.

지금 공무원 시험을 준비하고 있는 특성화고 수험생 여러분은 평소에 물리공부를 꾸준히 했는가? 아마도 아닐 것이다. 대부분의 특성화고 토목직 수험생들은 물리에 가장 취약하다. 세과목을 동시에 같은 비중으로 공부를 한다는 것은 힘이 들고, 뒷부분을 공부하다 보면 이미 공부한 앞부분도 기억에서 멀어진다. 취약한 과목을 시간을 많이 들여 공부하다 보면 조금 자신있던 과목도 기억이 나지 않는다. 사람의 기억은 유한하다. 기억에 남기려면 한과목의 처음부터 끝까지 반복하는 주기를 점점 짧게 해야 한다. 자신있는 과목은 매일매일 문제를 풀지 않아도 교과서나 개념서 등을 처음부터 끝까지 훑어서 반복하는 것 만으로도 기억이 유지된다. 처음에는 반복하는데 시간이 많이 걸리고 힘도 들 것이다. 그러나, 계속해서 하게 되면 2~3일에 한번 반복을 시작해서 두세 시간에 한번, 마지막에는 10분에 한번 정도 반복할 수 있을 것이다. 믿어라!! 그래서 자신 있는 전공 한과목을 우선 만들어야 하는 것이다. 한과목을 정복한 경험으로 다른 과목에도 적용해 나가는 것이 쉽다. 세과목을 한번에 정복한다는 것은 결코 쉬운 일이 아니다.

Contents

01 국토 종합 계획

Ⅰ. 국토 종합 계획의 이해 ·· 24
    1. 개론 / 27
    2. 국토 계획 / 32
    3. 국토 종합 계획 / 34
    4. 도 종합 계획 / 37
    5. 광역권 계획 / 38
    6. 지역 계획 / 39
    7. 도시·군 종합계획 / 40

Ⅱ. 국토 종합 계획의 내용 ·· 42
    1. 제5차 국토 종합 계획 / 45
    2. 국토 및 지역 발전 계획의 내용 / 62

예상문제 및 기출문제 ·· 67

02 도시 계획

Ⅰ. 도시 계획의 이해 ·· 92
    1. 도시의 본질과 특성 / 95
    2. 도시의 구성 / 100
    3. 도시의 발달 / 103
    4. 도시 계획의 개념과 특성 / 105
    5. 도시조사 분석 및 계획인구 산정 / 108
    6. 우리나라의 도시 계획 체계 / 110

Ⅱ. 도시 개발의 내용 ·· 126
   1. 도시 개발의 의의와 범위 / 129
   2. 도시 개발의 유형 / 130
   3. 도시화와 도시 문제 / 138
   4. 미래의 도시 / 141

예상문제 및 기출문제 ·· 146

03 도로 · 철도 · 터널

Ⅰ. 도로 · 철도 · 터널의 이해 ·· 190
   1. 도로의 이해 / 193
   2. 철도의 이해 / 197
   3. 터널의 이해 / 199

Ⅱ. 도로 · 철도 · 터널의 시공 방법 이해 ·· 202
   1. 도로의 종류 및 시공 방법 이해 / 205
   2. 철도의 종류 및 시공 방법 이해 / 222
   3. 터널의 종류 및 시공 방법 이해 / 229

예상문제 및 기출문제 ·· 239

04 상·하수도

Ⅰ. 상·하수도의 이해 ·· 280
  1. 상·하수도 시설계획 / 283
  2. 상수도 / 289
  3. 하수도 / 295

Ⅱ. 상·하수도 시설 시공 방법 ··· 302
  1. 상수도의 시공 / 305
  2. 하수도의 시공 / 317

예상문제 및 기출문제 ·· 325

05 하천·해안

Ⅰ. 하천·해안 이해하기 ··· 374
  1. 하천·해안 형성 과정 / 377
  2. 우리나라 하천·해안 특징 및 현황 / 388

Ⅱ. 하천·해안의 이용 및 관리 ·· 390
  1. 하천·해안의 기능 / 393
  2. 하천·해안의 이용 / 394
  3. 하천·해안의 관리 / 398

예상문제 및 기출문제 ·· 402

부 록

토목일반 실전문제 ·· 432
　　　실전문제 1~15회 / 432
토목일반 기출문제 ·· 507

단원 요약

1단원 국토종합계획

1. 국토계획체계

국토종합계획 (국토기본법)	국토종합계획	국토전역대상, 협의의 국토계획 국토의 장기적인 발전방향제시, 20년단위 도종합계획 및 도시군종합계획(도시군기본+도시군관리계획)의 기본이 됨 국토교통부장관수립 → 공청회 → 국무회의심의 → 대통령 승인
	도종합계획	도, 특별자치도 관할구역 대상 20년 단위 도시계획 군계획 등 기초자치단체가 수립하는 하위계획에 대한 개발방향과 지침제시 도지사 수립 → 공청회 → 도도시계획위원회심의 → 국토교통부장관승인, 공고(도지사)
	지역계획	특정 지역을 대상으로 특별한 정책목적을 달성하기 위하여 수립하는 계획 광역권개발계획/수도권발전계획/특정지역개발계획 국토종합계획과 조화 이루어야 함
	부문별계획	국토 전역을 대상으로 하여 특정 부문에 대한 장기적인 발전 방향을 제시하는 계획 주택 수자원 환경 문화 관광 등 국토종합계획과 조화 이루어야 함
	도시군종합계획	특별시 광역시 시 군의 관할구역 대상 (국토의 계획 및 이용에 관한 법률에 따라 수립)

국토종합계획 (수립절차)	국토부장관 요청 → (작성제출) - (계획(안)마련) - 의견수렴 - 심의 - 승인 - 공고 　　　　　　　　시도지사　　　　국토부장관　　(공청회)　국무회의　대통령　국토부장관 　　　　　　　　중앙행정기관장　　　　　　　국민 　　　　　　　　　　　　　　　　　　　　관계전문가

2. 제4차 국토종합계획 및 수정계획

제4차(2000~2020)	제4-1차(2006~2020)	제4-2차(2010~2020)
21세기 통합국토 4대목표(균형, 녹색, 개방, 통일) 개발과 환경의 조화추구 개방형(π)통합국토축 남해안-환태평양진출/해양물류, 산업경쟁력 서해안-중국, 동북아, 환황해경제권 신산업벨트 동해안-에너지 관광벨트, 유라시아진출남북교류거점지대	**약동하는 통합국토** 5대목표(4대목표 + 복지) 복지국토(농촌의 정주환경개선, 취약계층, 사회적약자 배려) 행정중심복합도시(세종시)건설 공공기관지방이전 혁신도시, 기업도시 건설 개방형(π)국토축 + 다핵연계형(7+1)	**글로벌 녹색국토** 통합/친환경/매력/열린

3. 지역계획

수도권발전계획 (수도권정비계획)	수도권(서울, 경기, 인천) 대상 수도권의 인구 및 산업집중을 분산, 양적팽창억제 국토종합계획 및 군사적 사항이외의 모든 도시계획에 우선함

4. 혁신도시와 기업도시

혁신도시	기업도시
지방이전공공기관 및 산학연관이 긴밀히 협력	민간기업주도로 개발 주택, 교육, 의료 등 자족적 복합개발

5. 국토관리체계
- 친환경 녹색국토
- 분권형 국토계획 및 집행체계구축
- 선계획 후개발 체제 정립

6. 제1차~제4차 국토종합계획의 특징

제1차	제2차	제3차	제4차	제4-1차	제4-2차
10년(1972~1981) 거점개발방식 (수도권, 동남해안공업벨트) 사회간접자본확충 경부축중심의 양극화	10년(1982~1991) 인구의 지방정착유도, 생활환경개선 수도권 집중 억제, 권역개발	10년(1992~1999) 지방분산형국토개발 서해안신산업지대 개발과보전의 조화, 복지향상목표 ※암기-분3/신3/ 복지향3	20년(2000~2020) 21세기 통합국토 개방형통합국토축 누적되어온불균형	(2006~2020) 약동하는 통합국토	(2010~2020) 글로벌녹색 국토
			※암기 - 21세기/약통/글록		

7. 영토~영해~영공

영토	영해	영공	배타적경제수역
육지의 공간적범위 매매 교환 증여 가능 국제지역 - 영역국 주권제한 조차 - 임대(기간후 반환, 처분불가) 할양	바다의 공간적 범위 통상기선부터 12해리 직선기선부터 12해리 무해항행권 인정	하늘의 공간적범위 (영토+영해)의 하늘	해안으로부터 200해리 해양자원의 탐사, 개발 및 보존, 과학적 조사활동 권리인정 (유엔국제해양법)

8. 각종 용어들
비오톱 - 구분되는 독립된 서식지
압축도시
생태도시
지속가능한 발전
유비쿼터스
국토의 개념 - 주권이 미치는 범위, 영토 영해 영공, 외부의 침입으로부터 보호되어야 할 배타적 영역,
          자연적요소(지형 기후 생물) + 인문적요소(역사 문화 산업)로 구성

9. 제5차 국토종합계획(2020~2040)

구분	내용
국토문제의 인식	격차, 부조화, 단절 등의 문제 건강한 정주여건 조성필요 경제 성장 잠재력의 둔화와 양극화, 노후화 첨단기술 기반 스마트한 국토이용관리 필요
계획수립의 배경	국내외 여건변화에 체계적인 대응 필요 인구감소와 저성장시대로의 전환 사람중심의 국토비전과 전략 최상위 국가 공간계획 위상정립
비전	모두를 위한 국토, 함께 누리는 삶터
목표	• 어디서나 살기 좋은 **균형국토** • 안전하고 지속가능한 **스마트국토** • 건강하고 활력 있는 **혁신국토**

〈도시간 연대 협력〉	〈지역 경제, 산업 활성화〉	〈도시공간〉	〈환경친화〉	〈인프라〉	〈평화대륙과 해양〉
개성있는 지역발전과 연대, 협력 촉진	지역산업 혁신과 문화관광 활성화	세대와 계층을 아우르는 안심생활공간 조성	품격있고 환경친화적인 공간 창출	인프라의 효율적 운영과 국토 지능화	대륙과 해양을 잇는 평화국토조성
- 지역연계협력네트워크 - 수도권글로벌경쟁력강화 - 지방대도시권중추거점 - 일자리와 정주여건갖춘 중소도시권육성(세종-행정중심복합도시, 혁신도시-공공기관이전, 새만금-공공주도매립, 기업도시)	- 지역특화 산업공간(혁신클러스트) - 노후산업단지 재생 - 문화공간, 지역관광협력적공간	- 인구감소에 대응한 유연한 도시개발관리(확장적 도시개발지양, 복합입체개발유도, 주요교통로중심 압축적도시정비추진) - 인구구조변화에 대응한 도시주거공간조성 - 안전하고 회복력 높은 안심 국토	- 환경친화적 국토 조성 - 기후변화대응	- 사람중심의 교통 안전체계구축 - 물류산업 경쟁력 - 지능형국토공간 조성	- 남북한교류협력 - 동북아경제협력체제
---------------	---------------	---------------	---------------	---------------	---------------
• 3·6·5 생활권 • 정주계층별관리 (지역거점-집단거주마을-한계마을)	• 산사, 산지승원 • 마이크로그리드	• 도시재생 • 수요응답형교통체계 • 생활SOC • 코하우징 • 모듈러주택 • 디지털트윈도시	• 녹색인프라 • 브라운필드 • 제로에너지건축물(패시브+액티브=제로) 패시브-고단열,고기밀 외피, 창호 액티브-태양광,지열, 연료전지등 신재생에너지시스템 • 도시미기후분석 • 바람길고려 건물배치 • 분산형에너지시스템	• X축국가고속철도망 추진 • 국가간선도로망(7×9+6R) • 스마트톨링 • GTX • 대심도지하도로 • BRT / BTX • C-ITS • 교통정온화 • MaaS • O2O • 인터모달 • 스마트시티 • 디지털트윈	• 한반도신경제구상 환동해에너지벨트 환서해물류산업벨트 접경지역평화환경관광벨트 하나의 시장협력

2단원 도시계획

1. 도시계획 체계 - 국토의 계획 및 이용에 관한 법률(국토계획법)

도시계획	광역도시계획	인접한 2개이상의 시도(연담화된 도시권을 하나의 계획권으로 묶어 효율적 관리 목적) 장기적 발전방향 제시 도시계획의 위계상 최상위 계획 / 도시기본계획의 수립지침 20년 단위, 장기계획
	도시기본계획	물적공간적 측면 + 환경사회경제적 측면 모두 포괄하는 종합계획 도시관리계획의 기본이 되는 전략계획, 도시관리계획의 수립지침 20년 단위, 5년마다 재검토 다른 법률에 따라 환경, 교통, 주택 등 각종부문별 계획수립 시, 반드시 도시기본계획에 부합되게 하여야 함 효율적인 도시관리전략제시함, 행정적 구속력
	도시관리계획	상위계획(광역도시, 도시기본계획)에 따라 도시공간에 구체화하고 실현하는 중기계획 토지이용 교통 환경 경관 산업 안전 안보 문화 등에 관한 구체적계획 건폐율, 용적율, 층수 제한 등 주민의 사적토지이용 구속력 용도(지역, 지구, 구역), 기반시설, 지구단위계획, 도시개발사업, 각종 정비사업 등 10년 단위(끝자리 0년, 5년), 도시기본계획 재검토시 다시 10년 시민개개인에 대한 법적 구속력

2. 국계법

도시관리계획	용도지역	도시/관리/농림/자연환경보전지역 - 4용도 (주상공녹/계보생/..) - 9지역 서로 중복되지 아니하게 지정 토지의 이용 및 건축물의 용도, 건폐율, 높이 등 제한	※암기 - 주거지역(전/일/준-양호/편리), 상업지역(중일근유) 상업지역에 중일이 가까이 있더라 공업지역(전/일/준) 녹지지역(자연/생산/보전)
	용도지구	방재지구 / 방화지구 / 특정용도제한지구 / 시설보호지구 재해 화재 주거기능, 청소년보호 학교,공항 용도지역의 제한을 강,완화	
	용도구역	개발제한구역 / 도시자연공원구역 / 시가화조정구역 / 수산자원보호구역 시가지의 무질서한 확산방지, 계획적이고 단계적인 토지이용도모 용도지역 및 용도지구의 제한을 강,완화	

3. 각종 도시계획 용어들

건폐율 용적율	건폐율 (공식★)	건축면적 / 대지면적 ※암기 - 친구철이 사이~~
	용적율 (공식★)	연면적(지하층 제외, 지상주차장용도 제외할 것) / 대지면적 ※암기 - 오일오사일 일팔~~(오리를 사러 원+원 팔더라)
기반시설	기반시설	교통시설(자동차정류장, 자동차학원), 유통공급(시장, 공동구, 수도전기가스), 방재(하천, 유수지, 방화), 환경기초시설(폐차장, 하수도) 보건위생(화장장, 장례식장, 의료시설)
	도시계획시설	기반시설 중, 도시관리계획으로 결정된 시설을 "도시계획시설"이라고 함(의무시설). 민간부분 공급(임의시설)
지구단위계획(국계법)	지구단위계획	도시계획수립대상지역내 "일부지역"에 토지이용의 합리화 토지이용계획과 건축물 계획의 중간단계(환류) 계획 평면적 토지이용과 입체적 건축계획이 서로 조화를 이루도록 수립

인구추정	등차급수법(공식★)	안정된 인구증가율, 급격한 변동이 없는 지방중소도시
	등비급수법(공식★)	신흥공업도시 등 급성장 도시, 인구증가율이 둔화되고 있는 대도시에는 부적합
	로지스틱곡선법	완만-급속증가-완만(증가율감소) 대도시권의 인구를 어느 상한선까지 강력히 통제하고자 할 때 사용
	자연증가+사회증가	사회적 증가(유입인구와 유출인구의 차이)가 현저한 도시의 인구추정

도시개발
사업
(도시
개발법)
	도시개발구역	지정 - 특별시, 광역시, 도지사, 특별자치도지사, 인구50만이상의 시장 가능
		    (단, 시장, 군수, 구청장은 지정불가 - 시도지사에게 요청해야 함)
		국토부장관(국가실시필요, 중앙행정기관장 요청, 30만㎡ 이상의
		    국가계획, 둘이상행정구역의 장이 협의 안될 때, 천재지변등 긴급시)

	도시개발사업	개발을 위한 절차, 인구수용, 토지이용, 교통처리, 환경보전, 기반시설설치계획 등 부문별 계획 포함
	수용·사용	면적의 2/3이상 소유, 소유자총수의 1/2이상 동의 ※암기-사람수는 과반수(1/2)
	환지	권리관계에 변동을 가하지 않고 새로 조성된 토지에 권리를 이전 증(감)환지, 토지+건물(입체환지)

	보류지/체비지/감보	체비지 - 개발사업의 재원마련을 위해 매각할 수 있는 땅
		보류지 - 체비지 + 공공시설(도로공원광장등)용지 등 환지를 정하지 않는 땅
		감보 - 보류지로 인하여 환지면적이 종전보다 줄어듬
		    공공감보 : 연도감보, 공통감보
		    보류지감보

정비사업 (도시 및 주거환경 정비법)	주거환경개선사업	기반시설 극히 열악 / 노후불량건축물 과도하게 밀집
	주택재개발 사업	기반시설 열악 / 노후불량건축물 밀집, '도시환경정비사업'을 포함
	주택재건축사업	기반시설 양호 / 노후불량건축물 밀집
	도시환경정비사업 (주택재개발사업에 포함)	상업, 공업지역 / 도시 기능의 회복 / 상권 활성화
기타개발	재정비촉진사업	도시재정비촉진 특별법 / "광역적"으로 시행
	택지개발사업	주택난해소, 저렴한 택지대량조성, 주거생활안정
※개발행위허가(국계법)		

4. 국가 발전 형태에 따른 도시화 현상

선진국	집중도시화, 분산도시화	중심도시 급격히 팽창 집중적도시화 → 도시주변부 확대	※암기-집중/분산 역도/고도
	고도도시화	높은 도시화율(70~90%)- 서서히 정체, 하강시작(교외화말기+역도시화)	
	역도시화	도시쇠퇴로 인한 인구감소, 인구노령화,저소득층 유입 빈민가 형성	
개도국	과승도시화	도시인구수준 〉 경제수준(산업화수준)	※암기-과"산"도시화
	가도시화	도시부양능력이 인구집중보다 낮은도시	※암기-부양가족(도)
	간접도시화	도시화구역 〈 도시행정구역	※암기-간"정"도시화
	종주도시	1등 도시만 잘나감	

5. 미래의 도시조성

새로운도시계 획의 흐름	뉴어버니즘	"신" 도시주의 / 넓은보도 / 발달한 대중교통 / 도심 가까이 업무시설조성(직주근접) / 교외확산지양 미국-새크라멘토
	도시재생	도심부 쇠퇴 현상을 개선/ 도심지역의 인구와 산업의 회귀를 촉진, 재활성화 모색 / 고유의 문화유산, 자원보존 영국-도크랜드

새로운도시 계획의 흐름	친환경생태 도시	생태주거단지 / 녹색교통망, 자전거 및 보행교통 연계 / 주거지 실개천 / 생태공원 헬싱키-비키
	창조적혁신 도시	도시의 하드웨어 + 소프트웨어적 측면 중시 / 문화, 정보, 미디어 분야 중심 관산학연 간의 효과적 융합 / 정보통신, 지능형네트워크 캐나다 서드베리, 프랑스 앙티폴리스

복합도시개발	압축도시개발	유비쿼터스도시개발
복합용도개발로 확장, 새로운 토지이용형태 공공성격의 기능들은 가상의 공간으로 이동, 대규모 오픈공간스페이스 생김	토지이용의 집적(모아 쌓음) 대중교통중심지를 대상 콤팩트 시티	지식정보산업 4차 산업 정보화시대 도시성장 유비쿼터스컴퓨팅, 혁신 U- City

6. 도시의 특징(인구, 문화, 특성)
- 이질적 가치 / 많은 인구수 도시(5만-시, 2만-읍) / 높은인구밀도 / 2,3차 산업에 종사하는 인구비율 높음
- 문화의 용광로
- 1차산업 << 2차, 3차, 4차 산업
- 시민들이나 사회집단들이 이질성, 개별성, 익명성을 띰

7. 도시 공간구조 이론

중심적 축적성장이론	동심원 이론	부채꼴이론	다핵심이론
도심을 중심 - 중심적 교통로 축 중심 - 축적 허드	도심부저급주택지 → 점점 외곽으로 지대화 버제스	유사한 주택군들이 서로 모이게 됨 선(부채)형이론 호이트	도심부이외에 사람들이 집중 - 새로운 핵 형성 해리스와 울만

8. 현대도시계획변화의 특징
- 물적(건축물, 도로, 상하수도) + 비물적(인구,경제,사회,문화) = 종합적 계획으로의 전환
- 이상적 도시 계획에서 → 실천적 도시 계획으로의 전환
- 개별적 도시계획에서 → 광역적 도시 계획으로의 전개
- 편리성 위주에서 → 쾌적성 위주로의 전환
- 획일성을 탈피하고 → 개성을 강조
- 공간적 연계성 : 도시-지역-국토의 공간적 계층 형성하면서 기능적으로 연계
- 과정지향적 : 미래지향적이며 목표지향적, 사회여건변화에 따라 계속적 수정이 이루어지는 피드백(환류)의 과정
- 선계획 후개발 국토 이용 체제

9. 도시계획의 수립절차

광역도시계획	조사 - 의견수렴 - 수립 - 협의 - 심의 - 승인 - 공고 　　　　공청회　　시도지사　　　　　중앙도시계획위　국토부장관 　　　　　　　　시장군수 　　　　　　　　(국토부장관)
도시군기본계획	조사 - 의견수렴 - 수립 - 협의 - 심의 - 승인 - 공고 　　　　공청회　　　　　　　　　지방도시계획위　도지사
도시군관리계획	조사 - 의견수렴 - 입안 - 협의 - 심의 - 결정 - 지형도면고시 　　　　주민공람　시도지사　　　　　　　　시도지사　(효력발생) 　　　　(14일)　　시장군수

10. 각종 용어들
- 스프롤현상 / - 독시아디스 / - 연담도시 / - 세계도시 / - 보전산지

3단원 도로 철도 터널

1. 도로의 분류

기능별	도로법	도로구조시설기준
고속도로 주간선(일반국도 대부분) 보조간선(일반국도 일부분, 지방도 대부분) 집산(지방도일부분, 군도대부분) 국지(지구내 교통)(군도일부분, 농어촌도로) 외곽순환	1등급 고속국도(고속주행, 통행료) 2등급 일반국도(전국주요도시, 시설(공항) 연결) 3등급 특별시 광역시도(인구 100만이상 대도시 내) 4등급 지방도(도청 소재지 - 군청소재지) 5등급 시도 6등급 군도 7등급 구도	고속도로(중앙분리대, 입체교차원칙, 도시고속도로 포함) 일반도로(주간선, 보조간선, 집산, 국지)

2. 도로의 포장형식비교

Asp 아스팔트 콘크리트 - 연성포장	Con'c 시멘트 콘크리트 - 강성포장
포장일체(표,중,기,보)가 교통하중지지 노상으로 윤하중 분산 양생기간 짧아 즉시교통개방가능 표중기 - 아스팔트 혼합물 사용 표중기보 - 포장층 잦은 덧씌우기 - 유지관리비 고가 국부적 파손에 보수용이(실링-컷팅실시, 충전-컷팅없음, 패칭-땜빵, 포그실-미세균열 표면공극채움) 프라임코트(노상-보조기층 다른재질사이, 방수 기능) 택코트(구포장-신포장, 같은재질사이, 일체화 기능)	소음이 큼 슬래브가 휨응력으로 지지 골재 맞물림, 다웰바로 슬래브 간 하중전달 콘크리트 품질관리, 줄눈시공 숙련 필요 내구성 큼(유지관리비 저렴) 국부적 파손에 보수곤란 - 균열보수: 컷팅후 줄눈재 충전 - 그루빙(홈파기, 두두두두~~): 미끄럼저항성, 배수기능 - 다이아몬드 그라인딩: 표면을 싹 갈아내버림

3. 노반과 도상

노반	도상
아래부분 땅층 중심부를 높게, 양쪽을 낮게 횡단기울기 시공 선로등급에 따른 시공기면(노반의 비탈머리 간 수평거리) 폭 고려	윗부분 자갈층 레일 및 침목으로부터 받은 하중을 노반에 전달 침목 탄성지지, 충격완화, 승차감 좋게 침목의 이동 방지 궤도정정, 침목교체작업 쉽게 할 수 있어야 함 배수용이, 잡초 잡목 성장 방지 보조도상-연약지반, 2층 도상의 아래층시공(석탄재, 모래, 자갈) 콘크리트도상 - 도상의 진동과 차량흔들림 적음, 충격과 소음이 큼, 레일이 닳을 우려, 수리 어려움

4. 터널의 공법

NATM	TBM	쉴드	침매
원지반자체가 지보(지반보강)역할 록볼트, 숏크리트 공 적용단면범위가 넓음(단면이 큰터널 가능, 곡선방향 굴착쉬움) 발파진동 및 소음으로 인한	디스크커터 회전 전단면 터널 굴착기 굴진, 버력반출, 지보작업이 연속적, 시공이 빠르고 안전 원형단면-역학적 안정 무진동, 무발파 기계화굴착 -지반변형최소화	터널단면보다 약간 큼 세그먼트 복공조립 반복된 시공작업, 관리쉬움 연약지반에 유리 지하철, 공동구 공사 수직갱구 공사필요(소음 진동발생가능)	하저터널 등 단면형상이 자유로움(케이슨 육상 공장제작) 깊은수심가능 부력으로 인한 자중감쇠효과 침매함제작-기초준설-예인-침설(가라앉히기)-되메우

15

| 피해 민원
천공-장약-발파-버력처리
-강지보재-숏크리트-록볼트-방수처리-라이닝 | 지반변화에 대한 적응성 불리
단면크기 제한적
초기투자시설(기계 장비)비 큼 | 덮개가 너무 얇을 경우 특별히 주의 | 기-배수 및 내부의장 |

5. 철도 선로설비와 보선

건널목	철도신호보안	보선
제1종-건널목 안전표지판, 경보기, 차단기 (안내원) 제2종-건널목 안전표지판, 경보기 제3종-건널목 안전표지판	열차의 운행조건제시(열차진입, 진행여부, 위험유무)-수송능률향상도모 -신호장치, 궤도회로, 연동장치, 자동열차정지장치,자동열차제어장치,자동열차운행장치	궤간틀림(14mm-1435mm) 수평틀림(좌우레일 높이차)-좌우 움직임유발

6. 도로부대시설 및 환경시설

도로부대시설	도로환경시설
시선유도표지 - 전방의 도로선형이나 기하구조조건이 변화하는 상황 안내 갈매기표지 - 〈〈〈 평면곡선반지름이 작은구간 표지병(떡) - 노면 표시의 선형 보완(야간 및 악천후) 차량방호시설 - 방호울타리(난간), 충격흡수시설, 과속방지시설	방음벽 생태통로(에코브리지) 동물침입방지 비점오염저감시설

7. 공사비

총공사비	이윤			
	총원가	일반관리비	(직접+간접공사비)*요율	
		공사원가	간접공사비	(간접노무비, 각종보험료, 안전관리비 등)
			직접공사비	재료비
				노무비
				경비

8. 기타 용어

"도로"란? 터널, 교량, 도선장, 육교(엘리베이터), 보도, 자전거도로 포함되는 개념
도로의 기능 - 통행기능(이동, 접근, 체류), 공간기능(교류, 수용, 시가지형성, 방재, 환경)
민자도로 B/ 기부채납 T/ 운영권 O,L
확폭-안쪽넓히기 / 캔트-바깥쪽 높이기
지장물처리 - 직접피해보상, 간접피해보상(소음, 비산먼지, 진동 등)
설계기준자동차 - 소형차(시거), 대형차, 세미트레일러(고속도로, 주간선도로)
법규에 따른 철도분류-고속철도(200km, 국토부장관 노선지정), 광역철도(둘이상의 시도에 걸쳐운행되는 도시철도 또는 철도 - 대통령령)
철도교 설계하중 - LS하중(연행하중, 일반철도교), HL 하중(수평하중, 고속철도교)
옹벽의 안정 - 전도, 활동, 침하에 대한 안정
교량공법 - 사장교(경사지게 당김, 서해대교, 인천대교), 현수교(빨랫줄 매달기, 영종대교, 이순신대교), 아치교, 라멘교

4단원 상하수도

1. 기본계획

상수도	계획기간 – 20년 급수량 가정용수(1인당 80~100리터, 수세식 +30~50리터): 가장 많은 비중을 차지 수질/수량/수압(필요한 수질, 풍부한 수량, 적절한 수압) – 가정용수,소화용수,공업용수
하수도	목표연도 – 20년

2. 수량 계산

1일 평균 급수량	1일 최대 급수량	시간최대 급수량
1인 1일 평균 * 급수인구(총인구*급수보급율) 재정(돈)계획(약품, 전력, 유지관리비, 상수도요금)	1일 평균 × 삼오공 (대중소) 상수도시설규모의 결정기준	$\dfrac{1일최대}{24}$ × 삼오공 (대중소) 배수본관, 펌프, 급수탱크용량의 기준 cf)계획배수량=시간최대(평시)+소화용수량(화재시)

하수량	1일 최대오수량	시간최대 오수량
하수 = 오수(더러운물) + 우수(빗물) 　　 = 오수량(가정하수+공장폐수+지하수) + 우수량 합류관거 = 시간최대오수량 + 계획우수량	(1인 1일최대*인구) + 공장폐수 + 지하수 하수도시설 용량결정기준	$\dfrac{1일최대}{24}$ × (1.3~1.8) 관거, 펌프장 용량기준

3. 상수도의 계통(순서 및 내용 중요)

취→도→정→송→배→급

4. 하수도 배제방식

합류식	분류식
관이 큼(오수+우수이므로) 관이 하나라서 연결이 쉬움. 관이 커서 검사,관리 쉬움 세척편리(빗물에 의해 주기적 세척) 강우초기 빗물은 하수처리장으로 들어감(처리장 부하 늘어남). 그러나 비가 많이 오면 오수가 섞인 빗물을 그대로 하천에 방류(우수토실) 갈수기 – 퇴적 부패(큰관에 비해 오수량 얼마안 됨) 빗물 때문에 하수처리용량 일정하지 않음	작은관(오수), 큰관(우수) 관이 두 개라서 오접의 우려가 있음 오수관이 작아 세척이 어렵고 관리가 복잡 강우초기 오염도 높은 노면배수가 직접 하천으로 그냥 들어감 오수량도 일정하여 오물의 침전부패가 없음 오수량이 일정(빗물과 상관이 없으므로)하여 일관성있게 처리가능 관거의 부설비 많이 듬

5. 정수처리과정(순서 중요)

착수정	침사지	약품투입	혼화지	응집지	침전지	여과	살균	정수지
물이 도착	물속 무거운모래들 가라앉힘	응집제(중화능력, 가교능력)	약품을 잘 섞어줌(혼화)	섞어주면서 플록형성 (덩어리 지게)	무거운 플록 덩어리 가라앉힘	완속- 3~5m/1일 급속- 120~150m/1일 (대용량)	염소, 또는 오존	깨끗한 물, 가만히 두고 일시적 저장

6. 수원의 종류, 특성, 구비조건

지표수	지하수			
	천층수	심층수	복류수	용천수
가장쉽게 얻을수 있음 상수원수로 많이 이용	얕을 천 비피압	깊을 심 피압	복(숨어서) 흐름 호수바닥, 변두리자갈, 모래층	솟아오름 피압대수층

7. 수질검사

물리적검사	화학적검사
외관, 온도, 탁도, 색도, 맛, 냄새 탁도-백도토 1mg/L(ppm), 2도 이하 색도-백금 1mg/L, 5도 이하	ph(산,중,알) BOD(생물학적산소요구량) - 호기성분해, 20°C, 5일 소비 산소량 COD(생화학적, 화학적산소요구량) - 화학적산화, 폐수의 오염도 지표 DO(용존산소량) 경도(칼슘,마그네슘량)-탄산칼슘량 환산

8. 하수도배수계통

직각식	차집식	다단식	집중식	선형식	방사식
하천유량풍부한 경우 신속배제(경제적) 많은 토출구 역류 대비필요	하천유량부족한 경우 모아서 하수처리하여 배출	높이가 다른 도시 층별 하수	도시중앙 저지대 펌프양수식	한방향경사지 나뭇가지모양	도시중앙 고지대 사방으로 방사형 배관 구역별 하수처리

9. 취수시설

취수관	취수탑	취수문	취수틀	취수보
수위변동적은곳 최대갈수시 가능 더 낮게	저수지 수위변화에 따라취수가능	하안 제방에 직접 취수구 설치 자연유하식 도수가능한 곳	밑바닥, 수중틀	보를 설치하여 수위를 높여 취수 하천의 유량이 불안정한 경우

10. 도수 송수시설

자연유하식	가압식
안정적임 유지관리쉬움, 비용적게 듬 수원위치 높고, 도수로가 길어짐 개거(열린 도랑)-외부수질오염우려	정전, 펌프고장 등 안정성 떨어짐 경사관계없어 도수로 짧게 할 수 있음 전력, 유지관리비 고가 관수로만 이용, 외부오염 없음 수압으로 인한 누수의 우려

11. 하수도시설(관접합, 유속, 매설)

관접합	수면접합 - 가장 이상적 관정접합 - 굴착깊이 증가(공사비 증가) 관중심접합 - 수면과 관정의 중간적방법/ 수위산출불필요(수면접합에 준용) 관저접합 - 굴착깊이 줄임(공사비감소), 펌프양정고 낮춤(배수유리), 상류부(동수구배선 상승 우려)

유속	오수 0.6~3.0 m/sec 우수 및 합류 0.8~3.0 m/sec
매설경사	평탄지 : 관지름(관경)mm의 역수 완경사 : 평탄지의 1.5배 급경사 : 평탄지의 2.0배 동수경사선과 지반높이차 0.5m이상

12. 슬러지 처리(순서 중요)

농축	➡	소화(한달정도)		➡	개량	➡	탈수, 소각, 최종처분(매립, 퇴비, 해양처분, 공사용자재)
함수율 낮추고 고형물 농도증가 부피감소시킴		호기성소화	혐기성 소화		탈수효율을 높이기 위함		
		BOD낮음 / 운전쉬움 비료사용가능 공장,소규모 / 2차슬러지	반대임				

13. 개수로 흐름 특성 분류

층	층류	평행한 층	
	난류	층이 서로 섞임, 어지러울 난	
시간	정류	시간과 상관없이 일정하게 유지	※암기 - 정시/등장
	부정류	자주변함	
장소	등류	관의 매단면(장소)에 따라 변하지 않음	
	부등류	관의 매단면(장소) 마다 변함	

14. 배수지 및 배수관망

최소 1.5kg/㎠ 동수압 갖게 / 급수구역의 중심에 위치(이상적), 급수구역 앞에 위치(일반적)
배수지가 높을수록 좋음- 수압이 커서 관경작게 할 수 있음(단, 누수우려/ 펌프 양수하면 동력비가 많이 듬)
낮으면 관경이 커져 건설비 증가
관직경 350이하(깊이1.0m 이상), 900mm이하(깊이1.2m이상), 1000mm이상(깊이1.5m이상)
인접매설시 최소 20cm 이상 간격 띄울 것 / 동결깊이 보다 20cm 이상 깊게 매설

수지상식	격자식
수압의 저하가 뚜렷 관경이 커야하므로 비경제적 수리계산 간단 정확 추가설치비용 적게 듬 농촌지구	물이 정체하지 않음 수압유지 쉬움 화재시 유리 관망의 계산이 매우 복잡

15. 기타 용어

관정부식, / 양수정, / 접합정, / 맨홀, / 표준활성슬러지법

5단원 하천과 해안

1. 우리나라 하천의 특징
- 유역면적 대비 하천의 길이가 길고, 하천의 밀도가 높다(이해-우리나라 산악지대(땅덩어리가 좁고 산악지대가 많아 꼬불꼬불하게 하천이 흐른다)
- 짧은 하천길이, 급한 하상경사 – 홍수발생가능성 높음

2. 하천 구조물

댐	보	제방	호안	수제	어도	수문
높이 15m 이상	하천의 횡단방향으로 설치	제내지보호, 흙으로 축조	안(얼굴) 제방앞 비탈면 설치	제방보호 경관, 생태환경보전 호안 하안 전면부에 설치	물고기, 동물의 이동통로 (자연환경과 유사하게...)	내수배제, 역류방지, 용수취수

3. 수역시설

정박지	항로	선회장	선유장
바람 등에 의한 외력-방파제 차단	항구에서 배가 다니는 길 바람, 파도와의 각(30~60° 이내) 조류방향과 각이 작은 것이 좋다	배가 돌(회전) 수 있는 공간 최소한 선박길이의 2배 정도 지름 확보	항구에서 소형선(예, 고기잡이 배)이 안전하게 머무르는 장소 잔잔한 수면, 충분한 수심

4. 하천지형의 특징

상류	중하류
감입곡류(새길 감)-상감청자 하방침식+측방침식 하안단구(취락, 농경지, 교통로)	자유곡류(사행하천) 범람원, 우각호, 구하도 직강하공사 – 인공제방(범람을 막음, 넘치지 않고 빨리 빠져나감. but 지류하천과 만나면 본류하천 유량 급증 경우 발생(홍수의 위험성 증가)

5. 해안지형

해안침식지형

해식애	해식동	파식대	시스택	시아치	해안단구
절벽 애	동굴	(파도가 침식시킨 지대)	스택-쌓다	아치 코끼리바위	단-계단 단 구-언덕 구 주거지, 농경지, 도로

해안퇴적지형

사빈	해안사구	사취	사주	육계도	석호	갯벌(간석지)
백사장	모래(사) 언덕(구)	모래둑 점점 자라서 사주가 됨	모래(사) 기둥(주) 육계사주 연안사주(연안류)	사주에 의해육지와 연결된 섬	사주에 의해 만의 입구가 막혀 생긴 호수 수심이 점점 얕아짐	조류의 퇴적작용으로 형성

6. 하천요소(유역특성인자)

평균유역폭	하상계수(단위없다)	형상계수(단위없다)	하천밀도	수계빈도
폭 $= \dfrac{A}{L}$ A = 유역면적 L = 본류	$= \dfrac{최대유량}{최소유량}$ 클수록 유량변화 큼 1에 가까울수록 유량변화 작음 (좋다) 우리나라는 크다(안좋다) (막대그래프 떠올려라)	$= \dfrac{A}{L^2}$ 작다-가늘며 길다(홀쭉이) 크다-짧고 굵다(뚱뚱이)	$= \dfrac{L(하천총연장)}{A}$ 하천총연장=본류+지류 단위면적 당 하천길이	$= \dfrac{하천 수}{A}$ 단위면적 당 하천수

7. 하천구분

국가하천	지방하천	소하천
하천법 국토보전상 국민경제상 중요 **국토교통부장관** → 환경부장관 -유역면적(200㎢)이상 -다목적댐 저수지의 상류 및 하류 -유역면적(50~200㎢)(인구20만이상 도시 관류, 범람구역인구 1만명이상/ 다목적댐, 하굿둑 등 저수량500만㎥/상수원보호구역, 유네스코생물권보전지역, 문화재보호구역, 생태습지보호지역 등)	하천법 지방의 공공이해와 관계 시도지사 대부분이 지방하천임	소하천정비법 (국민안전처)

8. 기타 하천관련 용어들

지류(상류) / 본류(하류)
하계망(본류+지류의 그물구조)
유역(하계망을 통해 물이 모여드는 전체공간범위)
분수계(유역과 유역의 경계)
수계(권역보다 작은 단위지역)
권역(우리나라 6개)

01 국토 종합 계획

Ⅰ. 국토 종합 계획의 이해
Ⅱ. 국토 종합 계획의 내용
예상문제 및 기출문제

Ⅰ. 국토 종합 계획의 이해
  국토의 여건과 전망
  국토 계획 체계
  국토 종합 계획의 개요
  도 종합 계획
  광역권 계획

Ⅱ. 국토 종합 계획의 내용
  제5차 국토종합계획
  지역발전 계획

국토 종합 계획의 이해

I.

국토의 여건과 전망
국토 계획 체계
국토 종합 계획의 개요
도 종합 계획
광역권 계획

01 국토종합계획

학습요점

» 국토의 개념
» 국토의 의의
» 우리나라 지형의 특징
» 우리나라 기후의 특징
» 인문 사회적 환경

1 개론

(1) 국토의 개념
① 민족의 오랜 생활 무대가 되어 온 역사적 공간, 조상들의 가치관과 생활 양식이 담겨 있는 문화 공간, 일상생활이 이루어지는 생활 공간, 미래 세대가 삶을 이어 나갈 터전
② 국토는 주권이 미치는 범위로 영토, 영해, 영공으로 이루어짐
③ 국민의 생활공간과 삶의 터전으로 외부의 침입으로부터 보호되어야 할 배타적 영역
④ 자연적 요소(지형, 기후, 생물 등)와 인문적 요소(역사, 문화, 산업 등)로 구성

● 국토의 3요소
영토 / 영해 / 영공

(2) 국토의 의의
① 민족의 존재 기반 : 귀중한 재산으로서의 가치, 국토를 보존해야 할 의무
② 민족의 문화 공간 : 고유문화와 역사, 생활양식을 형성하고 발전시켜온 바탕
③ 민족의 가치 공간 : 민족의 얼과 뜻이 담긴 소중한 공간
④ 열린 미래로의 산실 : 지방화와 세계화의 수용무대, 통일국가의 터전

● 국가의 3요소
영토 / 국민 / 주권

(3) 국토의 위치와 영역
① 아시아 대륙 동북단에 위치한 반도로서, 동북아 교류의 요충지이자 환태평양 진출의 거점에 위치함
② 동서에 비해 남북길이가 긴 반도와 약 3,300여 개(남한)의 섬으로 구성

▲ 우리나라의 4극

● 국제지역
국가 간의 합의에 의하여 영토의 특정 부분에 대한 영역국의 주권이 제한되는 것으로, 영토의 일부에 대한 비무장의 의무, 영토의 일정 부분에 대해서 제3국에 권리를 두지 않을 의무, 외국군의 통과 및 주류를 인정

(4) 국토의 공간적 범위

① 영토
- 육지의 공간적 범위
- 토지로써 구성되는 국가영역으로 가장 핵심적 부분
- 국경 : 영토의 경계
- 영역권, 영유권, 영토권 : 영토에 대한 국가의 주권
- 영토는 국제법상 매매·증여·교환의 대상이 될 수 있음

● 조차와 할양
조차는 국가 간의 합의에 의하여 일국이 타국 영토의 일부를 차용하는 것을 말한다. 보통 일정한 기간이 있으며, 기간 내에는 영역국의 통치권의 행사가 전면적으로 배제된다.
조차는 실질적으로 영토의 할양과 같은 외양을 지니며, 법률적으로도 입법·사법·행정면에서 조차국의 영토가 된 것과 동일한 효과를 지닌다.
그러나 기간이 만료되면 영역국에 반환해야 하고 조차지를 처분할 수 없다는 점에서 영토의 할양과는 구별된다.

② 영해
- 바다의 공간적 범위
- 연안의 기선에 따라 일정한 폭을 가진 해역으로 연안해라고도 함
- 연안국은 영해내에서의 어업 및 기타 자원 개발을 배타적으로 독점
- 영해 내에서의 외국 선박의 무해항행(無害航行)을 인정

● 연안국
강, 바다, 호수와 맞닿아 있는 나라를 말한다.

01 국토종합계획

영토, 영해, 영공, 배타적 경제수역

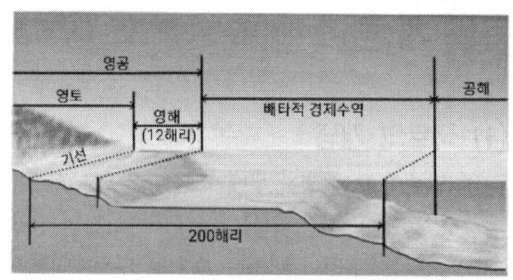

▲ 영역의 구성

● 무해 항행권(통항권)
국제법에서 다른 나라의 선박이 당사국의 안전과 질서, 재정적 이익을 해치지 아니하는 한 그 영해를 자유로이 항해할 수 있는 권한이다.

● 우리나라의 지형
동고서저 형(동쪽으로는 급경사 서쪽으로는 완만한 경사)을 이룸

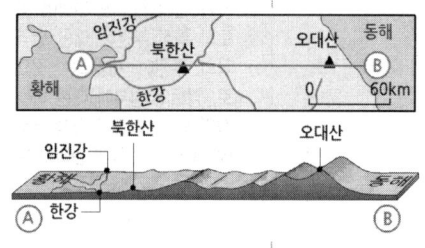

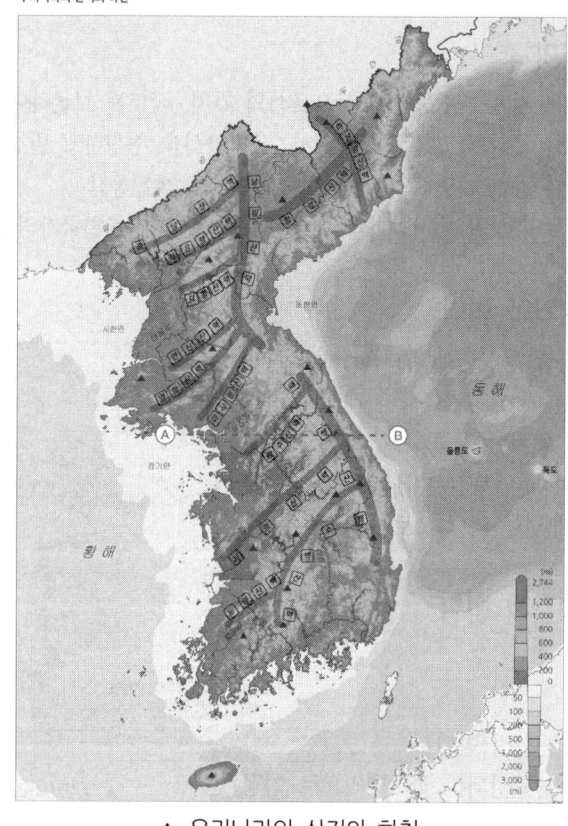

▲ 우리나라의 산지와 하천

개념 Check

❶ 영해에서는 연안국이 주권적 권리를 가지며, 통상적으로 외국선박에 대해 (　　　)이 인정된다.
❷ (　　　)은 국토의 영역 중 하늘의 공간적 범위를 나타내며, 영토와 영해의 상공으로 구성되는 영역이다.

[정답] ❶ 무해항행권
　　　❷ 영공

자료 Plus   배타적 경제 수역 (EEZ)

① EEZ : Exclusive Economic Zone
② 범위: 영해 기선으로부터 그 바깥쪽 200해리의 선까지에 이르는 수역 중 영해를 제외한 수역
③ 성격: 해수면에서 해저까지 연안국의 경제적 권리를 인정하는 수역
　• 연안국의 권리: 자원 탐사 및 개발, 어업 활동, 환경 보호, 인공 섬 설치 등
　• 타국의 행위 보장: 국제 해양법 관련 규정에 따를 것을 조건으로 외국 선박과 항공기 운항 등의 자유 보장
④ 우리나라는 중국, 일본과 중첩되는 배타적 경제 수역에 대해 어업 협정을 체결하였음

③ 영공
- 하늘의 공간적 범위
- 영토와 영해의 한계선에서 수직으로 그은 선의 내부공간
- 수직적 범위는 일반적으로 대기권에 한정됨

(5) 지형 및 기후적 특징

① 산지
- 전체 면적의 3/4이 산지
- 동쪽이 높고 서쪽이 낮은 지형을 이룸
- 남한의 태백산맥과 북한의 낭림산맥이 한반도 지형의 등줄기 형성
- 해발고도 1,000m 이상의 높은 산은 북쪽과 동쪽에 치우쳐 있음
- 동쪽으로 급경사를 이루며 동해안에 이르고, 서쪽으로 완경사를 이루며 서해안에 이름

② 하천
- 서해 및 남해 쪽으로는 큰 하천이 완만히 흐름
- 동해로 유입하는 하천은 길이가 짧은 급류가 많음
- 강수량은 여름에 많고 겨울에는 적어 계절에 따른 강수량의 변화가 다른 나라에 비해서 큰 편임
- 수력발전과 용수공급에 불리하여 하천의 중상류에 댐을 건설해 생긴 인공호수가 많음

③ 평야
- 낮고 평평한 구릉성 침식평야가 넓게 펼쳐져 있어 도시가 발달
- 큰 하천의 하구에 생성된 범람원과 삼각주는 대부분 중요한 농경지로 이용

④ 해안
- 동해안은 수심이 깊고 해안선이 단조로우며, 사구와 석호가 발달되어 있고 해수욕장으로 이용되는 사빈 해안 등의 특징이 있음
- 서해안은 연안의 해저지형이 비교적 평탄하고 조차(潮差)가 매우 커서 넓은 간석지 형성
- 남해안은 해안선이 매우 복잡한 리아스식 해안을 이루고, 여러 개의 섬이 집중적으로 분포되어 있어 다도해를 이룸

⑤ 기후
- 중위도 온대성 기후대에 위치하여 사계절이 뚜렷함

● 리아스식 해안
하천 침식을 받은 지역이 지각 운동(지반의 침강)이나 해수면의 상승으로 침수되어 형성된 해안을 말한다.
즉, 단구나 융기해안과 달리 리아스식해안은 해수면이 상승하거나 육지가 바다에 가라앉아 생기는 해안 지형이다. 해안선이 복잡하며, 곶과 만이 많다.

개념 Check

❶ 배타적 경제 수역은 영해 기선에서 최대 (　　　)해리까지의 범위 중 (　　　)를 제외한 수역이다.

❷ 배타적 경제 수역에서 연안국은 자원 탐사 및 개발에 관한 독점적 권한을 갖는다.
(ㅇ, ×)

[정답] ❶ 200, 영해
　　　 ❷ ㅇ

- 겨울 – 한랭 건조한 대륙 고기압의 영향을 받아 춥고 건조한 날씨
- 여름 – 고온 다습한 북태평양 고기압의 영향으로 무더운 날씨
- 봄, 가을 – 이동성 고기압의 영향으로 맑고 건조한 날씨

(6) 인문 사회적 특징

① 인구 및 인구분포
- 2018년 남한기준 총인구는 약 5,163만 명임
- 2030년 약 5,216만 명으로 정점에 도달한 뒤 점차 감소할 것으로 전망하였으나, 2020년 이미 인구감소 시작하였음.
- 출산율이 감소함에 따라 인구증가율도 크게 감소하고 있으며, 고령화 현상의 급속한 진행
- 생산 가능인구(15 ~ 64세 인구)가 점차 줄어듬
- 고령자 비율의 증가(2040년 전체인구의 45% 예상)
- 1인가구, 다문화 가구의 증가
- 2040년 인구감소 예상지역 81%, 인구증가예상지역 19%로 전망
- 수도권과 대도시로의 인구집중 경향
- 도시지역 인구비율(도시화율) 증가
- 지역간 인구이동 – 수도권과 대도시로의 집중경향이 강하며, 지방의 인구유출 및 인구감소 심화

② 국토 이용과 기반시설 현황
- 지목 및 용도지역 – 공장용지와 대지는 계속 증가하고, 전답은 감소추세임
- 도로교통 시설 – 인구 당 도로연장은 다른 선진국들과 비교하면 낮은 수준이나, 고속도로의 지속적 확충으로 인한 IC 접근성 확대됨
- 철도교통 시설 – 철도연장은 일본, 프랑스, 독일 등에 비해 다소 뒤떨어지지만, 전철화율은 비교적 높은 수준임
- 항만 시설 – 전국 무역항의 항만시설 확보율은 100%
- 상하수도 보급 – 상수도보급율 99.1%, 하수도보급율 93.6%(2017년 기준)

② 행정구역
- 행정구역은 모든 행정 수행의 지역적 기본단위임
- 1994년과 1995년에 대대적인 행정구역을 개편하여 지방자치단체의 경쟁력 제고
- 생활권과 행정권을 일치시켜 주민 생활의 편익을 증진

● 지목
토지의 주된 용도에 따라 토지의 종류를 구분하여 지적공부에 등록한 것을 말한다. 전, 답, 과수원, 목장용지, 임야, 대, 공장용지, 학교, 주차장, 도로, 철도용지, 하천 등 28개의 종목이 있다.

개념 Check

❶ 우리나라는 공장용지와 대지는 계속 증가하는 반면, 전답은 감소 추세에 있다 (o, x)
❷ 2017년 기준, 우리나라는 상수도 보급율보다 하수도 보급률이 높다 (o, x)

[정답] ❶ o
❷ x

〈 광역자치단체 〉						〈 기초자치단체 〉			
계	특별시	광역시	특별자치시	도	특별자치도	계	시	군	자치구
17	1	6	1	8	1	226	75	82	69
	서울	부산 대구 인천 광주 대전 울산	세종	경기 강원 충북 충남 전북 전남 경북 경남	제주		수원 용인 오산 . . .	가평 . .	특별시와 광역시의 관할구역 안의 구

(7) 국토에 대한 문제인식과 스마트한 국토 이용·관리

① 국토의 균형발전
- 국토 균형 발전 정책에 대한 체감도를 높이고 지역간 격차, 불균형에 대한 지속적인 대책을 강구하는 등 새로운 균형 발전 패러다임이 필요

② 건강한 정주 여건 조성
- 기후 변화에 따른 복합적인 재난·재해 위험 및 미세먼지 등 새로운 환경 문제에 대응하기 위한 안전한 국토 조성 요구가 증대
- 국민 생활 및 정주 환경의 질적 격차 해소로 국토 어디서나 살기좋은 포용적인 국토 기반 조성 필요
- 국민의 삶의 질과 국토 품격을 높이기 위한 통합적인 국토 관리 방안 모색 필요

③ 경제 성장 잠재력의 둔화와 양극화 및 노후화
- 우리나라 GDP 잠재 성장률의 지속적 감소 전망 – 글로벌 경제 성장 잠재력 둔화, 국내 생산 인구 감소, 경제성장률 저하 등
- 산업단지 등 국가 기반 인프라의 노후화 진행
- 소득과 자산의 양극화가 커지면서 세대 간, 계층 간 양극화 등이 사회문제로 확대되고, 공정에 대한 요구가 늘어남(토지 소유의 편중이 고착화 되는 추세)

④ 첨단 기술 기반의 스마트한 국토 이용 관리
- 국토 분야에서 스마트 기술의 도입 및 활용 방안 모색
- 사물인터넷(IoT), 인공 지능(AI) 등 스마트 기술을 활용하여 맞춤형 국토·생활공간을 조성하고 지능형 국토 관리를 실현
- 빅데이터의 분석을 통한 버스 노선 조정 등 이전과 다른 새로운 형태의 정책 수행 방식 요구
- 자율주행 자동차 등 미래형 교통수단, 스마트 항만·공항 등 교통·물류 인프라 혁신, 인공 지능, 수소 경제 등 다양한 신산업 출현으로 전 국토의 변화가 예상되므로 이에 대비한 국토의 이용 및 관리 계획이 마련되어야 함

● 수소경제
수소가 주요 연료가 되는 미래의 경제.
지구상에서 가장 구하기 쉬우며, 고갈되지 않고 공해도 배출하지 않는 에너지원인 수소를 이용해 현재의 에너지 위기를 극복할 수 있을 뿐 아니라, 원자력과 같은 위험성도 없고, 태양열이나 풍력처럼 제한적이지도 않다.

개념 Check

❶ 우리나라 지방자치단체는 17개의 (　)자치단체와 226개의 기초자치단체로 구성된다.

[정답] ❶ 광역

01 국토종합계획

학습요점
» 국토계획의 의의(정의)
» 국토계획의 체계
» 국토 계획의 구분

● 국가법령정보센터
(국토기본법)

개념 Check

❶ ( )은 국토를 이용·개발 및 보전할 때 미래의 경제적 사회적 변동에 대응하여 국토가 지향하여야 할 발전 방향을 설정하고 이를 달성하기 위한 계획을 말한다.
❷ 국토종합계획은 국토 전역을 대상으로 하여 국토의 (장기 / 단기)적인 발전방향을 제시하는 종합계획이다.

[정답] ❶ 국토계획
❷ 장기

2 국토 계획

(1) 국토 계획의 의의
① 국토 전체를 대상으로 국가가 주체가 되어 국민의 복리 증진, 토지이용의 효율성 증진 등을 위해 국토의 문제점을 개선하고 미래의 변화에 효과적으로 대처해 나가기 위한 수단과 방안들을 의미
② 국토기본법(제6조)상 국토계획의 정의
  • 국토를 이용·개발 및 보전할 때 미래의 경제적 사회적 변동에 대응하여 국토가 지향하여야 할 발전 방향을 설정하고 이를 달성하기 위한 계획
③ 국토종합계획, 도종합계획, 시군종합계획, 지역계획, 부문별 계획으로 구분

(2) 체계(국토기본법 제6조)
① 전국토를 대상으로 하는 국토종합계획과 지역단위의 계획(도종합계획, 시군종합계획, 지역계획) 및 부문별 계획을 수립하여 시행하고 있음
② 시군종합계획을 "국토의 계획 및 이용에 관한 법률"에 따라 수립되는 도시군계획으로 갈음함으로써 국토계획 체계를 국토종합계획에서부터 도시관리계획까지 체계화
③ 개별법에 의해 수립되는 지역계획과 부문별 계획을 국토계획 체계 내로 통합하여 국토계획과의 연계성을 강화함
  • 국토종합계획 : 국토전역을 대상으로 하여 국토의 장기적인 발전방향을 제시하는 종합계획
  • 도종합계획 : 도의 관할 구역을 대상으로 하여 당해 지역의 장기적인 발전방향을 제시하는 종합계획
  • 시군종합계획 : 특별시·광역시·시 또는 군의 관할구역을 대상으로 하여 당해 지역의 기본적인 공간구조와 장기발전방향을 제시하는 계획으로서 "국토의 계획 및 이용에 관한 법률"에 의하여 수립되는 도시계획
  • 지역계획 : 특정한 지역을 대상으로 특별한 정책목적을 달성하기 위하여 수립되는 계획
  • 부문별계획 : 국토전역을 대상으로 하여 특정부문에 대한 장기적인 발전방향을 제시하는 계획

(3) 국토기본법에 의한 발전
① 종전 "국토건설종합계획법"을 "국토기본법"으로 개편(2002년)
② 2002년 제정된 "국토기본법"에서는 국토계획이 국토종합계획, 도종합계획, 시군종합계획, 지역계획, 부문별계획 등으로 구분됨
  • 국토 종합 계획은 도 종합계획 및 시군종합계획의 기본이 됨

- 부문별계획과 지역계획은 국토종합계획과 조화를 이루어야 함
- 도종합계획은 당해 도의 관할 구역 내에서 수립되는 시군종합계획의 기본이 됨
- 시군종합계획은 도시기본계획과 도시관리계획으로 구분하여 체계화 함(국토의 계획 및 이용에 관한 법률)

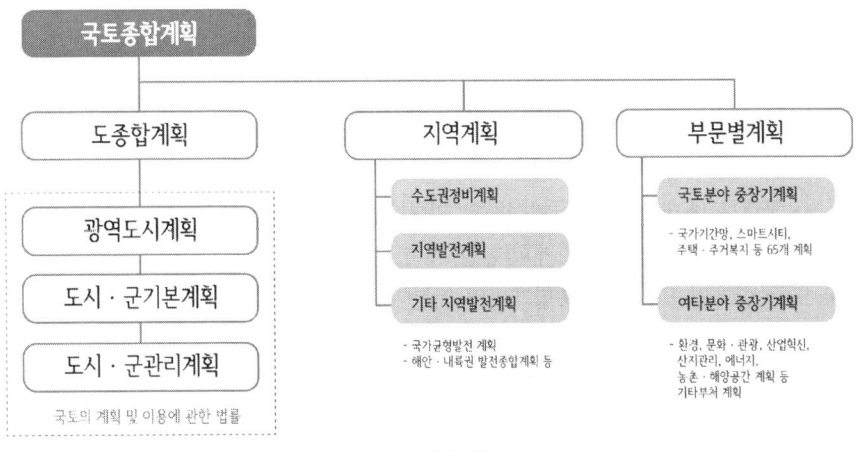

▲ 국토계획체계

개념 Check

❶ 국토 종합 계획은 도 종합계획 및 시군종합계획의 기본이 되며, 부문별계획과 지역 계획은 국토종합계획과 조화를 이루어야 하고, 도 종합계획은 당해 도의 관할구역 내에서 수립되는 시군종합계획의 기본이 된다고 명시한 법률은?

❷ 시군종합계획을 도시기본계획과 도시관리계획으로 구분하여 체계화한 법률은?

[정답] ❶ 국토기본법
      ❷ 국토의 계획 및 이용에 관한 법률

3 국토 종합 계획

(1) 국토 종합 계획의 의의
① 좁은 의미의 국토계획을 뜻하며, 국토전역을 대상으로 국토의 장기적인 발전방향을 제시하는 종합계획
② 국토라는 거대한 자원을 공간적 시간적으로 요청되는 가치관과 국가 운영 전략에 맞게 효율적으로 운영하기 위하여 수립하는 기본 계획
　• 국토의 이용과 개발, 보전에 관한 기본적인 지침을 제시
　• 국토를 매개로 하는 국가정책의 기본 방향을 담음
③ 국토에 관한 최상위 국가계획(헌법 제 120조)
④ 도 종합계획 및 시·군종합계획의 기본이 됨

(2) 수립절차(국토기본법 제9조)
① 소관별 계획안 작성·제출(중앙행정기관 및 광역자치단체의 장)
② 국토 종합 계획(안) 마련(국토교통부 장관)
③ 공청회 개최(의견수렴)
④ 시·도지사 의견청취
⑤ 국무회의 심의
⑥ 대통령 승인
⑦ 공고(국토교통부 장관)

(3) 국토 종합 계획의 내용(국토기본법 제10조)
다음 사항에 대한 기본적이고 장기적인 정책방향을 포함
① 국토의 현황 및 여건 변화 전망에 관한 사항
② 국토발전의 기본 이념 및 바람직한 국토 미래상의 정립에 관한 사항
③ 교통, 물류, 공간정보 등에 관한 신기술의 개발과 활용을 통한 국토의 효율적인 발전 방향과 혁신 기반 조성에 관한 사항
④ 국토의 공간구조의 정비 및 지역별 기능 분담 방향에 관한 사항
⑤ 국토의 균형발전을 위한 시책 및 지역산업 육성에 관한 사항
⑥ 국가경쟁력 향상 및 국민생활의 기반이 되는 국토 기간 시설의 확충에 관한 사항
⑦ 토지, 수자원, 산림자원, 해양수산자원 등 국토자원의 효율적 이용 및 관리에 관한 사항
⑧ 주택, 상하수도 등 생활 여건의 조성 및 삶의 질 개선에 관한 사항
⑨ 수해, 풍해(風害), 그 밖의 재해의 방제(防除)에 관한 사항
⑩ 지하 공간의 합리적 이용 및 관리에 관한 사항
⑪ 지속가능한 국토 발전을 위한 국토 환경의 보전 및 개선에 관한 사항

● 국무회의
대한민국 정부의 권한에 속하는 중요정책을 심의하는 최고 정책심의기관이다
국무회의 의장은 대통령이, 부의장은 국무총리가 겸직한다. 국무위원은 각 부 장관 및 대통령 비서실장 등이다

개념 Check

❶ 국토 종합계획의 수립절차는 다음과 같다. 각 단계별 해당 주체는 누구인가?
① 계획안 마련 - (　　　)
② 의견수렴-공청회 실시
③ 심의 - (　　　)
④ 승인 - (　　　)
⑤ 공고 - (　　　)

[정답] ❶ ① 국토교통부장관
　　　③ 국무회의
　　　④ 대통령
　　　⑤ 국토교통부장관

(4) 국토 계획의 필요성
① 토지이용의 효율성 제고 및 국토난개발 관리
② 지역간 계층간의 불균형 문제 개선
③ 자원의 합리적 배분
④ 국민생활 환경의 개선

(5) 국토 종합 계획의 변화
① 제1차 국토종합개발 계획(1972년~1981년)
- 목표 : 고도 경제 성장을 위한 기반 시설 조성
- 수도권과 동남 해안 공업벨트 중심의 거점개발 추진

② 제2차 국토종합개발 계획(1982년~1991년)
- 목표 : 인구의 지방 정착과 생활 환경의 개선
- 수도권 집중 억제와 권역 개발을 추진

③ 제3차 국토종합개발 계획(1992년~2001년)
- 목표 : 국민 복지향상과 환경보전
- 서해안 신산업 지대 육성 및 지방 도시 육성을 통한 지방 분산형 국토개발 추진

④ 제4차 국토 종합 계획(2000년~2020년)
- 목표 : 지역간의 통합, 동북아 지역과의 통합
- 균형개발, 개발과 환경의 조화를 통한 개방형 통합국토 추진
- 기조 : 21세기 통합국토 실현
- 4대목표 : 균형국토, 녹색국토, 개방국토, 통일국토
- 과거 국토개발 과정에서 누적되어 온 국토의 불균형, 환경훼손 등의 문제점 해소
- 21세기 새로운 여건변화에 주도적인 대응을 위하여, 제3차 국토 종합 개발 계획을 조기 종료
- "국토종합계획"으로 명칭 변경
- 계획기간 변경(10년→20년)
- 20년 장기 계획 + 5년 연동형 중기 전략계획을 통한 수정·보완 작업

● 개방형(π형) 국토축
환태평양, 환황해 경제권, 환동해 경제권으로 뻗어나가는 해안권 국토축으로 한반도가 환태평양의 전략적 중심지라는 강점을 활용하는 동시에 환황해 경제권, 환동해 경제권과 상호 연계 발전되는 국토축을 말한다.

〈 제4차 국토 종합 계획 수정 계획 : 약동하는 통합 국토 실현 〉

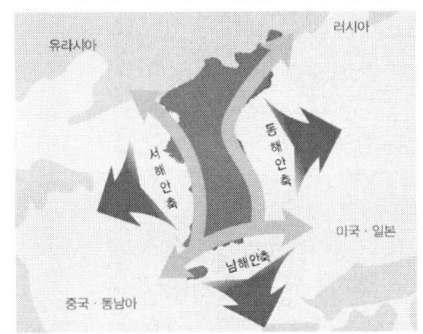

▲ 개방형 국토축(π 형)

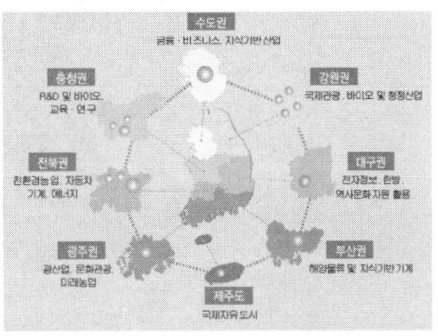

▲ 다핵연계형(7+1)국토구조

개념 Check
❶ 제4차 국토종합계획 및 제5차 국토종합계획의 계획기간은 (　)년 동안이며, 매 (　)년 마다 수정 보완이 이루어질 전망이다.

[정답] ❶ 20, 5

01 국토종합계획

⑤ 제4차 국토 종합 계획 수정 계획(2006년~2020년)
- 기조 : 약동하는 통합 국토 실현
- 5대 목표 : 균형국토, 녹색국토, 개방국토, 통일국토 + 복지국토(삶의 질 중시)

[표 Ⅰ-1] 국토종합계획의 변천

구분	제1차 국토개발계획 (1972-1981)	제2차 국토개발계획 (1982-1991)	제3차 국토종합계획 (1992-2001)	제4차 국토종합계획 (2000-2020)	제4차 국토종합계획 (2006-2020)	제4차 국토종합계획 (2011-2020)
수립 배경	○국력의 신장 ○공업화 추진	○국민생활환경의 개선 ○수도권의 과밀 완화	○사회간접자본시설의 미흡에 따른 경쟁력 약화 ○자율적 지역개발 전개	○21세기 여건변화에 주도적으로 대응 ○국가 융성과 국민 삶의 질 확보하기 위한 새로운 국토비전과 전략 필요	○노무현정부 출범 -분권·분산에 입각한 균형발전이 국정기조로 강조 -행정중심복합도시 등 국토공간구조 변화 반영 -남북 교류협력 확대 및 대외환경 변화에 대응	○이명박정부 출범 -국가경쟁력이 국정기조로 강조 -4대강 살리기사업 등 국책사업 반영 -FTA시대의 글로벌 트렌드를 수용한 글로벌 국토 실현
비전 및 목표	○국토이용관리 효율화 ○사회간접자본 확충 ○국토자원 개발과 자연보전 ○국민생활환경의 개선	○인구의 지방정착 유도 ○개발가능성의 전국적 확대 ○국민복지 수준의 제고 ○국토자연환경의 보전	○지방분산형 국토 골격 형성 ○분산적·자원절약적 국토이용체계 구축 ○국민복지 향상과 국토환경 보전 ○남북통일에 대비한 국토기반의 조성	○비전 -21세기 통합국토 실현 ○더불어 잘사는 균형국토 ○자연과 어우러진 녹색국토 ○지구촌으로 열린 개방국토 ○민족이 화합하는 통일국토	○비전 -약동하는 통합국토의 실현 ○더불어 잘사는 균형국토 ○자연과 어우러진 녹색국토 ○지구촌으로 열린 개방국토 ○민족이 화합하는 통일국토	○비전 -글로벌 녹색국토 ○경쟁력 있는 통합국토 ○지속가능한 친환경국토 ○품격있는 매력국토 ○세계로 향한 열린국토
추진 전략 및 주요 정책 과제	○대규모 공업기반 구축 ○교통통신, 수자원 및 에너지 공급망 정비 ○부진지역 개발을 위한 지역기능 강화	○국토의 다핵구조 형성과 지역생활권 조성 ○서울·부산 양대 도시의 성장억제 및 관리 ○지역기능 강화를 위한 교통·통신 등 사회간접자본 확충 ○후진지역의 개발 촉진	○지방 육성과 수도권 집중 억제 ○신산업지대 조성 및 산업구조고도화 ○종합적 고속 교류망 구축 ○국민생활 및 환경 부문의 투자증대 ○국토계획 집행력 강화 및 국토이용 관련제도 정비 ○남북교류지역의 개발 관리	○개방형 통합국토축 형성 ○지역별 경쟁력 고도화 ○건강하고 쾌적한 국토환경 조성 ○고속교통·정보망 구축 ○남북한 교류협력 기반 조성	○행정중심복합도시 건설, 공공기관 지방이전, 혁신도시·기업도시 건설추진 ○개방형 국토축 + 다핵연계형 국토구조 π형 국토축(7+1) 구조	○광역경제권 형성하여 지역별 특화발전, 글로벌 경쟁력 강화 ○지역특성을 고려한 전략적 성장거점 육성 -5+2광역경제권

자료: 대한민국정부. 제1차 국토개발계획. 1982. 제2차 국토개발계획. 1991. 제3차 국토종합계획. 2001. 제4차 국토종합계획. 2000, 2006, 2011

개념 Check

❶ 제4차 국토종합계획 수정계획에서 제시된 국토형성의 기본골격은 (   )형 국토발전축이다.
❷ 개방형 국토발전축은 동해안-에너지관광벨트, 서해안-(   ), 남해안 – 선벨트, 남북교류접경벨트로 구분한다.

[정답] ❶ 개방
        ❷ 신산업벨트

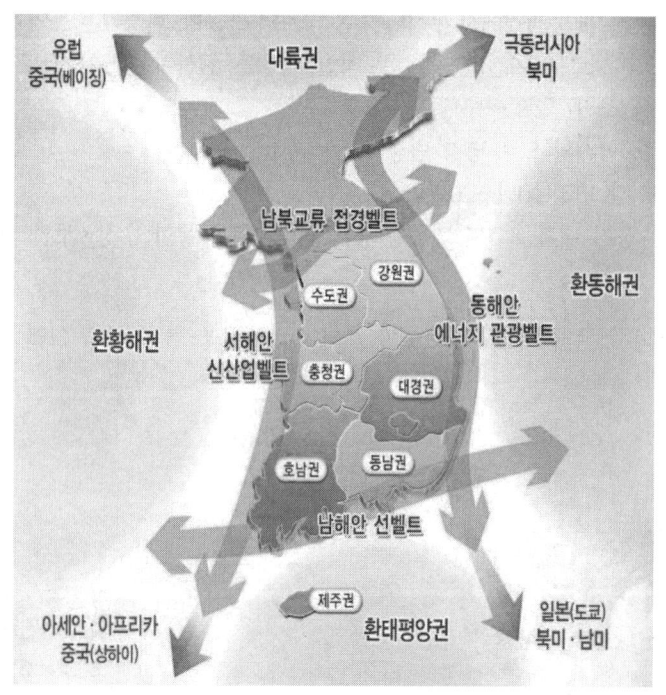

▲ 국토형성의 기본골격(제4차 국토종합계획 수정계획(2011~2020))

4 도 종합 계획

(1) 도 종합 계획의 개요
① 국토기본법에 의하여 수립하는 법정 계획
② 도가 보유하고 있는 인적·물적 자원을 효과적으로 이용·개발·보전하기 위하여 장·단기 정책방향과 지침을 설정하고 추진
③ 국토종합계획 등 상위계획의 기본방향과 정책의 골격을 수렴하여 지역차원에서 이를 구체화하는 계획(상위계획을 구체화함)
④ 국토종합계획에서 다루지 못한 도차원의 정책과 사업을 포함하여 지역의 경제·사회·문화 등 각 부문을 담는 계획
⑤ 도 종합계획은 시군종합계획 등 하위계획에 대한 개발방향과 지침을 제시(하위 계획에 대한 지침제시)
⑥ 계획기간 : 20년
⑦ 계획구역 : 광역시를 제외한 도의 행정구역이 기본

(2) 도 종합 계획의 수립절차(국토기본법 제15조)
① 계획안 작성(도지사)
② 의견수렴(공청회 개최)
③ 심의(도 도시계획 위원회)
④ 계획수립(도지사)
⑤ 협의
⑥ 심의(국토정책위원회)
⑦ 승인(국토교통부장관), 공고(도지사)

(3) 도 종합 계획의 수립 현황
① 4차 수정계획(수도권, 제주 제외) : 2012년~2020년

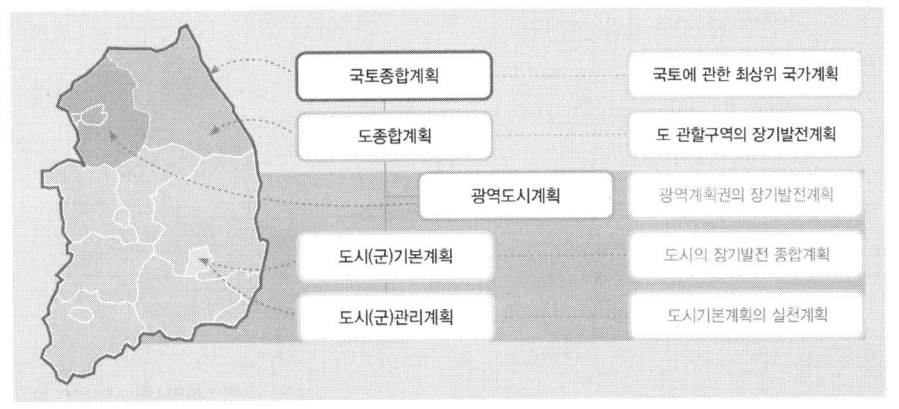

개념 Check
❶ (　　　)은 도가 보유하고 있는 인적 물적 자원을 효과적으로 이용 개발 보전하기 위하여 장단기 정책방향과 지침을 설정하고 추진하는 국토종합계획의 하위 계획이다.
❷ 도종합계획의 승인권자는 (　　　)이다.

[정답] ❶ 도종합계획
　　　 ❷ 국토교통부장관

5 광역권 계획

(1) 광역권 계획의 개요
① 제3차 국토 종합 개발 계획(1992~2001)에서 지방 분산형 국토 개발을 촉진할 수 있도록 광역 개발 계획 제도의 제시에서 비롯됨

(2) 광역권 지정
① 광역시와 주변지역, 산업단지와 배후 지역 또는 여러 도시가 연접하여 동일한 생활권을 이루고 있거나 자원의 공동 개발 및 관리가 필요한 지역 등을 광역적으로 개발할 필요
② 수도권에 대응하는 지방 대도시 및 산업입지 배후 지역

(3) 절차
① 수립(시도지사) ⇒ 협의 ⇒ 승인(국토교통부 장관)

(4) 10대 광역권 개발
① 근거법령 : 지역 균형 개발 및 지방 중소기업 육성에 관한 법률
② 기본방향
- 본격적인 지방화시대를 맞이하여 지역특성에 맞는 자립적인 지역경제기반을 구축
- 지방의 대도시권과 신산업지대를 수도권의 대응거점으로 육성하기 위하여 10대 광역권 개발을 체계적으로 추진

대도시권(4) : 부산·경남권, 대구·포항권, 광주·목포권, 대전·청주권
신산업지대권(3) : 아산만권, 군산·장항권, 광양만·진주권
연담도시권(2) : 강원동해안권, 중부내륙권
제주도권 : 제주특별자치도법에 의한 종합계획으로 추진

개념 Check

❶ ( )은 광역시와 그 주변지역 또는 여러 도시가 연접하여 동일한 생활권을 이루고 있는 광역계획권의 장기발전 방향을 제시하는 계획이다.
❷ 광역권계획의 승인권자는 ( )이다.

[정답] ❶ 광역권 계획
❷ 국토교통부장관

6 지역 계획

(1) 수도권 발전계획(국토기본법 제16조)

① 개요
- 수도권에 과도하게 집중된 인구와 산업의 분산 및 적정배치를 유도하기 위하여 수립하는 계획
- 계획구역 : 수도권(서울, 인천, 경기)의 공간범위

② 절차
- 수립(국토교통부장관)
- 협의
- 승인(대통령)

(2) 지역개발계획(국토기본법 제16조)

① 개요
- 성장 잠재력을 보유한 낙후지역 또는 거점지역 등과 그 인근지역을 종합적·체계적으로 발전시키기 위하여 수립하는 계획

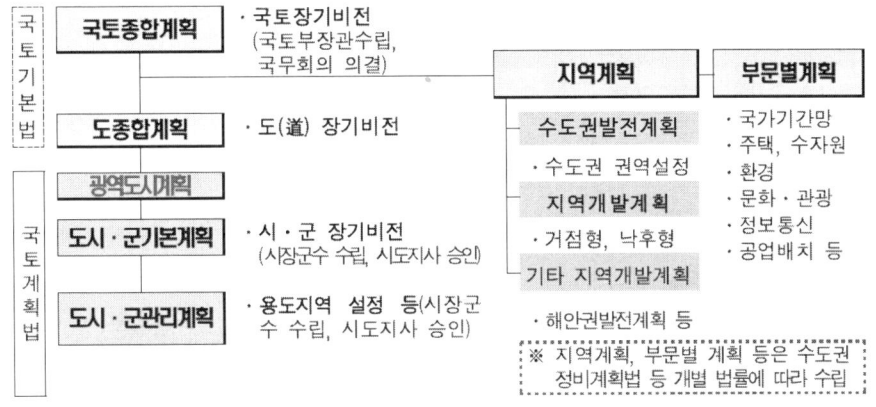

개념 Check

❶ (　　　　　)은 수도권에 과도하게 집중된 인구와 산업의 분산 및 적정배치를 유도하기 위해 수립하는 국토기본법상 계획이다.
❷ 수도권 발전 계획의 승인권자는 (　　　)이다.

[정답] ❶ 수도권 발전(정비)계획
❷ 대통령

7 도시·군 종합계획

(1) 도시·군 기본계획

① 도시의 기본적인 공간구조와 장기발전방향을 제시하는 계획으로서 "국토의 계획 및 이용에 관한 법률"에 의하여 수립되는 도시계획
② 특별시·광역시·특별자치시·특별자치도·시·군의 관할구역을 대상으로 하여 물적 공간적 측면 뿐만 아니라, 환경 사회 경제적 측면을 포괄하여 주민 생활환경의 변화를 예측하고 대비하는 종합계획
③ 도시·군 기본계획은 도종합계획, 광역도시계획의 지침을 수용하고, 도시·군관리계획에 대한 개발방향과 지침을 제시함

(2) 도시·군 관리계획

① 용도지역·용도지구·용도구역에 관한 계획, 기반시설에 관한 계획, 도시개발사업 또는 정비사업에 관한 계획, 지구단위계획 등을 일관된 체계로 종합화하여 단계적으로 집행할 수 있도록 하는 물리적 계획
② 도시·군 관리계획은 광역도시계획 및 도시·군 기본계획에서 제시된 시·군의 장기적인 발전 방향을 공간에 구체화하고 실현시키는 계획

> **개념 Check**
> ❶ 도시군 종합계획을 도시군기본계획과 도시군관리계획으로 나누어 체계화한 법률은?
> ❷ 도시군기본계획은 도종합계획, 광역도시계획의 지침을 수용하고 (   )에 대한 개발방향과 지침을 제시한다.
>
> [정답] ❶ 국토의 계획 및 이용에 관한 법률
> ❷ 도시군관리계획

도시기본계획	도시관리계획
• 기본적인 공간구조와 사회경제적이고 물적인 측면을 포괄해 발전 방향을 제시 • 일반시민에게는 직접적인 구속력이 없고 행정청에 구속력을 가지는 도시계획	• 도시기본계획이 제시한 방향을 도시 공간 상에 구체적으로 구현하는 방법 제시 • 일반시민의 건축활동을 규제하는 법적 구속력을 가짐

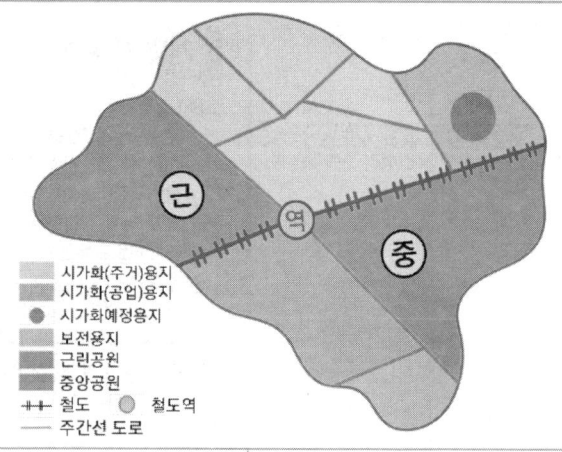

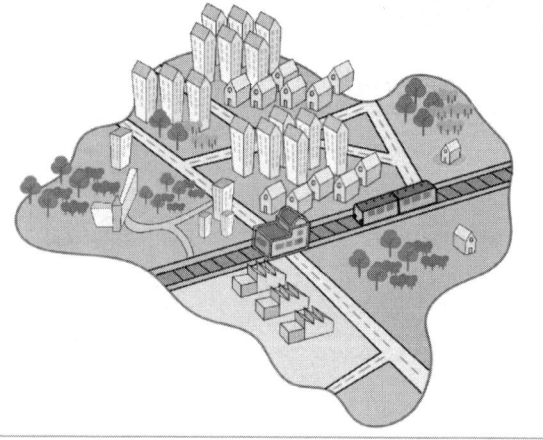

국토 종합 계획의 내용

제5차 국토종합계획
지역발전 계획

01 국토종합계획

학습요점

» 제5차 국토종합계획의 성격
» 국토공간형성의 기본방향과 원칙
» 제5차 국토종합계획의 개요

1 제5차 국토 종합 계획

(1) 제5차 국토 종합 계획의 특징

① 계획의 성격

국가의 장기적인 국토정책 방향과 전략을 선도하는 방향 제시자로서 부문·하위계획에 대해 가이드라인 역할과 새로운 국가계획 수립 모델을 선도

- 지침형 전략계획

  국토정책 방향과 전략을 선도하는 방향 제시자 역할 강화
  - 부문·지역별 내용을 종합적으로 반영하되, 국가 차원에서 전략적으로 고려해야 할 정책과제를 중심으로 계획 수립
  - 정책 과제별 계획지침(예시)을 통해 부문·하위계획의 수립 방향을 제시하고, 국토계획 모니터링과 평가를 통해 계획 간 정합성을 확보

- 실증기반 계획

  부문·하위계획의 가이드라인으로서 실증적 자료·분석 제공
  - 국토 현황과 여건변화 전망에서 객관적인 분석 자료 활용, 계획지표에 대한 모니터링 실시, 분석결과를 공개하여 부문 및 지역계획 수립 시 활용
  - 계획 모니터링-국토계획 평가를 연동하여 계획수립 이후 지속적인 관리와 정책 환류를 통해 계획의 실효성 확보

개념 Check

❶ 제( )차 국토종합계획의 성격은 전략 및 정책계획, 실증기반계획, 소통협력적 계획이다.

❷ 제5차 국토종합계획은 전문가에 의해서만 이루어진 것이 아니라 일반 (   )과 함께 만든 최초의 계획이다.

[정답] ❶ 5
　　　 ❷ 국민

- 소통·협력 계획

  국민과 함께 만드는 최초의 국토종합계획 수립과정 구현
  - 계획수립 과정에서 중앙부처·지자체·전문가뿐만 아니라 미래 세대인 어린이, 청소년, 대학생(청년)과 일반 국민의 직접 참여를 통해 의견 수렴
  - 온라인 플랫폼(www.cntp.kr) 구축·운영, 국민참여단을 구성하여 미래 국토상과 핵심 가치, 균형발전과 지방자치, 환경과 개발 등 주요 쟁점에 대해 공론화
  - 국토의 과잉 개발을 방지하고 환경과 조화를 통한 지속가능한 발전을 도모하기 위하여 국토종합계획과 환경종합계획의 연동 추진

자료 Plus — **지속가능한 발전 (Environmentally Sound and Sustainable Development)**

① 지속가능한(sustainable)
② 유엔의 환경과 개발에 관한 세계위원회인 브룬틀랜드위원회가 1987년에 발표한 '우리들 공동의 미래'라는 보고서에서 처음 등장한 개념
③ 지속 가능한 발전 : '미래 세대가 그들의 필요를 충족시킬 수 있는 가능성을 손상시키지 않는 범위에서 현재 세대의 필요를 충족시키는 발전'이라고 정의
④ 지속 가능한 발전은 환경 보호, 사회 발전과 통합, 경제 성장이라는 3가지 축을 포함하고 있음

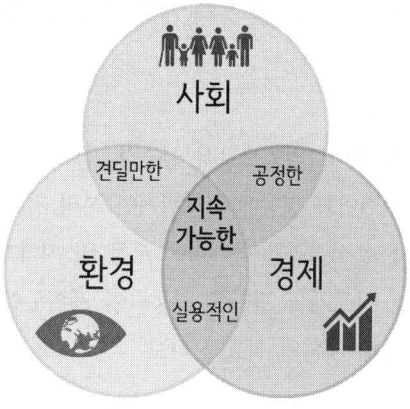

(2) 국토 공간 형성

① 국토 공간 형성의 기본 방향

- 국민 수요에 부합하는 국토공간을 형성
  - 획일적·고정적 공간정책 관행에서 벗어나 문화, 관광, 교통 등 국민의 다양한 수요와 실생활을 고려한 국토공간 대응 강화
  - 행정구역 단위의 폐쇄적·단절적 국토공간에서 탈피하여 경계의 유연화와 무경계화(borderless)가 진전되는 현실을 반영한 공간정책으로 체감도 제고

- 국토의 개발에서, 국토의 관리·활용이 중시되는 시대로 전환을 반영
  - 성장과 개발시대 중앙정부 주도의 국토정책 패러다임에서, 인구 감소와 저성장 기조에 부합하는 패러다임으로의 전환에 대응
  - 국민의 생활편의와 효율적인 국토 관리, 인구감소·저성장에 대응해 스마트한 공간 재배치 등 국토공간 형성관리

- 인구 감소·저성장과 기술혁신 등 여건 변화에 탄력적으로 대응
  - 국토계획 수립 이후 최초로 맞이하는 인구 감소와 저성장 시대에 대응하여 회복력이 높은 국토공간 구조 개편 및 관리 전략을 마련
  - 초연결·지능화의 가속화에 따라 지리적 경계의 유연화와 광역화가 확대될 전망으로 IoT 기반의 첨단기술을 활용하여 융·복합적 정책수요에 대응

국토 개발 (현재)
- 경제적 가치 우선
- 경제성·효율성 중시
- 성장의 지속전제
- 경쟁적 경제사회

국토 관리 (미래)
- 사회적 가치 우선
- 형평성 중시
- 인구감소와 저성장전환
- 협력적 경제사회

〈국토정책 패러다임과 국토공간 인식 변화〉

개념 Check

❶ 제5차 국토종합계획의 국토공간형성은 인구(**증가** / **감소**)와 (**저성장** / **고성장**)의 기조에 부합하는 정책을 반영한다.

❷ 제5차 국토종합계획은 국토의 (**개발** / **관리활용**) 중심의 시대상을 반영하고 있다.

[정답] ❶ 감소, 저성장
❷ 관리활용

② 국토 공간 형성의 원칙

- 국토공간 형성의 기본 이념
  - 다양성(diversity) : 다양한 공간 및 추진 주체, 다양해지고 있는 국민의 수요를 고려할 뿐만 아니라 분권화의 진전에 대응하여 지역성을 유지·강화
  - 연결성(connectivity) : 인구감소와 저성장, 기술혁신 등 여건 변화를 고려하여 국토 공간의 연결성을 강화하여 가치를 창출하고 지속가능성을 확대

- 국토공간 형성의 추진전략

과제	전략
혁신적 지역발전	• 대도시와 주변 지역 간, 주요 거점 간 광역·순환형 고속 교통인프라를 구축하여 지역 간 연계를 지원하고, 첨단 기술을 활용한 스마트 연계 강화 유도 • 지방 대도시와 세종시, 혁신도시 등 균형발전거점을 중심으로 지역 내에서 적정한 삶의 질과 경제적 기회를 누릴 수 있는 다중심 국토공간을 조성 • 4차 산업혁명에 대응한 새로운 지역산업 개발을 지역이 주도하고 중앙정부가 지원, 도시재생을 통해 지역의 구도심을 혁신거점으로 재정립
자율적 지역발전	• 지자체, 주민 스스로가 지역의 특성을 살려 개성 있는 발전을 추구할 수 있도록 지역 주도의 자율적인 공간 선택권을 강화 • 일자리와 교통시설 확충, 생활SOC 확충 등에서 지역 주도의 공간 선택이 가능하도록 유연한 국토공간 형성 촉진·지원 • 인구 감소와 인구 구조 변화에 대응하여 기반시설 공급 규모를 적정수준으로 조정하고, 녹지공간으로 전환하는 등 도시공간의 재구조화와 개편 유도
협력적 지역발전	• 인구 감소와 저성장, 분권화 등 여건 변화에 능동적으로 대응하기 위해 행정구역을 초월하여 다양한 형태의 지역 간 연대와 협력을 촉진 • 복수 지방자치단체 간 공동·협력사업 발굴, 주요 정책의 연계, 필수시설의 공유 등 다양한 도시-지역 협력권을 육성

위기에 대응 가능한 유연함과 강인함	다양한 분야주체 간의 연대와 협력
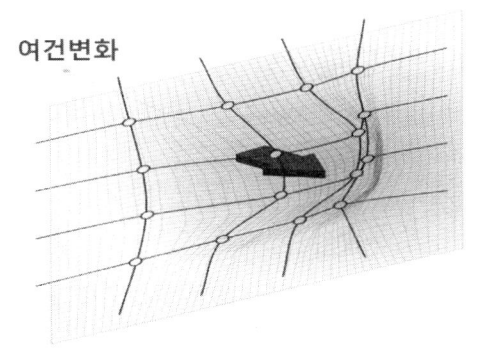	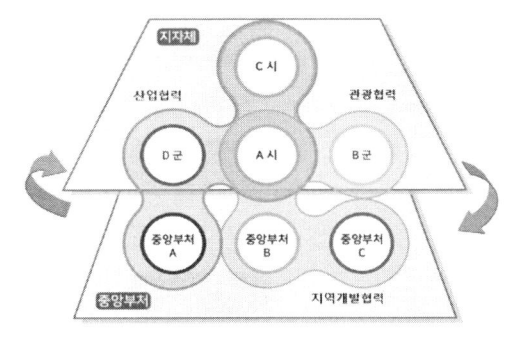

다양한 연대·협력 공간의 창출과 거버넌스 운영으로
정책 추진의 효율성과 국민 체감도 제고

〈국토공간 형성에 필요한 요소〉

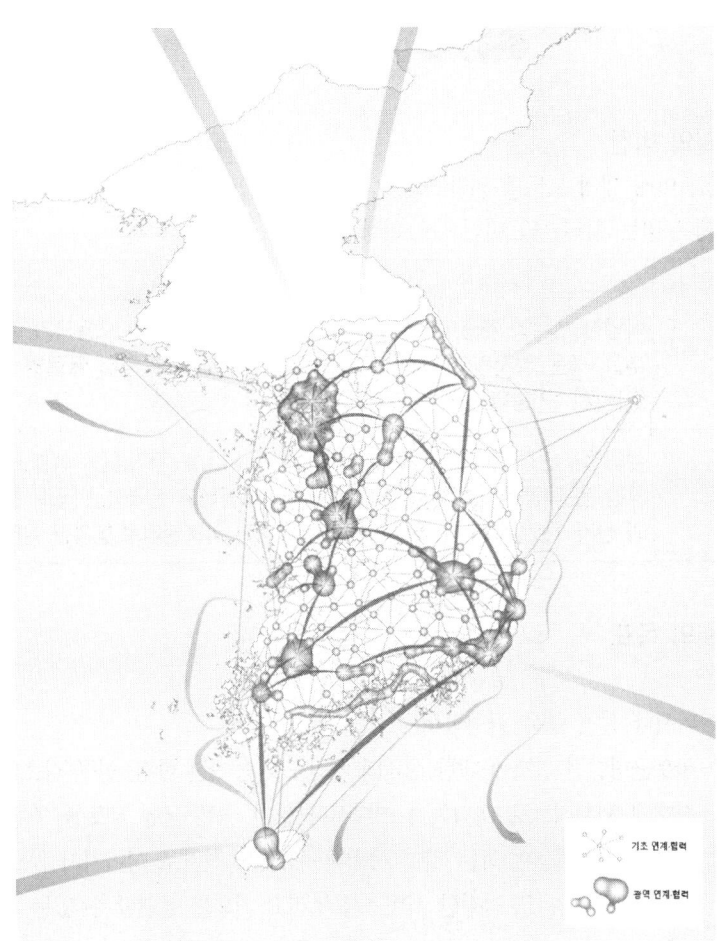

〈 연대와 협력을 통한 유연한 스마트 국토 구상 〉

(3) 제5차 국토 종합 계획의 개요

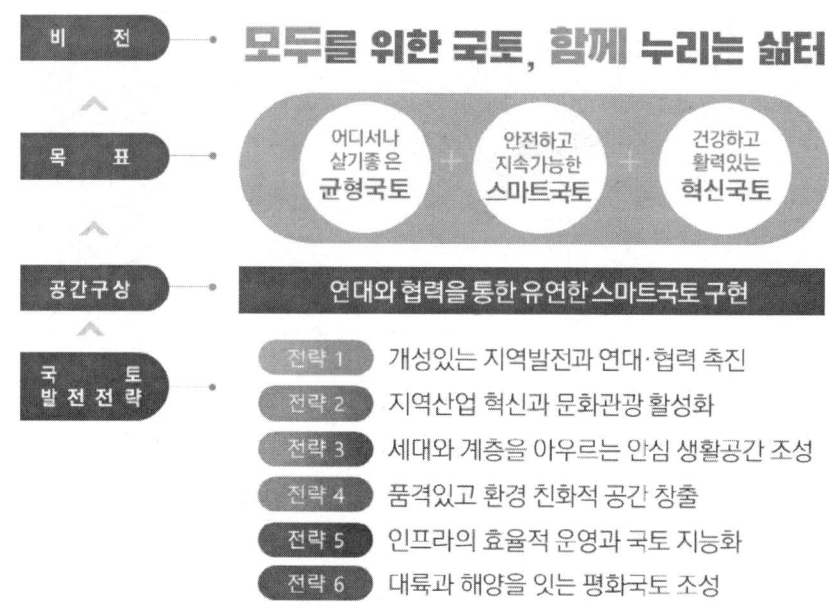

① 계획의 비전

현재와 미래 세대 모두를 위한 국토의 백년대계 실현을 지향하며 「모두를 위한 국토, 함께 누리는 삶터」를 비전으로 설정

비전	의미
모두를 위한 국토	다양한 세대와 계층, 지역이 소외되거나 차별받지 않는 포용국가 기반을 갖추고, 좋은 일자리와 안전하고 매력적인 정주환경을 갖춰 글로벌 경쟁력이 있는 지속가능한 국토를 조성
함께 누리는 삶터	삶의 질, 건강 등 우리 국민이 중요시하는 가치를 주거공간, 생활공간, 도시공간 등 다양한 국토공간에서 구현하고, 깨끗하고 품격있는 국토 경관 조성과 산지, 해양, 토지 등 국토자원의 효율적인 이용·관리로 행복한 삶터를 구현

② 계획의 목표

- 어디서나 살기 좋은 균형국토
  - 국토균형발전 정책에 대한 성과와 체감도를 높이는 한편, 인구 감소와 저성장 시대에 체계적으로 대비하여 어디서나 살기 좋은 균형 국토를 조성
    · 특정 지역에 거주하는 것이 사회적·경제적 격차로 이어지지 않도록 하고, 어디에 살더라도 적정한 서비스를 누리고 기회를 실현할 수 있는 기반 조성

- 중앙정부 주도의 획일적 정책 추진의 한계와 부작용을 최소화하기 위해 지역의 다양성과 자율성을 기반으로 하는 균형 국토를 조성
  · 중앙정부와 지역의 협력적 관계를 형성하고, 지역 간 연대와 자율적 협력을 유도하여 국가균형발전을 추진

• 안전하고 지속가능한 스마트국토
  - 접근성 기반의 생활 SOC 확충, 국토의 회복력 제고 등 국민 누구나 어디에서나 품격 있고 안전한 삶을 누릴 수 있는 안심 생활국토 조성
    · 기후 변화 등 환경 이슈에 대응하고, 생태 네트워크 강화를 통해 지속가능한 국토환경 조성, 국토 자원과 경관 관리를 통한 국토 매력도 제고

  - 초연결·초지능화 시대로의 전환과 4차 산업혁명에 따른 기술발전을 국토관리와 이용에 활용하여 국민의 편리함과 국토의 지능화 실현
    · 네트워크 효율화와 고속서비스로 전국을 평균 2시간대, 대도시권은 30분대로 연결, 교통사고 사망자 제로화 추진, 지능형 국토관리체계 구축

• 건강하고 활력있는 혁신국토
  - 신산업 육성기반 조성, 지역산업 생태계의 회복력 제고 등 여건 변화에 맞는 산업기반을 구축하고, 문화·관광 활성화를 통한 일자리 창출 및 활력 제고

  - 3대 경제벨트를 중심으로 한반도 신경제 구상을 이행하고, 유럽까지 이어지는 교통·물류 기반 조성과 국제협력 강화 등 글로벌 위상 강화
    · 대륙연결형 국토 골격을 형성하여 글로벌 국가경쟁기반을 강화

자료 Plus 생활 SOC

① 사람들의 일상생활에 필요한 필수 인프라로 국민 생활 편익 증진 시설 및 삶의 기본 전제가 되는 안전시설 등을 말함.
② 즉, 사람들이 먹고, 자고, 자녀를 키우고, 노인을 부양하고, 일하고 쉬는 등 일상생활에 필요한 인프라와 삶의 기본 전제가 되는 안전시설을 뜻함
③ 보육시설·의료시설·복지시설·교통시설·문화시설·체육시설·공원 등 일상생활에서 국민의 편익을 증진시키는 모든 시설을 가리킴. 이는 도로·항만·철도 등 경제 활동이나 일상생활을 원활하게 하기 위해 간접적으로 필요한 시설인 사회간접 자본(SOC-Social Overhead Capital)과는 다른 개념임.

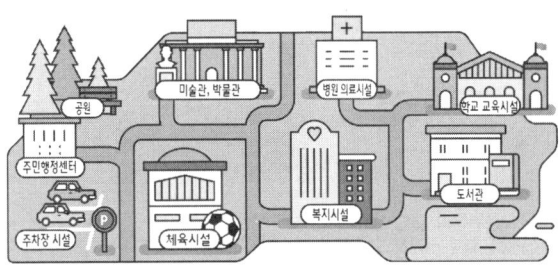

개념 Check

❶ 제5차 국토종합계획의 비전은 (　　　　　)이다.
❷ 제5차 국토종합계획의 목표는,
어디서나 살기 좋은 (　　　)국토
안전하고 지속가능한 (　　　)국토
건강하고 활력있는 (　　　)국토
이다.

[정답] ❶ 모두를 위한 국토, 함께 누리는 삶터
❷ 균형, 스마트, 혁신

01 국토종합계획

● 행정 중심 복합 도시
(세종특별자치시)
국토의 균형 발전을 위해 조성되는 신행정 도시로 신행정 수도 후속 대책을 위한 연기공주 지역 행정 중심복합 도시 건설을 위한 특별법에 근거하여 중앙행정기관 등의 이전 계획에 따라 중앙행정기관 및 그 소속기관이 이전하여 행정 기능이 중심이 되는 복합도시로 조성됨

● 혁신도시
국가 균형 발전 위원회가 주도하는 혁신도시는 공공기관 이전을 계기로 지방의 거점 지역에 조성되는 '작지만 강한' 새로운 차원의 미래형 도시를 말함

● 기업도시
산업 입지와 경제 활동을 위하여 민간 기업이 산업·연구·관광·레저·업무 등의 주된 기능과 주거·교육·의료·문화 등의 자족적 복합 기능을 고루 갖추도록 개발하는 도시

● 정주 계층별 관리
- 지역거점(학교, 소방, 관공서 등 공공서비스와 고용의 기회가 제공됨)
  • 기초 인프라제공을 위한 개발전략
- 집단마을(기초 생활 서비스가 유지가능함)
  • 재생 전략을 통한 정주환경 개선
- 한계마을(기초 서비스 제공이 어려움)
  • 유휴지 관리

③ 6대 추진전략
• 개성있는 지역발전과 연대·협력 촉진
  – 지역 간 연대·협력을 통한 지역발전 기반 구축
    · 산업, 관광, 문화 등 지역 수요를 기반으로 교통, 행정 등에 대해 지역 간 협력하여 국가 및 지역발전 기반을 확보
    · 기존산업 개선, 신산업 유치 등 지역 주도의 발전전략 마련, 교통인프라·정주여건 등 지원기반 개선
  – 지역 특성을 살린 상생형 균형발전 추진
    · 수도권은 지방과의 상생발전, 교통·생활환경 개선 등 주민 삶의 질 향상과 수도권 내 균형발전, 질적 성장을 통한 글로벌 경쟁력 제고
    · 지방대도시권은 인근 지역과 경제, 사회, 문화 등을 연계하여 경쟁력있는 중추거점 기능을 강화하고, 주변 지역 간 광역·순환형 인프라 구축
    · 중소도시권은 혁신도시, 새만금, 행복도시 등 균형발전거점을 속도감있게 조성하고, 지역 여건에 맞는 다양한 중소도시 연계형 도시권 육성
    · 농산어촌은 생활서비스 집약화 등 정주여건 개선과 매력 제고로 유입·체류 인구 정착을 확대하고, 낙후·위기지역 지원 내실화

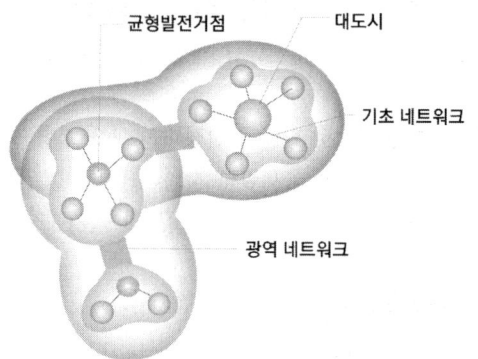

〈 지역 연계·협력 네트워크 개념도 〉

자료: 국토교통부. 2018. 대도시권광역교통위원회 설립 법안 관련 보도자료.
국토교통부. 2017. 해안권 발전거점 조성 시범사업 기본구상 수립 연구.

〈 지역간 연계·협력 유형 〉

- 지역 산업혁신과 문화·관광 활성화
    - 4차 산업혁명 시대의 신산업 육성기반 조성과 지역 산업 생태계 회복력 제고
        · 기존산업 혁신과 미래 신산업을 지역과 연계하여 지역 혁신성장 공간 확충하고, 일터-삶터-쉼터가 조화된 미래형 복합산업공간 조성·확산
        · 지역 특성에 적합한 산업생태계를 조성하고, 노후 산업단지 재생을 추진

    - 매력있는 문화공간 조성과 협력적 관광 활성화
        · 지역 고유의 역사·문화자산을 활용해 특색있는 문화공간을 창출하고, 주변 지역의 관광자원과 연계해 다양한 협력사업 발굴하고 지역경제 활력 제고
        · 쇠퇴관광지·시설의 문화적 재생을 통해 지역활력 거점으로 활용

● 클러스터(cluster)
마이클 포터(Michael Porter)의 정의에 따르면 '클러스터'란,
- 서로 경쟁하면서 협력하는 특정 분야에서 상호 연관된 기업, 전문화된 공급자, 서비스 제공 업체, 관련 산업, 연관된 기관(대학, 중개 기관, 산업협회 등)이 지리적으로 집중한 것을 의미
- 쉽게 말하자면 일정 지역에 기업과 대학, 연구소, 기업 지원 기관 등이 모여서 상호 작용하여 새로운 지식과 기술을 창출하는 것을 클러스터라고 한다.

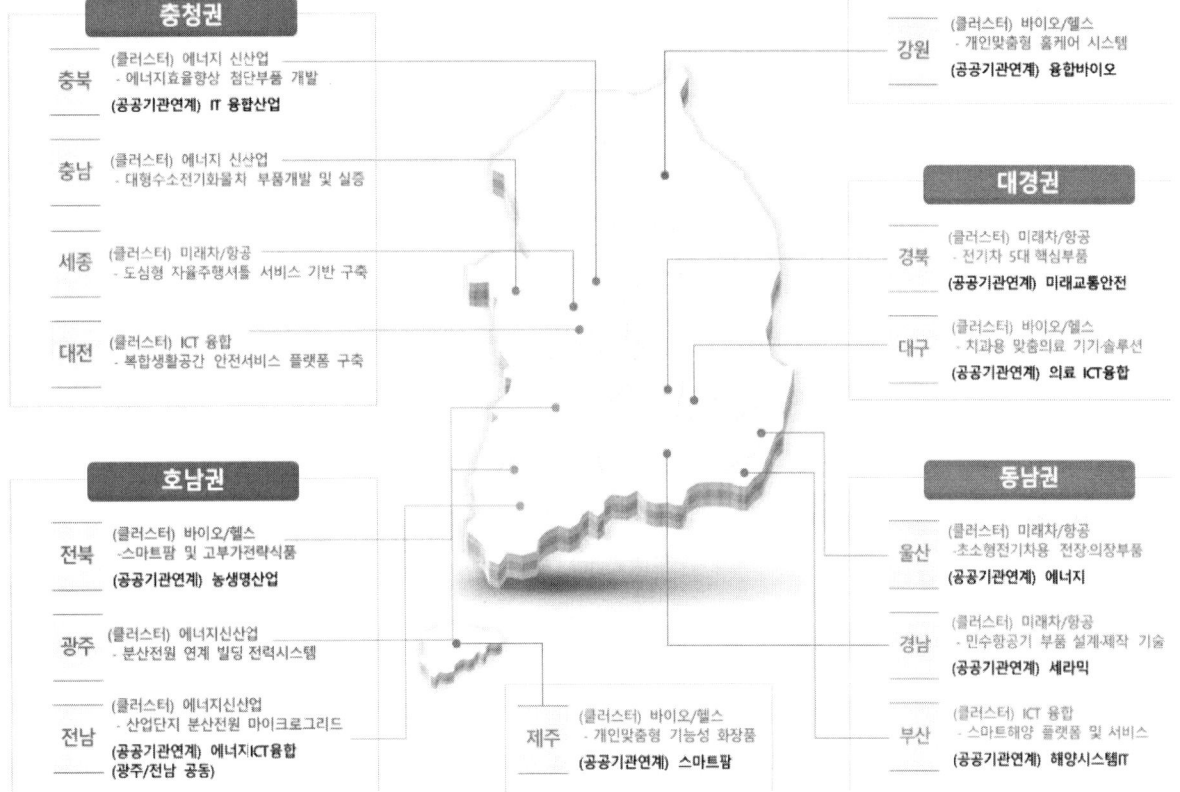

자료: 산업통상자원부. 2018. 국가혁신융복합단지 지정 및 육성계획안

〈국가혁신클러스터와 혁신도시별 특화 산업·프로젝트〉

01 국토종합계획

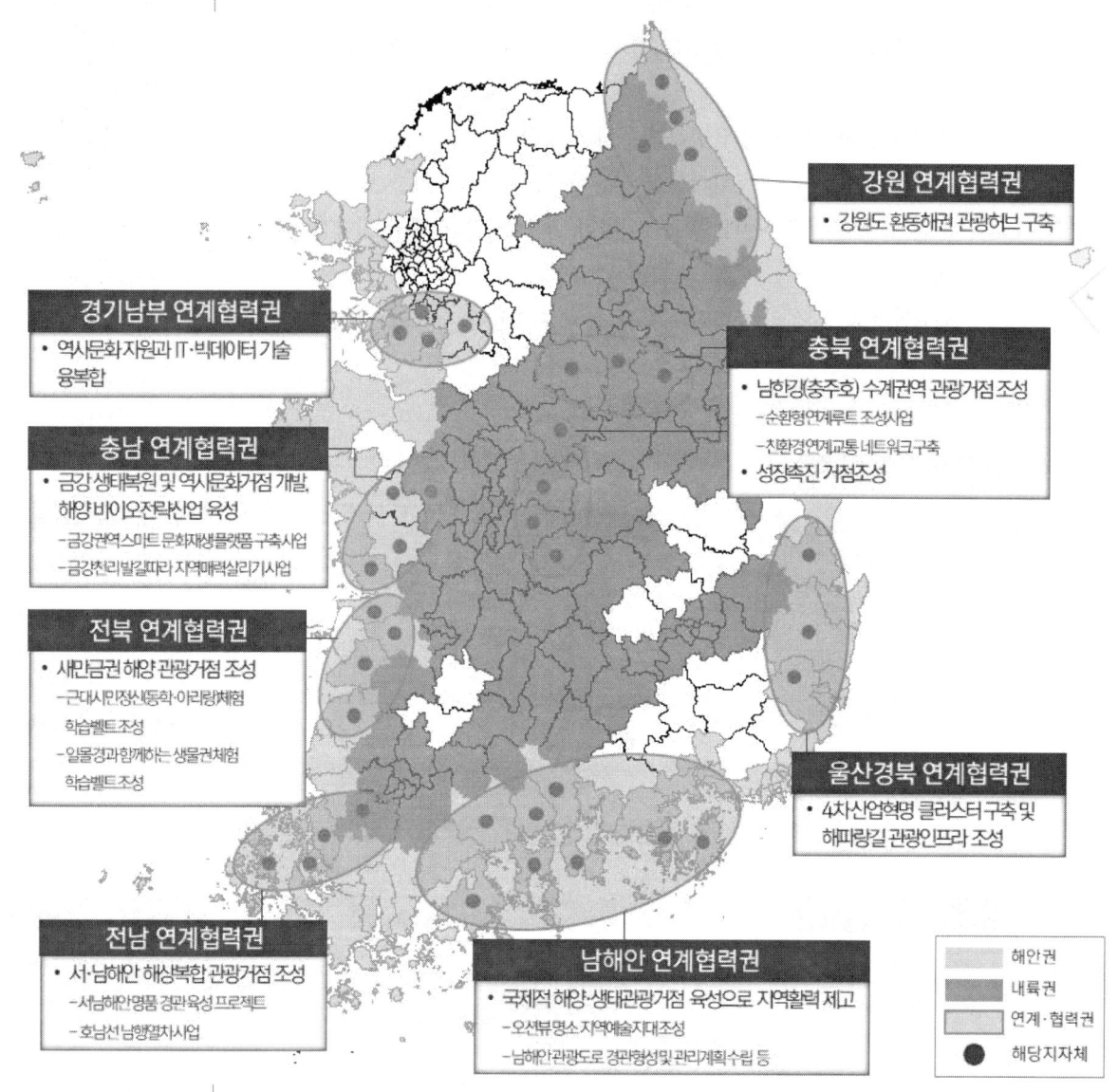

〈관광분야 지역 연계·협력사업 예시〉

- 세대와 계층을 아우르는 안심 생활공간 조성
  - 인구 감소에 대응한 유연한 도시개발·관리
    · 합리적 인구예측을 통해 기반시설계획을 현실화하고, 도심내 복합개발, 난개발 방지 등 도시의 적정개발과 관리, 집약적 도시공간구조 개편 추진

  - 인구구조 변화에 대응한 도시·생활공간 조성
    · 저출산·고령사회 진입에 대비해 사회통합형 생활공간을 조성, 보육·복지 등 일상생활과 밀접한 생활SOC의 질적 확충, 다양한 주거공간 확충

  - 수요 맞춤형 주거복지와 주거공간의 선진화
    · 청년, 신혼부부, 저소득층 등 생애단계별·소득수준별 맞춤형 지원을 강화하고, 적정 주거기준 검토 등을 통한 주거안전망 구축, 미래형 주거서비스 확대

  - 안전하고 회복력 높은 국토대응체계 구축
    · 재난대응 범위를 확장하여 전 주기 방재체계 구축, 지역별 통합 대응체계 구축, 지능형 국토방재기반 조성

● 수요응답형 교통체계
- 수요가 거의 없지만 버스 등 대중교통이 반드시 운행되어야 하는 지역에 적합한, 벽지 노선을 대체하는 새로운 운행 체계이다
- 대중교통의 노선을 미리 정하지 않고 여객의 수요에 따라 운행구간, 정류장 등을 탄력적으로 운행하는 여객 운송 서비스이다
- 과소화 및 공동화가 심한 지역의 이동권 보장과 고령층의 의료·문화·복지·접근성 개선 및 교통사각지역을 해소하기 위해 도입된 시스템이다

● 도시재생 뉴딜 로드맵
동네를 완전히 철거하는 재건축 재개발의 도시 정비 사업과 달리, 기존 모습을 유지하며 노후 주거지와 쇠퇴한 구도심을 지역 주도로 활성화해 도시 경쟁력을 높이고 일자리를 만드는 국가적 도시 혁신 사업

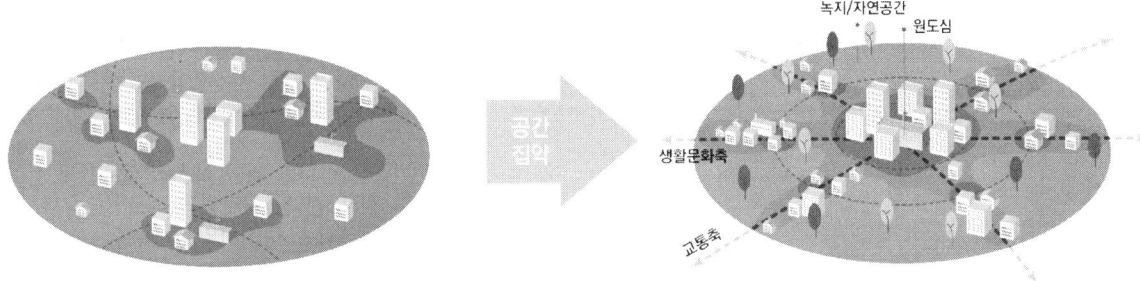

〈 스마트 공간 재배치 개념도 〉

개념 Check

❶ 인구 감소에 대비한 적정 개발과 계획적 관리를 유도하기 위해서,
① 도심은 (확장적 / **복합·입체적**)개발을 유도하며,
② 주요 교통축을 중심으로 (확산적 / **압축적**)도시 정비를 추진하여야 한다.

[정답] ❶ ① 복합·입체적
② 압축적

- 품격있고 환경 친화적인 공간 창출
  - 깨끗하고 지속가능한 국토환경 관리
    · 건축물·교통분야 등 온실가스 감축목표 이행, 바람길 등 미세먼지 분산에 유리한 도시공간구조 유도 등 기후변화 대응 국토환경 조성
    · 국토생태축 보전·복구, 도시내 녹색인프라 확충 등 국토환경관리 네트워크 구축과 오염·방치공간 재생 추진

  - 국토자원의 미래가치 창출과 활용도 제고
    · 수자원, 해양자원, 산지자원, 에너지자원 등 국토자원 특성을 고려한 미래가치 창출 및 활용도 제고

  - 매력 있는 국토·도시 경관 창출
    · 국토 경관 및 도로·철도 등 주요 기반시설의 디자인 개선을 통한 경관품격 제고, 도시 전체 통합적 관점의 경관관리 추진, 일상생활 경관 향상

〈 국토-환경계획 통합관리 5대 전략 〉

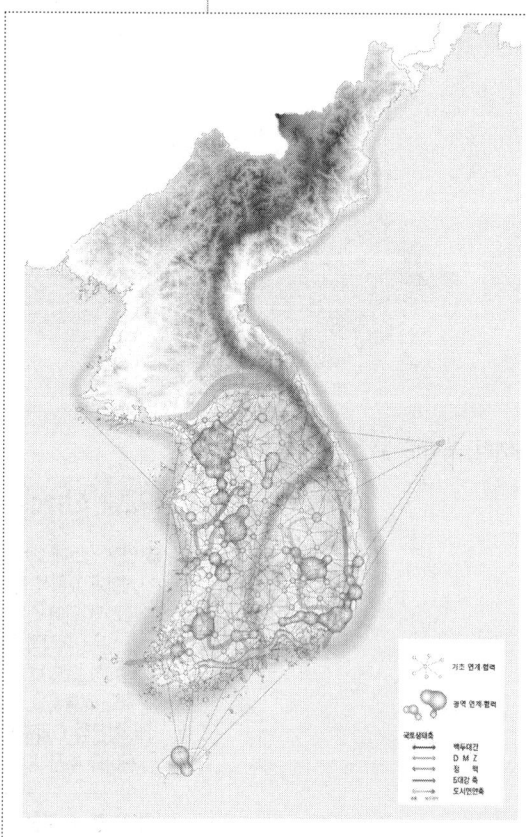

① 인구감소 시대에 대응한 국토공간 구조 개편
  - (공간 재배치) 도시내 부지 우선활용 및 녹지 조성
  - (친환경 관리) 산업 쇠퇴지역·저이용 등 복원

② 국토환경의 연결성 강화를 위한 체계적 국토관리
  - (국토생태축) 백두대간 등 국토환경 네트워크 강화
  - (연결성 강화) 생태훼손 단절지역 등 복원

③ 기후변화에 대응하여 안전한 저탄소 국토 조성
  - (저탄소) 온실가스 저감 그린인프라 구축
  - (기후회복력) 취약지역 재난재해 안전관리망 확충

④ 첨단기술을 활용한 혁신적 국토-환경 공간 구현
  - (인프라) 제로에너지건축 등 친환경 인프라 보급
  - (신산업 기반) 탄소산업 클러스터 조성 등

⑤ 남북 협력과 국제협력을 통한 글로벌 위상 제고
  - (남북협력) 한반도주요 생태축 연결 등
  - (국제협력) 국제기구 역할 강화, 신기후체제 이행 등

〈 국토-환경 통합 계획도 〉

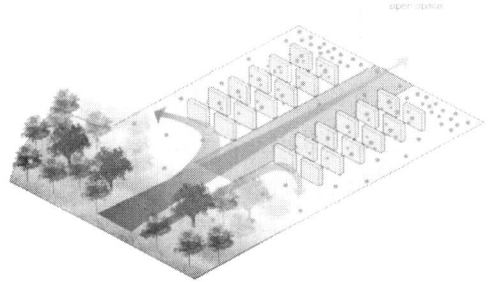

바람길과 수직방향으로 판상형 건물 배치로 미세먼지 정체

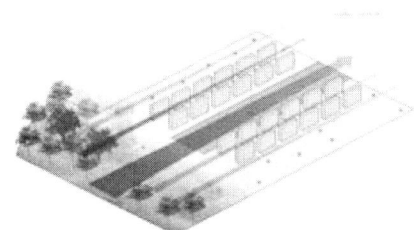

바람길과 수평방향으로 건물을 배치하여
신선한 공기 유입 및 미세먼지의 확산·배출 가능

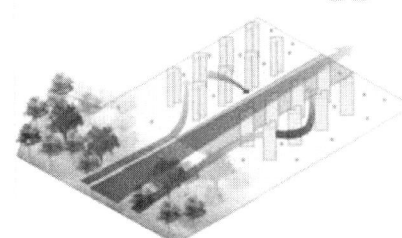

바람통로 확보가 가능한 타워형 건물을 배치하여
신선한 공기 유입 및 미세먼지 확산·배출 가능

〈바람길을 고려한 건물배치 가이드라인 예시〉

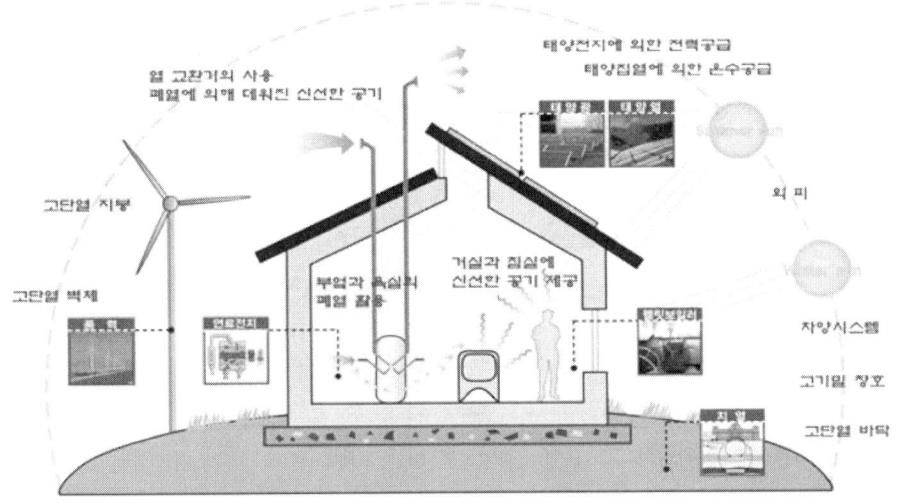

자료: 국토교통부 (http://www.molit.go.kr/USR/WPGE0201/m_36421/DTL.jsp).

〈제로에너지 건축물 개념도〉

01 국토종합계획

● GTX
수도권 외곽에서 서울 도심의 주요 거점을 연결하는 수도권 광역급행 철도를 말한다. GTX는 지하 40~50m의 공간을 활용, 노선을 직선화하고 시속 100km이상(최고 시속 200km)으로 운행하는 신개념 광역 교통수단이다.

- 인프라의 효율적 운영과 국토 지능화
  - 네트워크형 교통망의 효율화와 대도시권 혼잡 해소
    · 국가 간선망의 효율화를 통해 전국을 2시간대로 연결하고, GTX 등 주요 거점을 30분대로 연결하는 광역철도망 구축, 대심도 지하도로 추진
    · 자율주행차와 개인용 이동수단, 하이퍼루프 등에 대비한 미래형 교통체계 개편 검토

  - 인프라의 전략적 운영과 포용적 교통정책 추진
    · 생애주기관리시스템 도입을 통한 노후 인프라의 적기 개량 및 첨단기술을 활용한 유지관리 고도화
    · 어린이·고령 보행자 맞춤형 안전환경 조성 등 교통사고 사망자 제로화 추진, 교통 이용플랫폼의 통합(MaaS) 등을 통해 이용자의 편의 향상
      * MaaS(Mobility as a Service) - 타 교통수단 서비스와의 통합 등을 통해 중간에 끊김 없이 목적지까지 편리하고 빠른 서비스 제공

  - 지능형 국토·도시공간 조성
    · 신규 스마트시티 조성, 기존도시의 스마트화를 통한 생활편의 향상 등 성장단계별·지역별 차별화된 스마트공간 조성
    · 토지·지하공간·교통 등 국토정보 통합을 통한 가상국토 플랫폼 구축과 블록체인 도입 등 국토정보 보안체계 정비

개념 Check

❶ 국토 공간을 통합·다핵·개방형 구조로 변화시키는 철도망을 구축하기 위하여,
- 권역간 네트워크 구축 및 국토균형발전을 위한 (   )자형 국가 철도망을 지속적으로 추진한다

[정답] ❶ X

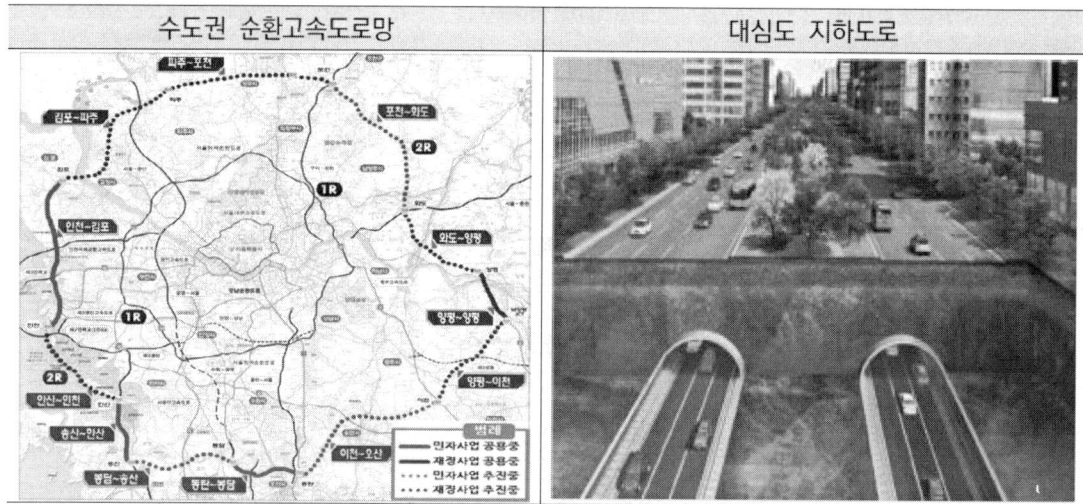

자료: 국토교통부 대도시권광역교통위원회. 2019.10. 광역교통 비전 2030.

〈광역대중교통 예시〉

〈교통수단 통합 결제 개념도〉

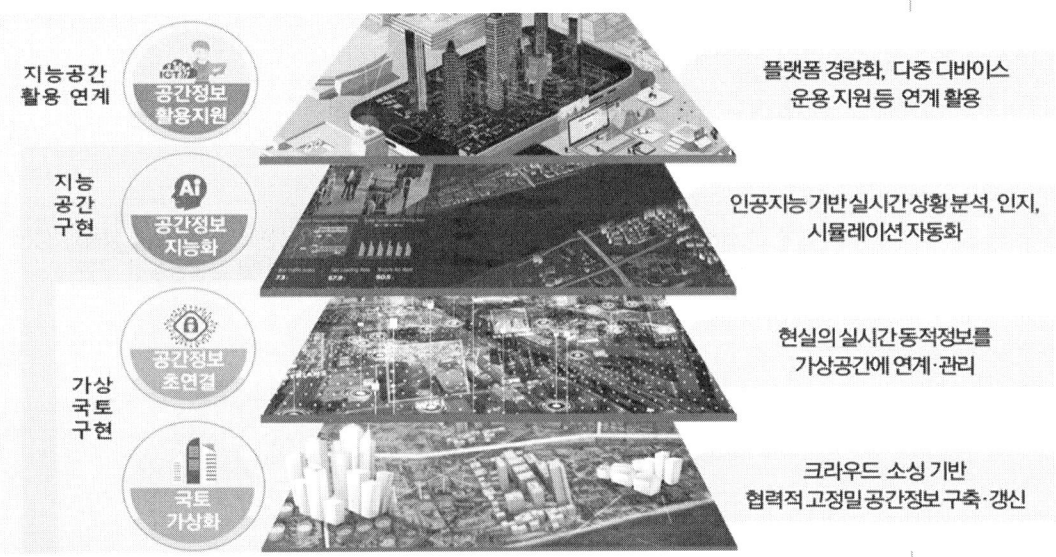

〈디지털트윈 가상국토 구현 및 지능화된 공간 활용 연계 구상〉

● 디지털 트윈(digital twin) 도시
가상 공간에 실물과 똑같은 물체(쌍둥이)를 만들어 다양한 모의시험(시뮬레이션)을 통해 검증해 보는 기술을 말한다.

- 대륙과 해양을 잇는 평화국토 조성
  - 한반도 신경제구상 이행과 경제 협력
    · 남한과 북한의 협력을 통해 경제공동체를 형성하고, 나아가 유라시아 대륙과 태평양을 연결하는 관문 국가로 발전
    · 비무장지대(DMZ)에 유엔기구, 생태기구 유치 등 국제평화지대화 추진
  - 한반도-유라시아 경제공동체 육성과 글로벌 위상 제고
    · 동아시아 철도공동체를 설립하고 TCR, TMGR, TSR 등과 연결·운영 활성화를위한 대륙연결형 교통망 구축
    · 신북방·신남방 정책, 도시개발모델 수출 등 교류·협력의 선도국가 위상 제고

자료 Plus 한반도 신경제 구상

- 한반도 신경제 구상은 남과 북이 서로에게 도움이 되는 경제 공동체 형성을 추구하고, 나아가 유라시아 대륙과 태평양을 연결하는 교량 국가로 발전하여 동아시아의 평화와 번영에 기여하고자 하는 비전이다.
- 한반도 3대 경제벨트 구축과 "하나의 시장" 협력을 통해 구현한다.

① 환동해 에너지 자원 벨트
   - 에너지, 자원, 관광 협력
② 환서해 물류 산업 벨트
   - 산업 특구 협력, 물류망 구축, 서울-평양 경제권 형성
③ 접경지역 평화벨트
   - DMZ 평화지대, 국제 생태 공원 조성 등
④ 하나의 시장 협력
   - 남북 간 경제 협력을 위한 물리적 제도적 공간을 하나로 형성해 나감으로써 상품과 생산 요소, 기술 교류의 촉진과 협력을 통해 3대 벨트 기반 조성 및 생활공동체 구현

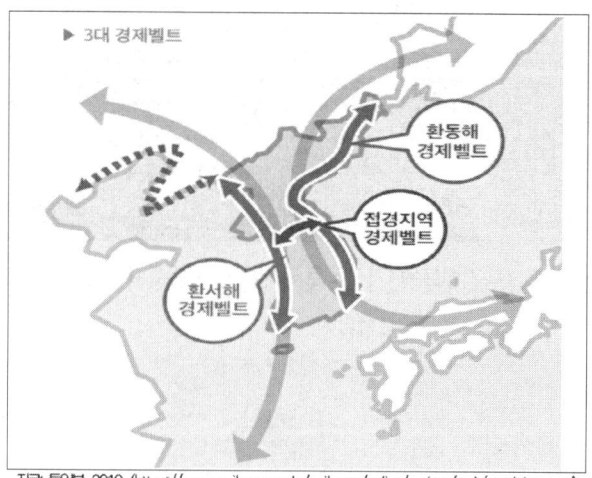

자료: 통일부. 2019. (https://www.unikorea.go.kr/unikorea/policy/project/task/precisionmap/)

〈한반도 신경제구상 개념도〉

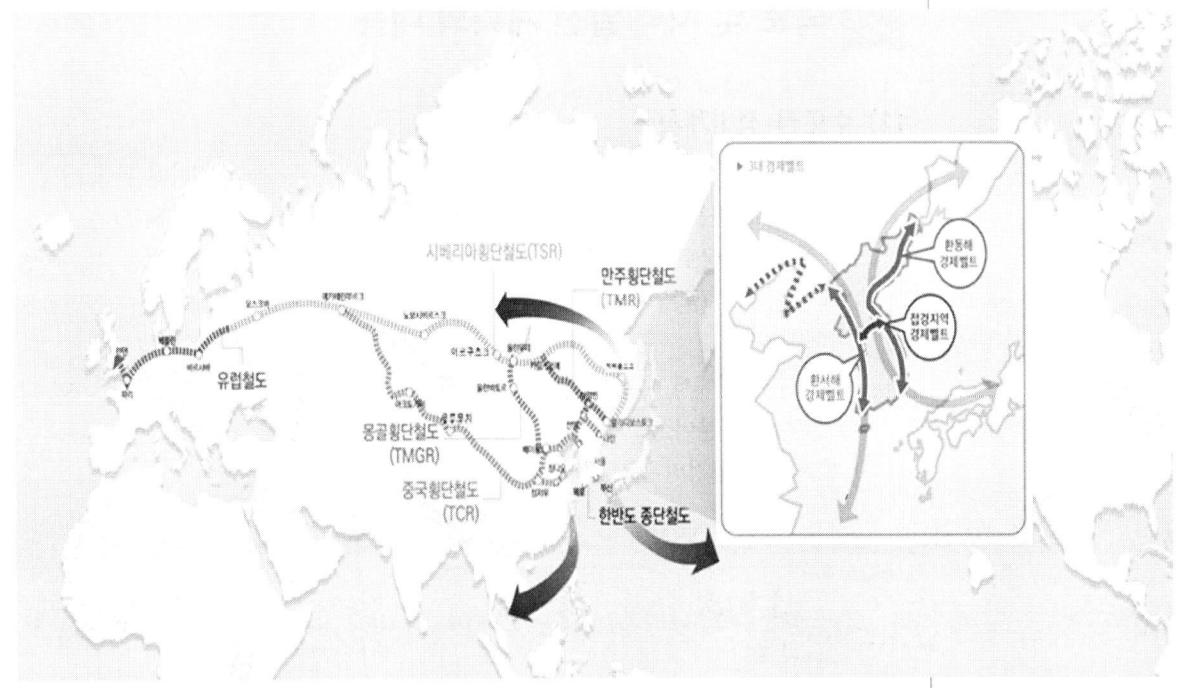

〈대륙연결형·개방형 국토 구상〉

01 국토종합계획

학습요점
- 수도권 정비(발전) 계획
- 혁신도시
- 기업도시
- 제주국제자유도시
- 새만금사업

2 국토 및 지역 발전 계획의 내용

(1) 수도권 정비계획

① 수도권의 인구 및 산업의 집중을 억제하고 적정하게 배치하기 위하여 관계 행정기관 장의 의견을 들어 국토교통부 장관이 수립(수도권정비계획법 제4조)

② 상위계획인 국토종합계획과 연계하여 장기적 국토정책방향의 정합성을 유지하면서 수도권의 최상위계획으로서 수도권과 관련한 유관 하위계획에 대한 지침역할을 수행
  - 수도권 내에서 다른 법령에 따른 토지 이용 계획 및 개발 계획에 우선하며 그 계획의 기본이 됨

③ 제3차 수도권정비계획(2006~2020)

수도권 공간구조(제3차 수도권정비계획)	수도권 공간구조(제4차 수도권정비계획)

- **인구집중유발시설**
「수도권정비계획법」에서 정의하는 학교, 공장, 공공 청사, 업무용 건축물, 판매용 건축물, 연수 시설 및 그 밖에 인구 집중을 유발하는 시설

- 국가법령정보센터
(수도권정비계획법)

1. 권역 현황

○ 수도권을 과밀억제권역과 성장관리권역, 자연보전권역 등 3개권역으로 구분하고 권역 특성별로 인구집중유발시설과 대규모 개발사업의 입지에 대한 차등규제를 실시

〈권역구분 현황도〉

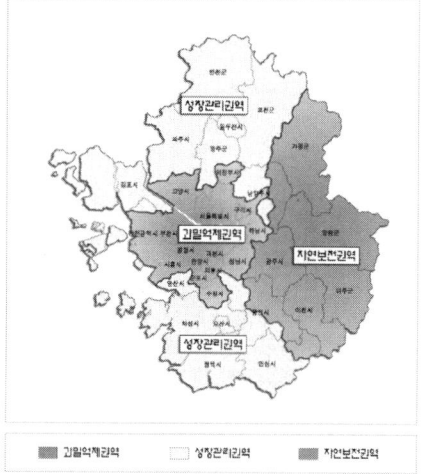

④ 제4차 수도권정비계획(2021~2040)
- 공간적 범위 : 3개 광역시도(서울, 인천, 경기)
- 계획의 내용
  수도권 정비의 목표와 기본방향
  인구와 산업 등의 배치
  권역의 구분과 권역별정비
  인구집중유발시설 및 개발사업의 관리
  광역시설의 정비 및 확충, 환경보전과 관리
  계획의 집행 및 관리

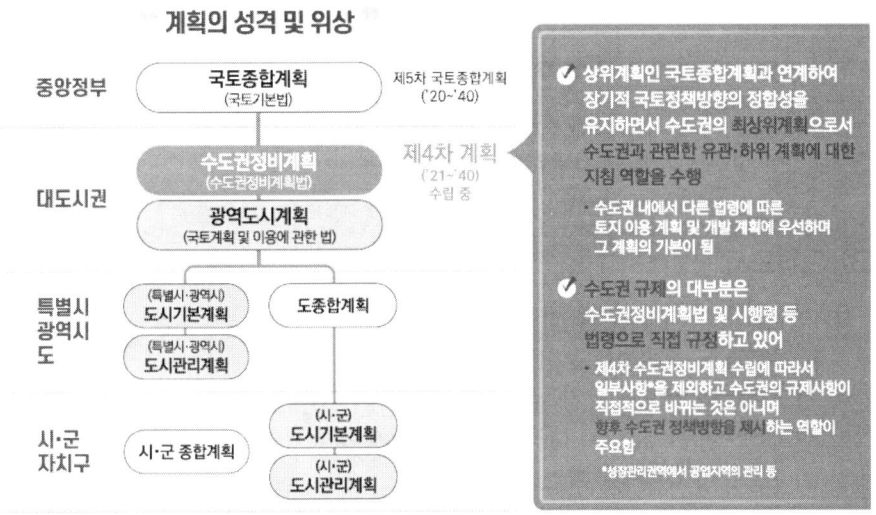

(2) 혁신도시

① 혁신도시는 지방이전 공공기관 및 산·학·연·관이 서로 긴밀히 협력할 수 있는 최적의 혁신여건과 수준 높은 주거·교육·문화 등 정주환경을 갖춘 새로운 차원의 미래형 도시를 지향
- 혁신도시 건설 및 공공기관 지방이전 추진
- 10개 혁신도시 입지 선정(2005.12)

② 혁신도시 시즌2 추진
- 혁신도시 건설 및 이전공공기관의 지방이전이 완료되어 감에 따라 공공기관 이전 중심의 혁신도시 정책에서 벗어나, 혁신도시를 국가균형발전을 위한 新지역성장거점으로 육성하는 「혁신도시 시즌2」 추진 방안 발표(2018년 2월)
- 이전 공공기관의 지역발전 선도
- 혁신도시 산업 클러스터 활성화
- 혁신도시 정주여건 개선 및 상생발전
- 추진체계 재정비(공공기관지방이전추진단 → 혁신도시발전추진단)

개념 Check

❶ 수도권 정비계획의 공간적 범위인 수도권은 (　, 　, 　)에 해당한다.
❷ 공공기관의 지방이전에 따른 최적의 혁신여건과 수준 높은 정주환경을 갖춘 새로운 차원의 미래형 도시는?
(　　　　)

[정답] ❶ 서울, 인천, 경기
❷ 혁신도시

	시즌1 ('05.~'17.)	시즌2 ('18.~'30.)
추진 주체	중앙정부 (Top Down방식)	지방정부 (Bottom Up방식)
정책 비전	수도권집중 완화 및 자립형 지방화	국가균형발전을 위한 新지역성장거점 육성
추진 목표	공공기관 이전 완료	가족동반 이주율 제고, 삶의 질 만족도 향상, 지역인재 채용 확대, 기업입주 활성화
정책 대상	수도권 소재 공공기관	혁신도시 이전 공공기관, 지역주민, 지방대학생, 혁신도시 입주기업 등
추진 과제	공공기관의 차질없는 이전 이전기관 종사자 지원 수도권 종전부동산 매각	이전기관의 지역발전 선도, 스마트 혁신도시 조성, 산업 클러스터 활성화, 주변지역과의 상생발전, 추진체계 재정비
법적 근거	공공기관 지방이전에 따른 혁신도시 건설 및 지원에 관한 특별법	혁신도시 조성 및 발전에 관한 특별법

(3) 기업도시

① 산업입지와 경제활동을 위해 민간기업 주도로 개발되는 도시
② 기업 자신이 필요한 용지를 개발하여 생산·연구 개발 등 유관 산업과의 연계성 및 효율성을 극대화함과 동시에 정주에 필요한 주택·교육·의료 등 자족적 복합기능을 가진 도시

- 민간자본을 활용한 도시개발을 통해 기업의 국내투자를 확대하고 지역경제의 활성화를 통한 지역발전을 도모하기 위하여 기업 도시의 개발을 추진
- 기업도시는 기업이 투자 이전계획을 가지고 직접 개발한다는 점에서 주택수요를 충족시키기 위한 신도시와 산업용지 공급을 위한 산업단지와 차이점

③ 기업도시 입지요건 : 수도권을 제외한 모든 지역에 기업도시 개발이 허용됨
④ 기업도시 유형 : 산업교역형·지식기반형·관광레저형으로 유형화

(4) 제주국제자유도시

① 추진배경
- 제주국제자유도시 구상은 세계적인 흐름에 맞추어 제주도를 사람·상품·

> **개념 Check**
>
> ❶ 산업입지와 경제활동을 위하여 민간기업이 산업, 연구 및 주거, 교육 등 자족적 복합 기능을 고루 갖추도록 개발하는 도시는?
> (   )
>
> [정답] ❶ 기업도시

자본의 이동이 자유로운 국가전략지역으로 개발
- 외국자본과 관광객을 유치함과 동시에, 교육과 인적자원 개발에 투자하여 새로운 미래산업을 개척하고자 하는 21세기의 국가전략이며 생존전략임

② 전략
- 싱가포르·홍콩·두바이 등 작은 국내시장, 부족한 부존자원 등 불리한 여건을 극복하고 최고의 비즈니스 환경을 구축한 지역들을 벤치마킹
- 특색있고 경쟁력 있는 국제비지니스 중심지로 육성
- 한국경제의 재도약을 위한 경제 자유화 시범지역으로서 제주의 미래를 설계하고 실현해 나가는 작업

③ 방안
- 정부는 제주도를 국제적인 관광휴양도시로 만들어 관광객 유치를 확대
- IT·BT 등 첨단산업을 육성하여 지역기반산업의 경쟁력을 강화
- 법령 및 제도개선을 통하여 적극적인 투자환경을 조성하여 나갈 계획

(5) 새만금사업

① 개요
- 새만금지역은 지정학적으로 우리나라 서해안축의 중앙지대에 위치
- 국가균형발전전략의 하나인 초광역 개발권 계획상 서해안 신산업 벨트에 속함
남해안선벨트, 남북교류·접경벨트, 동해안에너지·관광벨트와 연계하여 개발할 경우 파급효과가 수도권, 충청권, 호남권, 강원권, 대경권 등 내륙으로의 확산이 가능
중국, 일본, 유라시아, 태평양 등 세계로 진출할 수 있는 전략적 요충지이므로 환황해권의 전략적 거점 지역으로서 국가발전의 교두보 역할이 가능
- 새만금지역은 409㎢(서울면적의 2/3)에 달하는 광활한 공간이며, 매립에 의해 조성됨
토지수용 및 보상에 따른 갈등에 의한 지연 등이 없이 국가의지에 따라 신속한 국책사업 추진이 가능한 지역
- 「글로벌 자유무역의 중심지」, 「세계경제자유지역」으로 조성할 계획

② 사업개요
- 면적 : 409㎢(-용지 291㎢, 담수호 등 118㎢), 방조제 33.9㎞
- 총사업비추정 : 22.19조원
- 토지이용 : 복합용지 70%, 농업용지 30%
- 개발방향 : "글로벌 자유무역의 중심지" 조성

01 국토종합계획

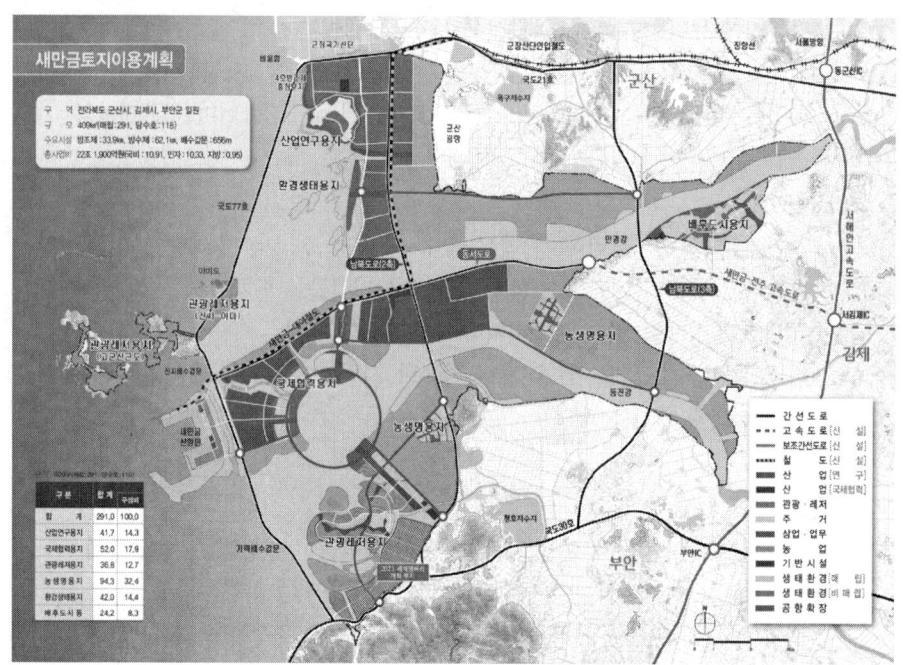

〈새만금 토지 이용계획〉

자료 Plus — 비오톱(Biotope)

① 그리스어로 생명을 의미하는 비오스(bios) + 땅 또는 영역이라는 의미의 토포스(topos)
② 특정한 식물과 동물이 하나의 생활공동체, 즉 군집을 이루어 지표상에서 다른 곳과 명확히 구분되는 하나의 서식지를 말함
③ 좁은의미로는, 도시개발과정에서 최소한의 자연생태계를 유지할 수 있는 생물군집서식지의 공간적 경계를 말함
  • 비오톱 지도

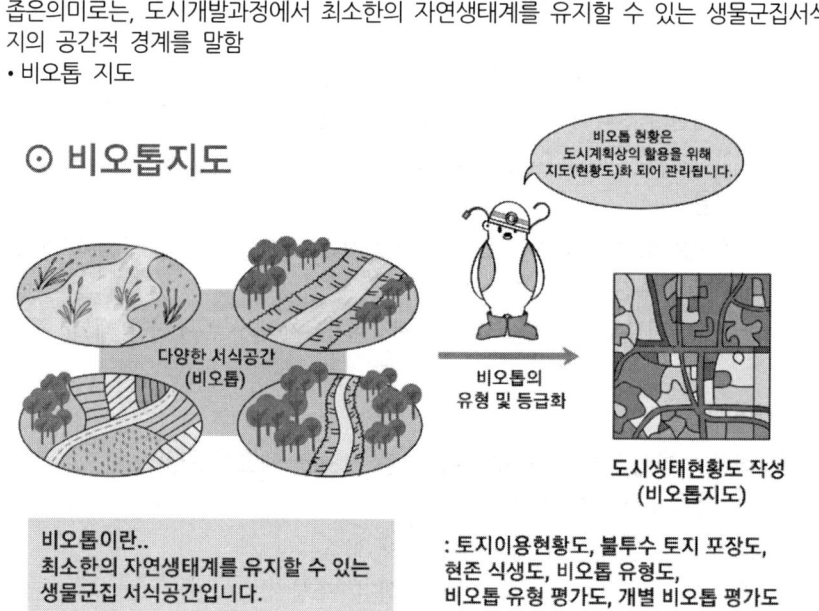

01 국토종합계획

문제 1

국토에 관한 설명으로 올바르지 않은 것은?

① 국토는 영토, 국민, 주권으로 구성된다.
② 외부의 침입으로부터 보호되어야 할 배타적 공간이다.
③ 역사, 문화와 같은 인문적 요소와 지형, 기후 등의 자연적 요소로 구성된다.
④ 국민의 생활 공간과 삶의 터전이다.

해 설 국가의 3요소 : 영토, 국민, 주권
국토의 3요소 : 영토, 영해, 영공

문제 2

국토의 의의로 옳지 않은 것은?

① 민족의 존재기반으로 후손에게 물려주는 귀중한 재산이다.
② 민족의 문화공간으로, 고유한 역사와 생활양식을 발전시켜온 바탕이다.
③ 민족의 가치공간으로 민족의 얼과 뜻이 담긴 공간이다.
④ 열린 미래로의 산실로, 중앙정부화와 세계화의 수용무대이다.

해 설 국토는 열린 미래로의 산실로서, 지방화와 세계화의 수용무대이며, 나아가 통일국가의 터전이다.

문제 3

우리나라 국토의 지형적인 특징으로 가장 적절한 것은?

① 국토 전체면적의 3/4이 산지이며, 동쪽이 낮고 서쪽이 높은 지형을 이룬다.
② 동해로 유입하는 하천은 길이가 짧은 급류가 많다.
③ 계절에 따른 강수량의 변화가 적으며, 수력발전과 각종 용수공급에 불리하다.
④ 낮고 평평한 구릉성 침식평야가 넓게 펼쳐져 있어 도시발달에 불리하다.

정답 1. ① 2. ④ 3. ②

	우리나라의 지형적 특징	
해설	산지	• 우리나라는 전체면적의 3/4이 산지 • 동쪽이 높고 서쪽이 낮은 지형 • 동고서저(東高西低)의 지형으로, 동쪽으로는 급경사, 서쪽으로는 완만한 경사를 이룸 • 개마고원 및 일부지역을 제외하고 중,저위면의 산지지형을 이룸
	하천	• 서해 및 남해쪽으로는 큰하천이 완만히 흐름 • 동해쪽으로는 하천의 길이가 짧고 급류가 많음 • 강수량은 여름에 많고 겨울에 적어, 계절에 따른 강수량의 변화가 큼 → 수력발전과 각종 용수공급이 불리하여 하천의 중상류에 댐을 건설하여 생긴 인공호수가 많음
	평야	• 낮고 평평한 구릉성 침식평야가 넓게 펼쳐져 있어 도시가 발달함 • 큰 하천의 하구에 생성된 범람원과 넓은 삼각주는 대부분 중요한 농경지로 이용

문제 4

우리나라 동해안의 특징으로 가장 올바른 것은?

① 산맥의 급사면이 그대로 해저와 연속되어 상대적으로 수심이 깊으며 해안선이 단조롭다.
② 해안선이 매우 복잡한 리아스식 해안을 이룬다.
③ 해저지형이 비교적 평탄하고, 조차가 커서 곳곳에 넓은 간석지가 형성되어 있다.
④ 인공적으로 조성한 호수로 인하여 풍경이 수려하며 사빈(沙濱)해안은 해수욕장으로 이용된다.

해설	• 2번 – 남해안 • 3번 – 서해안 • 4번 – 석호; 사주에 막혀 형성된 자연호수

문제 5

국토의 영역에 대한 설명으로 옳지 않은 것은?

① 영토는 국제법상 매매·교환·증여의 대상이 될 수 있다.
② 영해 내에서의 외국선박은 무해항행(無害航行)을 인정하여야 한다.
③ 영공의 수직적 범위는 일반적으로 대기권 내로 한정한다.
④ 연안국은 200해리 범위의 배타적 경제수역 내에서의 모든 어업 및 기타 자원 개발을 독점한다.

해설	• 연안국은 영해(12해리) 내에서 어업 및 기타 자원개발을 배타적으로 독점할 수 있다. • 배타적 경제수역(EEZ) : 연안국이 자국 해안으로부터 200해리 안에 있는 해양자원의 탐사, 개발 및 보존, 해양 환경의 보존과 과학적 조사 활동 등 모든 주권적 권리를 인정하는 유엔 국제해양법상의 해역

정답 4. ① 5. ④

문제 6

다음에서 설명하는 유엔국제해양법상의 해역은?

> 자국 해안으로부터 200해리 안에 있는 해양자원의 탐사, 개발 및 보존, 해양 환경의 보존과 과학적 조사 활동 등 모든 주권적 권리를 인정하는 해역

① 영해
② 연안해
③ 배타적 경제수역
④ 공해(公海)

해설 공해 - 공공의(公) 바다(海)라는 뜻으로 영유권이나 배타권이 특정 국가에 속하지 않는 바다

문제 7

영토와 관련한 설명으로 옳지 않은 것은?

① 영토는 토지로써 구성되는 국가영역이며 가장 핵심적인 부분이다.
② 국제지역은 국가 간의 합의에 의하여 영토의 특정 부분에 대한 영역국의 주권이 제한된다.
③ 조차는 국가 간의 합의에 의하여 일국이 타국 영토의 일부를 차용하는 것을 말하며 기간만료시 영역국에 반환해야 한다.
④ 영토는 국제법상 매매·교환·증여의 대상이 될 수 없다.

해설 영토는 국제법상 매매·교환·증여의 대상이 될 수 있다.

문제 8

다음 영토와 관련한 설명에 해당하는 것은?

> - 국가 간의 합의에 의하여 일국이 타국 영토의 일부를 차용하는 것
> - 보통 일정한 기간을 정하며, 그 기간 내에는 영역국의 통치권의 행사가 전면적으로 배제됨
> - 기간 만료시, 영역국에 반환해야 하며 해당지를 처분할 수 없음

① 국제지역
② 조차
③ 할양
④ 국경

해설 조차
- 국가 간의 합의에 의하여 일국이 타국 영토의 일부를 차용하는 것
- 보통 일정한 기간이 있으며, 기간 내에는 영역국의 통치권의 행사가 전면적으로 배제
- 실질적으로 영토의 할양(割讓)과 같은 외양을 지니며, 법률적으로도 입법·사법·행정면에서 조차국의 영토가 된 것과 동일한 효과를 지님
- 기간이 만료되면 영역국에 반환해야 하고 조차지를 처분할 수 없다는 점에서 영토의 할양과는 구별됨

정답 6. ③ 7. ④ 8. ②

토목일반 단원별 문제

문제 9

국토기본법이 추구하는 국토관리의 기본이념으로 직접적 관련이 적은 것은?

① 개발과 환경의 조화를 바탕으로 한 국토의 균형발전 추구
② 국가의 경쟁력을 높이는 국토 여건의 조성
③ 수도권 인구집중 해소
④ 국민의 삶의 질 향상을 위한 국토 여건 조성

해 설	국토기본법 제2조(국토관리의 기본 이념) – 국토는 모든 국민의 삶의 터전이며 후세에 물려줄 민족의 자산이므로, 국토에 관한 계획 및 정책은 개발과 환경의 조화를 바탕으로 국토를 균형 있게 발전시키고 국가의 경쟁력을 높이며 국민의 삶의 질을 개선함으로써 국토의 지속가능한 발전을 도모할 수 있도록 수립·집행하여야 한다.

문제 10

국토기본법에서 규정하고 있는 국토계획의 종류가 아닌 것은?

① 도종합계획
② 수도권발전계획
③ 국토종합계획
④ 부문별계획

해 설	국토계획의 구분(국토기본법 제6조) 국토계획은 국토종합계획, 도종합계획, 시·군 종합계획, 지역계획 및 부문별계획으로 구분한다.

문제 11

국토에 관한 계획 및 정책의 수립·시행에 관한 기본적인 사항을 정함으로써 국토의 건전한 발전과 국민의 복리향상에 이바지함을 목적으로 하는 법령은?

① 국토기본법
② 도시개발법
③ 헌법
④ 국토의 계획 및 이용에 관한 법률

해 설	국토기본법 제1조(목적) 이 법은 국토에 관한 계획 및 정책의 수립·시행에 관한 기본적인 사항을 정함으로써 국토의 건전한 발전과 국민의 복리향상에 이바지함을 목적으로 한다.

문제 12

국토기본법에서 규정된 국토계획의 구분에 대한 설명 중 옳지 않은 것은?

① 국토종합계획은 국토 전역을 대상으로 하여 장기적인 발전 방향을 제시하는 종합계획이다
② 지역계획은 특정 지역을 대상으로 특별한 정책목적을 달성하기 위하여 수립하는 계획이다.

정답 9. ③   10. ②   11. ①   12. ④

③ 시·군종합계획은 "국토의 계획 및 이용에 관한 법률"에 의하여 수립되는 도시·군계획이다.
④ 부문별계획은 국토 전역을 대상으로 하여 특정부문에 대한 단기적인 발전방향을 제시하는 계획이다.

| 해 설 | 부문별 계획
- 국토 전역을 대상으로 하여 특정 부문에 대한 장기적인 발전 방향을 제시하는 계획 |

문제 13

국토기본법에 따른 국토계획의 상호관계에 대한 설명으로 옳지 않은 것은?

① 국토종합계획은 도종합계획 및 시·군종합계획의 기본이 된다.
② 도종합계획은 당해 도의 관할구역에서 수립되는 시·군종합계획의 기본이 된다.
③ 부문별계획과 지역계획은 국토종합계획과 조화를 이루어야 한다.
④ 국토종합계획은 군사에 관한 계획 및 다른 법령에 의하여 수립되는 국토에 관한 계획에 우선한다.

| 해 설 | 국토기본법 제8조(다른 법령에 따른 계획과의 관계)
- 이 법에 따른 국토종합계획은 다른 법령에 따라 수립되는 국토에 관한 계획에 우선하며 그 기본이 된다. 다만, 군사에 관한 계획에 대하여는 그러하지 아니하다. |

문제 14

국토기본법에 따른 국토종합계획의 기본 수립 주기는 몇 년 단위인가?

① 5년 ② 10년
③ 20년 ④ 25년

| 해 설 | 국토종합계획은 20년을 단위로 하여 수립하며, 도종합계획, 시·군종합계획, 지역계획 및 부문별계획의 수립권자는 국토종합계획의 수립 주기를 고려하여 그 수립 주기를 정하여야 한다.(국토기본법 제7조) |

문제 15

국토 계획의 각 계획별 상호 체계에 대한 설명으로 올바른 것은?

① 지역계획은 국토종합계획과 시·군종합계획의 중간적 조정계획이다.
② 부문별계획은 도종합계획의 하위계획이다.
③ 도종합계획은 지역계획의 상위계획이다.
④ 시·군종합계획은 도종합계획의 하위계획이다.

| 해 설 | 국토계획의 체계
- 도종합계획은 국토종합계획과 시·군종합계획의 중간적 조정계획이다. |

정답 13. ④ 14. ③ 15. ④

문제 16

국토기본법 상의 국토종합계획에 포함되는 기본적이고 장기적인 정책방향이 아닌 것은?

① 국토의 현황 및 여건 변화 전망에 관한 사항
② 주택, 상하수도 등 생활 여건의 조성 및 삶의 질 개선에 관한 사항
③ 사이버 공간의 합리적 이용 및 관리에 관한 사항
④ 수해, 풍해(風害), 그 밖의 재해의 방제(防除)에 관한 사항

| 해 설 | 국토기본법의 장기 정책방향 포함 내용 - 국토기본법 제10조(국토 종합계획의 내용)
가) 국토의 현황 및 여건 변화 전망에 관한 사항
나) 국토발전의 기본 이념 및 바람직한 국토 미래상의 정립에 관한 사항
다) 교통, 물류, 공간정보 등에 관한 신기술의 개발과 활용을 통한 국토의 효율적인 발전 방향과 혁신 기반 조성에 관한 사항
라) 국토의 공간구조의 정비 및 지역별 기능 분담 방향에 관한 사항
마) 국토의 균형발전을 위한 시책 및 지역산업 육성에 관한 사항
바) 국가경쟁력 향상 및 국민생활의 기반이 되는 국토 기간 시설의 확충에 관한 사항
사) 토지, 수자원, 산림자원, 해양수산자원 등 국토자원의 효율적 이용 및 관리에 관한 사항
아) 주택, 상하수도 등 생활 여건의 조성 및 삶의 질 개선에 관한 사항
자) 수해, 풍해(風害), 그 밖의 재해의 방제(防除)에 관한 사항
차) 지하 공간의 합리적 이용 및 관리에 관한 사항
카) 지속가능한 국토 발전을 위한 국토 환경의 보전 및 개선에 관한 사항 |

문제 17

국토종합계획의 수립과 그 승인절차에 대한 올바른 순서는?

ㄱ. 국무회의 심의
ㄴ. 대통령 승인
ㄷ. 공청회의 개최
ㄹ. 국토종합계획안 마련
ㅁ. 소관별 계획안 작성 및 제출

① ㄹ-ㅁ-ㄷ-ㄱ-ㄴ
② ㅁ-ㄹ-ㄷ-ㄱ-ㄴ
③ ㄹ-ㅁ-ㄱ-ㄷ-ㄴ
④ ㅁ-ㄹ-ㄱ-ㄷ-ㄴ

| 해 설 | 국토종합계획 수립절차(국토기본법 제9조)
1) 소관별 계획안 작성·제출(중앙행정기관 및 광역자치단체의 장)
2) 국토 종합 계획(안) 마련(국토교통부 장관)
3) 공청회 개최(의견수렴)
4) 시·도지사 의견청취
5) 국무회의 심의
6) 대통령 승인
7) 공고(국토교통부 장관) |

정답 16. ③ 17. ②

문제 18

국토종합계획의 수립권자는?

① 국토교통부장관　　② 국무총리
③ 시·도지사　　　　④ 대통령

해설 국토교통부장관은 국토종합계획을 수립하여야 한다(국토기본법 제9조)

문제 19

2021년 현재 수립 및 운영 중인 국토종합계획은?

① 제3차 국토종합개발계획　　② 제4차 국토종합계획
③ 제4차 국토종합계획 수정계획　　④ 제5차 국토종합계획

해설
국토종합계획의 변천 과정
제1차 국토 종합 개발 계획(1972~1981)
제2차 국토 종합 개발 계획(1982~1991)
제3차 국토 종합 개발 계획(1992~2001)
제4차 국토 종합 계획(2000~2020)
제4차 국토 종합 계획 수정계획(2006~2020)
제4차 국토 종합 계획 수정계획(2011~2020)
제5차 국토 종합 계획(2020~2040)

문제 20

제1차 국토 종합 개발 계획의 목표로 옳은 것은?

① 인구의 지방 정착과 생활환경 개선
② 개발과 보전의 조화와 복지향상
③ 고도 경제 성장을 위한 기반 시설 조성
④ 과거 국토 개발 과정에서 누적되어온 국토의 불균형, 환경훼손의 문제점 해소

해설
제1차 국토 종합 개발 계획(1972~1981년)
목표 : 고도 경제 성장을 위한 기반 시설 조성
역점 : 수도권과 동·남해안 공업 벨트 중심의 거점 개발 추진

문제 21

헌법과 국토기본법에 근거한 최상위 국가 공간 계획은?

① 국토 이용 계획　　② 국토 종합 계획
③ 도 종합계획　　　④ 도시·군 기본 계획

정답 18. ①　19. ④　20. ③　21. ②

해설	국토종합계획의 법적 근거 국토 종합 계획의 법적 근거는 헌법에서 찾아볼 수 있다. 헌법 제120조 제2항에 '국토와 자원은 국가의 보호를 받으며, 국가는 그 균형 있는 개발과 이용을 위하여 필요한 계획을 수립한다.'라고 규정되어 있어 국토종합계획은 국토에 관한 최상위 국가 공간 계획이라 할 수 있다.

문제 22

국토기본법에 의하여 수립되어야 할 지역계획에 해당하는 것은?

① 국토 이용 계획
② 도시·군 관리계획
③ 도종합계획
④ 수도권발전계획

해설	지역계획의 수립(국토기본법 제 16조) - 수도권발전계획, 지역개발계획, 그 밖에 다른 법률에 따라 수립하는 지역계획으로 구분한다

문제 23

제1차 국토 종합 개발 계획의 중점 추진 사항으로 가장 옳은 것은?

① 수도권과 동남 해안 공업 벨트 중심의 거점 개발 추진
② 수도권 집중 억제와 권역 개발
③ 서해안 신산업 지대 육성 및 분산형 국토 개발
④ 국토의 불균형, 환경훼손등의 문제점 해소

해설	제1차 국토종합개발계획은 고도 경제 성장을 위한 기반시설 조성 목표로 수도권과 동남 해안 공업벨트 중심의 거점 개발 추진에 중점을 두었다

문제 24

제3차 국토 종합 개발 계획(1992~2001)의 중점 추진 사항으로 가장 옳은 것은?

① 국토의 불균형, 환경훼손 등의 문제점 해소
② 수도권 집중 억제와 권역 개발
③ 서해안 신산업 지대 육성 및 분산형 국토 개발
④ 수도권과 동남 해안 공업 벨트 중심의 거점 개발 추진

해설	제3차 국토종합개발계획은 개발과 보전의 조화, 복지향상을 목표로 서해안 신산업 지대 육성 및 분산형 국토 개발에 중점을 두었다

정답 22. ④   23. ①   24. ③

01 국토종합계획

문제 25

제4차 국토 종합 계획(2000~2020)이 내세운 비전으로 가장 옳은 것은?

① 약동하는 통합국토의 실현
② 21세기 통합 국토의 실현
③ 글로벌 녹색국토의 실현
④ 연대와 협력을 통한 유연한 스마트 국토의 실현

해설	제4차 국토 종합계획의 기조(비전) 설정 제4차 국토 종합 계획(2000~2020) - 21세기 통합국토의 실현 제4차 국토 종합 수정 계획(2006~2020) - 약동하는 통합국토의 실현 제4차 국토 종합 수정 계획(2011~2020) - 글로벌 녹색국토의 실현

문제 26

제5차 국토 종합 계획(2020~2040)이 설정하고 있는 비전으로 옳은 것은?

① 글로벌 녹색국토
② 약동하는 통합국토
③ 모두를 위한 국토, 함께 누리는 삶터
④ 21세기 통합국토

해설	제5차 국토 종합계획(2020~2040)의 비전 현재와 미래 세대 모두를 위한 국토의 백년대계 실현을 지향하며 「모두를 위한 국토, 함께 누리는 삶터」를 비전으로 설정

문제 27

제5차 국토 종합 계획(2020~2040)이 설정하고 있는 목표와 거리가 가장 먼 것은?

① 어디서나 살기 좋은 균형 국토
② 안전하고 지속가능한 스마트 국토
③ 건강하고 활력있는 혁신 국토
④ 세계로 향한 열린 국토

해설	국토 종합 계획의 목표	
	제4차 국토 종합 계획 수정 계획(2011~2020)	제5차 국토 종합 계획(2020~2040)
	경쟁력 있는 통합국토 지속가능한 친환경국토 품격있는 매력국토 세계로 향한 열린국토	어디서나 살기 좋은 균형 국토 안전하고 지속가능한 스마트 국토 건강하고 활력있는 혁신 국토

정답 25. ② 26. ③ 27. ④

문제 28

국토 종합(개발)계획의 추진기간이 잘못된 것은?

① 제1차 국토 종합 개발 계획 - 1972년~1981년
② 제2차 국토 종합 개발 계획 - 1982년~1991년
③ 제3차 국토 종합 계획 - 1992년~2001년
④ 제4차 국토 종합 계획 수정계획 - 2006년~2016년

해설

국토종합계획의 변천 과정
제1차 국토 종합 개발 계획(1972~1981)
제2차 국토 종합 개발 계획(1982~1991)
제3차 국토 종합 개발 계획(1992~2001)
제4차 국토 종합 계획(2000~2020)
제4차 국토 종합 계획 수정계획(2006~2020)
제4차 국토 종합 계획 수정계획(2011~2020)
제5차 국토 종합 계획(2020~2040)
- 향후 20년을 바탕으로 국토의 발전 방향을 수립해 온 국토 종합 계획이 국가 재정운용 계획과 연동돼 5년마다 수정·보완하는 작업이 이뤄질 전망이다.
- 현재는 제5차 국토 종합 계획(2020~2040)이 수립되어 운영 중에 있다.

문제 29

우리나라 국토계획의 체계 및 위계를 상위부터 하위까지 순서대로 가장 잘 나타낸 것은?

① 도시·군관리계획 - 도종합계획 - 도시·군기본계획 - 국토종합계획
② 국토종합계획 - 도시·군관리계획 - 도시·군기본계획 - 도종합계획
③ 도시·군기본계획 - 도시·군관리계획 - 도종합계획 - 국토종합계획
④ 국토종합계획 - 도종합계획 - 도시·군기본계획 - 도시·군관리계획

해설

국토계획의 상호관계(국토기본법 제7조)
- 국토 종합 계획은 도종합계획 및 시·군종합계획의 기본이되며 도 종합 계획은 당해 도의 관할 구역 내에서 수립되는 시·군 종합 계획의 기본이 된다고 명시
- 시·군 종합 계획을 다시 도시 기본 계획과 도시 관리 계획으로 체계화(국토의 계획 및 이용에 관한 법률)

문제 30

국토계획의 성격을 가장 잘 나타낸 것은?

① 지역산업 육성을 위한 공간적 배분문제를 다루는 경제계획
② 수도권 인구집중을 해소하는 계획
③ 하위계획에 지침을 제시하는 지침제시적 계획
④ 국민개개인이 계획수립의 주체가 되는 계획

정답 28. ④ 29. ④ 30. ③

해 설	국토 계획의 성격 - 협의의 국토 계획이라고 하면 국토 종합 계획을 의미 - 국토 전역을 대상으로 하여 국토의 장기적인 발전 방향을 제시하는 종합 계획 - 국토 종합 계획은 도 종합 계획 및 시·군종합 계획의 기본이 됨 - 부문별 계획과 지역 계획도 국토 종합 계획과 조화를 이루도록 함

문제 31

국토에 대한 설명으로 옳지 않은 것은?

① 한 국가의 주권이 미치는 범위이다.
② 국민의 편익을 위해 개발이 필수적인 공간이다.
③ 외부의 침입으로부터 보호되어야 할 배타적 영역이다.
④ 지형, 기후 등 자연적 요소와 역사, 문화 등의 인문적 요소로 구성된다.

해 설	국토는 민족의 존재 기반으로서 개발이 필수적이라기 보다는, 개발과 보전을 조화시켜 지속가능한 발전을 이루도록 해야 할 필요가 있다.

문제 32

환태평양, 환황해, 환동해 경제권으로 뻗어나가는 해안권 국토축은?

① 분산형　　　　　　　　　　② 벨트형
③ 개방형(π형)　　　　　　　　④ 결절형(x형)

해 설	제4차 국토 종합 계획 국토공간 구조의 방향을 개방형(π형) 통합 국토축(연안국토축) 형성으로 하였다.

문제 33

시간과 장소에 구애 받지 않고 언제나 네트워크에 접속할 수 있는 정보기술 패러다임을 일컫는 용어는?

① 클러스트　　　　　　　　　② 거버넌스
③ 유비쿼터스　　　　　　　　④ 인공지능(AI)

해 설	유비쿼터스(Ubiquitous) 유비쿼터스란 시간과 장소에 구애받지 않고 언제나 네트워크에 접속할 수 있는 통신 환경을 말한다. 라틴어의 유비쿼터스는 '언제나 어디에나 존재한다'는 뜻을 가지고 있으며, 정보 통신 분야에서는 시간, 장소를 초월한 통신 환경을 목표로 한다. 유비쿼터스는 이러한 여러 가지 기기나 사물에 컴퓨터를 집어넣어 사용자와의 커뮤니케이션을 쉽게 해주는 정보 기술 IT환경 또는 정보 기술 패러다임을 뜻한다.

정답　31. ②　32. ③　33. ③

문제 34

다음 설명에 해당하는 도시 개념은?

- 산업입지와 경제활동을 위해 민간 기업 주도로 개발
- 기업 자신이 필요한 용지를 개발하여 관련한 산업과의 연계성 및 효율성 극대화
- 거주에 필요한 주택과 교육, 의료 등 자족적 복합기능을 가짐

① 기업도시 ② 혁신도시
③ 압축도시 ④ 자족적 복합도시

해설	기업도시 - 기업도시의 핵심키워드는 "민간기업" 이다. - 산업입지와 경제활동을 위하여 민간기업이 산업·연구·관광·레저·업무 등의 주된 기능과 주거·교육·의료·문화 등의 자족적 복합 기능을 고루 갖추도록 개발하는 도시를 말한다.

문제 35

특정한 식물과 동물이 하나의 군집을 이루어 지표상에서 다른 곳과 구분되는 독립된 서식지를 의미하는 것은?

① 생물다양성 ② 비오톱
③ 생태네트워크 ④ 바이오매스

해설	비오톱(Biotope) - 그리스어로 생명을 의미하는 비오스(bios) + 땅 또는 영역이라는 의미의 토포스(topos) - 특정한 식물과 동물이 하나의 생활공동체, 즉 군집을 이루어 지표상에서 다른 곳과 명확히 구분되는 하나의 서식지를 말함 - 좁은 의미로는, 도시개발과정에서 최소한의 자연생태계를 유지할 수 있는 생물군집서식지의 공간적 경계를 말함

문제 36

서로 경쟁하면서 협력하고, 특정분야의 상호연관된 기업 전문화된 공급자, 서비스 제공업체, 대학 등이 지리적으로 집중된 것은?

① 스마트 그리드 ② 클러스터
③ 네트워크형 인프라 ④ 생태 네트워크

해설	클러스트 - 정의 : 서로 경쟁하면서 협력하는 특정 분야에서 상호 연관된 기업, 전문화된 공급자, 서비스 제공 업체, 관련 산업, 연관된 기관(대학, 중개 기관, 산업협회 등)이 지리적으로 집중한 것을 의미(마이클 포터(Michael Porter)) - 일정 지역에 기업과 대학 연구소, 기업 지원 기관 등이 모여서 상호 작용하여 새로운 지식과 기술을 창출하는 것

정답 34. ① 35. ② 36. ②

01 국토종합계획

문제 37

지방이전 공공기관 및 산학연관이 긴밀히 협력할 수 있도록 최적의 여건과 수준 높은 정주환경을 갖춘 미래형 도시는?

① 기업도시
② 압축도시
③ 혁신도시
④ 산업단지

해설

혁신도시
- 지방 이전 공공 기관 및 산·학·연·관이 서로 긴밀히 협력할 수 있는 최적의 혁신 여건과 수준 높은 주거 교육 문화 등 정주 환경을 갖춘 새로운 차원의 미래형 도시를 지향
- 정부는 공공 기관 지방 이전 계획에 따라 이전하는 공공 기관이 입지하게 되는 혁신 도시의 입지 선정을 위해 선정 기준 및 절차 등이 포함된 혁신도시 입지 선정 지침을 2005년 7월에 발표

문제 38

다음 설명이 말하는 계획은?

- 국토기본법에 의하여 수립하는 법정 계획
- 목적 : 도(道)가 보유하고 있는 인적 물적 자원을 효율적으로 이용 개발 보전하기 위한 장·단기 정책방향과 지침을 설정, 추진함으로써 도민의 복지향상과 지역발전에 기여

① 국토 종합 계획
② 도 종합 계획
③ 시군종합계획
④ 지역계획

해설

도종합계획
- 도 또는 특별자치도의 관할구역을 대상으로 하여 해당 지역의 장기적인 발전 방향을 제시하는 종합계획(국토기본법 제6조)

문제 39

제4차 국토종합계획(2000~2020)에 비해, 제4차 국토종합계획 수정계획(2006~2020)에서 추가된 목표는 무엇인가?

① 균형국토
② 복지국토
③ 녹색국토
④ 개방국토

해설

제4차 국토 종합 계획과 수정 계획의 비교

	제4차 국토 종합 계획(2000~2020)	제4차 국토 종합 계획 수정 계획(2006~2020)
목표	4대 목표(균형국토, 녹색국토, 개방국토, 통일국토)	5대 목표(균형국토, 녹색국토, 개방국토, 통일국토, 복지국토) - 삶의 질을 중시하여 복지 국토를 추가

정답 37. ③ 38. ② 39. ②

문제 40

국토는 토지의 이용실태 및 특성, 장래의 토지 이용 방향, 지역간 균형 발전 등을 고려하여 4가지 용도지역으로 구분하는데, 이 용도지역에 해당하지 않는 것은?

① 도시지역
② 관리지역
③ 개발 제한 지역
④ 자연 환경 보전 지역

해설	용도지역의 구분 - 전 국토를 다음과 같이 4개의 용도지역으로 구분하여 관리 　도시지역 / 관리지역 / 농림지역 / 자연환경보전지역

문제 41

도 종합계획의 수립절차에 관한 설명이다. 괄호에 들어갈 알맞은 말을 순서대로 나열하면?

> 도지사가 계획안을 작성하여 공청회를 거쳐 주민의견을 수렴한 수 도(道)의 도시계획 위원회의 (　　)를(을) 거쳐 국토교통부 장관에게 (　　)을(를) 요청하면 국토교통부는 관계 중앙 행정 기관의 장과 협의를 거쳐 승인하고, 도지사는 이를 지체없이 (　　) 하도록 한다.

① 심의 – 승인 – 공고
② 공고 – 고시 – 지정
③ 고시 – 심의 – 공고
④ 승인 – 지정 – 공고

해설	도 종합계획의 수립절차 가) 계획안 작성(도지사) 나) 의견수렴(공청회 개최) 다) 심의(도 도시계획 위원회) 라) 계획수립(도지사) 마) 협의 바) 심의(국토정책위원회) 사) 승인, 공고(국토교통부 장관)

문제 42

시군종합계획을 도시기본계획과 도시관리계획으로 나누어 체계화한 법(률)은?

① 도시개발법
② 헌법
③ 국토이용 관리법
④ 국토의 계획 및 이용에 관한 법률

해설	국토 이용 계획 시·군 종합 계획을 '국토의 계획 및 이용에 관한 법률'에 따라 수립되는 도시계획인 도시 기본 계획과 도시 관리 계획으로 나눔

정답　40. ③　41. ①　42. ④

문제 43

제4차 국토종합 계획 수정계획의 기본 목표 중, 도시와 농촌의 주거 환경을 개선하여 모두가 풍요롭고 쾌적한 삶을 누리는 국토를 조성하는 것은?

① 상생하는 균형 국토
② 살기 좋은 복지 국토
③ 번영하는 통일 국토
④ 지속가능한 녹색 국토

해 설	살기 좋은 복지 국토 도시 및 농촌의 정주 환경을 개선하여 국민 모두가 풍요롭고 쾌적한 삶을 누리는 국토를 조성한다. 또한, 취약 계층 및 사회적 약자의 삶의 질을 배려하여 주거 복지를 증진하고 도시환경 및 교통시설을 개선한다.

문제 44

제5차 국토 종합 계획(2020~2040)의 수립배경 및 필요성으로 적합하지 않은 것은?

① 인구 감소와 인구 구조의 변화
② 경제 성장 잠재력의 둔화와 양극화, 노후화
③ 4차 산업혁명 시대에 적합한 혁신적 생활 공간 조성과 국토관리
④ 지방분권화의 축소를 통한 중앙정부 주도의 새로운 국토정책 거버넌스 요구

해 설	제5차 국토종합계획 수립의 배경이 된 국내외 여건변화 전망 - 인구 감소와 구조 변화로 국토정책 방향의 전환 불가피 - 경제성장 잠재력의 둔화와 양극화노후화 - 기후변화 대응과 삶의 질에 대한 정책 요구 증가 - 4차 산업혁명 시대에 적합한 혁신적 생활공간 조성과 국토관리 - 남북교류협력 확대와 국가 간 주도권 확보 경쟁 심화 - 분권화와 참여 확대를 통한 새로운 국토정책 거버넌스 요구

문제 45

제5차 국토 종합 계획(2020~2040)의 추진 전략 및 주요 정책과제와 가장 거리가 먼 것은?

① 개성있는 지역 발전과 연대·협력 추진
② 세대와 계층을 아우르는 안심 생활 공간 조성
③ 개방형 통합 국토축 형성
④ 인프라의 효율적 운영과 국토 지능화

해 설	제5차 국토 종합 계획 6대 추진전략 (1) 개성있는 지역발전과 연대협력 촉진 (2) 지역 산업혁신과 문화관광 활성화 (3) 세대와 계층을 아우르는 안심 생활공간 조성 (4) 품격있고 환경 친화적 공간 창출 (5) 인프라의 효율적 운영과 국토 지능화 (6) 대륙과 해양을 잇는 평화국토 조성 "개방형 통합국토축 형성" 전략은 제4차 국토종합계획의 추진 전략이다.

정답 43. ② 44. ④ 45. ③

문제 46

제5차 국토 종합 계획의 국토 공간 형성의 기본방향에 대한 것으로 옳지 않은 것은?

① 획일적이고 고정적인 공간 정책 관행에서 벗어나 문화, 관광, 교통 등 국민의 다양한 수요와 실생활을 고려한 국토 공간 대응
② 국민의 생활 편의와 효율적인 국토 관리, 인구 감소·저성장에 대응한 스마트한 공간 재배치
③ 중앙정부 주도의 국토 정책 패러다임에서, 인구 감소와 저성장 기조에 부합하는 패러다임으로의 전환
④ 무경계화가 진전되는 현실 상황을 극복하기 위한 행정구역 단위의 국토 공간 형성 관리

해설	제5차 국토종합계획의 국토공간 형성 기본방향 1. 국민 수요에 부합하는 국토 공간을 형성 • 획일적이고 고정적인 공간 정책 관행에서 벗어나 문화, 관광, 교통 등 국민의 다양한 수요와 실생활을 고려한 국토 공간 대응을 강화한다. • 행정구역 단위의 폐쇄적이고 단절적인 국토 공간에서 탈피하여 경계의 유연화와 무경계화(borderless)가 진전되는 현실을 반영한 공간 정책으로 체감도를 높인다.

문제 47

다음 설명에 해당하는 도시 개념은?

- 국가 균형 발전 위원회가 주도
- 공공기관 이전을 계기로 지방의 거점 지역에 조성되는 '작지만 강한' 새로운 차원의 미래형 도시
- 기업과 대학, 연구소 등 우수한 인력들이 한 곳에 모여 서로 협력하면서 지식 기반 사회를 이끌어 가는 첨단 도시로 구성

① 기업도시
② 혁신도시
③ 행정중심 복합 도시
④ 자족적 복합도시

해설	혁신도시 지방이전 공공기관 및 산학연관이 긴밀히 협력할 수 있도록 최적의 여건과 수준 높은 정주환경을 갖춘 미래형 도시

문제 48

제5차 국토종합계획의 도시의 적정개발과 관리 강화 방안으로 적절하지 않은 것은?

① 도심의 복합적·입체적 개발을 지양하고 확장적 개발을 유도한다
② 주요 교통축을 중심으로 압축적인 도시 정비를 추진한다
③ 지역 내 발생하는 신규 수요는 대규모 개발보다는 시가화 지역 내 소규모 맞춤형의 개발·정비를 유도한다
④ 커뮤니티 강화, 주거 공간 조성, 첨단 인프라 구축 등 인구 감소 시대에 대비한다.

해설	도심은 확장적 개발을 지양하고 복합 입체 개발을 유도하며, 주요 교통축을 중심으로 압축적인 도시 정비를 추진한다.

정답 46. ④ 47. ② 48. ①

문제 49

다음 설명에 해당하는 것은?

> 1970년대 미국에서 만들어진 신조어로, 대체적으로 미국에서는 오염되었거나 개발이 진행되지 않고 유휴지가 되고 있는 토지, 산업 쇠퇴에 따라 발생한 폐산업 공간 등을 의미한다.

① 그린 인프라(green-infra)
② 브라운필드(brownfield)
③ 마이크로그리드(Microgrid)
④ 서비스 레지던스(serviced residence)

해설
브라운필드(brownfield)
미국에서 1970년대에 만들어진 신조어이다 강한 사회 정세를 반영하는 용어이기 때문에 세계적으로 고정된 정의는 없다. 대체적으로 미국에서는 오염되었거나 개발이 진행되지 않고 유휴지가 되고 있는 토지를 의미한다.

문제 50

제5차 국토 종합 계획의 내용으로 적절하지 않은 것은?

① 차량 중심에서 보행자 중심으로 도로 교통환경을 전환한다.
② 인구가 감소하는 농어촌은 수요 응답형 교통 체계 등을 활용하여 접근성을 개선한다.
③ 장수명 주택, 모듈러 주택, 스마트 홈 등 미래형 주택 보급 확대를 추진한다.
④ 서비스 범위가 넓은 지역 거점 생활 SOC를 공급하는 경우 소규모 마을 단위의 배치를 통하여 주민 생활 편의 접근성을 향상시킨다.

해설
생활 SOC 접근성 제고로 편안한 생활 공간 조성
- 생활 SOC를 지역 거점 시설과 마을 단위 시설 등으로 유형화하여 차별적으로 배치하고, 지역 맞춤형 공간 복지 전달 체계와 결합하여 주민의 생활편의 접근성을 향상시킨다.
- 어린이집, 주차장, 경로당 등 소규모 마을 단위로 배치가 필요한 시설은 마을이나 동네에 직접 공급하고 문화 예술 회관, 체육관, 보건소 등 일정 규모 이상의 지역 거점 시설은 접근성이 양호한 생활 거점에 배치한다.

문제 51

다음 설명에 해당하는 것은?

> - 입주자들이 사생활은 누리면서도 공용 공간에선 공동체 생활을 하는 협동 주거 형태를 일컬음
> - '같이 또 따로' 정신을 주택에 구현한 것이라 할 수 있으며, 입주자 개인 공간을 확보하고 공동 공간도 이용함

① 소셜 비지니스
② 거버넌스
③ 클러스트
④ 코하우징(Co-Housing)

해설
코하우징
- 입주자들이 사생활은 누리면서도 공용 공간에선 공동체 생활을 하는 협동 주거 형태
- 입주자 개인 공간을 확보하고 공동 공간도 이용한다는 점에서 '셰어하우스'와 같은 개념으로 볼 수 있음

정답 49. ② 50. ④ 51. ④

문제 52

한반도 신경제 구상에 따른 구축 내용으로 적절하지 않은 것은?

① 환동해 에너지 자원벨트 구축
② 환서해 물류 산업 벨트 구축
③ 남해안 선벨트 구축
④ 접경 지역 평화 벨트 구축

해설	한반도 신경제 구상의 실천 3대 경제 벨트와 하나의 시장구축 　- 환서해 벨트(산업 특구 협력, 물류망구축, 서울-평양 경제권 형성 등) 　- 환동해 벨트(에너지 자원 관광 협력) 　- 접경 지역 벨트(DMZ 평화지대, 국제 생태 공원 조성 등) 남해안 선벨트 　- 제4차 국토종합 계획의 개방형 초광역 국토발전축의 하나 　- 환태평양 진출을 위한 해양 물류 및 산업 경쟁력 강화를 위한 중국과 일본, 환태평양 등 해양 지향적인 국토의 관문으로 도약하기 위해 산업 물류 관광 기반의 국제 교류 지대로 육성

문제 53

제5차 국토 종합 계획의 국토공간 전략의 기본구상으로 올바르지 않은 것은?

① 국민의 수요에 부합하도록 활력 매력이 넘치는 국토공간 형성
② 국토 개발에서 관리의 시대로의 변화를 반영
③ 인구감소와 저성장 시대에 대응하는 경쟁력 있는 공간 전략
④ 성장기의 중앙정부가 주도하는 공간 형성방식 추구

해설	국토 개발에서 관리의 시대로의 변화를 반영 성장기의 중앙정부가 주도하는 공간 형성방식에서 벗어나, 성숙기에 맞는 중앙과 지방이 협력적 관계에서 만들어 갈 공간 구상을 반영

문제 54

"한반도 3대 경제 벨트 구축과 하나의 시장협력을 통해 구현하는 한반도 신경제 구상의 실천"에 해당하는 제5차 국토 종합 계획의 추진전략 사항은?

① 인프라의 효율적 운영과 국토지능화
② 개성있는 지역발전과 연대 협력 촉진
③ 대륙과 해양을 잇는 평화국토 조성
④ 지역 산업 혁신과 문화 관광 활성화

해설	한반도 신경제구상 이행과 경제 협력 　- 남한과 북한의 협력을 통해 경제공동체를 형성하고, 나아가 유라시아 대륙과 태평양을 연결하는 관문국가로 발전 　- 비무장지대(DMZ)에 유엔기구, 생태기구 유치 등 국제평화지대화 추진

정답　52. ③　53. ④　54. ③

문제 55

우리나라 국토종합계획의 각 계획별 특징에 대한 연결로 올바르지 않은 것은?

① 제1차 국토종합개발 계획 - 공업벨트를 중심으로 고도의 경제성장을 이끎
② 제2차 국토종합개발 계획 - 수도권에 집중되던 개발의 가능성을 전국적으로 확대해 나감
③ 제3차 국토종합개발 계획 - 국민 복지 향상과 환경보전을 목표로 지방 분산형 국토개발을 추진
④ 제4차 국토종합계획 - 인구감소에 대응한 지속가능한 국토공간 실현

해설	제5차 국토종합계획의 특징 • 국민의 요구에 맞춰 매력 넘치는 국토 공간을 조성 • 인구감소와 저성장시대를 맞아 공간을 재배치 • 혁신적이고 자율적이며 협력적인 지역발전을 추진

문제 56

제5차 국토 종합 계획에 따라 안전하고 회복력이 높은 안심국토를 조성하기 위하여 사람중심의 안전체계를 구축하기 위한 방안으로 부적절한 것은?

① 주민의 안전한 대피를 위한 사전 대응 체계를 구축
② 고령 인구 증가를 고려해 보행자 우선의 교통체계로 개편
③ 제한 속도를 상향 조정하고 빅데이터를 활용한 신호 체계의 지능형 연동을 통하여 도로소통능력 증대
④ 철도 운영·관리 기법의 고도화를 통한 사고율 감소 추진

해설	사람 중심의 안전 체계 구축을 위한 교통 체계의 안전성 강화 방안 • 고령 인구 증가를 고려해 횡단 보도의 시간 연장 등 교통 인프라의 안전성에 대한 전반적인 재검토를 실시하고 보행자 우선의 교통 체계로 개편 • 제한 속도 하향 조정, 빅데이터를 활용한 신호 체계의 지능형 연동 등을 통해 도로 안전을 강화 • 철도 운영·관리 기법의 고도화를 통한 사고율 감소추진

문제 57

제5차 국토 종합 계획에 따른 기간 교통망의 효율화와 대도시권 혼잡 해소 방안으로 적절하지 않은 것은?

① 유라시아 대륙 철도 연결을 위한 남북 철도 연계 대비
② 국토 균형 발전을 위한 π형 국가 고속 철도망 구축
③ 7×9 + 6R 형의 국가 간선망의 지속 추진으로 네트워크 국토 완성
④ 광역 BRT 구축사업 확대로 공공성 강화

해설	국가 철도망 구축을 통한 이동성 강화와 효율적 운영 • 국토공간을 통합·다핵·개방형 구조로 변화시키는 철도망을 구축 - 권역 간 네트워크 구축 및 국토 균형 발전을 위한 X자형 국가 철도망을 지속적으로 추진

정답 55. ④ 56. ③ 57. ②

문제 58

다음 설명에 해당하는 것은?

- 2개 이상의 다른 운송 수단을 통해 일괄 수송이 가능하도록 연결하는 시스템
- 대륙 간 철도 인프라 연결에 대비하기 위해 항만 내 철도시설 확충 등이 필요

① 인터모달(Intermodal)
② 디지털트윈(Digital Twin)
③ 블록트레인(Block Train)
④ 하이퍼루프(Hyperloop)

해설
인터모달
- 다양한 교통수단의 복합이용을 통해 최초 출발지에서 최종 목적지까지 수송의 효율성을 극대화한다는 이론
- 도로, 철도, 해운, 항만 등 동종과 이종의 교통수단 간 연계성을 고려하는 통합교통운영체계의 종합적 개념

문제 59

다음 설명에 해당하는 것은?

- 차량 속도와 교통량을 줄여 보행자 및 자전거 이용자의 도로 이용이 안전하고 편리하게 만들고 소음이나 대기오염으로부터 생활권을 보호하는 것을 뜻한다.

① C-ITS
② 스마트 톨링
③ 교통 정온화
④ 지능형 교통 시스템

해설
교통 정온화(Traffic Calming)
- 차량의 속도를 낮추기 위한 차로폭 좁힘, 지그재그 도로, 고원식 횡단보도, 소형 회전교차로 등의 기법

문제 60

압축도시에 대한 설명으로 옳지 않은 것은?

① 공공시설 및 교통시설에 접근성이 높아진다.
② 고밀개발을 통해 도심의 토지가격을 안정시킨다.
③ 도시의 무분별한 교외확산을 방지할 수 있다.
④ 주거와 직장 및 도시 서비스의 분리를 최소화한다.

해설
압축도시(Compact City)
- 도시의 확산을 억제하고 주거, 직장, 상업 등 일상적인 도시기능들을 가급적 기성시가지 내부로 가져와, 상대적으로 높은 주거 밀도와 토지의 혼합 이용을 유도하는 도시 계획 개념이다. 즉, 시가지 경계 안쪽으로 밀집된 개발을 통하여 효율적인 공공 교통 제도를 도입한 배치를 통해 걷기와 자전거 타기를 권장하고 에너지 소비를 줄여 좋은 환경을 유지할 수 있도록 한다.
- 도심의 고밀 개발로 인하여 도심지 지가상승의 우려가 있다.

정답 58. ① 59. ③ 60. ②

문제 61

국토기본법에 의한 지역계획으로서 수도권에 과도하게 집중된 인구와 산업의 분산 및 적정배치를 유도하기 위하여 수립하는 계획은?

① 수도권 발전계획
② 광역권 개발계획
③ 특정지역 개발계획
④ 개발촉진지구 개발계획

해설	지역계획의 수립(국토기본법 제 16조) • 수도권 발전계획 : 수도권에 과도하게 집중된 인구와 산업의 분산 및 적정배치를 유도하기 위하여 수립하는 계획 • 지역개발계획 : 성장 잠재력을 보유한 낙후지역 또는 거점지역 등과 그 인근지역을 종합적·체계적으로 발전시키기 위하여 수립하는 계획 • 그 밖에 다른 법률에 따라 수립하는 지역계획

문제 62

수도권의 인구 및 산업의 집중을 억제하고 적정하게 배치하기 위한 방법으로 옳지 않은 것은?

① 대학 등 고등 교육기관의 신설 또는 증설
② 수도권 소재 공공기관의 이전
③ 수도권 내 공장의 신축 및 증축 억제
④ 일정규모 이상의 대규모 개발사업의 지양

해설	인구집중유발시설 학교, 공장, 공공 청사, 업무용 건축물, 판매용 건축물, 연수 시설, 그 밖에 인구 집중을 유발하는 시설로서 대통령령으로 정하는 종류 및 규모 이상의 시설

문제 63

수도권정비계획안의 최종 승인권자는?

① 대통령
② 수도권정비위원회 의장
③ 국토교통부장관
④ 서울특별시장

해설	수도권정비계획의 수립 절차 1) 수도권정비계획안 입안(국토교통부장관) 2) 수도권정비위원회 심의 3) 국무회의 심의 4) 대통령 승인

문제 64

국토기본법에 따른 국토계획에 대한 설명으로 옳지 않은 것은?

① 국토종합계획 : 국토전역을 대상으로 국토의 장기적인 발전방향을 제시하는 종합계획
② 부문별 계획 : 국토전역을 대상으로 특정부문에 대한 장기적인 발전방향을 제시하는 계획

정답 61. ① 62. ① 63. ① 64. ③

③ 시・군종합계획 : 특정한 시군지역을 대상으로 특별한 정책적 목적을 달성하기 위하여 수립하는 계획
④ 도종합계획 : 도 또는 특별자치도의 관할구역을 대상으로 해당 지역의 장기적인 발전방향을 제시하는 종합계획

해 설	시・군종합계획 • 특별시・광역시・시 또는 군(광역시의 군은 제외한다)의 관할구역을 대상으로 하여 해당 지역의 기본적인 공간구조와 장기 발전 방향을 제시하고, 토지이용, 교통, 환경, 안전, 산업, 정보통신, 보건, 후생, 문화 등에 관하여 수립하는 계획으로서 「국토의 계획 및 이용에 관한 법률」에 따라 수립되는 도시・군계획

문제 65

수도권 정비계획법에서의 "수도권"의 범위로 올바른 것은?

① 서울특별시
② 인천광역시, 경기도
③ 서울특별시, 경기도
④ 서울특별시, 인천광역시, 경기도

해 설	"수도권"의 정의(수도권정비계획법 제2조) • "수도권"이란 서울특별시와 대통령령으로 정하는 그 주변 지역을 말한다. • 여기서, "대통령령으로 정하는 그 주변 지역"이란 인천광역시와 경기도를 말한다.

정답 65. ④

02
도시 계획

Ⅰ. 도시 계획의 이해
Ⅱ. 도시 개발의 내용
예상문제 및 기출문제

Ⅰ. 도시 계획의 이해
    도시의 본질과 특성
    도시의 구성
    도시의 발달
    도시 계획의 개념과 특성
    우리나라의 도시계획 체계

Ⅱ. 도시 개발의 내용
    도시 개발의 의의와 범위
    도시 개발의 유형
    도시화와 도시문제
    미래의 도시

도시 계획의 이해

I.

도시의 본질과 특성
도시의 구성
도시의 발달
도시 계획의 개념과 특성
우리나라의 도시계획 체계

02 도시 계획

학습요점

» 도시의 정의
» 도시의 특성
» 도시의 분류
» 독시아디스의 인간정주 사회 단계

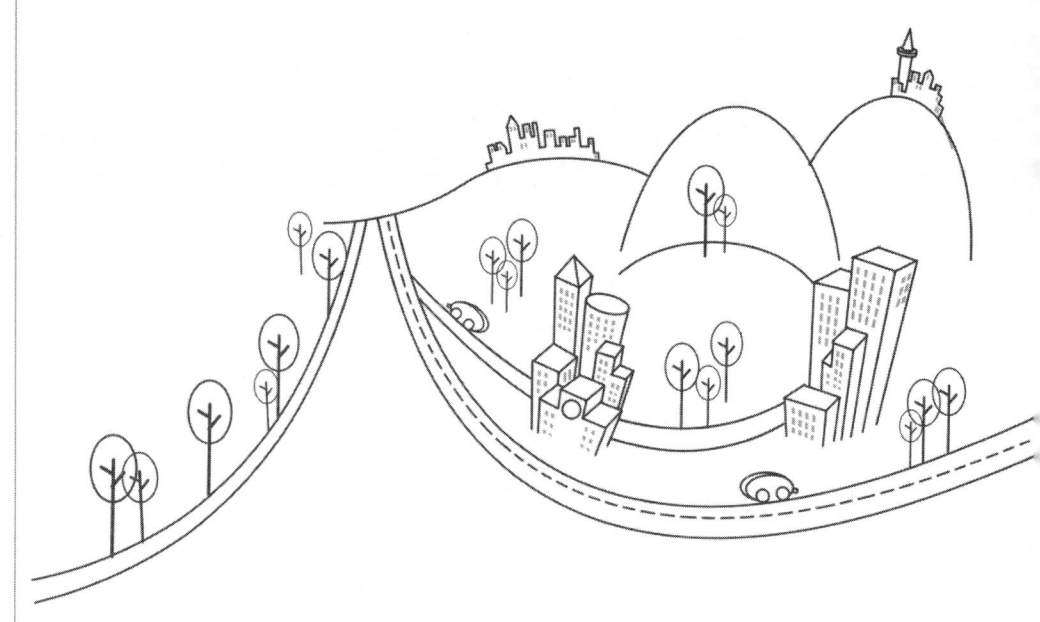

1 도시의 본질과 특성

(1) 도시의 개념
① 도시(都市)
② 한정된 공간 안에 많은 사람들이 모여 사는 삶의 현장
③ 영어 city(도시)와 civilization(문명)은 고어 "civic"에서 파생된 것으로, 도시와 문명은 같은 의미로 사용되며 도시의 발생은 곧 문명의 발생을 의미
④ 도시 – 제2차 산업과 제3차 산업에 종사하는 인구가 많음
⑤ 시가지 – 도시의 중심 기능이 집중되어 있는 곳
⑥ 교외 – 시가지 주변에 있는 지역

● 어번스프롤(urban sprawl) 현상
도시기반 시설이 미비하고 정비되지 못한 상태에서 주택지 개발이 개별적으로 일어나는 무질서한 시가지 확산 현상

(2) 도시의 정의

① **인구 물리적 측면**
- 농촌보다 상대적으로 많은 정주인구와 높은 인구밀도를 유지
- 2, 3차 산업에 종사하는 인구의 비율이 높은 지역
- 이들의 활동을 담고 지탱할 수 있는 고층의 건물군과 도로, 상하수도, 기타 물리적인 시설물이 집적되고 잘 정비된 공간
- 인구규모에 의한 도시의 구분은 국가와 지역마다 다름
  - 우리나라의 경우, 시(인구 5만명 이상)와 읍(인구 2만명 이상)을 도시라고 함
  - 세계 통계협회의 경우, 도시 인구의 기준을 2,000명 이상으로 결정

자료 Plus 산업 분류

산업을 분류하는 기준은
영국의 경제학자 콜린 클라크의 저서 《The Conditions of Economic Progress(1940)》에서 처음 등장하며, 여기에서 경제가 진보할수록 산업구조가 1차에서 2차, 2차에서 3차로 점점 비중이 옮겨간다고 역설하였다.

1차 산업	농업・목축업・임업・어업 등 직접 자연에 작용하는 산업
2차 산업	1차 산업을 제외한 모든 '생산'업. 주의해야 할 것은 단순히 물건을 생산하는 것만이 아니라 전기나 수도 등을 생산하는 것 또한 2차 산업에 속한다는 것이다.
3차 산업	1차 산업과 2차 산업을 기반으로 한 서비스 관련 업종들이 이에 해당한다. 경제 성향에 따라 다르겠지만 보통 가장 큰 비중을 차지하는 것은 운송업과 상업, 금융업이다.
4차 산업	콜린 클라크의 분류법에는 4차 산업이 없다. 그러나, 3차 산업의 비중이 너무 커짐에 따라 임의로 분류한 것으로, 주로 3차 산업군 중 지식 집약적 산업을 지칭할 때 주로 사용되는 용어이다. 따라서 지식 산업이라고 하기도 한다. 정보, 의료, 교육 서비스 등이 이에 해당된다.

개념 Check

❶ 우리나라는 인구 50,000명 이상인 (　　)와 인구 (　　)명 이상인 "읍"을 도시라고 한다.
❷ 도시는 (동질적 / 이질적) 가치를 가진 높은 인구밀도와, 인구 구성 측면에서 (1차 / 2・3차) 산업에 종사하는 비율이 높은 지역으로 이들의 활동을 담고 지탱할 수 있는 건물과 도로, 상하수도 등 도시 시설이 집적된 잘 정비된 공간으로 정의할 수 있다.

[정답] ❶ 시, 20,000
　　　 ❷ 이질적, 2・3차

② **사회·경제·문화적 측면**
- 예술, 문화, 종교, 정치 형태들이 잘 갖추어지고 조화를 이룸으로써 의미 있는 문화 활동과 정신적으로 승화된 행동을 구현할 수 있는 곳

③ **기능적 측면**
- 사회제도의 중심부로서 정치, 행정조직 등의 중심지 기능을 담당
- 농업과 공업 생산물을 거래하는 중심지 역할과 상업 활동과 교통의 중심지 역할을 수행하는 곳
- 문화의 중심지 기능을 담당하며, 삶을 영위하고 생활하는 자에게 터전을 제공하는 역할을 수행
- 정보화 시대에는 정보 센터로서의 역할이 매우 중요한 기능으로 부상하였으며, 현대도시는 기존의 중심 기능 외에 정보통신기능이 복합적으로 연계된 조직체임

(3) 도시의 특성
① 1차 산업보다는 2차, 3차, 4차 산업 종사 인구비중이 높다.
② 인구규모가 크고, 인구밀도가 높다.
③ 이질적이고 익명성, 개성화되어 있다.
④ 빈번하고 일시적인 상호접촉
⑤ 인구의 유동성이 높다.
⑥ 각종 기능의 분화 및 특정 기능 및 생활시설의 집약

(4) 도시의 분류

① **인구 규모별 분류**
- 소도시
  - 농촌의 중심지역으로 도시적 성격을 띠는 취락
  - 우리나라 지방자치법은 인구 2만명 이상이 되어야 "읍"을 설치 가능함
  - 생활환경 시설이나 생산 기반 시설이 충분히 갖추어지지는 못하였으나, 주변 지역에 대해 중심 상권을 형성함
  - 국토의 균형 개발을 위한 최소의 개발 단위 지역
- 중도시
  - 인구 5만명 ~ 50만명의 도시(평균 25~30만명 정도)
  - 중심 업무 지역이 형성되어 단핵구조의 동심원 공간 구조를 형성

- 대도시
  - 인구 50만명 ~ 200만명의 도시
  - 정치·경제·문화적인 측면에서 타 도시들에 비해 탁월한 우월성과 지배성을 가짐
  - 수도나 지방의 중심도시로서의 역할을 수행하는 종합적인 기능을 가짐
  - 우리나라 인구 100만명 이상이면 광역시 승격
  - 인구 50만명 이상이면 행정구를 설치하고 행정사무처리의 특례 인정함
- 거대도시
  - 대도시들 중에서 인구 200만명 이상의 도시
  - 세계적인 중요성을 띠며, 위성도시를 포함하는 대도시권을 형성하여 권역 내에서 중심도시의 역할 수행
- 초거대도시
  - 여러 개의 거대도시가 연속하여 다핵적 구조를 가짐
  - 전국에 대한 영향력 막강
- 세계도시
  - 독시아디스가 예측한 인간 정주의 최종 형식
  - 국경을 벗어난 국제적, 세계적 기능의 공동체 도시

② 기능별 분류
- 정치·행정 도시
- 문화도시
- 교육도시
- 관광·휴양도시
- 침상도시(기숙사 도시) - 중심도시로 통근하는 사람들의 거주를 위한 도시
- 광·공업도시
- 군사도시

③ 개발정책별 분류
- 전원도시
  - 도시와 농촌의 장점을 각각 살려 자연의 미적·사회적 기능, 공원접근성이 뛰어남
- 신도시(뉴타운)
  - 대도시의 무계획적인 확산을 막기 위해 개발된 도시
  - 분당, 일산 등

- 성장거점도시
  - 국토의 균형발전을 위한 집중적 개발 및 투자를 통해 대도시로부터 기업 및 인구를 흡수하고 고용기회와 도시적 서비스 제공
- 신산업도시
  - 국가에서 특정 산업을 육성하기 위하여 정책적으로 개발한 도시
  - 그밖에 생태 도시, 혁신 도시, 기업 도시, 압축 도시 등

④ 법 제도별 분류
- 특별시
  - 일반시와는 다른 특별한 지위를 인정
  - 권한과 행정기능에 대해서 특례를 정함
- 광역시
  - 수도인 특별시의 지위와 차별화하기 위하여 우리나라에서 채택
- 일반시(보통시)
  - 지방자치법에 의한 인구 5만 이상의 시
- 연합도시
  - 주변 지역의 관련 지방자치단체와 연합하여 광역 사무와 사업을 공동 실시·관리
  - 캐나다 대도시 연합(토론토 시) 등

⑤ 시가지 형태별 분류
- 격자형도시 - 뉴욕
- 방사형도시 - 대전
- 방사환상형도시 - 캔버라
- 성운형도시 - 서울
- 단핵도시, 다핵도시

개념 Check

❶ 특별시 제도의 한 형태로서 수도인 특별시와 차별화하기 위해 우리나라에서 채택하고 있는 제도에 해당하는 도시는?
(　　　)

❷ 그리스 도시계획가인 (　　　)는 인구규모에 따른 정주사회 단계를 15단계로 구분하였고, 21세기 말에는 도시가 전 세계를 덮어버리는 그 마지막 단계를 (　　　)라고 명명하였다.

[정답] ❶ 광역시
　　　❷ 독시아디스, 세계도시

자료 Plus — 독시아디스(C.A. Doxiadis)의 인간 정주 사회 단계

그리스의 도시계획가로서 인구규모를 기준으로 인간정주사회의 단계를 15단계로 구분하여 제시
- 1단계 : 개인(man) 인구 1인
- 2단계 : 방(room) 인구 2인
- 3단계 : 주거(dwelling) 인구 4인
- 4단계 : 주거군(dwelling group) 인구 40인
- 5단계 : 소근린(small neighborhood) 인구 250인
- 6단계 : 근린(neighborhood) 인구 1,500인
- 7단계 : 소도시(small town) 인구 9,000인
- 8단계 : 도시(town) 인구 5만인
- 9단계 : 대도시(large city) 인구 30만인
- 10단계 : 메트로폴리스(metropolis) 인구 200만인
- 11단계 : 연담도시(conurbation) 인구 1,400만인
- 12단계 : 메갈로폴리스(megalopolis) 인구 1억인
- 13단계 : 도시화 지역(urban region) 인구 7억인
- 14단계 : 도시화 대륙(urbanized continent) 인구 50억인
- 15단계 : 세계도시(ecumenopolis) 인구 300억인

(문제) 인구규모를 기준으로 한 독시아디스의 인간 정주사회 단계에 속하는 것은?
① 연합도시   ② 신도시   ❸ 세계도시   ④ 행정도시

인구(인)	공간 단위
1	인간(man)
2	방(room)
4	주거(dwelling)
40	주거군(dwelling group)
250	소근린(small neighborhood)
1,500	근린(neighborhood)
9,000	소도시(small town)
5만	도시(town)
30만	대도시(large town)
200만	메트로폴리스(metropolis)
1,400만	연담 도시(conurbation)
1억	메갈로폴리스(megalopolis)
7억	도시화 지역(urban region)
50억	도시화 대륙(urbanized continent)
300억	세계 도시(ecumenopolis)

〈독시아디스의 인간 정주 사회의 단계〉

2 도시의 구성

(1) 도시의 구성 요소

① 시민(인구)
- 도시를 구성하는 가장 기본적인 요소인 동시에 도시의 존재 이유
- 물리적 계획에 있어 계획 초기에 토지와 시설의 규모를 정하는 착수계수(initial factor)로 사용

② 활동(activity)
- 도시를 구성하는 시민의 활동으로서 도시의 주요한 기능을 구성
- 생활(주거), 생산(경제), 위락(여가), 교통의 네가지 기본 도시활동 요소로 구분

③ 토지 및 시설
- 도시의 구성요소 중 물리적 계획의 대상
  - 토지 : 토지 자체가 계획의 대상
  - 시설 : 도시를 구성하는 모든 물리적 구조물을 포함
    건축적시설(주거시설, 상업시설, 공업시설, 공공시설 등)
    교통시설(도로, 공항, 철도, 항만 등)
    평면시설(공원, 녹지 등)

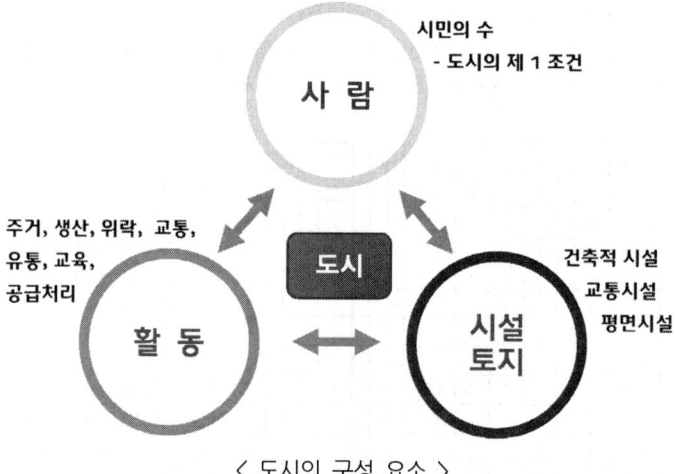

〈 도시의 구성 요소 〉

(2) 도시의 구성 방법

① 도시 가로망 형태
- 직교형 가로망 : 규칙적 시가지, 구획 파악이 용이, 공업지대 조성에 유리(대전, 군산, 베이징 등)
- 방사형 가로망 : 양호한 중심성과 미관, 주택지대와 상업지대 조성에 유리, 도심 교통혼잡 발생(진해, 나진, 의정부 등)
- 직교 방사형 가로망 : 직교형 + 방사형, 도심 기능 분산이 쉬우며 교통혼잡을 줄일 수 있음(창원, 안산 등)
- 미로형 가로망 : 자연 발생적인 시가지, 불규칙한 도로(대구, 과거의 서울 등)

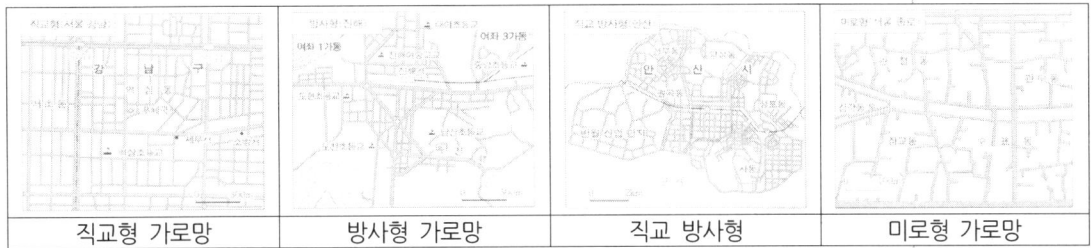

| | 직교형 가로망 | 방사형 가로망 | 직교 방사형 | 미로형 가로망 |

② 도시 공간 형태

도시공간	구분	내용
주거 공간	1차 생활 공간	인간의 주생활을 담당 도시민의 소득 차에 의해 분리되는 경향
생산 서비스 공간	2차 생활 공간	물질을 생산할 수 있는 노동 공간 도시의 산업 구조와 밀접한 관계
위락 문화 공간	3차 생활 공간	문화적 취미활동으로 만나는 공간 사회 현상과 연령 계층, 소득 계층에 따라 차이가 있음
보조 공간	4차 생활 공간	각종 도시 기반 시설이 차지하는 공간 여러 가지 활동을 보조하는 공간

(3) 도시 내부 공간구조이론

① 동심원 이론
- 버제스(E.W. Burgess)
- 특징
  - 도시 발생 초기의 전형적인 단핵구조를 설명
  - 도시 성장은 도심부를 중심으로 외곽 지향적으로 확장
  - 도시 토지이용의 형성과정에 작용하는 일반원리를 지나치게 단순화하여 설명

개념 Check

❶ 도시를 구성하는 가장 기본적인 요소이며 물리적 계획 초기에 토지와 시설의 규모를 정하는 착수계수로 사용되는 것은?
( )

❷ 도시가로망의 형태 중, ( )형 가로망은 중심성과 미관이 양호하고 주택지대나 상업지대 조성이 유리하나 도심교통 혼잡이 발생할 우려가 있다.

[정답] ❶ 시민
  ❷ 방사

② 선형 이론

- 호이트(H. Hoyt)
- 특징
  - 도시공간이 개발축(방사상 교통로)을 따라 형성되면서 CBD를 중심으로 부채꼴 모양으로 불규칙적으로 뻗쳐나간다는 것
  - 도시 성장과정이 도시의 여러 기능과 계층 간에 서로 동질지구를 형성하면서 공간적으로 확장
  - CBD를 중심으로 지가와 주거환경, 즉 주민소득수준 등에 따라 부채꼴을 형성하면서 주거지역 확장

③ 중심적 축적 성장 이론

- 허드(R.M. Hurd)
- 도심을 중심으로 평면적 형태로 성장하는 중심적 성장과 철도, 도로 등의 교통로의 축을 중심으로 한 축적 성장을 한다

④ 다핵심 이론

- 해리스와 울만(Harris-Ullman)
- 특징
  - 대도시권에 애초부터 수 개의 핵이 있으며
  - 핵들 사이에 중간지역이 성장함에 따라 부핵기능을 갖기도 하고, 도시화의 진행에 따라 새로운 핵으로 형성되는 경우도 있음

● 중심업무지구(Central Business District, CBD)
도시, 특히 대도시에서 상업 기능이 집중된 지역을 말한다.

개념 Check

❶ 해리스와 울만(Harris-Ullman)은 도시가 커지면서 도심부 이외에도 사람들이 집중하는 지역이 발생하게 되며 그러한 곳은 새로운 핵이 형성된다는 (   ) 이론을 주장하였다.

[정답] ❶ 다핵심

동심원 이론	선형 이론	중심적 축적 성장 이론	다핵심 이론
버제스(E.W. Burgess)	호이트(H. Hoyt)	허드(R.M. Hurd)	해리스와 울만(Harris-Ullman)

3 도시의 발달

(1) 고대도시
① 농경과 상품교역을 위해 교통이 편리한 하천 유역에 발달
② 외부방어와 공동체 생활을 위해 성벽, 도로, 상하수도 등 생활시설과 공동시설을 구비
③ 신전이나 중전을 중심으로 도시가 구성

(2) 중세도시
① 무역과 수공업, 화폐 경제 등의 발달로 강변이나 해안과 같은 교통 요충지에 도시 발달
② 상공업자들의 경제적 사회적 지위가 높아짐으로 상공업 도시로 발전
③ 교회를 중심으로 한 기독교 문화의 발달, 수도원이나 기독교 중심의 도시건축

(3) 근대도시
① 산업혁명과 자본주의 사회
② 대규모 공장제 공업으로의 변화와 원료 산지, 소비지간 교통접근성 등 공업도시와 산업도시와 같은 대도시 출현
③ 도시구역의 확대와 인구의 도시 유입

(4) 현대도시
① 급격한 도시화로 인한 인구의 집중과 도시의 대규모화
② 현대 도시 계획 변화의 특징
- 물적기반시설(건축물, 도로, 상하수도 등)에서 비물적 분야(인구, 경제, 사회, 문화 등)를 포함하는 종합계획으로의 전환
- 이상적 도시 계획에서 실천적 도시 계획으로의 전환
- 개별적 도시계획에서 광역적 도시계획으로의 전개
- 편리성 위주에서 쾌적성 위주로 도시환경 목표 전환
- 획일성을 탈피하고 각 도시의 자연·역사·문화 등을 살리기 위한 개성을 강조

(5) 우리나라 도시의 역사

① 삼국시대 및 고려시대
- ~ 삼국시대 – 부족사회의 단계를 벗어나 부족 연맹체가 정치 조직화
- 5세기 전후 – 수도와 지방행정 중심지를 방어하기 위한 성곽축조, 정치 및 군사적 기능의 도시 형성

학습요점
» 도시 발달의 역사
» 현대 도시 계획 변화의 특징
» 자연발생도시와 건설도시

② 조선시대
- 건국 후, 태조3년 한양(서울) 천도하여 한성부라 함
- 좌묘우사, 전조후시의 원칙으로 한 궁궐 건축
- 입지선정에서 도시설계까지 계획적으로 도시를 건설 - 화성

③ 해방전후 시대
- 경성(서울)에 조선총독부 설치, 항만과 철도건설(식민통치, 경제수탈의 목적)
- 식민통치를 위한 행정도시 - 서울, 평양, 대구, 전주 등
- 군사 및 무역을 위한 해안도시 - 부산, 인천, 목포, 마산 등
- 대륙침략의 근간도시 - 신의주, 흥남, 청진 등
- 우리나라 최초의 도시 계획법(조선 시가지 계획령, 1934년) 제정
- 해방 후, 피난민들로 인한 대도시 무허가 주택지 집중 형성 등으로 도시환경 극히 악화됨

④ 1960년대 이후
- 제조업을 중심으로 기존 대도시의 기반 시설을 활용 - 서울, 부산, 대구, 인천 등
- 수출 및 내수 산업개발을 위한 공업화 정책 - 울산, 청주, 여수 등
- 1970년대 석유 소비 증가로 인한 중화학 공업도시 - 울산, 마산, 포항 등
- 1960년대 이후, 수도권으로의 인구 집중으로 인한 위성도시 발달 및 거대 도시화 현상
- 1990년대 초, 5개 신도시 건설로 주택 대량공급으로 인한 도시로의 인구밀집 촉진 - 분당, 일산, 중동, 평촌, 산본
- 국토 균형발전 정책 추진 - 행정중심복합도시(세종) 건설 등
- 지역 경제 활성화 정책 추진 - 기업도시 등
- 공공기관 이전 및 지역 혁신 창출 - 혁신도시 등

⑤ 자연 발생 도시 및 건설 도시
- 자연발생도시 - 취락이 발전하여 규모가 커지고 점차 도시의 형태를 갖춤
  - 수운이 편리한 하구나 항구, 교통 조건이 좋은 곳에 발생
  - 부산, 인천 등
- 건설도시 - 필요에 따라 계획적으로 건설
  - 군사, 정치, 행정, 상업, 공업, 교육 등의 필요성
  - 대전, 원주, 오산, 울산 등

개념 Check

❶ 현대 도시 계획의 변화의 특징은,
① 물적기반을 갖추는 것에서 비물적 분야를 포함하는 종합계획으로의 전환이다 (o,x)
② 광역적 도시 계획에서 개별적 도시 계획으로의 전환이다 (o,x)

❷ 자연발생도시와 달리 군사, 정치, 행정, 상업, 공업, 교육 등 필요에 따라 계획적으로 건설되는 도시를 (　)도시라 한다.

[정답] ❶ ① o
② ×
❷ 건설

4 도시 계획의 개념과 특성

학습요점
» 도시 계획의 정의 (국토계획법)
» 도시 계획 관련 법령
» 도시 계획의 특성

(1) 도시 계획의 정의
① 도시에서 시민 생활과 산업 그리고 여타 활동들이 쾌적하고 효율적으로 안전하게 이루어질수 있도록 장래를 예측하고 토지, 건물, 도시 시설 등 도시의 중요한 요소들을 계획하는 기술이자 과학이며 정책
② 도시의 변화 과정에 영향을 끼치는 요소들의 상호작용을 이해하고, 도시를 바람직한 방향으로 유도해 가는 계획 활동 과정
③ 국토의 이용·개발과 보전을 위한 계획의 수립 및 집행 등에 필요한 사항을 정하여 공공복리를 증진시키고 국민의 삶의 질을 향상시키는 것을 목적("국토의 계획 및 이용에 관한 법률" 제1조)

(2) 도시 계획의 목표

① 도시의 원활한 운영 확보
 • 도시 내의 토지 이용을 종합적이고 질서 있게 구성함과 동시에 공공시설들을 적절하게 정비

② 도시의 환경을 우수한 수준으로 정비
 • 생활환경 시설을 정비, 토지이용을 적절하게 구분하여 공해를 방지하고 도시 특성에 기초한 자연환경의 보전을 통해 살기좋은 도시로 만듦

③ 도시 안전의 확보
 • 적절한 토지 이용의 구분, 공공시설의 배치 및 구조적 배려, 건축물과 기타 구조물의 방재 능력 향상 등을 통해 유사시에 피해 최소화 할 수 있도록 도시의 구성을 정비

④ 도시의 아름다움에 대한 배려
 • 새로이 구축되는 공공시설과 건축물, 기타 시설물의 배치와 설계 등에 대해 배려함과 동시에 자연적 경치와 역사 문화 공간을 보전하는 양면을 동시에 고려

(3) 도시 계획 관련 법령

① 국토의 계획 및 이용에 관한 법률
 • 우리나라 모든 도시 계획의 근간이 됨
 • 광역도시계획, 도시기본계획, 도시관리계획, 지구단위계획, 기반시설계획, 개발

● 국가법령정보센터 (국토의 계획 및 이용에 관한 법률)

행위허가 등에 관한 계획 수립 절차 및 내용에 대하여 규정

② 도시개발법
- 민간의 다양한 도시개발 수요에 부응하기 위하여 제정
- 도시 전체에 대한 종합적이고 체계적인 도시개발을 유도

③ 도시 및 주거 환경 정비법
- 도시 기능의 회복이 필요하거나 주거 환경이 불량한 지역을 계획적으로 정비하고 노후 불량 주택을 효율적으로 개량함으로써 도시환경을 개선하고 주거 생활의 질을 높이기 위해 제정
- 도시 주거환경 정비의 기본계획 수립과 구역의 지정, 사업의 시행 절차 등을 규정

④ 도시 재정비 촉진을 위한 특별법
- 낙후된 기존 시가지 지역의 주거환경개선과 기반 시설의 확충을 위하여 광역적인 재정비 계획을 수립하고 체계적 효율적으로 개발함으로써 도시의 균형있는 발전과 국민의 삶의 질 향상에 기여하고자 제정
- 재정비 촉진 지구의 지정과 계획수립, 사업시행을 위한 절차 및 내용을 규정

⑤ 건축법
- 개별 건축물의 건축을 위한 법
- 개별 필지 단위의 건축 행위에 관한 모든 법적 절차와 내용 규정

(4) 도시 계획의 특성

① 종합적 성격
- 물적계획(도로, 주택, 상하수도 등의 도시기반 시설을 조성)과 사회 계획, 경제 계획을 포함하는 종합계획의 성격
- 도시의 장래 발전 수준을 예측, 사전에 바람직한 형태를 미리 상정하여 이에 필요한 규제나 유도정책, 혹은 정비수단 등을 통하여 건전하고 적정하게 도시를 관리해 나가는 도구

② 공간적 연계성
- 도시-지역-국토는 공간적 계층을 형성하면서 기능적으로 연계

③ 과정 지향적 성격
- 미래지향적이며 목표 지향적 성격을 띠므로 도시계획은 사회적 여건변화에

따라 계속적으로 수정이 이루어지는 환류(feedback)의 과정

(5) 도시 계획의 단계

① 우리 나라 도시 계획 단계
- 구상계획 단계
  - 국토계획이나 지역계획 사항을 충분히 고려하여 미래상을 제시하는 종합적이고 장기적(10년~20년)인 계획
  - 광역도시계획, 도시기본계획이 해당
- 법정계획 단계
  - 상위계획의 적합성을 검토·조정하여 실현가능한 구체적 계획을 수립, 각종 도시계획의 시행을 위한 사업계획의 기본방향과 방침 제시
  - 도시관리계획에 해당
- 연차별 사업시행 단계
  - 기타 개발을 포함하여 지구나 시설 등 각종 사업 실시 기본 계획을 작성하며, 건설 및 운영 방식 제시, 자금조달계획에 의해 조정되는 집행계획임

② 선계획 후개발 원칙
- 종전에는 도시 지역에만 계획이 수립되고, 비도시 지역에는 계획수립이 따로 없었기에 무분별한 난개발이 지속적으로 문제가 되었음
- 선계획-후개발의 원칙 ; 계획없는 개발은 없다는 원칙을 채택

③ 계획 체계
- 종합 계획과 부문 계획
  - 종합 계획 - 도시의 물리적·공간적 사항을 포괄적으로 다룸
  - 부문 계획 - 교통, 주택, 경관, 공원, 녹지, 상하수도 시설에 관한 계획
  - 부문별 계획은 각기 별도로 수립된다 하더라도 도시기본계획과 반드시 연계되어야 함
- 물리적 계획과 비 물리적 계획
  - 물리적 계획 : 도시 기본 계획을 중심으로 하여 공원, 경관, 교통, 주택 등의 시설물이나 공간을 다루는 계획
  - 비 물리적 계획 : 교육, 문화, 복지, 산업 계획 등의 사항을 다루는 계획

개념 Check

❶ 국토의 계획 및 이용에 관한 법률에서는 (   )이란 특별시·광역시·특별자치시·특별자치도·시 또는 군(광역시의 관할 구역에 있는 군은 제외한다.)의 관할 구역에 대하여 수립하는 공간구조와 발전방향에 대한 계획으로서 (   )과 (   )으로 구분한다.

❷ 도시 전체에 대한 종합적이고 체계적인 도시개발을 유도하고 민간의 다양한 도시개발 수요에 부응하기 위하여 제정된 법(률)은? (   )

[정답] ❶ 도시계획, 도시기본계획, 도시관리계획
❷ 도시개발법

5 도시조사 분석 및 계획인구 산정

(1) 도시조사

① 도시조사의 범위와 내용
- 기후, 지형, 자원, 생태 등 자연적 여건
- 기반시설 및 주거수준의 현황과 전망
- 풍수해, 지진 그 밖의 재해 발생 현황 및 추이
- 광역도시계획과 관련된 다른 계획 및 사업의 내용
- 그 밖에 광역도시 계획의 수립에 필요한 사항

② 조사 방법 및 자료 출처
- 1차 자료 – 현지조사, 면접조사, 설문조사 등
- 2차 자료 – 통계자료, 토지건축행정자료, 도면자료 등

(2) 과거 추계에 의한 계획인구 산정

과거의 인구변화 추이가 미래에도 지속될 것으로 가정하여 미래의 인구를 산정하는 방법

① 등차급수법
- 안정된 인구증가율을 보이는 도시나 인구증가가 정체된 소도시에 적당
- 인구추정이 비교적 쉽고 간단
- 연도에 따라 인구증감이 교차하는 도시에는 부적합

② 등비급수법
- 인구가 기하급수적으로 증가하는 신흥공업도시에 적용
- 인구증가율이 일정할 때 알맞은 공식
- 대도시의 경우처럼 어느 한계점에서 증가율이 둔화되고 있는 도시에는 부적합

③ 로지스틱곡선법
- 인구성장의 상한선을 미리 상정한 후에 미래 인구를 추계하는 인구예측모형
- 급속한 증가를 보인후 완만해지는 인구성장
- 대도시권의 인구를 어느 상한선까지 강력히 통제하고자 할 때 적용

④ 자연 증가와 사회 증가 구분계산법
- 자연 증가율과 사회 증가율을 분리하여 각각의 경향을 포착하여 사용

학습요점
- 도시조사의 내용
- 계획 인구의 산정 방법

- 대도시, 신흥 공업 도시 등과 같이 사회 증가가 현저한 도시의 인구 추정에 사용

자료 Plus — 계획 인구의 추정

도시의 인구 추정은 도시 계획에 있어서 가장 중요한 요소로서, 장래 도시의 성격과 규모 및 물리적 환경의 전반적 규모를 결정하는 기본적 척도라고 할 수 있다.
인구 추정은 도시의 공간적 규모, 기반 시설과 생활 환경 시설, 도시의 성장에 따라 발생하는 주택 수요, 교통 수요, 그리고 각종 공공시설 수요 등을 판단하는 기준이 된다.

※ P_t : 과거 t년의 인구
  P_0 : 현재년도의 인구
  P_n : n년 경과 후의 추정 인구
  t : 기준 년도 부터 현재 년도 까지의 경과 년수
  n : 현재 년도 부터 추계 년도 까지의 경과 년수

추정방법	추정방식
등차급수법	$P_n = P_0 + n \times a$ • 년평균 인구증가수 a $a = \dfrac{(P_0 - P_t)}{t}$ $P_n = P_0(1+rn)$ • 년평균 인구증가율 r $r = \dfrac{(P_0 - P_t)}{t \cdot P_t}$ ※ 단, **년평균 인구증가율을 활용**하기 위해서는, 다음 식과 같이 계산하는 것이 바람직하다. $P_n = P_t\{1 + r(n+t)\}$
등비급수법	$P_n = P_0(1+r)^n$ • 년평균 인구증가율 r $r = \sqrt[t]{\dfrac{P_0}{P_t}} - 1$
로지스틱 곡선법	$P_n = \dfrac{K}{1 + e^{(a+bn)}}$ 여기서, a, b : 상수 　　　 e : 지수(2.7182…) 　　　 K : 인구성장한계
자연증가 + 사회증가 구분계산법	$P_n = P_0(1+r)^n + P_s$ 여기서, P_s : 사회적 인구증가 　　　　(유입인구와 유출인구의 차)

개념 Check

❶ 매년 인구 변동이 많지 않은 기존 도시에 있어서 이미 안정된 인구 증가율을 기본으로 하여 급격한 변동이 없을 때 적합한 인구 추정 방식은 (　　　　)이다.

[정답] ❶ 등차급수법

02 도시 계획

학습요점
- 국토 공간 계획 체계
- 도시 계획 운용 체계
- 광역 도시 계획
- 도시 기본 계획
- 도시 관리 계획
  - 용도지역, 용도지구, 용도구역
  - 행위제한(용적율, 건폐율)
  - 기반시설 계획
  - 지구 단위 계획

개념 Check

❶ 도시 계획의 수립은 먼저 2개 이상의 시·도를 대상으로 하는 광역계획권에서 장기적인 발전 방향을 제시하는 (㉠)을 수립하게 되며, 상위 계획 내용을 수용하여 도시의 바람직한 미래상을 제시하는 (㉡)을 수립한다. 그 후 계획의 단계별 발전 방향을 도시 공간에 구체화하고 실현하는 (㉢)을 수립하는 과정을 거쳐 법적인 구속력을 가지게 된다.

[정답] ❶ ㉠ 광역 도시 계획
㉡ 도시 기본 계획
㉢ 도시 관리 계획

6 우리나라의 도시 계획 체계

(1) 국토 공간 계획 체계

① 의의
- 국토 및 지역계획 – 도시 계획 – 개별 건축 계획의 3단계로 나뉨
- 도시계획은 상위계획인 국토 및 지역계획과 하위계획인 개별 건축 계획의 중간 단계
- 도시계획은 상위 계획인 국토 계획 또는 지역 계획에서 정하는 방침을 수용하고, 하위계획인 개별 건축 계획에 대한 지침을 제시

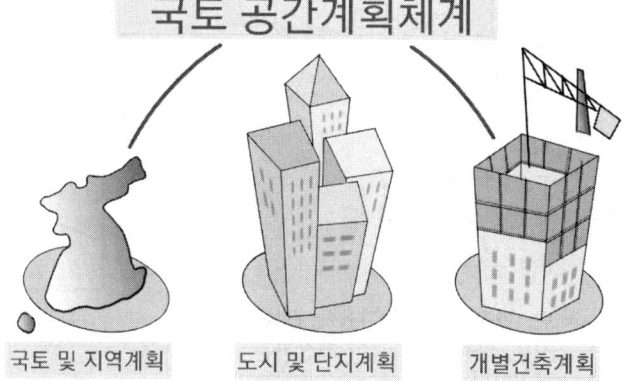

〈 우리나라의 국토 공간 계획 체계 〉

② 도시 계획의 구분
- 광역 도시 계획, 도시 기본 계획, 도시 관리 계획 등으로 구분

③ 도시 계획의 수립
- 광역 도시 계획 수립 – 2개 이상의 시·도를 대상으로 하는 광역 계획권에서 장기적인 발전 방향을 제시
- 도시 기본 계획 수립 – 상위 계획 내용을 수용하여 도시의 바람직한 미래상을 제시
- 도시 관리 계획 수립 – 도시 기본 계획의 단계별로 발전 방향을 도시 공간에 구체화하고 실현, 법적인 구속력을 가지게 됨

④ 도시 계획 운용 체계

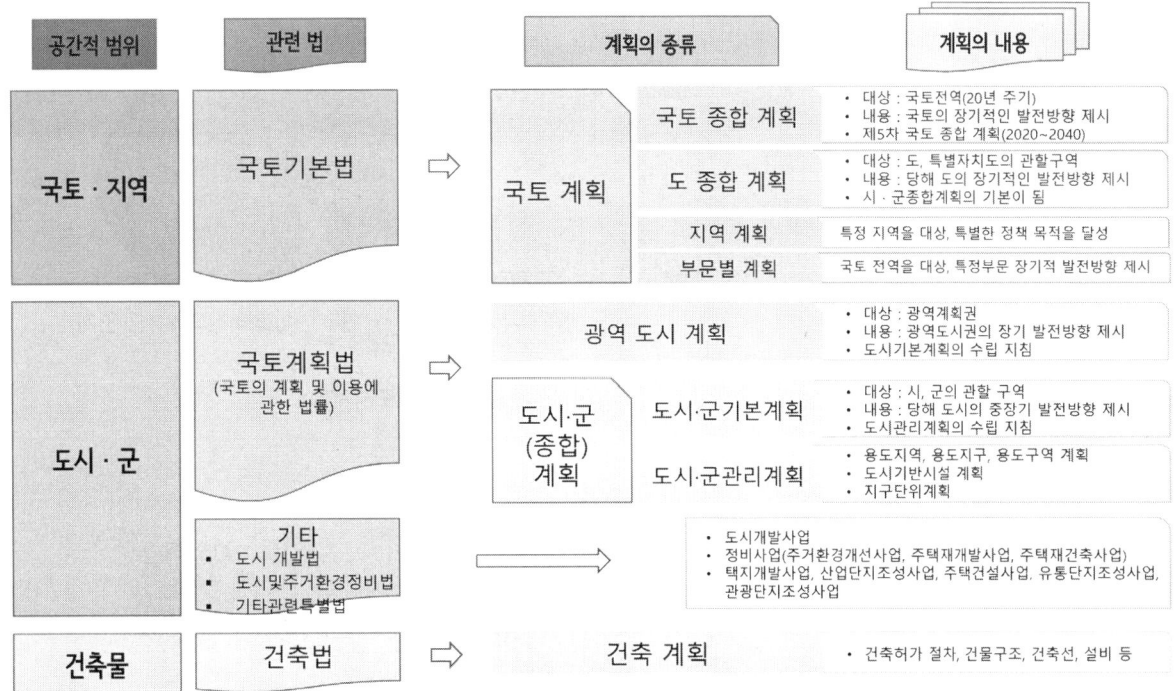

< 도시계획의 위상 및 운용 체계 >

(2) 광역 도시 계획

① 의의
- 인접한 둘 이상의 특별시·광역시·시 또는 군의 행정구역에 대하여 장기적인 발전방향을 제시하거나 시·군 기능을 상호 연계함으로써 적정한 성장 관리를 도모
- 20년 단위의 지침적인 장기계획으로 도시계획체계상 최상위 계획(도시·군 기본계획, 도시·군관리계획 등 하위계획에 대한 지침이 됨)

② 수립절차
- 광역계획권이 둘 이상의 광역시·도의 관할 구역에 걸쳐 있는 경우
  - 광역계획권 지정(국토부장관) → 광역도시계획수립(관할 시·도지사 공동) 입안 → 승인신청(입안권자→국토부장관) → 중앙도시계획위원회 심의 → 확정 및 승인
- 광역계획권이 도의 관할 구역에 속해 있는 경우
  - 광역계획권 지정(도지사) → 광역도시계획수립(관할 시장·군수 공동) 입안 → 승인신청(입안권자→도지사) → 도 지방도시계획위원회 심의 → 확정 및 승인

개념 Check

❶ (　　　)이란 인접한 2개 이상의 시·도(수도권의 경우 서울, 인천, 경기)를 대상으로 광역계획권으로 지정된 지역에 대하여 공간구조 및 기능을 상호 연계시키고, 환경을 보전하며 광역시설을 체계적으로 정비하기 위해 장기적인 발전 방향을 제시하는 계획이다.

❷ 광역 도시 계획은 도시계획의 위계상 최상위 계획이며 계획 수립 시점으로부터 (　)년 내외를 기준으로 수립되는 장기계획이다.

[정답] ❶ 광역 도시 계획
❷ 20

02 도시 계획

● 연담화
중심 도시의 팽창으로 시가화의 확산으로 인해 여러 개의 중소 도시들이 마치 하나의 거대한 도시를 형성하는 현상을 말한다.

〈광역계획권과 광역도시계획〉

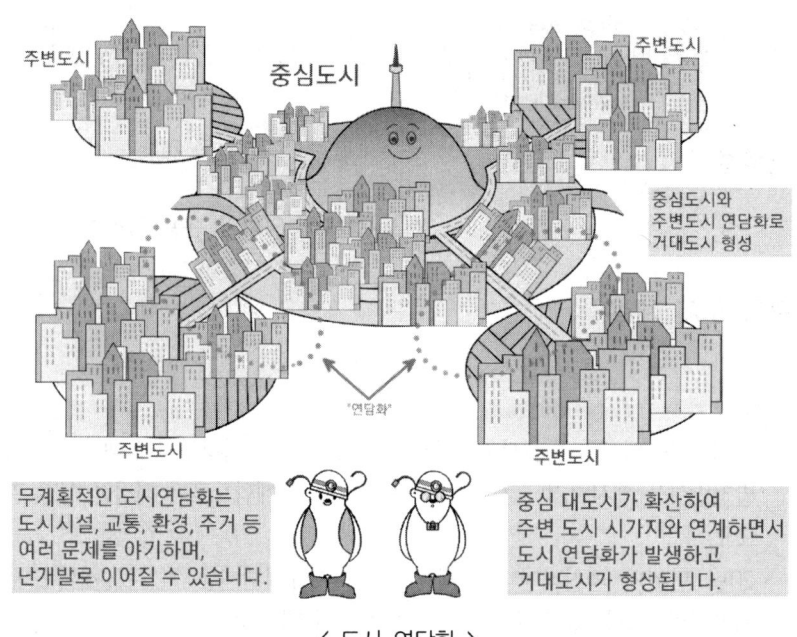

〈 도시 연담화 〉

〈 광역도시계획 수립절차 〉

(3) 도시 기본 계획

① 의의
- 도시·군기본계획은 국토의 한정된 자원을 효율적이고 합리적으로 활용하여 주민의 삶의 질을 향상시키고, 도시를 환경적으로 건전하고 지속가능하게 발전시킬 수 있는 정책방향 제시
- 장기적으로 시·군이 공간적으로 발전하여야 할 구조적 틀을 제시하는 종합계획

② 도시·군기본계획의 성격
- 계획수립시점으로부터 20년을 기준으로 하되, 연도의 끝자리는 0 또는 5년으로 함
- 시장·군수는 5년마다 도시·군기본계획의 타당성을 전반적으로 재검토하여 이를 정비하고, 여건변화로 인하여 내용의 일부 조정이 필요한 경우에는 도시·군기본계획을 변경
- 광역도시 계획 내용을 수용하여, 효율적인 도시 관리 전략을 제시하는 계획으로 행정적인 구속력을 가짐

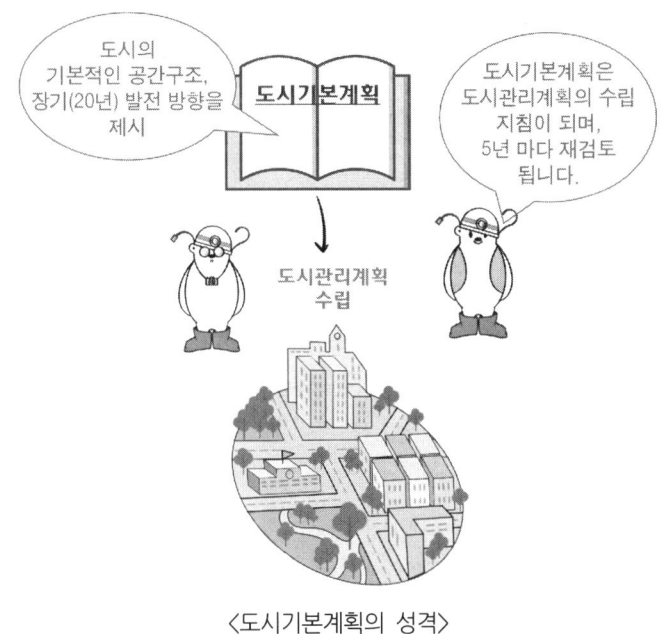

〈도시기본계획의 성격〉

개념 Check

❶ 도시 기본 계획은 도시가 지향하여야 할 바람직한 미래상을 제시하고 장기적인 발전방향을 제시하며, 기본적 수립기간은 (   )년이고, 매 (   )년마다 타당성을 검토하여 정비하도록 하고 있다.

❷ 도시 기본 계획은 광역도시 계획 내용을 수용하여, 효율적인 도시 관리 전략을 제시하는 계획으로 (법적 / 행정적)인 구속력을 가짐

[정답] ❶ 20, 5
       ❷ 행정적

③ 수립절차

〈 도시기본계획 수립절차 〉

(4) 도시 관리 계획

① 의의
- 당해 시·군의 지속가능한 발전을 도모하기 위하여 10년 단위로 수립하는 법정계획으로 5년마다 재검토

② 도시·군관리계획의 성격
- 상위계획에서 제시된 장기적인 발전방향을 공간에 구체화하고 실현시키는 중기계획
- 용도지역·지구·구역, 기반시설, 도시개발사업 또는 정비사업, 지구단위계획 등을 단계적으로 집행할 수 있도록 물적으로 표현하는 계획
- 시민 개개인에 대한 법적인 구속력을 가짐

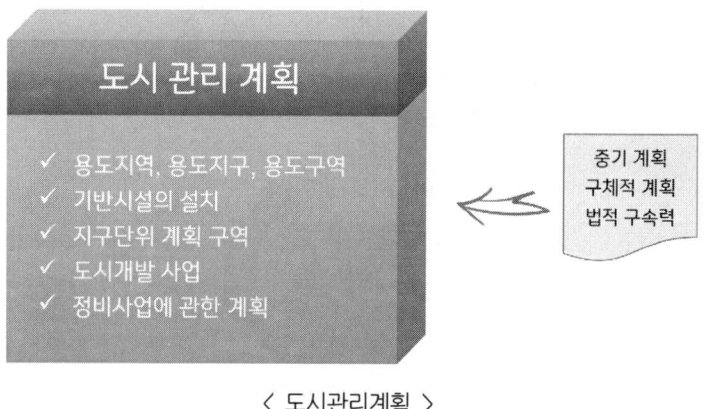

〈 도시관리계획 〉

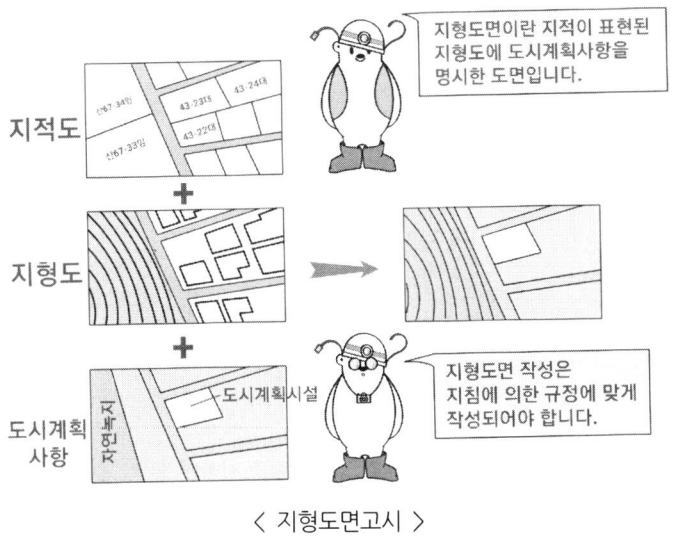

〈 지형도면고시 〉

③ 수립절차

〈 도시관리계획 수립(입안)절차 〉

자료 Plus 토지 이용 계획 확인서

① 토지이용규제 기본법에 따라 필지별로 지역·지구 등의 지정 내용과 행위제한 내용 등의 토지이용관련 정보를 확인하는 서류를 말한다.

② 토지이용계획확인서를 통하여 확인할 수 있는 필지별 토지이용관련 정보는 다음과 같다.
- 지역·지구등의 지정 내용
- 지역·지구등에서의 행위제한 내용
- 「부동산 거래신고 등에 관한 법률」에 따른 토지거래계약에 관한 허가구역
- 「건축법」에 따라 위치를 지정하여 공고한 도로
- 「국토의 계획 및 이용에 관한 법률」에 따른 도시·군관리계획 입안사항 등

③ 주민들은 지형도면 고시의 내용을 기반으로 하여 작성된 토지 이용 계획 확인서를 민원으로 발급받거나, 토지이용규제정보서비스(LURIS)를 이용하여 개별토지에 대한 각종 법적 규제 내용에 대해 확인 가능하다.

개념 Check

❶ (　　　　)은 용도지역·지구·구역, 기반시설, 도시개발사업 또는 정비사업, 지구단위계획 등을 단계적으로 집행할 수 있도록 물적으로 표현하는 계획으로, 목표연도는 수립기준 년도로부터 (　)년이다.

❷ 도시 관리 계획은 당해 시 군의 지속가능한 발전을 도모하기 위하여 구체적으로 수립하며, 시민개개인에 대한 (법적 / 행정적)인 구속력을 가진다.

[정답] ❶ 도시관리계획, 10
　　　❷ 법적

02 도시 계획

④ 용도 지역, 용도 지구, 용도 구역

- 용도지역
  - 토지의 이용 및 건축물의 용도·건폐율·용적률·높이 등을 제한함으로써 토지를 경제적·효율적으로 이용하고 공공복리의 증진을 도모하기 위하여 서로 중복되지 않게 도시·군관리계획으로 결정하는 지역
  - 4개의 용도, 9개 지역으로 구분
  - 도시지역
    주거지역, 상업지역, 공업지역, 녹지지역

종류	내용	
주거지역	거주의 안녕과 건전한 생활환경의 보호를 위하여 필요한 지역	
상업지역	상업이나 그 밖의 업무의 편익을 증진하기 위하여 필요한 지역	
공업지역	공업의 편익을 증진하기 위하여 필요한 지역	
녹지지역	자연환경·농지 및 산림의 보호, 보건위생, 보안과 도시의 무질서한 확산을 방지하기 위하여 녹지의 보전이 필요한 지역	

개념 Check

❶ 용도 지역은 토지를 경제적·효율적으로 이용하고 공공복리의 증진을 도모하기 위하여 도시 계획 구역 전체를 대상으로 서로 중복되지 않게 (   )계획으로 결정하는 지역을 말한다.

❷ 국토의 계획 및 이용에 관한 법률에 의해, 용도 지역 중 도시지역은 주거지역, 상업지역, 공업지역, (   )지역의 4가지로 구분된다.

[정답] ❶ 도시 관리
　　　 ❷ 녹지

〈 용도지역의 지정 〉

용도지역	용도지역의 세분(국토의 계획 및 이용에 관한 법률 시행령)		법률적 내용
주거지역	전용주거지역	제1종전용주거지역	*단독주택* 중심의 *양호한 주거환경을 보호*하기 위하여 필요한 지역
		제2종전용주거지역	*공동주택* 중심의 *양호한 주거환경을 보호*하기 위하여 필요한 지역
	일반주거지역	제1종일반주거지역	*저층주택*을 중심으로 *편리한 주거환경을 조성*하기 위하여 필요한 지역
		제2종일반주거지역	*중층주택*을 중심으로 *편리한 주거환경을 조성*하기 위하여 필요한 지역
		제3종일반주거지역	*중고층주택*을 중심으로 *편리한 주거환경을 조성*하기 위하여 필요한 지역
	준주거지역		주거기능을 위주로 이를 지원하는 일부 상업기능 및 업무기능을 보완하기 위하여 필요한 지역
상업지역	중심상업지역		도심·부도심의 상업기능 및 업무기능의 확충을 위하여 필요한 지역
	일반상업지역		일반적인 상업기능 및 업무기능을 담당하게 하기 위하여 필요한 지역
	근린상업지역		근린지역에서의 일용품 및 서비스의 공급을 위하여 필요한 지역
	유통상업지역		도시내 및 지역간 유통기능의 증진을 위하여 필요한 지역
공업지역	전용공업지역		주로 중화학공업, 공해성 공업 등을 수용하기 위하여 필요한 지역
	일반공업지역		환경을 저해하지 아니하는 공업의 배치를 위하여 필요한 지역
	준공업지역		경공업 그 밖의 공업을 수용하되, 주거기능·상업기능 및 업무기능의 보완이 필요한 지역
녹지지역	보전녹지지역		도시의 자연환경·경관·산림 및 녹지공간을 보전할 필요가 있는 지역
	생산녹지지역		주로 농업적 생산을 위하여 개발을 유보할 필요가 있는 지역
	자연녹지지역		도시의 녹지공간의 확보, 도시확산의 방지, 장래 도시용지의 공급 등을 위하여 보전할 필요가 있는 지역으로서 불가피한 경우에 한하여 제한적인 개발이 허용되는 지역

- 관리지역

  계획관리지역, 생산관리지역, 보전관리지역

종류	내용
보전관리지역	자연환경 보호, 산림 보호, 수질오염 방지, 녹지공간 확보 및 생태계 보전 등을 위하여 보전이 필요하나, 주변 용도지역과의 관계 등을 고려할 때 자연환경보전지역으로 지정하여 관리하기가 곤란한 지역
생산관리지역	농업·임업·어업 생산 등을 위하여 관리가 필요하나, 주변 용도지역과의 관계 등을 고려할 때 농림지역으로 지정하여 관리하기가 곤란한 지역
계획관리지역	도시지역으로의 편입이 예상되는 지역이나 자연환경을 고려하여 제한적인 이용·개발을 하려는 지역으로서 계획적·체계적인 관리가 필요한 지역

- 농림지역

농림지역	도시 지역에 속하지 아니하고 농업진흥지역(농지법) 또는 보전산지(산지관리법) 등으로 농림업의 진흥과 산림의 보전을 위하여 필요한 지역

- 자연환경보전지역

자연환경보전지역	• 자연환경, 수자원, 해안, 생태계, 상수원 및 문화재의 보전과 수산 자원의 보호 육성 등을 위하여 필요한 지역 • 공원구역(자연공원법) • 상수원보호구역(수도법) • 해양 보호 구역(해양 생태계 보전 및 관리에 관한 법률) • 지정 문화재 또는 천연기념물 보호구역(문화재보호법)

• 용도지구
  - 토지의 이용 및 건축물의 용도·건폐율·용적률·높이 등에 대한 용도지역의 제한을 강화 또는 완화하여 적용함으로써 용도지역의 기능을 증진시키고 미관·경관·안전 등을 도모하기 위하여 도시관리계획으로 결정하는 지역
  - ※ 2이상의 지구를 중복하여 지정할 수 있음

개념 Check

❶ 용도(   )는 토지의 이용 및 건축물의 용도, 건폐율, 용적률, 높이 등에 대한 용도 지역의 제한을 강화하거나 완화하여 적용함으로써 용도 지역의 기능을 증신시키고 미관, 경관, 안전 등을 도모하기 위한 지역이다.

❷ 주거 기능 보호나 청소년 보호 등을 목적으로 청소년 유해 시설 등 특정 시설의 입지를 제한할 필요가 있는 지구는 (   )이다.

[정답] ❶ 지구
　　　　❷ 특정 용도 제한 지구

종류	용도지구의 내용
경관지구	경관의 보전·관리 및 형성을 위하여 필요한 지구
고도지구	쾌적한 환경 조성 및 토지의 효율적 이용을 위하여 건축물 높이의 최고한도를 규제할 필요가 있는 지구
방화지구	화재의 위험을 예방하기 위하여 필요한 지구
방재지구	풍수해, 산사태, 지반의 붕괴, 그 밖의 재해를 예방하기 위하여 필요한 지구
보호지구	문화재, 중요 시설물(항만, 공항 등 대통령령으로 정하는 시설물을 말한다) 및 문화적·생태적으로 보존가치가 큰 지역의 보호와 보존을 위하여 필요한 지구
취락지구	녹지지역·관리지역·농림지역·자연환경보전지역·개발제한구역 또는 도시자연공원구역의 취락을 정비하기 위한 지구
개발진흥지구	주거기능·상업기능·공업기능·유통물류기능·관광기능·휴양기능 등을 집중적으로 개발·정비할 필요가 있는 지구
특정용도제한지구	주거 및 교육 환경 보호나 청소년 보호 등의 목적으로 오염물질 배출시설, 청소년 유해시설 등 특정시설의 입지를 제한할 필요가 있는 지구
복합용도지구	지역의 토지이용 상황, 개발 수요 및 주변 여건 등을 고려하여 효율적이고 복합적인 토지이용을 도모하기 위하여 특정시설의 입지를 완화할 필요가 있는 지구

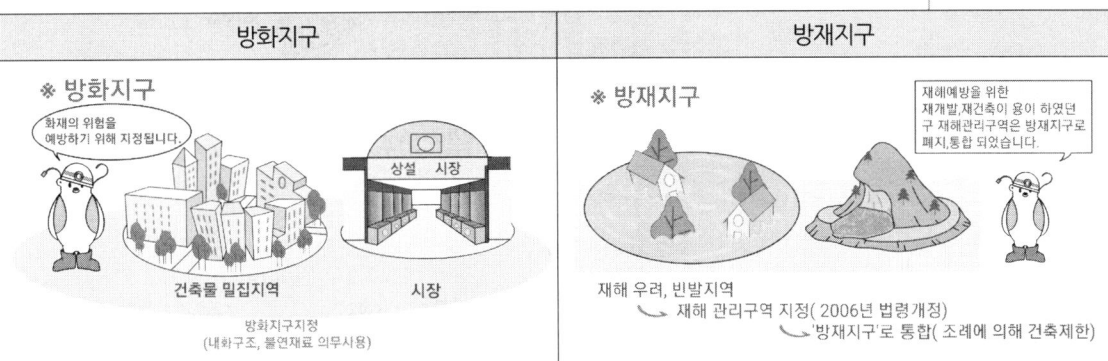

- 용도구역
  - 용도지역 및 용도지구의 제한을 강화 또는 완화하여 따로 정함으로써 시가지의 무질서한 확산방지, 계획적이고 단계적인 토지이용의 도모, 토지이용의 종합적 조정·관리를 위하여 도시·군관리계획으로 결정하는 지역
  - 국토교통부장관(수산자원보호구역은 해양수산부장관)이 직접 결정·관리
  - 용도구역의 구분

구역명	지정목적
개발제한구역	도시의 무질서한 확산방지와 도시주변 자연환경 보전
시가화 조정구역	무질서한 시가화를 방지하고 계획적, 단계적 도시개발 도모
수산자원보호구역	수산자원의 보호·육성
도시자연공원구역	도시의 자연환경 및 경관을 보호하고 도시민에게 건전한 여가·휴식공간을 제공
입지규제최소구역	복합적인 토지이용 증진시켜 도시 정비를 촉진하고 지역 거점을 육성

● 개발제한구역
그린벨트(greenbelt)라고도 한다.

02 도시 계획

※ 시가화조정 구역

시가화조정구역 지정
(5~20년간 시가화 유보)

※ 수자원보호 구역

용도구역의 종류
- 개발제한구역
- 도시자연공원구역
- 시가화 조정구역
- **수산자원 보호구역**

수산자원 보호구역지정
(건축·행위규제)

※ 도시자연공원 구역

도시자연공원 구역은 도시내의 양호한 산지를 보존하기위해 지정됩니다.

도시자연공원 구역은 자연과 경관을 보호해 주고 여가, 휴식 공간을 제공합니다.

※ 개발제한구역

개발제한구역 그린벨트(greenbelt)라고도 한다.
우리나라에서는 1971년 도시 계획법을 개정하여 개발 제한 구역 제도를 신설하였다.

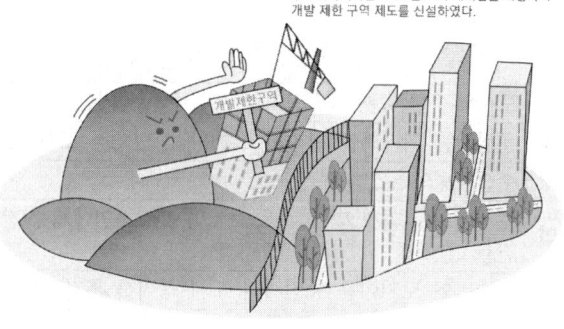

개념 Check

❶ 용도(　　)은 시가지의 무질서한 확산 방지, 계획적이고 단계적인 토지 이용의 도모, 토지 이용의 종합적 조정·관리 등을 위하여 도시 관리 계획으로 결정하는 지역을 말한다.

❷ 도시의 무질서한 확산을 방지하고, 도시주변의 자연 환경을 보전하여 도시민의 건전한 생활환경을 확보하기 위한 개발제한구역의 일반적인 결정권자는 (　　　　)이다.

[정답] ❶ 구역
　　　❷ 국토교통부 장관

⑤ 행위 제한
- 건폐율
  - 대지면적에 대한 건축면적(대지에 둘 이상의 건축물이 있는 경우에는 이들 면적의 합계로 한다.)의 비율
  - 건축물의 밀집을 방지하고 대지 안의 공지를 확보하기 위함
  - 일조, 채광, 통풍, 화재 시 연소 방지, 소화, 식목을 위한 공지 확보를 목적으로 적용
  - 건폐율 상한선은 용도지역별로 다름

$$건폐율 = \frac{건축면적}{대지면적} \times 100(\%)$$

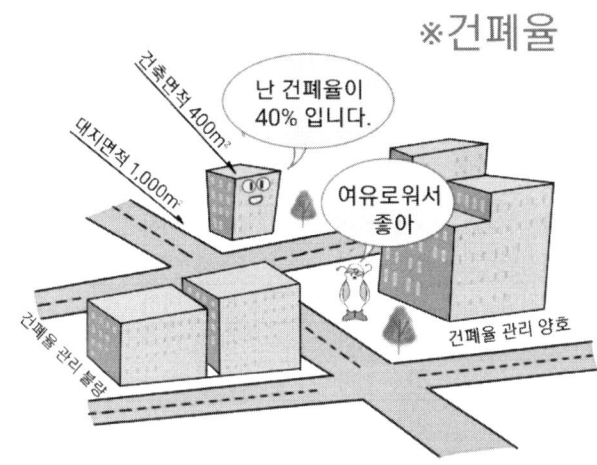

- 용적률
  - 대지면적에 대한 건축물의 연면적(대지에 둘 이상의 건축물이 있는 경우에는 이들 연면적의 합계로 한다.)의 비율
  - 도시의 과밀화를 방지하고, 균형된 도시 공간을 확보하여 도시 시설과의 조화를 이루고 합리적인 형태의 도시가 되도록 하기 위함

$$용적률 = \frac{건축물의 연면적}{대지면적} \times 100(\%)$$

02 도시 계획

※ 용적률

$$용적률 = \frac{건축물연면적}{대지면적} \times 100 = \frac{150 \times 3}{300} \times 100 = 150\%$$

법적인 용적율한도 내에서 용적율완화 및 인센티브 부여가 이루어 집니다.

구분		건폐율	용적율	
도시지역	주거지역	70% 이하	500% 이하	※ **쉽게 외우기** 친구처리(7972), 7972-4222(2) 오일오사일(51541), 51541-1888(8)
	상업지역	90% 이하	1,500% 이하	
	공업지역	70% 이하	400% 이하	
	녹지지역	20% 이하	100% 이하	
관리지역	계획관리지역	40% 이하	100% 이하	
	생산관리지역	20% 이하	80% 이하	
	보전관리지역	20% 이하	80% 이하	
농림지역		20% 이하	80% 이하	
자연환경보전지역		20% 이하	80% 이하	

⑥ **기반 시설 계획**

- 기반시설
  - 도시에 많은 사람이 공동생활을 영위하기 위해서는 도로, 상하수도, 시장, 학교 등 여러 시설이 제공되어야 하며, 이러한 정주활동에 필요한 물리적 시설을 총칭
- 도시계획시설
  - 대통령령으로 총 7개분류 53개의 기반 시설의 종류가 정해져 있으며 기반 시설에 포함되어 있는 시설 중, 도시 관리 계획으로 결정된 시설
  - 도시 관리 계획 절차를 거치지 않고도 기반시설을 설치할 수 있음
    의무시설 : 도시 관리 계획으로 결정해야만 하는 시설
    임의시설 : 민간부분에 의해서 공급이 가능한 시설, 개별법이나 건축법에 의해서 설치가능

개념 Check

❶ 도시에 많은 사람이 모여 공동생활을 영위하기 위해서는 도로, 상하수도, 시장, 학교 등 여러 시설이 제공되어야 하며, 이러한 정주 활동에 필요한 물리적 시설을 총칭하여 (　　　)이라 한다.

❷ 기반 시설(7개 분류, 53개 시설)에 포함되어 있는 시설 중, 도시 관리 계획으로 결정된 시설을 (　　　)이라고 한다.

[정답] ❶ 기반시설
　　　 ❷ 도시 계획 시설

〈기반시설의 종류〉

구 분	종 류
교통시설(8)	도로, 철도, 항만, 공항, 주차장, 자동차 정류장, 궤도, 자동차 및 건설기계검사시설
공간시설(5)	광장, 공원, 녹지, 유원지, 공공공지
유통·공급시설(9)	유통업무설비, 수도공급설비, 전기공급설비, 가스공급설비, 열공급설비, 방송·통신시설, 공동구, 시장, 유류저장 및 송유설비
공공·문화체육시설(8)	학교, 공공청사, 문화시설, 공공필요성이 인정되는 체육시설, 연구시설, 사회복지시설, 공공직업훈련시설, 청소년수련시설
방재시설(8)	하천, 유수지, 저수지, 방화설비, 방풍설비, 방수설비, 사방설비, 방조설비
보건위생시설(3)	장사시설, 도축장, 종합의료시설
환경기초시설(5)	하수도, 폐기물처리 및 재활용시설, 빗물저장 및 이용시설, 수질오염방지시설, 폐차장

- 도시·군관리계획으로 결정된 52개 도시·군계획시설을 「국토의 계획 및 이용에 관한 법률」의 절차에 따라서 설치하는 사업

※ 도시계획시설

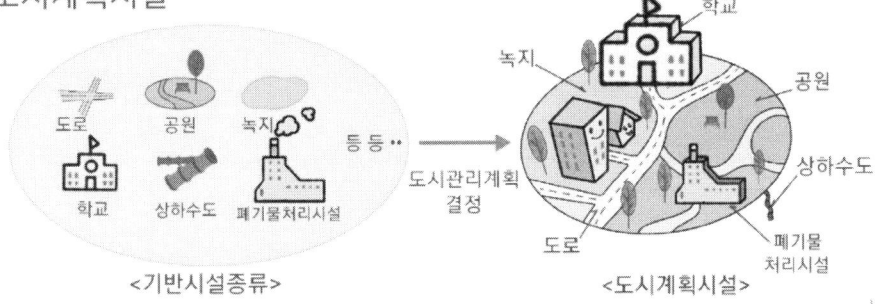

〈기반시설종류〉　〈도시계획시설〉

⑦ 지구 단위 계획

- 토지이용을 합리화하고 그 기능을 증진시키며, 경관과 미관을 개선하고, 체계적 및 계획적으로 개발 관리하기 위하여 건축물 및 그 밖의 시설의 용도와 종류 및 규모, 건폐율 또는 용적률을 완화하여 수립하는 계획
- 평면적 계획과 입체적 계획의 조화에 중점을 둠
  - 도시계획 : 토지이용계획과 도시기반시설의 정비 등에 중점
  - 건축계획 : 건축물 등 입체적 시설계획에 중점
  - 지구단위계획 : 토지이용계획과 건축물계획 등이 서로 환류되도록 함으로써 평면적 토지이용계획과 입체적 시설계획이 서로 조화를 이루도록 하는데 중점을 둠

개념 Check

❶ '국토의 계획 및 이용에 관한 법률'에 의하면 (　　　　)이란 도시 계획 수립 대상 지역 내 일부 지역에 대하여 토지 이용을 합리화하고 그 기능을 증진시키며 미관을 개선하고 양호한 환경을 확보하며, 당해 지역을 체계적·계획적으로 관리하기 위하여 수립하는 도시·군 관리 계획이라고 정의하고 있다.

❷ 지구 단위 계획은 토지 이용 계획과 (　　　　) 계획이 서로 환류하도록 하는 중간 단계의 계획으로서, 평면적 토지 이용계획과 입체적 시설 계획이 서로 조화를 이루도록 수립해야 한다.

[정답] ❶ 지구 단위 계획
　　　❷ 건축물

02 도시 계획

<지구단위계획 구역>

자료 Plus | **보전 산지(保全山地)**

① 산림자원의 조성, 임업 경영 기반의 구축 등 임업 생산 기능의 증진과 재해 방지, 수원 보호, 자연생태계 보전, 자연경관 보전, 국민보건 휴양 증진 등의 공익 기능을 위하여 필요한 산지로서 산림청장이 '산지관리법'에 따라 지정·고시한 산지를 말한다.

② 보전산지 = 임업용산지 + 공익용산지

자료 Plus | **행위 제한 완화**

① 지구 단위 계획 구역 안에서 토지 소유자가 자신의 대지 중 일부를 도로, 공원 등 공공시설 부지로 제공할 경우, 지구 단위 계획 수립 시 법정 건폐율의 150%이내, 용적률 200% 이내에서 건축 밀도를 완화하여 적용할 수 있다.

② 또한, 건축법 제 67조 1항의 규정에 의한 공개 공지나 공개 공간을 의무 면적을 초과하여 설치하는 경우에는 법정 용적률의 200% 이내에서 건축 밀도를 완화 적용할 수 있도록 하며, 이외에도 공동 개발 및 합벽 건축 등 지방자치단체의 권고 사항을 이행할 경우 행위 제한을 완화하여 적용받을 수 있다.

도시 개발의 내용

II.

도시 개발의 의의와 범위
도시 개발의 유형
도시화와 도시문제
미래의 도시

02 도시 계획

학습요점

» 도시 개발의 정의
» 도시 개발의 범위
» 도시 개발의 목적

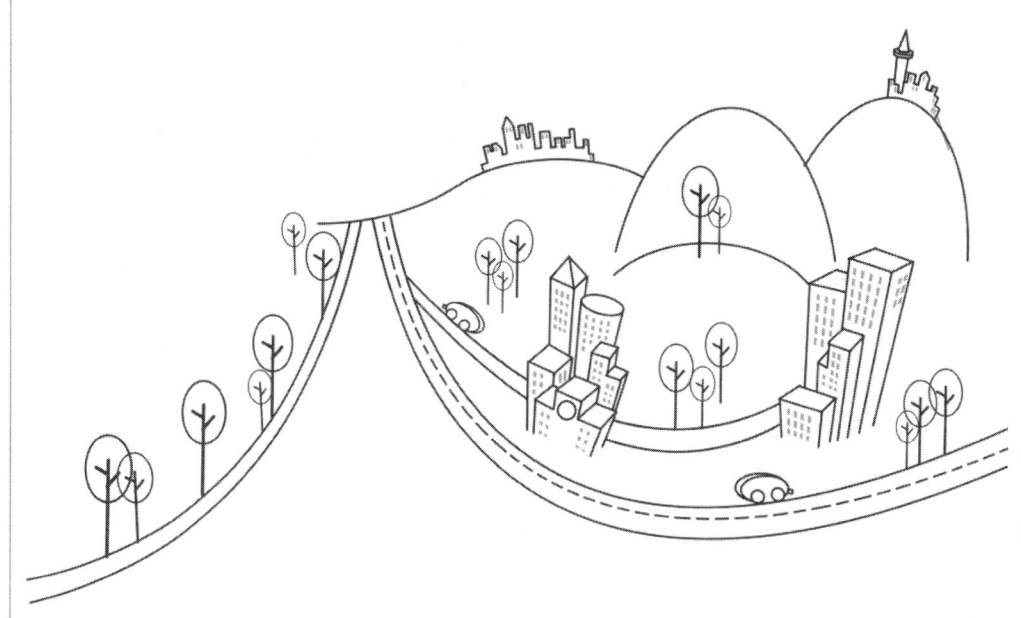

1 도시 개발의 의의와 범위

(1) 도시 개발의 정의

① 일반적 정의
- 도시변화의 수요에 대응하여 도시발전을 도모하기 위한 일련의 의도적 행위

② 광의의 개념
- 도시성장을 관리하고 도시발전을 도모하기 위한 경제, 사회 등 모든 개발행위의 총체

③ 협의의 개념
- 물리적 측면에서의 신개발, 재개발과 같은 도시공간개발
- 조성에 의한 개량, 건축에 의한 개량

(2) 도시개발의 범위

① 광의 – 아직 도시적 형태와 기능을 지니지 않은 토지에 도시적 기능을 부여
② 협의 – 도시개발의 범주에 토지이용 용도만의 부여도 포함됨
③ 실제적 – 계획적 개발을 전제로 하여 계획적 개발체제 속에 진행되는 개발

(3) 도시 개발의 목적

① 인구성장과 도시인구의 증가로 인한 주택공급 확대
② 경제 성장에 따른 삶의 질 향상과 생활양식의 변화
③ 기술의 발전에 따른 주거, 업무 등 입지 선택의 변화에 부응
④ 도시의 건전한 발전을 도모하고 공공의 안녕질서와 공공복리의 증진
⑤ 도시민 전체의 활동에 대한 능률성과 안전성 증대
⑥ 도시계획과의 연계성을 고려하여 개발 방향 제시

개념 Check

❶ 일반적으로 ( )이란 도시 변화에 따른 수요에 대응하여, 도시 발전을 도모하기 위한 일련의 의도적 노력이라고 할 수 있다.

❷ '계획적이고 체계적인 도시 개발을 도모하고 쾌적한 도시 환경의 조성과 공공복리의 증진에 이바지함을 목적으로 한다.'라고 도시 개발의 목적을 밝히고 있는 법령은? ( )

[정답] ❶ 도시 개발
❷ 도시개발법

02 도시 계획

> **학습요점**
> » 제1기 신도시, 제2기 신도시
> » 도시 개발 사업
> » 각종 정비 사업

2 도시 개발의 유형

(1) 신도시 개발

① 신도시의 개념
- 광의적 의미 : 계획적으로 개발된 새로운 주거지
- 협의적 의미 : 생산, 유통, 소비의 모든 기능을 갖춘 독립도시로서 새로이 개발된 것만을 의미
- 가장 중요한 기준은 경제적 자립자족의 정도

② 제1기 신도시 개발
- 1988년 올림픽 이후의 주택난으로 인한 심각한 사회문제
- 주택 200만호 건설
- 분당, 일산, 평촌, 산본, 중동의 수도권 5개 신도시 개발

③ 제2기 신도시 개발
- 제1기 신도시 개발에 대한 비판으로 정책방향 선회(소규모 분산적 택지개발, 준농림지 개발 허용), 서울 인근 도시의 교통, 환경, 교육 등 기반시설 부족, 비용분담문제 등 심각한 사회문제
- 신도시 개발에 대한 사회적 공감대 형성
- 제1기 신도시보다 높은 녹지율, 낮은 인구밀도 등 친환경 도시개발 지향
- 동탄(1, 2), 판교, 위례, 광교, 김포한강, 파주운정, 양주, 검단, 고덕국제 등

●국가법령정보센터 (도시개발법)

(2) 도시 개발 사업

① 정의
- 도시 개발 구역 안에서 주거·상업·유통·정보통신·생태·문화·보건 및 복지 등의 기능을 가지는 단지 또는 시가지를 조성하기 위하여 시행하는 사업(도시개발법)
- 도시개발을 위한 각종 절차와 인구 수용 계획, 토지 이용 계획, 교통 처리 계획, 환경 보전 계획, 기반 시설 설치 계획 등 부문별 계획 내용을 포함

개념 Check

❶ 1988년 올림픽 이후의 주택난으로 인한 심각한 사회문제로 대두되어, 주택 200만호 건설의 일환으로 분당, 일산, 평촌, 산본, 중동의 수도권 제1기 ( )를 개발하였다.
❷ 제2기 신도시는 제1기 신도시보다 (높은 / 낮은) 녹지율, (높은 / 낮은) 인구밀도 등 친환경 도시 개발을 지향하였다.

[정답] ❶ 신도시
❷ 높은, 낮은

② 도시 개발 구역의 지정권자
  ㉠ 특별시장·광역시장·도지사·특별자치도지사(시·도지사), 서울특별시와 광역시를 제외한 인구 50만 이상의 대도시의 시장(대도시 시장)
  ㉡ 도시개발사업이 필요하다고 인정되는 지역이 둘 이상의 특별시·광역시·도·특별자치도 또는 서울특별시와 광역시를 제외한 인구 50만 이상의 대도시의 행정구역에 걸치는 경우에는 관계 시·도지사 또는 대도시 시장이 협의하여 도시개발구역을 지정할 자를 정함
  ㉢ 국토교통부장관
    - 국가가 도시개발사업을 실시할 필요가 있는 경우
    - 관계 중앙행정기관의 장이 요청하는 경우
    - 공공기관의 장 또는 정부출연기관의 장이 30만 제곱미터 이상으로서 국가계획과 밀접한 관련이 있는 도시개발구역의 지정을 제안하는 경우
    - 위 ㉡에 따른 협의가 성립되지 아니하는 경우
    - 천재지변, 그 밖의 사유로 인하여 도시개발사업을 긴급하게 할 필요가 있는 경우
  ㉣ 시장(대도시 시장은 제외)·군수 또는 구청장(자치구의 구청장)은 시·도지사에게 도시개발구역의 지정을 요청할 수 있다

③ 개발계획의 포함 내용
  • 도시개발구역의 명칭·위치 및 면적
  • 지정 목적과 도시개발사업의 시행기간
  • 시행자에 관한 사항과 시행방식
  • 인구수용계획, 토지이용계획
  • 교통처리계획, 환경보전계획
  • 보건의료시설 및 복지시설의 설치계획
  • 도로, 상하수도 등 주요 기반시설의 설치계획
  • 재원조달계획 등
  • 기초조사(주변지역 여건, 대상지역 현황, 상위계획 및 개별법에 따른 각종 관련 계획 검토 등)

④ 사업 시행자
  • 국가나 지방자치단체
  • 공공기관(한국토지주택공사, 한국수자원공사, 한국농어촌공사, 한국관광공사, 한국철도공사 등), 정부출연기관(국가철도공단, 제주국제자유도시개발센터 등)

개념 Check

❶ 도시개발법에 따르면, "도시개발사업"이란 (   )에서 주거, 상업, 산업, 유통, 정보통신, 생태, 문화, 보건 및 복지 등의 기능이 있는 단지 또는 시가지를 조성하기 위하여 시행하는 사업을 말한다.
❷ 국가가 도시개발사업을 실시할 필요가 있는 경우, 대통령은 도시개발구역을 지정할 수 있다.(o, x)

[정답] ❶ 도시개발구역
　　　 ❷ x

- 지방공사
- 토지소유자(국공유지 제외한 토지 면적의 2/3 이상 소유), 토지소유자조합
- 도시개발법에서 정한 요건에 적합한 민간개발기업 등

⑤ 시행 방식
- 수용 또는 사용방식(전면매수방식, 공영개발방식)
  - 사업시행자가 토지 및 지상물에 대한 권리를 전부 매수하는 획일적인 방식
  - 계획적이고 체계적인 도시개발 등 집단적인 조성과 공급이 필요한 경우
  - 사업 시행은 용이하나 막대한 비용이 소요됨
  - 시행자는 대상구역 토지면적의 2/3 이상의 토지를 소유하여야 하며, 토지소유자 총수의 1/2 이상의 동의를 얻어야 함
- 환지방식(토지구획정리방식)
  - 대지로서의 효용증진과 공공시설의 정비를 위하여 토지의 교환·분할·합병, 그 밖의 구획변경, 지목 또는 형질의 변경이나 공공시설의 설치·변경이 필요한 경우
  - 도시개발사업을 시행하는 지역의 지가가 인근의 다른 지역에 비하여 현저히 높아 수용 또는 사용방식으로 시행하는 것이 어려운 경우
  - 도로 공원 등의 공공시설 용지를 토지소유자가 제공
  - 토지의 분할 및 구획을 통하여 토지의 이용을 증진
  - 토지소유자의 감소된 면적은 사업이 종료된 이후에 종전의 권리에 상응하는 토지 또는 건축물을 토지소유자에게 환지하는 방법

개념 Check

❶ 도시 개발 사업 시행자가 토지 및 지상물에 대한 권리를 전부 매수하여 획일적으로 시행하는 방식은? (　　　　)

❷ 수용 또는 사용방식의 시행자는 대상구역 토지 면적의 (　　　)이상의 토지를 소유하여야 하며, 토지 소유자 총수의 (　　　)이상의 동의를 얻어야 한다.

[정답] ❶ 수용 또는 사용방식
❷ $\frac{2}{3}$, $\frac{1}{2}$

자료 Plus 환지 방식의 용어

① 체비지
환지방식에 의한 도시개발사업의 시행에 있어, 도시개발사업으로 인하여 발생하는 사업비용을 충당하기 위하여 사업시행자가 취득하여 집행 또는 매각하는 토지

② 입체환지
시행자가 도시개발사업을 원활하게 시행하기 위하여 특히 필요한 경우에는 토지 또는 건축물 소유자의 신청을 받아 건축물의 일부와 그 건축물이 있는 토지의 공유지분을 부여할 수 있다.

③ 감보
종전보다 토지면적이 감소하는 것

④ 증환지(감환지)
종전보다 토지가 늘어나는(줄어드는) 환지

- 환지규모의 결정
    - 평가식 환지 : 토지 평가액을 기준으로 함. 토지평가가 번거롭고 계산방법이 어려우나, 합리적이고 자유로운 환지계획이 가능
    - 면적식 환지 : 토지 면적과 위치를 기준으로 함. 토지 가격이나 주변환경과는 관계없이 일률적인 감보율을 정하여 환지. 비교적 간편하나 각 토지의 종전위치를 존중하여 변화시키지 않으므로 계획에 상당한 제약이 있음.
    - 절충식 환지 : 두가지를 결합한 방식, 지목 면적 등을 참작
- 감보
    도로, 광장, 공원 등 공공 용지의 부담으로 환지 면적이 종전의 택지 면적보다 작아지는 것
    감보율 : 공공용지로 공여되는 토지의 비율
    - 공공 감보 : 공공용지를 조성하기 위해 부담하는 감보(연도감보, 공통감보)
    - 보류지 감보 : 사업 실시 비용에 충당되어질 면적을 감보
- 환지처분
    시행자가 환지 계획에 따라 사업 시행 전 각 토지의 필지, 각 토지에 필지별로 존재하던 권리를, 사업시행 후의 환지에 위치와 면적을 확보하는 것
- 혼용방식(절충식)
    - 재개발구역에서 도시계획도로용지 및 공공시설계획에 편입되는 토지 또는 건물을 시행청이 전면적으로 매수하여 기존 시설물의 철거 또는 정비를 한 후 나머지 부분을 환지방식으로 개발하는 것

⑥ 비용 부담
- 도시 개발 사업에 필요한 비용은 원칙적으로 시행자가 부담
- 도시개발구역의 시설 설치 및 비용부담
    - 도로와 상하수도시설의 설치는 지방자치단체
    - 전기시설·가스공급시설 또는 지역 난방시설의 설치는 해당 지역에 전기·가스 또는 난방을 공급하는 자
    - 통신시설의 설치는 해당 지역에 통신서비스를 제공하는 자

개념 Check

❶ 환지 방식의 경우, 시행자가 도시개발사업을 원활하게 시행하기 위하여 특히 필요한 경우에는 토지 또는 건축물 소유자의 신청을 받아 건축물의 일부와 그 건축물이 있는 토지의 공유지분을 부여하는 (　　　　)를 할 수 있다.
❷ 환지방식에서, 도시 개발 사업에 필요한 경비를 충당하기 위하여 환지로 정하지 않는 토지는?
(　　　)

[정답] ❶ 입체환지
　　　 ❷ 체비지

❖ 환지방식

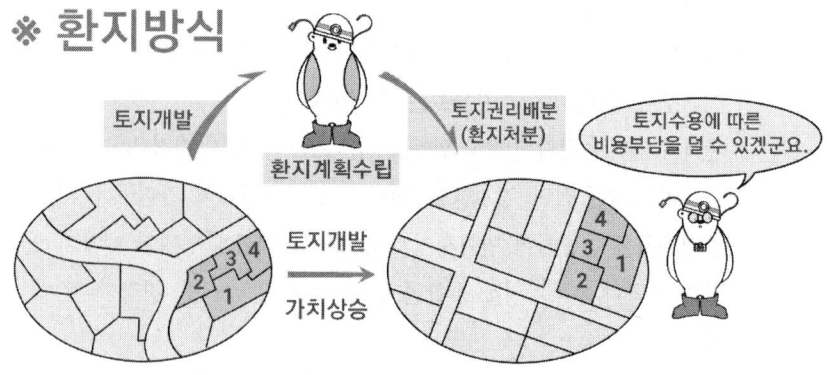

❖ 입체환지

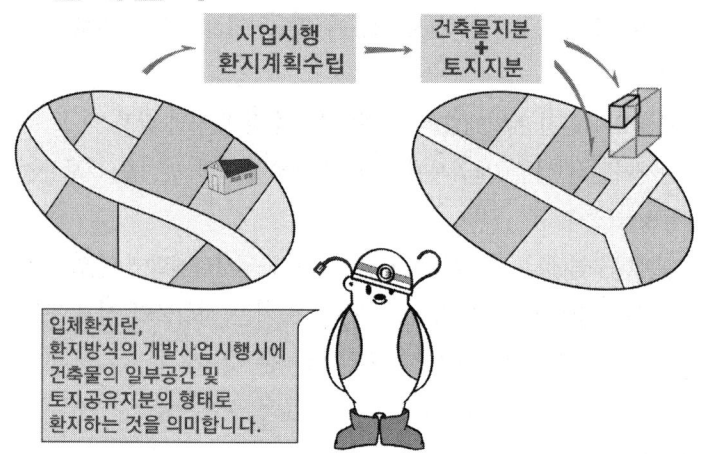

❖ 감보율

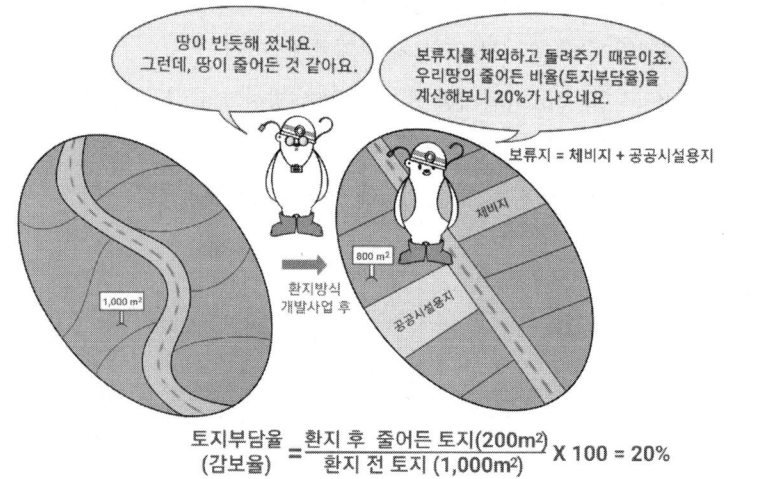

(3) 정비 사업

도시기능을 회복하기 위하여 정비구역에서 정비기반시설을 정비하거나 주택 등 건축물을 개량 또는 건설하는 다음의 사업

① 주거 환경 개선 사업
- 정비기반시설이 극히 열악, 노후 불량 건축물이 과도하게 밀집한 지역의 주거환경을 개선하는 사업(도시 저소득 주민 집단거주지역)
- 현지 개량 방식 – 사업 시행자가 정비구역에서 정비기반시설 및 공동이용시설을 새로 설치하거나 확대하고 토지 등 소유자가 스스로 주택을 보전·정비하거나 개량하는 방법
- 공동주택 건설 방식 – 주택밀도가 높고 집단재해가 우려되며 주민 자력 개발을 기대할 수 없는 구역에서 공공의 사업 시행자가 토지 및 건물 매수 철거 후, 공동주택을 건설하여 주민에게 공급하는 방식

② 주택 재개발 사업
- 정비기반시설이 열악하고 노후·불량건축물이 밀집한 지역에서 주거환경을 개선하기 위한 사업(주택 재개발 사업)
- 상업지역·공업지역 등에서 도시기능의 회복 및 상권활성화 등을 위하여 도시환경을 개선하기 위한 사업(도시환경정비사업)

③ 주택 재건축 사업
- 정비기반시설은 양호, 노후 불량건축물이 밀집한 지역의 주거환경개선사업

④ 도시 환경 정비사업(2018년 이후, '주택 재개발 사업'에 포함됨)
- 상업·공업 지역 등에서 토지의 효율적 이용과 도심 또는 부도심 등 도시기능의 회복이나 상권 활성화 등이 필요한 지역
- 건축물 및 그 부지의 정비와 공공 시설의 정비를 통하여 도시 환경을 개선하기 위하여 시행하는 사업

< 정비사업의 쉬운 이해 >

정비사업의 종류	주거환경개선사업	주택재개발사업	주택재건축사업	도시환경정비사업
정비기반시설 환경	극히 열악	열악	양호	상업, 공업지역 위주의 정비사업 (도시기능의 회복, 상권활성화)
노후불량건축물 환경	과도하게 밀집	밀집	밀집	

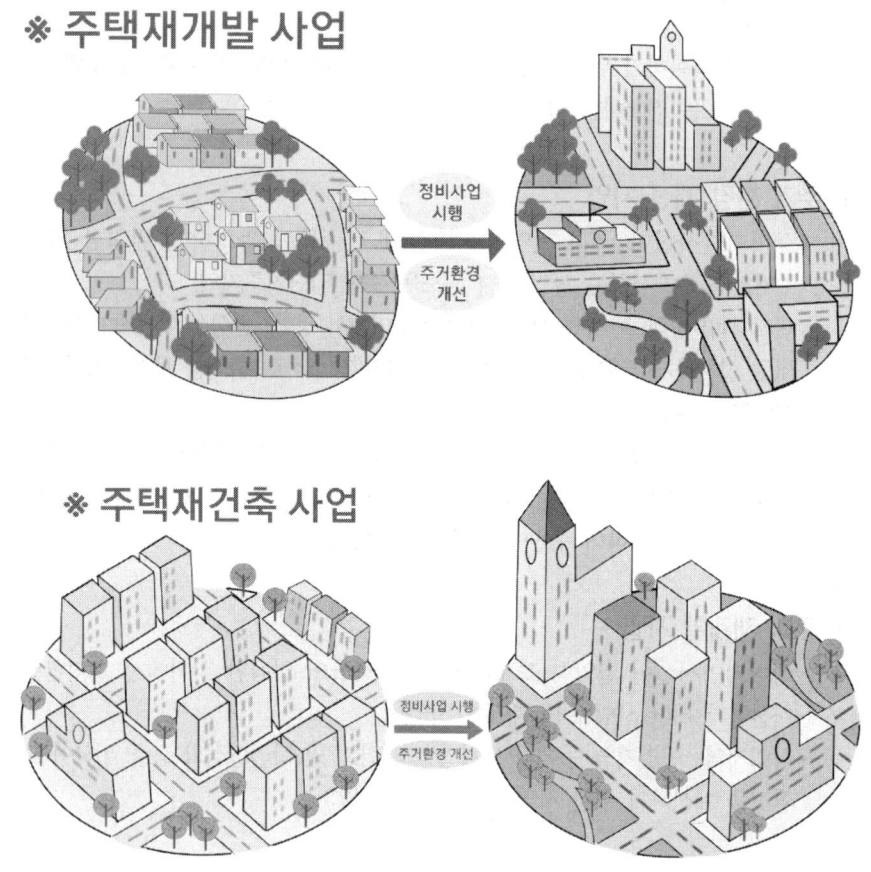

개념 Check

❶ 도시기능의 회복이 필요하거나 주거환경이 불량한 지역을 계획적으로 정비하고 노후·불량건축물을 효율적으로 개량하기 위하여 필요한 사항과, 정비사업에 관한 절차 등에 관한 법률은?
(   )

❷ 도로, 상하수도 등 정비 기반 시설이 열악하고 노후, 불량 건축물이 밀집한 지역에서 주거 환경을 개선하기 위하여 시행하는 사업은 (   ) 이다.

❸ 정비 기반 시설은 양호하나 노후, 불량 건축물이 밀집한 지역에서 주거 환경을 개선하기 위하여 시행하는 사업은 (   )이다.

[정답] ❶ 도시 및 주거환경 정비법
❷ 주택 재개발 사업
❸ 주택 재건축 사업

(4) 재정비 촉진 사업

"도시재정비 촉진을 위한 특별법"에 의해 도시의 낙후된 지역에 대한 주거환경의 개선, 기반시설의 확충 및 도시기능의 회복을 광역적으로 계획하고 체계적·효율적으로 추진하기 위하여 지정한 재정비 촉진 지구에서 시행되는 주거환경개선사업, 재개발사업 및 재건축사업, 도시개발사업, 시장정비사업, 도시·군계획시설사업 등을 말함

(5) 택지 개발 사업

도시지역의 시급한 주택난(住宅難)을 해소하기 위하여 주택건설에 필요한 택지(宅地)의 취득·개발·공급 및 관리 등에 관하여 특례를 규정함으로써 국민 주거생활의 안정과 복지 향상에 이바지함을 목적으로 하는 사업

자료 Plus 허가, 인가, 승인

① 허가
일반적으로 금지되어 있는 행위를 특정한 경우에 해제하여 적법하게 그 행위를 할 수 있게 하는 행정처분

② 인가
제3자의 행위를 보충하여 그 법률상의 효력을 완성시키는 행위

③ 승인
국가 또는 지방자치단체가 특정 행위에 대하여 부여하는 동의 승낙 등을 의미

허가를 요하는 행위를 허가 없이 행하면 처벌의 대상이 되지만, 인가의 대상이 되는 행위를 인가없이 행한다 해도 처벌이나 강제를 받지는 않는다.

개념 Check

❶ "도시재정비 촉진을 위한 특별법"에 의해, 도시의 낙후된 지역에 대한 주거환경의 개선, 기반시설의 확충 및 도시기능의 회복을 (광역적 / 국부적)으로 계획하고 체계적·효율적으로 추진하기 위하여 재정비 촉진 지구를 지정한다.

❷ 도시지역의 시급한 주택난을 해소하기 위하여 주택건설에 필요한 택지의 취득·개발·공급 및 관리 등에 관하여 특례를 규정하고, 국민 주거생활의 안정과 복지 향상에 이바지함을 목적으로 하는 사업은?
(   )

[정답] ❶ 광역적
❷ 택지 개발 사업

02 도시 계획

학습요점
» 도시화 현상
» 도시화의 요인
» 우리나라의 도시 문제

3 도시화와 도시 문제

(1) 도시화의 개념

① 도시화의 일반적 정의
- 도시 내의 모든 요소들이 상호작용을 통해 변화해 나가는 실증적 종합현상
- 단순한 도시인구의 증가뿐만 아니라, 인간생활양식의 변화와 산업사회로의 변화를 의미
- 도시화란 비도시지역이 도시지역의 속성을 갖추게 되어가는 과정

(2) 도시화 현상

① 집중적 도시화
- 초기단계에서 농촌지역의 인구가 도심과 그 주변지역으로 이동하고, 각종 도시기능들도 도심지역을 중심으로 집중
- 집적이익의 증가가 집적 불이익의 증가보다 커서 집적의 순이익이 증가
- 주변지역의 인구는 감소하게 되고, 좁은 도심에 인구와 각종 기능 집중 => 고밀도

② 분산적 도시화
- 주변지역 혹은 교외지역으로 인구와 산업이 분산
- 집적으로 인한 불이익의 증가가 집적의 이익 증가보다 클 때 발생
- 이 단계에서 주변지역으로 시가지의 공간적 확산과정을 교외화(suburbanization)라고 함
- 교통의 발달이 교외화를 가능하게 함
- 부도심과 지구중심이 형성되어 도시구조가 다핵화됨(e.g. edge city)

③ 역도시화
- 집적의 불이익이 집적의 이익보다 커지면 인구가 다시 고향이나 주변지역으로 이주

④ 가도시화(Pseudo-urbanization)
- 도시의 부양능력에 비해 지나치게 많은 인구가 집중하여 인구만 비대해진 도시화
- 가도시화 현상은 우리나라 뿐 아니라 개발도상국들에서도 일어나고 있음

● 교외화 현상
- 대도시의 인구나 기능, 도시적 시설들이 도시 주변 지역으로 확산되어 가는 과정
- 교외지역
  교외화가 진행되는 지역
- 교외화의 원인
  · 광역 교통 체계의 발달
  · 교외 지역의 저렴한 지가와 쾌적한 환경
  · 대도시의 과밀화로 인한 도시 문제 등

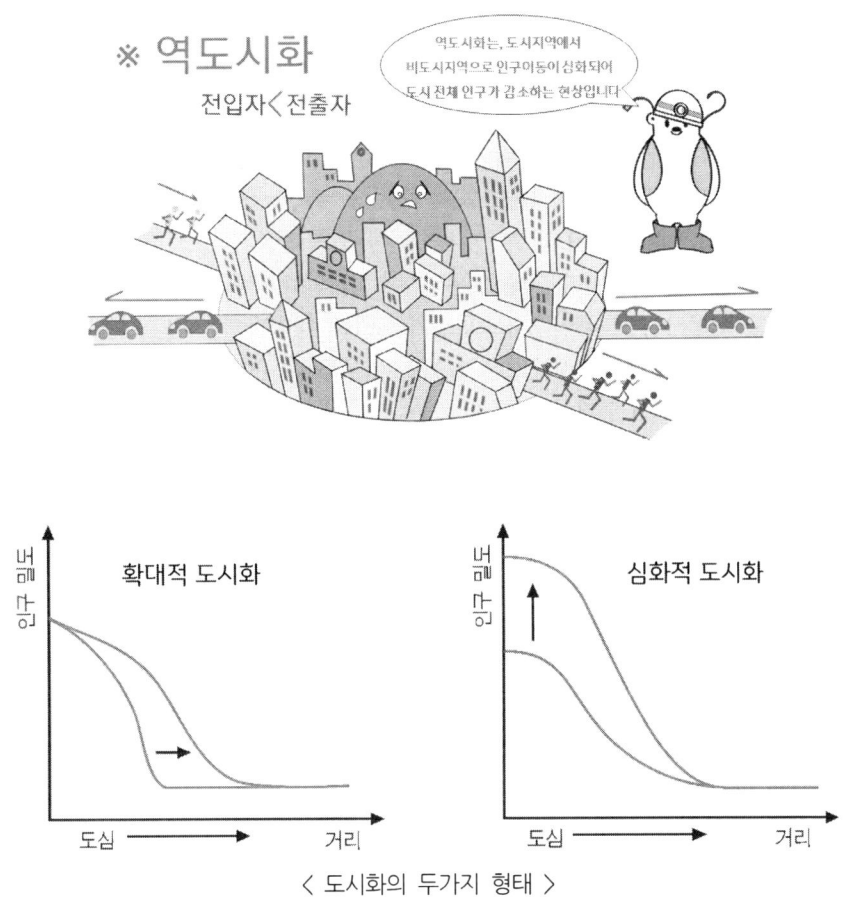

< 도시화의 두가지 형태 >

< 국가발전 형태에 따른 도시화 현상 >

구분	도시화 종류	도시화 현상
선진국	집중적 도시화	도시 교외 지역은 정체되고 중심 도시에 인구와 산업이 집중되어 급격히 팽창하는 현상
	분산적 도시화	집중적 도시화가 계속되어 중심 도시에서 인구와 산업을 더 이상 받아들일 수 없게 되어 교외로 분산하여 도시 주변부가 확대되는 현상
	역도시화	도시의 쇠퇴, 인구의 분산화에 따라 도시권 전체의 인구가 감소하기 시작하는 단계로 인구의 노령화와 저소득층의 유입으로 빈민가를 형성
	고도 도시화	도시화율이 70~90%에 이르면 도시화는 정체를 보이거나 하강하게 되며, 교외화 말기 현상과 역도시화 현상의 혼합임
개발도상국	과승 도시화	도시화 수준이 산업화 수준보다 높은 도시, 즉 도시 인구 수준보다 경제 발전 수준이 낮은 도시
	가도시화	도시 부양 능력이 도시 인구 집중보다 낮은 도시
	간접 도시화	도시화 구역이 도시 행정 구역보다 작은 도시
	종주 도시의 도시화	종주(수위) 도시 성장이 타 도시보다 큰 도시
	무허가 주택 지역	불법 건물 지구의 도시화 현상

개념 Check

❶ 도시의 쇠퇴, 인구의 분산화에 따라 도시권 전체의 인구가 감소하기 시작하는 단계로 인구의 노령화와 저소득층의 유입으로 빈민가를 형성하게 되는 선진국의 도시화 현상은? ( )
❷ 도시의 부양능력에 비해 지나치게 많은 인구가 집중하여 인구만 비대해진 후진국의 도시화 현상은? ( )

[정답] ❶ 역도시화
❷ 가도시화

(3) 도시화의 요인

① 도시 지역 인구의 자연 증가율이 농촌 지역에 비해 높아서 도시 인구의 비율이 증가하는 경우
② 도시의 산업이 발전하여 노동력 수요 증가, 생산성 향상, 높은 임금, 사회심리적 측면에서의 도시에 대한 매력과 교육적 동기 등 흡인 요인
③ 농촌지역의 노동력 수요 감소, 상대적 빈곤 등의 압출요인
④ 인구와 산업이 일정 지역에 집중, 누적되어 집적의 이익 등으로 농촌인구가 도시지역으로 이동하여 도시 인구비율의 증가(도시화 현상의 가장 큰 요인)
⑤ 도시성의 확대로 인한, 과거 농촌 지역으로 분류되던 곳이 도시 지역으로 분류되어 도시 인구 비율이 증가하는 경우

(4) 우리나라의 도시 문제

① 우리나라 도시화 현상의 특징
- 도시화가 경제 발전과 밀접하게 진행
- 도시화가 빠르게 진행되었음
- 도시 인구의 증가가 초기에 서울을 중심으로 진행
- 정부의 경제 및 지역 개발 정책의 영향으로 도시 정주 체계 및 도시의 순위에 영향
- 도시화에 따른 사회계층의 이동
- 도시 행정의 서비스 공급 체계는 변화하는 도시 환경에 대응하지 못함

② 우리 나라의 도시 문제
도시의 기반이 공업이 아닌 상업과 행정 활동에 있고, 가도시화는 도심의 과밀과 외곽지대의 무질서한 스프롤현상을 일으킴. 도시 기능의 저하, 공간질서의 혼란을 초래. 자연환경의 파괴와 거주환경의 오염, 생존환경의 위협
- 지역간 성장 격차
- 주택문제
- 도시 빈민과 무허가 불량촌
- 자연환경의 파괴

개념 Check

❶ 우리나라의 경우 도시의 기반이 공업이 아닌 상업과 행정 활동에 있고, 농업 경제의 불안정으로 인해 도시로 밀려 나온 사람으로 이루어진 (**가도시화** / 역도시화)는 도심의 과밀과 외곽지대의 무질서한 (도시 재생 / **스프롤**)현상을 일으켜 도시 기능의 저하와 공간 질서의 혼란을 초래했으며, 자연환경의 파괴와 거주환경의 오염은 인간의 생존마저도 위협하고 있다.

[정답] ❶ 가도시화
❷ 스프롤

4 미래의 도시

(1) 뉴어버니즘(New Urbanism)

① 정의
- 1990년대 미국과 캐나다에서 도시의 무분별한 확산에 의한 도시 문제를 극복하기 위해 제시된 도시개발 패러다임
- 현대도시가 겪어온 여러 가지 문제점들을 해결하기 위해서 도시 중심을 복원하고, 확산하는 교외를 재구성하며, 파괴적인 개발행위를 영속화하려는 정책과 관례를 바꾸려는 운동
- 자동차 위주의 근대도시 계획에 대한 반발로 사람 중심의 도시환경을 도시계획적 운동의 하나로서 도시설계를 이끌고 있는 사조

② 방법
- 대중교통 수단을 이용한 지역 간 연결교통 네트워크 구성(TOD-대중교통 중심적 개발)
- 보행자 네트워크에 의한 도심지 내 부분적 개조와 신개발지 간의 연계(TND-전통적 근린지역)
- 도시재개발지역의 경계부위 디자인에 의한 주변경관의 조화추구

③ 원칙
- 근린 주구의 용도 및 인구의 다양성
- 도심복원
- 보행자 편의와 발달한 대중 교통
- 공공 공간과 커뮤니티 중시
- 교외 확산 지양
- 특색을 살린 건축
- 환경보호

④ 캘리포니아 주 새크라멘토

학습요점
- » 뉴어버니즘
- » 도시 재생
- » 친환경 생태 도시
- » 창조적 혁신 도시
- » 복합 도시
- » 압축 도시
- » 유비쿼터스 도시
- » 워터프론트

02 도시 계획

✱ 뉴 어버니즘

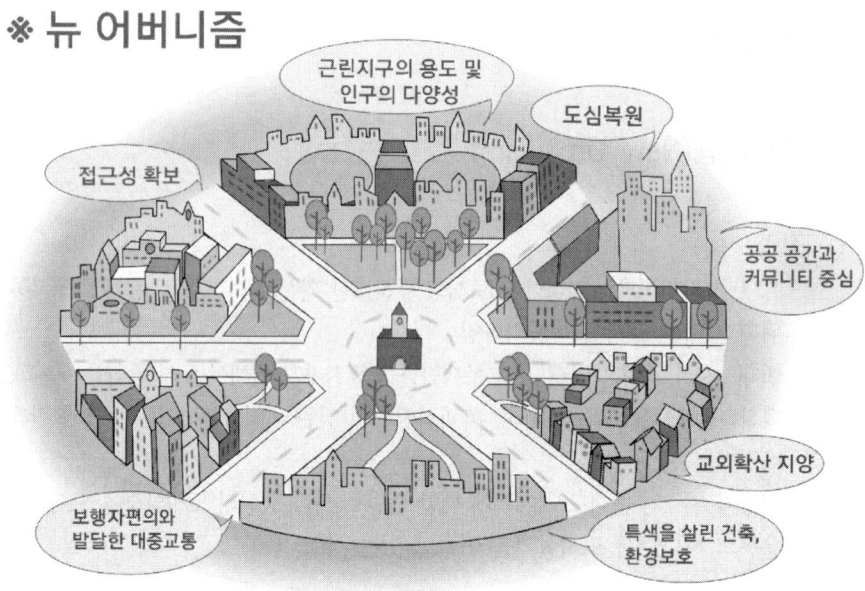

(2) 도시 재생
① 대도시 지역의 무분별한 외부확산을 억제하고 도심부 쇠퇴현상을 개선함으로써 도심지역에 인구 및 산업의 회귀를 촉진하고 재활성화를 모색
② 도시의 경제적·사회적·문화적 활력 회복을 위하여 공공의 역할과 지원을 강화함으로써 도시의 자생적 성장기반을 확충하고 도시의 경쟁력을 제고하며 지역 공동체를 회복하는 등 국민의 삶의 질 향상
③ 영국 런던 도크랜드

(3) 친환경 생태 도시(Eco City)
① 환경적 자연자원 조건만을 고려하는 것이 아니라, 사회경제적인 요소와 공동체적 요소까지 고려한 다양한 측면에서의 지속가능한 도시 조성
② 기본적으로 수계 및 자연 자원의 훼손을 방지하고 이를 도시의 매력적인 요소로 활용하는 것이 요구됨
③ 승용차 이용률 저감을 위한 계획적 배려, 도시 전체를 순환하는 녹색교통망, 보행 교통 및 자전거 이용 적극적 연계 활성화
④ 헬싱키 비키

(4) 창조적 혁신 도시
① 정의
  • 도시의 하드웨어적 측면과 소프트웨어적 측면까지도 도시 계획 및 개발 시 매우 중요하게 고려

개념 Check

❶ ( )은 시가지의 토지 이용에 있어서 지나친 기능 분리나 사적인 공간의 확보 대신에 토지 자원의 절약과 자동차 등에 의한 환경 파괴를 막아보자는 노력에서 등장한 새로운 개념의 도시 계획의 흐름으로, (자동차 / 사람) 중심의 도시환경을 만들기 위한 도시계획적 운동의 하나로서 도시설계를 이끌어 가고 있다.

[정답] ❶ 뉴어버니즘　❷ 사람

- 문화, 정보, 미디어 분야를 중심으로 관·산·학·연간의 효과적인 융합이 시너지 효과를 일으킬 수 있는, 새로운 산업기반을 갖춘 미래형 도시

② 목적
- 공공기관 지방 이전 시책 등에 따라 수도권에서 수도권이 아닌 지역으로 이전하는 공공기관 등을 수용하는 혁신도시의 건설을 위하여 필요한 사항과 해당 공공기관 및 그 소속 직원에 대한 지원에 관한 사항을 규정함으로써 공공기관의 지방 이전을 촉진하고 국가균형발전과 국가경쟁력 강화에 이바지함

③ 캐나다 서드베리, 프랑스 소피아 앙티폴리스, 스웨덴 시스타

(5) 복합도시

① 토지 이용의 변화에 따라 용도별로 분리되어 있는 현재의 도시는 미래정보화 탈산업 시대에는 복합 용도 개발 혹은 더 확장된 개념으로서의 복합 기능 도시 개발과 같은 새로운 토지 이용 형태의 도시로 변화하게 될 것
② 건축물이라는 하드웨어적 공간 형성을 통해 조성된 도시가 아닌 공공 성격의 기능들은 가상의 공간으로 이동하고, 대규모 오픈 스페이스가 생긴다는 미래도시의 개념

(6) 압축도시

① 정의
- 시가화된 기존의 도시 또는 신도시로 설정된 지역을 고밀도로 집중 개발하는 방식
- 고밀도 도시 개발을 통하여 도시 주변의 자연환경을 보존하며 개발하는 방법
- 주거, 공공 시설을 일정공간에 접적화하고 나머지 지역을 녹색도시화하며 난방, 전력공급, 교통 등에서 효율적인 에너지 절약 목표를 달성할 수 있는 도시로, 환경적으로 지속가능한 도시의 형태

② 방법
- 다수의 확산 개발보다는 소수의 고밀개발을 통하여 환경부하를 최소화함으로써 고효율 정주공간의 개발을 도모
- 미개발지를 보호할 수 있게 되어 자연생태계를 보호 가능

③ 특징
- 자연자원의 훼손 최소화
- 직주근접 방식을 채택하여 출퇴근으로 인해 발생되는 교통량 최소화
- 인프라 및 에너지의 효율적 이용
- 작은 부지의 고밀도 개발로 인한 공원, 정원 등의 녹지공간 부족 가능성

개념 Check

❶ (   )은 도심부 쇠퇴 현상을 개선함으로써 도심지역에 인구 및 산업의 회귀를 촉진하고 재활성화를 모색하며 도시의 경제적·사회적·문화적 활력 회복을 위하여 공공의 역할과 지원을 강화함으로써 도시의 자생적 성장기반을 확충하는 최근 도시 계획의 경향이다.

❷ 환경적 자연자원 조건만을 고려하는 것이 아니라, 사회경제적인 요소와 공동체적 요소까지 고려한 다양한 측면에서의 지속가능한 도시 조성의 개념은? (   )

[정답] ❶ 도시 재생
❷ 친환경 생태 도시

02 도시 계획

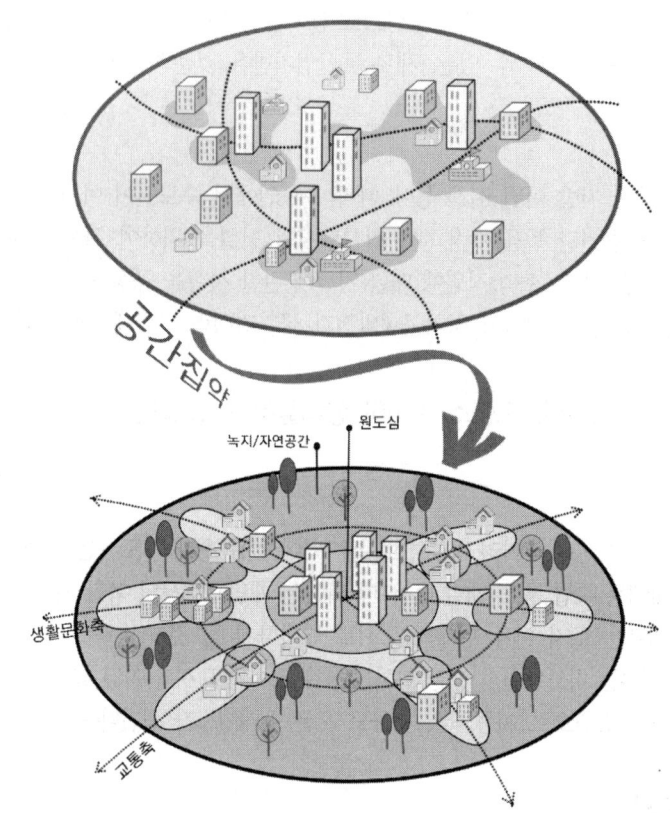

개념 Check

❶ 건축물이라는 하드웨어적 공간 형성을 통해 조성된 도시가 아닌 공공 성격의 기능들은 가상의 공간으로 이동하고, 대규모 오픈 스페이스가 생긴다는 미래도시의 개념은?
( )

❷ ( )은 토지 이용의 집적을 통해 토지의 이용 가치를 높이기 위해 나온 개발 방식으로, 이는 대중교통 중심지를 대상으로 주거, 상업, 업무, 숙박 등 상호 지원하는 여러 가지 용도를 서로의 기능을 해치지 않으면서 물리적, 기능적으로 보완하여 시너지 효과를 이끌어 내도록 하는 개발 방식이다.

[정답] ❶ 복합 도시 개발
❷ 압축 도시 개발

⊙ 도시정책모델

(7) 유비쿼터스 도시

① 물리적인 도시 안에서 언제, 어디서든 다양한 도구를 이용하여 정보 및 서비스를 교환하고, IT 기반을 이용하여 도시의 다양한 거주 여건을 향상시키는 지능화된 도시
② 유비쿼터스(Ubiquitous)란 라틴어로 '언제 어디서나 존재한다'는 의미로 때와 장소와 관계없이 전산망에 접근할 수 있는 네트워크를 지칭
③ 유비쿼터스 컴퓨팅, 정보 통신 기술을 기반으로 도시 전반의 영역을 융합하여 통합되고 지능적이며 스스로 혁신되는 도시

(8) 워터프론트

① 정의
- 바다, 하천, 호수 등 수변공간(친수공간)을 가지는 육지에 인공적으로 개발된 공간을 의미

② 특성
- 자연과 접하기 쉬운 공간
- 문화나 역사가 많이 축적된 공간
- 조망성이 좋아 도시의 활력과 생동감 증대

③ 두바이 워터프론트 개발

(9) 미래의 도시모델
① 건전한 삶의 공간을 창조하는 도시
② 생산적인 활동 여건을 구비
③ 복지 사회 체제 확립
④ 발전적인 성장 기반 강화
⑤ 민주적인 지방자치단체로서의 기능과 역할을 충실히 수행

개념 Check

❶ 유비쿼터스 컴퓨팅, 정보 통신 기술을 기반으로 도시 전반의 영역을 융합하고 통합하여 지능적이며 스스로 혁신되는 도시는? (   )
❷ (   )는 바다, 하천, 호수 등과 접해 있는 수변공간(친수공간)을 가지는 육지에 인공적으로 개발된 공간을 의미한다.

[정답] ❶ U-city
❷ 워터프론트

문제 1

도시의 일반적인 구성요소가 아닌 것은?

① 문화(culture)　　　　　　　　② 시민(citizen)
③ 시설(facility)　　　　　　　　④ 활동(activity)

해 설	도시의 구성요소 • 시민 : 시민의 수, 도시의 제 1조건 • 활동 : 주거, 생산, 위락, 교통, 유통, 교육, 공급처리 • 토지 및 시설 : 건축적 시설, 교통시설, 평면적 시설

문제 2

다음 중에서 도시의 특성으로 볼 수 없는 것은?

① 동질성을 가진 사회　　　　　② 기능의 집적과 분화
③ 높은 인구 밀도　　　　　　　④ 사회적 익명성 증가

해 설	도시의 인구 물리적 특징 • 도시는 이질적인 가치를 가진 많은 수의 인구가 높은 인구 밀도를 유지 • 인구 구성 측면에서 2・3차 산업에 종사하는 비율이 높은 지역으로서 이들의 활동을 담고 지탱할 수 있는 건물군과 도로, 상하수도 등 도시 시설이 집적된 잘 정비된 공간으로 정의할 수 있다.

문제 3

도시를 계획하는 초기에 토지와 시설의 규모를 정하는 착수계수(initial factor)로 사용되는 도시의 구성요소는?

① 시민(인구)　　　　　　　　　② 도시의 역사와 문화
③ 시민의 활동　　　　　　　　　④ 토지와 시설

해 설	시민(인구) • 도시를 구성하는 기본적인 요소인 동시에 도시의 존재 이유, 물리적 계획에 있어 계획 초기에 토지와 시설의 규모를 정하는 착수계수로 사용된다

정답　1. ①　2. ①　3. ①

문제 4

도시의 특성으로 볼 수 없는 것은?

① 한정된 지역에 인구가 대량으로 집중하여 거주 인구의 규모가 크고, 공간적으로 과밀한 정주지를 형성한다.
② 1차 산업보다는 2차, 3차, 4차 산업의 구성비가 상대적으로 크다.
③ 시민들이나 사회 집단들의 강한 집단적 연대성, 동질성, 익명성을 띤다.
④ 도시 기능이 분화되고 전문화되어 도시 공간상의 일정 지역에 집적되어 있다.

해설	도시의 특징
	• 시민이나 사회 집단들이 강한 이질성, 개별성, 익명성을 띤다

문제 5

일반적으로 널리 활용하고 있는 도시화의 기본적 지표로 볼 수 있는 것은?

① 정주 인구의 규모
② 산업 구성의 비율
③ 대중 교통량 증가율
④ 시민의 사회의식 변화도

해설	정주 인구의 규모
	• 도시의 성격을 설명할 수 있는 중요한 지표로서 정주 인구의 규모를 꼽을 수 있다. 왜냐하면 도시에는 적정한 정주 인구가 있고 촌락에 비해 상대적으로 큰 인구 집단을 이루고 있기 때문이다.

문제 6

도시의 개념과 정의에 대한 설명으로 옳지 않은 것은?

① 고정된 개념보다는 새로운 환경에 끊임없이 적응하고 변화하는 동적인 개념으로 보아야 한다.
② 인구・물리적 측면, 사회・경제・문화적 측면, 기능적 측면으로 나누어 도시를 정의한다.
③ 현대에 이르러 인구의 유동과 사회적 교류의 확대, 기능 복합화에 따라 도시와 농촌의 구별이 점점 분명해지고 있다.
④ 기능적 측면에서 도시는 행정, 경제, 문화의 중심의 기능을 담당하며 독특한 문화와 새로운 문명을 개척하는 삶의 터전이 된다

해설	• 현대에는 사회적 교류가 활발하게 이루어지며 도시와 농촌의 구별이 점점 사라지고 있다.

문제 7

그리스의 도시계획가이며 건축가인 인구규모를 기준으로 인간정주사회의 단계를 15단계로 구분한 학자는?

① 독시아디스(C. A. Doxiadis)
② 르꼬르뷔제(Le Corbusier)
③ 버제스(E. W. Burgess)
④ 호이트(H. Hoyt)

정답 4. ③ 5. ① 6. ③ 7. ①

해설	독시아디스(C. A. Doxiadis) • 그리스인으로 인간 정주 사회 이론을 전개한 건축가이자 도시 계획가이다. • 인간 정주 사회의 요소는 인간, 사회, 기능, 자연, 쉘(Shell)이고 이들이 조화로운 상호 관계를 만들어 내야 한다는 것이다.

문제 8

그리스 도시계획가인 독시아디스가 예측한 인간 정주의 최종 형식인 도시로 다핵지대가 상호 간에 연락을 가지면서 국경을 벗어나 국제적 공동체 도시형태는?

① 연담 도시
② 메트로 폴리스
③ 메갈로 폴리스
④ 세계 도시

해설	세계 도시 • 세계 도시 기능 구조의 관념적 도시형태로 국제적 세계적 기능의 공동체 도시 형태

문제 9

도시에 대한 독시아디스의 인간 정주 사회의 단계에 해당하는 도시 분류 방법은?

① 도시의 기능에 따른 분류
② 개발 정책에 따른 분류
③ 인구에 의한 분류
④ 법 제도에 따른 분류

해설	독시아디스의 인간 정주 사회의 단계 • 도시의 여러 가지 분류 방법 중 인구에 따라 분류하고 있다. 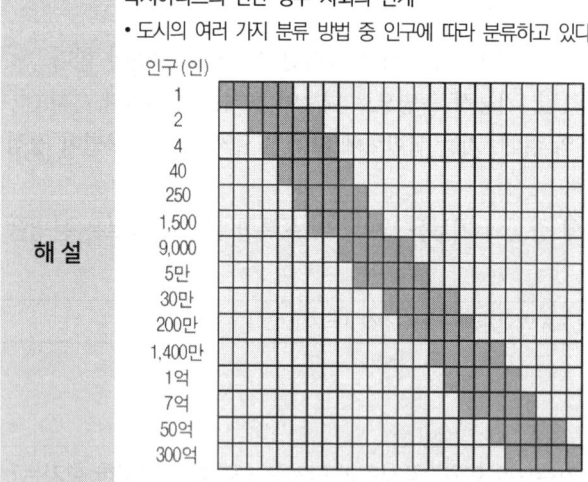 〈독시아디스의 인간 정주 사회의 단계〉

정답 8. ④ 9. ③

문제 10

도시의 인구에 따른 분류 중, 국토의 균형 개발을 위한 최소단위에 해당하는 것은?

① 근린 ② 소도시
③ 중도시 ④ 대도시

해설 소도시
- 농촌의 중심지역으로 도시적 성격을 띠는 취락으로 우리나라 지방자치법은 인구 2만 이상이 되어야 읍을 설치할 수 있다
- 기존의 도시처럼 생활 환경 시설이나 생산 기반 시설이 충분히 갖추어지지는 못하였으나, 주변 지역에 대해 중심 상권을 형성하고 있다.
- 국토의 균형 개발을 위한 최소의 개발 단위 지역이다

문제 11

도시에 대한 일반적 특성으로 가장 거리가 먼 것은?

① 도시는 다수의 인구가 비교적 좁은 장소에 밀집하여 거주하며 농촌에 비하여 인구밀도가 비교적 높다.
② 1차 산업의 비율이 낮고 2·3차 산업의 비율이 높은 비농업적활동이 주로 일어나는 곳이다.
③ 도시는 행정·경제·문화의 중심지 기능을 담당하며 독특한 문화와 새로운 문명을 개척하는 삶의 터전이 된다.
④ 주민 구성에 있어 동질적인 집단의 성격이 강하고, 주민 간의 상호 접촉은 빈번하고 광범위하며, 주로 항시적이고 직접적인 특징이 있다.

해설
- 도시는 시민들이나 사회 집단들이 강한 이질성, 개별성, 익명성을 띠며 구성원간 빈번하고 일시적인 상호 접촉의 특징이 있다.

문제 12

다음 중 도시의 특성으로 옳지 않은 것은?

① 높은 인구밀도 ② 동질성이 높은 사회
③ 익명성의 증가 ④ 기능의 집적과 분화

해설 도시의 특성
- 구성원간의 강한 이질성, 개별성, 익명성을 보인다

문제 13

인구·물리적 측면에서의 도시의 정의로 옳지 않는 것은?

① 인구 구성에서 2·3차 사업의 종사자 비율이 높은 지역
② 건물군과 도로, 상하수도, 기타 물리적 시설물이 집적되어 잘 정비된 지역

정답 10. ② 11. ④ 12. ② 13. ④

③ 농촌지역보다 상대적으로 많은 정주인구와 높은 인구밀도를 갖는 지역
④ 비농업적 전문가가 많이 모여 활동하는 지역사회로 다양한 재화와 서비스가 집중되고 배분되는 장소

해설	사회·경제·문화적 측면에서의 도시의 정의 • 경제 – 도시는 비농업적 전문가가 많이 모여 활동하는 지역 사회로서 다양한 재화와 서비스가 집중되고 배분되는 장소 • 문화 – 도시는 다양한 가치와 사고가 만나고 융합되는 거대한 문화의 용광로 • 사회 – 도시는 예술, 문화, 종교, 정치 등의 요소가 잘 갖추어지고 조화를 이루는 공간

문제 14

도시의 기능적 분류에 해당하는 것은?

① 특별시
② 침상 도시(기숙사 도시)
③ 신도시(뉴타운)
④ 성장 거점 도시

해설	도시의 기능에 따른 분류 • 침상 도시 – 중심 도시로 통근하는 사람들의 거주를 위한 도시

문제 15

도시공간구조의 여러 이론 중 해리스와 울만(C. D. Harris & E. L. Ulman)은 도시가 커지면서 도심부 이외에도 사람들이 집중하는 지역이 발생하게 되며 그렇게 새로운 핵이 형성된다고 보는 이론은?

① 중심적 축적 성장 이론
② 동심원 이론
③ 부채꼴 이론
④ 다핵심 이론

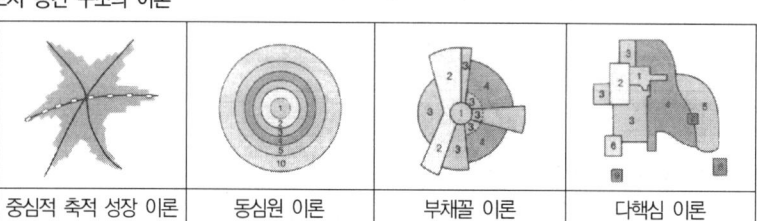

문제 16

주택지구는 도시 중심에서 도시 외곽을 향해 방사형으로 형성되어 있는 교통로를 중심으로 확대하는 과정에서 유사한 주택군들이 서로 모이게 된다는 호이트(H, Hoyt)의 도시공간구조는?

① 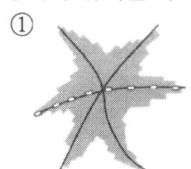 ② 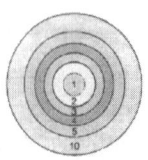 ③ 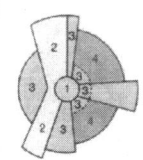 ④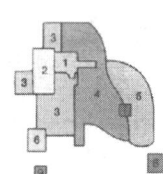

정답 14. ② 15. ④ 16. ③

해설	선형이론(부채꼴 이론) 부채꼴 이론(H. Hoyt)은 주택 지구는 도시 중심에서 도시 외곽을 향해 방사형으로 형성되어 있는 교통로를 중심으로 확대하는 과정에서 유사한 주택군들이 서로 모이게 된다. 도시 중심에서 중심 업무 지구가 형성되고, 이를 중심으로 수로와 철길을 따라 경공업 지대가 부채꼴 형태로 형성된다. 경공업 지대에 인접하여 저소득층 주거지가 자리 잡고, 도시 중심으로부터 거리가 멀어지면서 중류층 및 고소득층 주거지가 형성된다.

문제 17

다음 설명에 해당하는 도시 공간이론과 그 주장학자가 올바르게 연결된 것은?

> 일자리를 찾아 대도시로 몰려든 사람들은 일단 노심부의 저급 주택지에 정착한 후 경제적 수준이 향상되면 그보다 좋은 주거 환경을 찾아 외각으로 뻗어가면서 지대화되어 간다.

① 동심원 이론 – 버제스(E. W. Burgess)
② 부채꼴 이론 – 허드(R. M. Hurd)
③ 동심원 이론 – 호이트(H. Hoyt)
④ 부채꼴 이론 – 해리스, 울만(C. D. Harris & E. L. Ulman)

해설	동심원 이론(1925년)		
	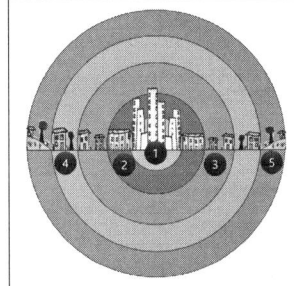	① 중심 업무 지구 ② 점이 지대 ③ 근로자층 주거 지대 ④ 중상류층 주거 지대 ⑤ 통근자 지대	• 버제스(E. W. Burgess) • 도시 발생 초기의 전형적인 단핵구조를 설명 • 도시 성장은 도심부를 중심으로 외곽지향적으로 확장 • 도시토지이용의 형성과정에 작용하는 일반원리를 설명하는데 지나치게 단순화한 단점이 있다.

문제 18

가로망 구성 형태와 특징에 관한 설명으로 옳지 않은 것은?

① 직교형 가로망은 시가지가 규칙적이며 구획 파악이 용이하고 공업지대 조성에 유리하다.
② 방사형 가로망은 중심성과 미관이 유리하고 주택지대와 상업지대 조성에 유리하고 도심 교통 혼잡을 막을 수 있다.
③ 직교 방사형은 직교형과 방사형의 혼합으로 도심의 기능 분산이 용이하다.
④ 미로형 가로망은 시가지가 자연발생적이며 도로가 불규칙한 특징이 있다.

해설	방사형 가로망 • 중심성과 미관이 양호하고 주택 지대와 상업 지대 조성에 유리하나 도심 교통 혼잡이 발생할 수 있다. • 예를 들면, 진해, 나진, 의정부 등이 있다.

정답 17. ① 18. ②

문제 19

우리나라 지방자치법에 따른 인구수를 기준으로 한 도시지역의 정의가 맞는 것은?

① 시지역 : 10만 이상, 읍지역 : 2만 이상
② 시지역 : 5만 이상, 읍지역 : 3만 이상
③ 시지역 : 10만 이상, 읍지역 : 3만 이상
④ 시지역 : 5만 이상, 읍지역 : 2만 이상

해설	시, 읍의 설치기준(지방자치법 제 7조) • 시는 그 대부분이 도시의 형태를 갖추고 인구 5만 이상이 되어야 한다 • 읍은 그 대부분이 도시의 형태를 갖추고 인구 2만 이상이 되어야 한다.

문제 20

도로망의 구성 형태별 특징이 잘못 연결된 것은?

① 직교형-도심의 기념비적인 건물을 중심으로 주변과 연결한다.
② 방사형-교통량이 도심으로 집중하는 경향이 있다.
③ 직교 방사형-도심 기능 분산이 쉬워 도심의 교통 혼잡을 막을 수 있다.
④ 미로형-자연발생적인 시가지와 불규칙한 도로망의 특징이 있다.

해설	방사형 가로망 • 도심의 기념비적인 건물 등을 중심으로 함으로서 중심성과 미관이 양호하나, 교통이 도심의 중심으로 집중된다. • 진해, 나진, 의정부 등

문제 21

도시 가로망 형태 중 도시의 기념비적인 건물을 중심으로 주변과 연결하고 중심지를 기점으로 주요 간선로를 따라 도시의 개발 축을 형성하는 특징을 갖는 것은?

① 격자형   ② 방사형
③ 혼합형   ④ 선형

해설	방사형 가로망

문제 22

법제도에 따른 도시의 분류 중 다음 설명에 해당하는 것은?

> 주변 지역의 관련 지방 자치 단체와 연합하여 광역 사무와 사업을 공동으로 실시하고 관리하는 형태의 도시를 말한다

정답 19. ④   20. ①   21. ②   22. ④

① 특별시　　　　　　　　　　　② 광역시
③ 일반시　　　　　　　　　　　④ 연합도시

해설	연합도시 예) 캐나다 토론토 시의 대도시 연합 형태

문제 23

다음 중 1960년대 이후 나타난 우리나라 도시화 현상의 특징으로 가장 거리가 먼 것은?

① 짧은 기간 동안 산업화와 더불어 진행되었다.
② 대도시와 수도권 중심으로 인구가 집중되었다.
③ 생활권 중심의 지방거점도시들이 균형적으로 성장하였다.
④ 경부축을 중심으로 산업단지의 개발 등 집중적인 투자가 진행되었다.

해설	1960년대 이후의 우리나라 도시의 역사 • 제조업을 중심으로 기존 대도시의 기반 시설을 활용하는 방향으로 산업 전력이 추진되어 서울, 부산, 대구, 인천 등이 비약적으로 성장. • 수도권으로의 인구 집중으로 인한 위성 도시 발달 및 거대 도시화 현상이 나타나고 있다.

문제 24

뉴어버니즘의 특징으로 올바르지 않은 것은?

① 보행자 편의　　　　　　　　② 대중교통 발달
③ 교외확산 지향　　　　　　　④ 특색을 살린 건축

해설	뉴어버니즘의 기본원칙 • 복합용도개발을 통해 기능의 혼합을 유도하여 이동거리를 단축하고 이를 통해 자동차 이용감소를 유도하여 환경파괴를 막으며 토지 자원의 절약을 통한 삶의 질 향상과 지속가능한 개발을 목표로 하고 있다. • 도시의 교외 확산을 지양

문제 25

우리나라 모든 도시 계획의 근간이 되는 법률로서 광역 도시 계획 및 도시 기본 계획, 도시 관리 계획, 지구 단위 계획, 기반 시설 계획, 개발 행위 허가 등에 관한 계획 수립 절차 및 내용에 대하여 규정하고 있는 법(률)은?

① 국토의 계획 및 이용에 관한 법률　　　② 도시개발법
③ 도시 및 주거 환경 정비법　　　　　　④ 도시 재정비 촉진을 위한 특별법

해설	국토의 계획 및 이용에 관한 법률 • 국토의 이용·개발과 보전을 위한 계획의 수립 및 집행 등에 필요한 사항을 정하여 공공복리를 증진시키고 국민의 삶의 질을 향상시키는 것을 목적으로 함

정답　23. ③　24. ③　25. ①

문제 26

도시계획의 특성에 대한 설명으로 올바르지 않은 것은?

① 도시기반시설을 조성하는 물적계획과 사회계획, 경제계획을 포함하는 종합적 계획이다.
② 도시의 장래 발전 수준을 예측하여 사전에 바람직한 형태를 미리 정하고 관리해 나간다.
③ 도시계획은 목표지향적 성격이므로 사회 여건변화에도 불구하고 정해놓은 목표를 반드시 달성하도록 해야 한다.
④ 도시는 지역의 일부분이며 지역은 국토의 일부분으로 도시와 지역 국토는 공간적 계층을 형성하면서 기능적으로 연계된다.

해 설
도시계획의 과정지향적 성격
• 도시 계획은 미래 지향적이며 목표 지향적 성격을 띠므로 계획은 사회적 여건 변화에 따라 계속적인 수정이 이루어지는 환류(feedback)의 과정이라고 할 수 있다.

문제 27

"국토의 계획 및 이용에 관한 법률"에서 규정하고 있는 내용이 아닌 것은?

① 도시·군 기본 계획
② 지구 단위 계획의 수립
③ 개발 행위의 허가
④ 재정비촉진지구의 지정

해 설
도시재정비 촉진을 위한 특별법
• 도시의 낙후된 지역에 대한 주거환경의 개선, 기반시설의 확충 및 도시기능의 회복을 위한 사업을 광역적으로 계획하고 체계적·효율적으로 추진하기 위하여 필요한 사항을 정함
• 재정비 촉진 지구의 지정과 재정비 촉진 계획의 수립 및 재정비 촉진 사업의 시행을 위한 절차 및 내용에 관하여 규정

문제 28

도시계획의 위계에 따른 특징에 대한 다음 설명의 괄호에 들어갈 말을 순서대로 나열하면?

> 도시 계획의 수립은 먼저 2개 이상의 시·도를 대상으로하는 광역 계획권에서 장기적인 발전 방향을 제시하는 (㉮)을 수립하게 되며, 상위 계획 내용을 수용하여 도시의 바람직한 미래상을 제시하는 (㉯)을 수립한다. 그 후 단계별로 발전 방향을 도시 공간에 구체화하고 실현하는 (㉰)을 수립하는 과정을 거쳐 법적인 구속력을 가지게 된다.

	㉮	㉯	㉰
①	국토종합계획	도시기본계획	도시관리계획
②	광역도시계획	도시관리계획	도시기본계획
③	국토종합계획	도시관리계획	도시기본계획
④	광역도시계획	도시기본계획	도시관리계획

해 설
도시계획의 위계
• 광역도시계획 - 도시기본계획 - 도시관리계획 - 지구단위계획의 순서로 상위계획에서 하위계획으로 실현되고 구체화 된다.

정답 26. ③   27. ④   28. ④

문제 29

【기출16-1】 도시계획에서 주민참여의 순기능이 아닌 것은?

① 소수의 적극적 참여
② 지방자치단체 도시계획 행정의 이해
③ 주민의 지지와 협조를 통한 집행의 효율화
④ 주민의 권리, 재산상의 침해 예방 또는 극소화

해설	"주민참여"의 역기능 • 정책집행의 시간을 지체할 우려 • 소수의 적극적 참여자나 특수 이익 집단의 대표는 행정의 공정성을 저해할 가능성 있음

문제 30

도시계획의 필요성으로 옳지 않은 것은?

① 인구와 산업의 집중으로 교통혼잡, 주택 부족 등의 문제를 해결하기 위함
② 도시문제를 해결하고 도시기능을 효율적으로 정비하기 위함
③ 도시의 시민 개개인의 목표를 달성하기 위함
④ 도시 전체 영역의 구상을 기초로 한 각종 계획의 수립 및 집행을 하기 위함

해설	도시계획의 필요성 • 토지이용의 효율성 제고 • 공공재의 남용 방지 • 인간사회의 공동목표와 가치 추구 • 도시의 여러 가지 기능을 원활히 조화시킴 • 시민들의 풍요롭고 양호한 생활환경 조성 • 공공 및 민간활동의 고른 분배를 위한 사회적 기능수행

문제 31

【기출12-1】 다음 중 도시계획의 의의와 필요성에 대한 설명으로 옳지 않은 것은?

① 도시의 여러 가지 기능을 원활하게 해준다.
② 주민들이 생활하기에 풍요롭고 양호한 환경을 만들어 준다.
③ 개인 및 집단행동을 우선시하며 외부효과를 고려하는 기능이 있다.
④ 공공 및 민간활동의 분배효과를 고려하는 사회적 기능을 수행한다.

해설	도시계획의 필요성 • 인간사회의 공동목표와 가치 추구 • 도시의 여러 가지 기능을 원활히 조화시킴 • 시민들의 풍요롭고 양호한 생활환경 조성 • 공공 및 민간활동의 고른 분배를 위한 사회적 기능수행

정답 29. ① 30. ③ 31. ③

문제 32

【기출13-4】 지속가능한 도시가 추구하여야 할 기본 목표가 아닌 것은?

① 환경부하가 높은 첨단도시
② 도시경관의 개선 및 보전
③ 환경친화적 교통·물류체계의 정비
④ 쾌적한 도시공간의 정비 및 확보

해 설	지속 가능한 도시 • 환경을 고려한 지속 가능한 도시 계획을 통해 환경에 미치는 영향이 적도록 자연재해나 재난의 위험에 대비하고 공공 및 녹지 공간을 이용할 수 있도록 해야한다. 시민참여적이며 통합적이며 지속가능한 도시 계획 수립이 필요하다.

문제 33

【기출15-4】 다음 중 지속가능한 도시가 추구하는 목표가 아닌 것은?

① 쾌적한 도시공간의 정비·확보
② 환경친화적 교통·물류체계 정비
③ 환경부하의 저감, 자연과의 공생 어메니티 창출
④ 현재의 건축물을 파손하지 않고 계속적으로 보존

해 설	포용적이고 안전하며 회복력 있는 지속가능한 도시와 거주지 조성 • 모든 시민이 적정 수준의 주택에서 거주하면서 기본적 서비스를 제공받고, 적정비용의 안전한 교통체계를 이용하며, 자연재해나 재난의 위험에 대비하고, 공공 및 녹지 공간을 이용할 수 있도록 해야 함 • 문화 및 자연 유산을 보호 • 폐기물과 대기오염 물질에 대한 관리를 강화 • 시민참여적이고 통합적이며 지속 가능한 도시 계획 수립 역량 강화

문제 34

다음 중 현대 도시문제에 대한 설명으로 옳지 않은 것은?

① 대도시로의 급격한 인구집중과 도시성장은 오늘날의 도시문제를 유발한 원인이 되었다.
② 도시의 과밀화로 인해 주택부족, 교통문제, 공공시설과 생활편의시설의 부족 등의 문제가 나타난다.
③ 현대 도시문제는 사회·문화·경제뿐 아니라 물리적으로도 주변 도시들과 상호 긴밀하게 연결되어 있다.
④ 도시의 성장이나 쇠퇴로 인해 나타나는 도시 문제들은 전체 시민보다 일부 계층에 한정적으로 영향을 미친다.

해 설	• 도시는 여러 사람이 모여 함께 생활하는 공간이므로 도시의 문제는 일부 계층에 한정되기 보다는 전체 시민에게 크고 작은 영향을 미친다.

정답 32. ① 33. ④ 34. ④

문제 35

【기출14-1】 바람직한 미래의 도시상(像)으로 거리가 먼 것은?

① 건전한 삶의 공간을 창조하는 도시
② 중앙집권적인 자치체로서의 기능과 역할을 하는 도시
③ 생산적인 활동 여건을 구비하는 도시
④ 복지로운 사회 체제를 확립하는 도시

해설	바람직한 미래의 도시상 • 건전한 삶의 공간 창조 • 복지로운 사회체제 확립 • 생산적인 활동 여건 구비 • 민주적인 기능과 역할을 충실히 수행

문제 36

【기출13-2】 도심공동화로 인해 나타나는 현상으로 옳은 것은?

① 직주 근접 현상의 발생
② 주거환경의 개선
③ 기성시가지의 활성화
④ 야간인구의 격감

해설	도심 공동화 • 교외화로 인한 도시권의 확장으로 기존 도시의 중심부의 인구와 산업 등이 교외지 등으로 이전하게 되어 도시 중심부의 야간인구가 감소하는 현상을 말한다. 직주 근접 • 직장과 주거지가 가까운 것을 말함

문제 37

국토교통부 장관이 정하는 도시 개발 구역의 지정에 대하여 옳지 않은 것은?

① 관계 중앙 행정 기관의 장이 요청하는 경우
② 천재지변 그 밖의 사유로 도시개발 사업을 긴급하게 할 필요가 있는 경우
③ 둘 이상의 시·도 또는 대도시의 행정구역에 걸치는 경우에 시·도지사 또는 인구 50만 이상의 대도시 시장의 협의가 성립되지 아니하는 경우
④ 지방자치단체가 도시개발사업을 실시할 필요가 있는 경우

해설	도시 개발 구역의 지정권자 ① 특별시장·광역시장·도지사·특별자치도지사 ② 서울특별시와 광역시를 제외한 인구 50만 이상의 대도시의 시장 ③ 도시개발사업이 필요하다고 인정되는 지역이 둘 이상의 특별시·광역시·도·특별자치도·인구 50만 이상의 대도시의 행정구역에 걸치는 경우에는 관계 시·도지사 또는 대도시 시장이 협의하여 정함

정답 35. ②　36. ④　37. ④

해설	④ 국토교통부장관 • 국가가 도시 개발 사업을 실시할 필요가 있는 경우 • 관계 중앙 행정 기관의 장이 요청하는 경우 • 공공 기관의 장 또는 정부 출연 기관의 장이 30만㎡ 이상으로써 국가 계획과 밀접한 관련이 있는 도시 개발 구역의 지정을 제안하는 경우 • 둘 이상의 시·도 또는 대도시의 행정 구역에 걸치는 경우 시·도지사 또는 인구 50만 이상의 대도시 시장의 협의가 성립되지 아니하는 경우 • 천재지변 그 밖의 사유로 인하여 도시 개발 사업을 긴급하게 할 필요가 있는 경우

문제 38

인접한 2개 이상의 시·군의 공간구조 및 기능을 상호 연계시키고, 환경을 보전하며 광역시설을 체계적으로 정비하기 위하여 지정한 계획권의 장기적인 발전 방향을 제시하는 계획은?

① 도시·군 기본 계획
② 국토 및 지역계획
③ 수도권 정비계획
④ 광역 도시 계획

해설	광역도시계획(국토의 계획 및 이용에 관한 법률, 제2조, 제10조) • 광역계획권 - 둘 이상의 특별시·광역시·특별자치시·특별자치도·시 또는 군의 공간구조 및 기능을 상호 연계시키고 환경을 보전하며 광역시설을 체계적으로 정비하기 위하여 필요한 경우에는 관할구역 전부 또는 일부를 광역계획권으로 지정 • 광역도시계획 - 지정된 광역계획권의 장기발전방향을 제시하는 계획

문제 39

다음 설명에 해당하는 새로운 도시계획의 흐름은?

- 도시계획 및 개발 시 도시의 소프트웨어적 측면을 중요시하는 경향 중 하나
- 문화, 정보, 미디어 분야 등을 중심으로 관, 산, 학, 연 간의 효과적인 융합이 시너지 효과를 일으킬 수 있는 새로운 산업기반을 갖춘 미래형 도시
- (사례) 캐나다의 서드베리, 프랑스 소피아 앙티폴리스 등

① 창조적 혁신도시
② 친환경 생태도시
③ 행정중심복합도시
④ 도시재생

해설	창조적 혁신도시(creative innovation city) • 새로운 도시계획의 흐름의 하나로, 문화, 정보, 미디어 분야 등을 중심으로 관·산·학·연 간의 효과적인 융합이 시너지 효과를 일으킬 수 있는 새로운 산업 기반을 갖춘 미래형 도시를 말함

문제 40

우리나라 용도지역지구제의 특징에 대한 설명으로 옳지 않은 것은?

① 토지이용의 특화 또는 순화를 도모하기 위하여 도시의 토지이용도를 구분하는 제도이다.
② 이용 목적에 부합하지 않는 건축 등의 행위는 규제하고 부합하는 행위는 유도하는 제도적 장치이다.

정답　38. ④　39. ①　40. ④

③ 공공의 건강과 복리를 증진시키기 위한 것으로 이의 실현을 위해 법적 규제를 통하여 개인의 토지이용을 제한한다.
④ 용도지역은 상호 중복지정이 가능하고, 용도지구는 중복지정이 허용되지 않는다.

해설	용도지역 • 토지의 이용 및 건축물의 용도, 건폐율, 용적률, 높이 등을 제한함으로써 토지를 경제적·효율적으로 이용하고 공공복리의 증진을 도모하기 위하여 서로 중복되지 아니하게 도시·군관리계획으로 결정하는 지역

문제 41

다음 중 도시·군기본계획에 대한 설명으로 옳지 않은 것은?

① 도시·군기본계획은 도시·군관리계획의 상위 계획적 성격을 갖는다.
② 도시·군기본계획은 20년을 단위로 수립되는 장기계획으로, 매 10년마다 타당성 여부를 검토한다.
③ 도시·군기본계획은 물적 측면뿐 아니라 인구·산업·사회개발 등 사회·경제적 측면을 포괄하는 종합계획이다.
④ 도시·군기본계획이 수립되는 도시 내에서 다른 법률에 의한 교통, 상하수도, 주택 등의 부문별 계획 수립시에 반드시 도시·군기본계획과 부합하여야 한다.

해설	도시기본계획 • 국토 종합 계획, 광역 도시 계획 등 상위 계획의 내용을 수용하여 도시가 지향하여야 할 바람직한 미래상을 제시하고 장기적인 발전 방향을 제시하는 정책 계획 • 도시의 20년 단위 장기발전 방향을 제시 • 도시관리계획 수립의 지침이 되는 계획으로 5년 마다 타당성 검토, 계획의 보완 또는 변경 계획 수립

문제 42

개발 제한 구역에 대한 설명으로 옳지 않은 것은?

① 도시의 무질서한 확산을 방지하기 위함이다.
② 국토교통부 장관이 결정한다.
③ 건전한 생활환경을 확보하기 위하여 환경부 장관의 요청으로 지정할 수 있다.
④ 자연환경을 보전하여 도시민의 건전한 생활환경을 확보하기 위함이다.

해설	개발제한구역의 지정(국토의 계획 및 이용에 관한 법률 제38조, 개발제한구역의 지정 및 관리에 관한 특별조치법 제3조) • 국토교통부장관은 도시의 무질서한 확산을 방지하고 도시 주변의 자연환경을 보전하여 도시민의 건전한 생활환경을 확보하기 위하여 도시의 개발을 제한할 필요가 있거나 국방부장관의 요청으로 보안상 도시의 개발을 제한할 필요가 있다고 인정되면 개발제한구역의 지정 및 해제를 도시·군관리계획으로 결정할 수 있다.

정답 41. ② 42. ③

문제 43

다음 중 우리나라 현재 도시계획의 종류와 위계를 상위계획부터 하위계획까지 순서대로 옳게 나열한 것은?

① 광역도시계획-도시・군기본계획-도시・군관리계획-지구단위계획
② 수도권계획-도시・군관리계획-도시・군기본계획-도시개발계획
③ 도시・군기본계획-광역도시계획-도시재정비계획-지구단위계획
④ 광역도시계획-수도권정비계획-도시・군관리계획-도시・군기본계획-도시재정비계획

해설	도시계획의 위계 • 광역도시계획 → 도시・군기본계획 → 도시・군관리계획 → 지구단위계획

문제 44

수용 또는 사용방식에 의한 도시 개발 사업 시행에 대한 설명으로 옳지 않은 것은?

① 시행자는 이용자로부터 대금의 전부 또는 일부를 선수금으로 받을 수 있다.
② 시행자는 토지 소유자 총수의 3분의 1 이상의 동의를 얻어야 한다.
③ 사업시행으로 조성된 토지나 건축물로 상환하는 토지상환채권을 발행할 수 있다.
④ 도시의 주택건설에 필요한 택지 등의 집단적인 조성 또는 공급이 필요할 때 활용한다.

해설	수용 또는 사용방식에 의한 사업 시행(도시개발법 제22조) • 시행자는 사업대상 토지면적의 3분의 2 이상에 해당하는 토지를 소유하고 토지 소유자 총수의 2분의 1 이상에 해당하는 자의 동의를 받아야 한다.

문제 45

【기출16-1】 국토의 계획 및 이용에 관한 법률상 용도지역 중 관리지역의 종류에 해당되지 않는 것은?

① 보전관리지역 ② 생산관리지역
③ 계획관리지역 ④ 자연환경보전지역

해설	관리지역(국토의 계획 및 이용에 관한 법률 제36조) • 도시지역의 인구와 산업을 수용하기 위하여 도시 지역에 준하여 체계적으로 관리하거나 농림업의 진흥, 자연환경 또는 산림의 보전을 위하여 농림 지역 또는 자연환경 보전 지역에 준하여 관리가 필요한 지역을 말한다. • 계획관리지역, 생산관리지역, 보전관리지역으로 구분

문제 46

우리나라의 도시 계획 정책이 나아가야 할 방향으로 옳지 않은 것은?

① 개발 지향적인 도시계획 ② 지속가능한 도시계획
③ 도・농 통합적인 도시계획 ④ 선계획 후개발 원칙에 따른 도시계획

정답 43. ① 44. ② 45. ④ 46. ①

해설	우리나라의 도시개발정책이 나아가야 할 방향 • 선계획 후개발 원칙 확립 • 도농 통합적 계획의 수립 • 지역경쟁력을 갖기 위한 지방주도의 계획 수립 • 도시계획 및 도시개발의 다양한 주체를 수용 • 탈산업 사회를 고려한 계획 • 입체적인 토지이용과 복합적 관리를 위한 계획

문제 47

국토의 계획 및 이용에 관한 법률에 따른 다음 설명에 해당하는 것은?

> 도시·군계획 수립 대상지역의 일부에 대하여 토지 이용을 합리화하고 그 기능을 증진시키며 미관을 개선하고 양호한 환경을 확보하며, 그 지역을 체계적·계획적으로 관리하기 위하여 수립하는 도시·군관리계획

① 토지 이용 계획 ② 지구 단위 계획
③ 성장 관리 계획 ④ 기반 시설 계획

해설	지구단위계획(국토의 계획 및 이용에 관한 법률 제2조) • 도시 내 일정 구역에 대하여 수립하는 도시계획 • 인간과 자연이 공존하는 환경친화적 도시 환경을 조성하기 위한 도시계획 • 평면적 계획과 입체적 계획과의 조화에 중점을 둠 • 일반 도시계획보다 구체화된 특수 계획

문제 48

【기출13-1】 도시의 부양능력에 비하여 지나치게 많은 인구가 집중하여 인구적으로만 비대해진 도시를 무엇이라 하는가?

① 역도시화(de-urbanization) ② 어반스프롤(Urban Sprawl)
③ 외부경제(Extranal Econmy) ④ 가도시화(Pseudo-urbanization)

해설	가도시화(Pseudo-urbanization) • 도시의 부양능력에 비해 지나치게 많은 인구가 집중하여 인구적으로만 비대해진 도시화 현상 • 개발도상국에서 흔히 볼 수 있는 산업화와 무관한 도시화 • pseudo, @ 허위의, 가짜의; 모조의

문제 49

도시 인구의 증가 속도가 도시 부양 능력 보다 큰 도시화 현상을 무엇이라 하는가?

① 고도 도시화 ② 역도시화
③ 가도시화 ④ 종주 도시화

정답 47. ② 48. ④ 49. ③

해설	가도시화 • 도시인구의 증가속도가 도시산업의 발달속도(도시 부양능력)보다 훨씬 커서 직장과 주택이 없는 사람들이 도시 빈민화하고 슬럼지구를 형성하며, 이들이 생존을 위해 비공식 경제부문에 종사하는 등 도시 경제의 잉여 부분에 기생하면서 살아가야 하는 현상

문제 50

【기출15-4】제1기 신도시 개발과 비교하여 수도권의 제2기 신도시의 계획 특성으로 볼 수 없는 것은?

① 대중교통 지향적인 교통체계를 갖추었다.
② 녹지율을 높여 그린 네트워크를 지향하였다.
③ 친환경, 첨단과 같은 신도시로서의 테마를 강조하였다.
④ 1기 신도시에 비해 토지이용에 있어 고밀도를 유지하였다.

해설	제2기 신도시 개발의 특징 • 계획테마 : 친환경 및 첨단의 신도시 추구 • 교통체계 : 대중교통지향적 • 녹지체계 : 녹지율을 높이고 그린네트워크 지향 • 인구밀도를 줄이는 등 환경용량을 감안하여 친환경적인 도시개발을 지향 • 성남·판교, 위례, 화성·동탄1·2차, 광교, 김포한강, 파주운정, 양주(옥정·회천), 인천 검단, 고덕 국제화 신도시 등

문제 51

우리나라 수도권 제1기 신도시가 아닌 것은?

① 분당
② 일산
③ 평촌
④ 판교

해설	수도권 제1기 신도시 • 분당, 일산, 평촌, 산본, 중동

문제 52

【기출15-2】다음 중 도시·군관리계획의 내용에 해당하지 않는 것은?

① 용도지역·용도지구의 지정 또는 변경에 관한 계획
② 공간구조, 생활권의 설정 및 인구의 배분에 관한 계획
③ 개발제한구역·도시자연공원구역·시가화 조정구역, 수산자원보호구역의 지정 또는 변경에 관한 계획
④ 도시개발사업이나 정비사업에 관한 계획

정답 50. ④ 51. ④ 52. ②

| 해설 | 도시 관리 계획(국토의 계획 및 이용에 관한 법률 제2조)
• 특별시·광역시·특별자치시·특별자치도·시 또는 군의 개발·정비 및 보전을 위하여 수립하는 토지 이용, 교통, 환경, 경관, 안전, 산업, 정보통신, 보건, 복지, 안보, 문화 등에 관한 다음 각 목의 계획을 말한다.
가. 용도지역·용도지구의 지정 또는 변경에 관한 계획
나. 개발제한구역, 도시자연공원구역, 시가화조정구역(市街化調整區域), 수산자원보호구역의 지정 또는 변경에 관한 계획
다. 기반시설의 설치·정비 또는 개량에 관한 계획
라. 도시개발사업이나 정비사업에 관한 계획
마. 지구단위계획구역의 지정 또는 변경에 관한 계획과 지구단위계획
바. 입지규제최소구역의 지정 또는 변경에 관한 계획과 입지규제최소구역계획 |
|---|---|

문제 53

용도지역, 용도지구, 용도구역에 대한 설명으로 옳지 않은 것은?

① 용도지역은 서로 중복되지 아니하게 국토교통부장관, 시도지사 또는 대도시 시장이 도시관리계획으로 결정하는 지역이다.
② 도시자연공원구역은 국토교통부 장관이 결정한다.
③ 자연환경보전지역은 공원구역, 상수원보호구역, 지정문화재 또는 천연기념물 보호구역, 해양보호구역 등이다.
④ 용도지역의 종류는 4개의 용도, 9개의 지역으로 구분된다.

| 해설 | 도시자연공원구역(국토의 계획 및 이용에 관한 법률 제38조)
• 시·도지사 또는 대도시 시장은 도시의 자연환경 및 경관을 보호하고 도시민에게 건전한 여가·휴식공간을 제공하기 위하여 도시지역 안에서 식생(植生)이 양호한 산지(山地)의 개발을 제한할 필요가 있다고 인정하면 도시자연공원구역의 지정 또는 변경을 도시·군관리계획으로 결정할 수 있다. |
|---|---|

문제 54

【기출13-2】 도시지역과 그 주변지역의 무질서한 시가화를 방지하고 계획적·단계적인 개발을 도모하기 위해 일정 기간 시가화를 유보하기 위해 지정하는 용도구역은?

① 개발제한구역 ② 도시자연공원구역
③ 계획관리구역 ④ 시가화 조정구역

| 해설 | 시가화 조정구역(국토의 계획 및 이용에 관한 법률 제39조)
• 시·도지사는 직접 또는 관계 행정기관의 장의 요청을 받아 도시지역과 그 주변지역의 무질서한 시가화를 방지하고 계획적·단계적인 개발을 도모하기 위하여 대통령령으로 정하는 기간 동안 시가화를 유보할 필요가 있다고 인정되면 시가화조정구역의 지정 또는 변경을 도시·군관리계획으로 결정할 수 있다.
• 다만, 국가계획과 연계하여 시가화조정구역의 지정 또는 변경이 필요한 경우에는 국토교통부장관이 직접 시가화조정구역의 지정 또는 변경을 도시·군관리계획으로 결정할 수 있다 |
|---|---|

정답 53. ② 54. ④

문제 55

기반시설의 구분 및 그 종류가 올바르지 않은 것은?

① 공간시설 : 광장, 농원, 녹지, 유원지, 공공 공지
② 공공 문화 체육 시설: 학교, 운동장, 도서관, 청소년 수련시설
③ 보건위생시설: 공동묘지, 납골시설, 도축장
④ 교통시설: 폐차장, 자동차 및 건설기계 검사 시설

해 설	폐차장은 환경기초시설로 구분된다 • 환경기초시설 : 하수도, 폐기물 처리 시설, 수질 오염 방지 시설, 폐차장

문제 56

10층 건축물의 각 층의 바닥 면적이 500㎡이고 용적률이 200%일 때, 이 건축물의 대지면적(㎡)은 얼마인가?

① 1,000
② 2,500
③ 5,000
④ 10,000

해 설	용적율(%) = $\dfrac{건축물의 연면적}{대지면적} \times 100$ • 건축물의 연면적 = 500 × 10 = 5,000 용적율(%) 200 = $\dfrac{5,000}{x} \times 100$ 그러므로, 대지면적 $x = 2,500 (㎡)$

문제 57

【기출12-2】 용적률이 600%이고 12층인 건축물의 건폐율은?

① 30%
② 40%
③ 50%
④ 60%

해 설	건폐율(%) = $\dfrac{건축 면적}{대지 면적} \times 100$ 용적율(%) = $\dfrac{건축물의 연면적}{대지면적} \times 100$ = $\dfrac{건축면적 \times 총 층수}{대지면적} \times 100$ = $\left(\dfrac{건축면적}{대지면적} \times 100\right) \times 총 층수$ = 건폐율 × 총 층수 • 그러므로, 용적율 = $\dfrac{600}{12} = 50(\%)$

정답 55. ④ 56. ② 57. ③

문제 58

용도지역에 관련된 다음 설명에 해당하는 것은?

> 산림자원의 조성, 임업 경영 기반의 구축 등 임업 생산 기능의 증진과 재해 방지, 수원 보호, 자연 생태계 보전, 자연경관 보전, 국민보건 휴양 증진 등의 공익 기능을 위하여 필요한 산지로서 산림 청장이 '산지관리법'에 따라 지정·고시한 산지

① 농업진흥지역
② 보전 산지
③ 준보전 산지
④ 산림보호구역

해설

보전산지(산지관리법 제4조)
- 임업용산지 : 산림자원의 조성과 임업경영기빈의 구축 등 임업생산 기능의 증진을 위하여 필요한 산지
- 공익용산지 : 임업생산과 함께 재해 방지, 수원 보호, 자연생태계 보전, 산지경관 보전, 국민보건휴양 증진 등의 공익 기능을 위하여 필요한 산지

준보전산지(산지관리법 제4조)
- 보전산지 외의 산지

문제 59

다음 설명에 해당하는 용도구역은?

> 도심 내 쇠퇴한 주거 지역, 역세권 등을 주거·상업·문화 등의 기능이 복합된 지역으로 개발하기 위해 용도 지역 등에 따른 입지에 대한 규제를 적용받지 않고, 도시정비를 촉진하고 지역 거점을 육성하기 위함

① 개발 제한 구역
② 도시 자연 공원 구역
③ 시가화 조정 구역
④ 입지 규제 최소 구역

해설 입지규제최소구역의 지정(국토의 계획 및 이용에 관한 법률 제40조)

문제 60

개발도상국의 도시화 종류를 설명한 내용 중 옳지 않은 것은?

① 과승도시화 – 도시화 수준이 산업화 수준보다 높은 도시, 즉 인구 수준보다 경제 발전 수준이 더 낮다.
② 가도시화 – 도시 부양 능력이 도시인구의 집중보다 높은 도시
③ 간접도시화 – 도시화 구역이 도시 행정구역보다 작은 도시
④ 무허가 주택 지역 – 불법 건물 지구의 도시화 현상

해설

가도시화
- 도시부양 능력이 도시 인구 집중보다 낮은 도시

정답 58. ② 59. ④ 60. ②

문제 61

우리나라의 도시계획에 대한 설명으로 옳지 않은 것은?

① 도시관리계획은 중기계획으로, 구체적 계획 및 구속력을 가지고 있다.
② 도시기본계획에서는 매 5년마다 타당성을 검토한다.
③ 도시관리계획은 지형도면을 고시하며 30일간 일반인에게 열람한다.
④ 광역도시계획은 국가계획과 관련된 경우에는 국토교통부장관, 그 밖에는 시도지사, 시장 또는 군수가 수립하게 된다.

해설	지형도면 • 지적이 표시된 지형도에 지역·지구 등을 명시한 도면 • 시장·군수는 도시 관리 계획 결정 고시와 동시 또는 2년 이내에 지적이 표시된 지형도(축척1/500~1/1,500)에 도시 관리 계획 사항을 표시하여 지형도면고시를 하게 되고 이때 도시 관리 계획 결정 효력이 발생 • 지형도면 등을 고시한 날로부터 일반 국민이 계속해서 볼 수 있도록 해야 한다.

문제 62

개발도상국에 주로 나타나는 과승도시화에 대한 설명으로 옳은 것은?

① 도시 부양 능력이 도시 인구 집중보다 낮은 도시
② 도시화 수준이 산업화 수준보다 높은 도시
③ 도시화 구역이 도시 행정구역보다 작은 도시
④ 인구의 분산화에 따라 도시권 전체의 인구가 감소하기 시작하는 단계

해설	과승 도시화 • 도시화 수준이 산업화 수준보다 높은 도시, 즉 도시 인구 수준보다 경제 발전 수준이 낮은 도시를 말한다

문제 63

【기출14-4】 시가지의 토지이용에 있어서 지나친 기능분리가 사적공간의 확보를 지양하고 적절한 기능의 혼재와 이동거리 단축에 의한 토지자원의 절약에 자동차에 의한 환경의 파괴를 막아보자는 노력에서 등장한 개념은 무엇인가?

① 도시재생(Urban Regeneration)
② 뉴어바니즘(New Urbanism)
③ 친환경 생태도시(Eco City)
④ 스마트성장관리(Smart Urban Growth Management)

해설	뉴 어버니즘 • 복합용도개발을 통해 기능의 혼합을 유도하여 이동거리를 단축하고 이를 통해 자동차 이용감소를 유도하여 환경파괴를 막으며 토지 자원의 절약을 통한 삶의 질 향상과 지속가능한 개발을 목표로 함

정답 61. ③ 62. ② 63. ②

문제 64

【기출13-2】 토지이용계획을 실현하기 위하여 강제적 수단을 통한 용도지역의 규제내용이 아닌 것은?

① 용도의 규제
② 건폐율의 규제
③ 건축물의 소유권 제한
④ 건축물의 높이 제한

해 설	용도지역제 • 지역·지구·구역의 지정 - 용도, 건폐율, 용적률, 높이 규제 등)

문제 65

국토의 계획 및 이용에 관한 법률에 따라 주거 기능 보호나 청소년 보호 등을 목적으로 청소년 유해 시설 등의 입지를 제한할 필요가 있을 때 지정하는 용도지구는?

① 복합용도 지구
② 보호지구
③ 특정용도 제한 지구
④ 고도 지구

해 설	특정용도 제한 지구 • 주거 기능 보호나 청소년 보호 등을 목적으로 청소년 유해 시설 등 특정 시설의 입지를 제한할 필요가 있는 지구

문제 66

【기출】 다음 중 용도지구의 분류에 해당하지 않는 것은?

① 개발진흥지구
② 자연환경보전지구
③ 보호지구
④ 특정용도제한지구

해 설	용도지구의 지정(국토의 계획 및 이용에 관한 법률, 제37조) 1. 경관지구: 경관의 보전·관리 및 형성을 위하여 필요한 지구 2. 고도지구: 쾌적한 환경 조성 및 토지의 효율적 이용을 위하여 건축물 높이의 최고한도를 규제할 필요가 있는 지구 3. 방화지구: 화재의 위험을 예방하기 위하여 필요한 지구 4. 방재지구: 풍수해, 산사태, 지반의 붕괴, 그 밖의 재해를 예방하기 위하여 필요한 지구 5. 보호지구: 문화재, 중요 시설물(항만, 공항 등 대통령령으로 정하는 시설물을 말한다) 및 문화적·생태적으로 보존가치가 큰 지역의 보호와 보존을 위하여 필요한 지구 6. 취락지구: 녹지지역·관리지역·농림지역·자연환경보전지역·개발제한구역 또는 도시자연공원구역의 취락을 정비하기 위한 지구 7. 개발진흥지구: 주거기능·상업기능·공업기능·유통물류기능·관광기능·휴양기능 등을 집중적으로 개발·정비할 필요가 있는 지구 8. 특정용도제한지구: 주거 및 교육 환경 보호나 청소년 보호 등의 목적으로 오염물질 배출시설, 청소년 유해시설 등 특정시설의 입지를 제한할 필요가 있는 지구 9. 복합용도지구: 지역의 토지이용 상황, 개발 수요 및 주변 여건 등을 고려하여 효율적이고 복합적인 토지이용을 도모하기 위하여 특정시설의 입지를 완화할 필요가 있는 지구

정답 64. ③ 65. ③ 66. ②

문제 67

도시관리계획에 따라 주거기능, 상업기능, 공업기능, 유통 물류 기능, 관광기능, 휴양기능 등을 집중적으로 개발·정비할 필요가 있을 때 지정되는 용도지구는?

① 개발진흥지구
② 보존지구
③ 시설보호지구
④ 특정용도제한지구

해설
개발진흥지구(국토의 계획 및 이용에 관한 법률 제37조)
• 주거기능·상업기능·공업기능·유통물류기능·관광기능·휴양기능 등을 집중적으로 개발·정비할 필요가 있는 지구

문제 68

풍수해, 산사태, 지반의 붕괴, 그 밖의 재해를 예방하기 위하여 필요한 용도지구는?

① 방화 지구
② 방재 지구
③ 보호 지구
④ 경관 지구

해설
용도 지구의 지정(국토의 계획 및 이용에 관한 법률 제37조)
• 방재지구: 풍수해, 산사태, 지반의 붕괴, 그 밖의 재해를 예방하기 위하여 필요한 지구

문제 69

역도시화에 해당하는 설명으로 올바른 것은?

① 교외 도시지역은 정체되고 중심 도시에 인구와 산업이 집중되어 급격히 팽창하는 현상
② 집중적 도시화가 계속되어 중심 도시에서 인구와 산업을 더 이상 받아들일 수 없게 되어 교외로 도시 주변부가 확대되는 현상
③ 도시의 쇠퇴, 인구의 분산화에 따라 도시권 전체의 인구가 감소하기 시작하는 선진국의 도시화 현상
④ 거대도시주변 근교지역으로 농촌인구가 집중하여 실질적으로 도시화가 이루어지는 현상

해설
역도시화
• 도시의 쇠퇴, 인구의 분산화에 따라 도시권 전체의 인구가 감소하기 시작하는 단계로 인구의 노령화와 저소득층의 유입으로 빈민가를 형성하게 된다

문제 70

인구가 정률변화를 할 때 적합하며, 인구가 기하급수적인 증가를 나타내고 있어 단기간에 급속히 팽창하는 신도시의 인구 예측에 유용하나 인구의 과도 예측을 초래할 위험성이 있는 인구추정 방법은?

① 등차급수법
② 등비급수법
③ 로지스틱 곡선법
④ 자연증가와 사회증가 구분 방법

해설
등비급수법
• 인구 증가의 수가 일정률로 증가할 때 알맞은 공식으로 인구가 기하급수적으로 증가하므로, 정상적인 기존 도시보다는 신흥 공업 도시 같은 급성장 도시의 인구 예측에 적합하다
• 대도시의 경우처럼 어느 한계점에서 증가율이 둔화되고 있는 도시에는 적합하지 않다

정답 67. ① 68. ② 69. ③ 70. ②

문제 71

도시계획에 대한 설명으로 옳지 않은 것은?

① 도시기본계획은 도시의 개발방향 및 하위 도시계획수립의 지침을 제시한다.
② 도시기본계획은 광역도시계획 및 도시관리계획에서 제시된 도시의 장기발전 방향을 공간에 구체화하고 실현하는 계획이다.
③ 도시기본계획은 20년 단위의 장기발전방향이며 5년마다 재검토 된다.
④ 도시관리계획의 목표연도는 계획수립 기준년도로 부터 장래 10년을 기준으로 하며 년도의 끝자리는 0년 또는 5년으로 한다.

해설	도시관리계획 • 도시 관리 계획이란 광역 도시 계획 및 도시 기본 계획에서 제시된 도시의 장기적인 발전 방향을 도시 공간에 구체화하고 실현하는 중기 계획 • 도시의 개발, 정비 및 보전을 위하여 수립하는 토지 이용·교통·환경·경관·산업·안전·보건·후생·정보통신·안보·문화 등에 관한 계획

문제 72

기존 시가지 내 낙후지역의 주거환경을 개선하고 도로, 공원, 학교 등 기반시설을 확충하여 도시기능회복을 위해 일정 규모 이상 광역적으로 시행하는 사업은?

① 주거 환경 개선 사업 ② 재정비 촉진 사업
③ 주택 재개발 사업 ④ 광역 도시 개발 사업

해설	재정비 촉진 사업(도시재정비 촉진을 위한 특별법) • 재정비 촉진 지구 : 도시의 낙후된 지역에 대한 주거환경의 개선, 기반시설의 확충 및 도시기능의 회복을 광역적으로 계획하고 체계적·효율적으로 추진하기 위하여 지정하는 지구(地區)를 말한다.

문제 73

현대 도시계획 변화의 특징이 아닌 것은?

① 도로, 주택, 상하수도 등 도시기반시설을 조성하는 물적 계획과 경제 사회 등 비물적분야를 포함하는 통합계획으로의 전환이다.
② 이상적 도시 계획에서 실천적 도시 계획으로의 전환이다.
③ 포괄적 도시계획에서 개별적이고 미시적인 도시계획으로의 전환이다.
④ 도시환경 목표의 편리성 위주에서 쾌적성 위주로의 전환이다.

해설	도시계획의 방향 • 개별적인 도시계획에서 포괄적이고 종합적인 도시계획으로의 전환이 되어야 한다.

정답 71. ② 72. ② 73. ③

문제 74

뉴어버니즘의 기본 원칙으로 옳지 않은 것은?

① 공공기관과의 커뮤니티 중시
② 교외 확산을 지향
③ 특색을 살린 건축
④ 근린지구 용도 및 인구의 다양성

해설	뉴어버니즘의 원칙 • 도시중심을 복원 • 자동차 위주의 근대도시 계획에 대한 반발과 사람 중심의 도시환경을 추구 • 도시의 무분별적인 교외 확산(스프롤 현상)을 지양

문제 75

우리나라의 도시화의 특징으로 알맞지 않은 것은?

① 정부의 경제, 지역개발 정책의 영향으로 도시 정주체계 및 도시의 순위에 영향을 주었다.
② 도시화에 따른 사회계층의 이동이 있었다.
③ 도시 행정의 서비스 공급체계는 도시환경에 대해 잘 대응하고 있다.
④ 도시화가 빠르게 진행되었다.

해설	우리나라 도시화의 특징 • 도시화가 경제 발전과 밀접하게 진행 • 도시화가 빠르게 진행 • 도시 인구의 증가가 초기에는 서울을 중심으로 진행되었음 • 정부의 경제 및 지역 개발 정책의 영향으로 도시 정주 체계 및 도시의 순위에 영향을 주었음 • 도시화에 따른 사회 계층의 이동이 있었으며, 도시 행정의 서비스 공급 체계는 변화하는 도시 환경에 적절히 대응하지 못하고 있음

문제 76

【기출12-4】미래의 도시계획 방향으로 적합하지 않은 것은?

① 개발 지향적 도시계획
② 에너지 절약형 도시계획
③ 환경 친화적 도시계획
④ 주민 참여적 도시계획

해설	스마트 성장 • 기 개발된 지역 안에서 개발을 통해 공공 시설 등 신개발로 인한 사회비용 절감차원에서 시행 • 자원 절약과 오염방지를 통해 환경 보존 • 자연 자원의 훼손 최소화

정답 74. ② 75. ③ 76. ①

문제 77

【기출14-4】 다음 중 미래도시의 새로운 계획 패러다임의 방향으로 가장 거리가 먼 것은?

① 미래사회에 맞는 U-도시계획
② 지속가능한 도시개발로의 전환
③ 시민참여의 확대와 계획 및 개발주체의 다양화
④ 지역별 특화를 위한 도·농 분리적 계획체계로의 전환

해설	도시계획의 새로운 패러다임 • 환경중시 : 입체적 토지 이용, 기능 통합적 토지 이용 • 균형성장 : 도시성장관리, 집중과 분산, 도농통합도시 • 도시의 문화화 : 장소성, 공공공간의 어메니티 추구, 문화예술사가 능 • 기타 : 시민이 함께 만드는 도시, U-City, 3차원 가상도시 등

문제 78

【기출15-2】 다음 중 도시계획을 둘러싼 최근의 경향으로 보기 어려운 것은?

① 각종 개발사업에 있어 민간자본의 참여 축소
② 환경문제에 대한 의식 증대
③ 지방정부의 권한 강화 및 각종 이해집단의 영향력 증대
④ 도심활성화와 복합용도지구의 확산

해설	• 각종 개발사업에 있어 민간자본의 투입이 점점 확대되는 추세이다

문제 79

【기출15-4】 새로운 도시계획 패러다임으로 적절하지 않은 것은?

① 도·농 통합적 계획 추구
② 지속가능한 도시개발 추구
③ 성장위주의 경제논리가 지배하는 도시개발 추구
④ 시민참여 확대와 계획 및 개발주체의 다양성 추구

해설	• 성장위주의 정책에서 벗어나, 지속가능한 도시 개발을 지향

문제 80

도시개발사업에 대한 설명 중 올바르지 않은 것은?

① 도시개발구역안에서 주거 상업 유통 정보통신 생태 문화 보건 및 복지 등의 기능을 가지는 단지 또는 시가지를 조성하기 위하여 시행하는 사업으로 "도시 및 주거환경 정비법"을 따른다.

정답 77. ④ 78. ① 79. ③ 80. ①

② 도시개발을 위한 각종 절차와 인구수용계획 토지이용계획 교통처리계획 환경보전계획 기반시설계획 등 부문별 계획내용이 포함되어야 한다.
③ 수용 또는 사용하는 방식이나 환지 방식 또는 이를 혼용하는 방식으로 시행한다.
④ 도시개발사업을 하려는 땅이 주변 땅보다 토지가격이 높은 경우 수용 또는 사용 방식보다 환지방식을 활용하는 것이 적합하다.

해설	도시개발법 • 도시 전체에 대한 종합적이고 체계적인 도시 개발을 유도하고 민간의 다양한 도시 개발 수요에 부응하기 위하여 제정 • 도시 내에서 주거, 산업, 유통, 정보 통신, 생태 등 복합적 기능을 가진 도시 개발 사업을 시행하고자 할 때 적용하는 법률

문제 81

"국토의 계획 및 이용에 관한 법률"에서 규정한 도시관리계획에 해당되지 않는 것은?

① 용도지역·용도지구의 지정 또는 변경에 관한 계획
② 개발제한구역, 시가화조정구역, 수산자원보호구역의 지정 또는 변경에 관한 계획
③ 도시재개발 및 재생사업의 추진에 관한 계획
④ 기반시설의 설치·정비 또는 개량에 관한 계획

해설	도시 관리 계획의 내용 • 용도 지역, 용도 지구, 용도 구역의 지정 및 변경에 관한 계획 • 기반 시설의 설치, 정비, 개량에 관한 계획 • 도시 개발 사업 및 정비 사업에 관한 계획 • 지구 단위 계획 구역의 지정·변경과 지구 단위 계획

문제 82

도시개발법에 따른 다음 설명과 같은 도시개발사업의 시행방식은?

> 해당토지의 지가가 주변보다 높거나 대지의 효용증진을 위한 정비를 목적으로 하여 사업시행 전에 존재하던 권리관계에 변동을 가하지 않고 사업 시행 후의 새로이 조성된 대지에 기존의 권리를 이전하는 방식

① 사용방식　　　　　　　　　② 수용방식
③ 환지방식　　　　　　　　　④ 매수방식

해설	환지(換地) • 사업 시행 전에 존재하던 권리 관계에 변동을 가하지 않고, 각 토지의 위치, 지적, 토지 이용 상황 및 환경 등을 고려하여 사업 시행 후 새로이 조성된 대지에 기존의 권리를 이전하는 행위

정답　81. ③　82. ③

문제 83

용도지구의 종류와 그 지정 목적의 연결로 옳지 않은 것은?

① 개발진흥지구 : 주거기능, 상업기능, 공업기능, 유통물류기능, 관광기능, 휴양기능 등을 집중적으로 개발·정비할 필요가 있는 지구
② 특정용도제한지구 : 주거기능 보호나 청소년 보호 등의 목적으로 청소년 유해시설 등 특정시설의 입지를 제한할 필요가 있는 지구
③ 시설보호지구 : 학교시설, 공용시설, 항만 또는 공항의 보호, 업무기능의 효율화, 항공기의 안전운항 등을 위하여 필요한 지구
④ 방재지구 : 화재의 위험을 예방하기 위하여 필요한 지구

해설
방재지구
• 풍수해, 산사태, 지반의 붕괴, 그 밖의 재해를 예방하기 위하여 필요한 지구

문제 84

도시개발법에 규정된 다음 내용에 해당하는 것은 무엇인가?

> 과소 토지가 되지 않도록 특히 필요한 때에는 환지의 목적인 토지에 갈음하여 건축물의 일부와 당해 건축물의 일부와 당해 건축물이 있는 토지의 공유 지분을 부여

① 혼합환지
② 공유지분환지
③ 증환지
④ 입체환지

해설
입체환지(도시개발법 제32조)
• 환지 방식에 의한 사업 시행시, 도시개발사업을 원활히 시행하기 위하여 특히 필요한 경우에는 토지 또는 건축물 소유자의 신청을 받아 건축물의 일부와 그 건축물이 있는 토지의 공유지분을 부여할 수 있다.

문제 85

다음 중 ㉠, ㉡에 들어갈 내용이 모두 옳은 것은?

> 지정권자는 수용 또는 사용방식의 도시개발사업에 대한 시행자는 사업대상 토지 면적의 (㉠)에 해당하는 토지를 소유하고 토지 소유자 총수의 (㉡)의 동의를 받아야 한다.

① ㉠ 3분의 2이상, ㉡ 3분의 2이상
② ㉠ 3분의 2이상, ㉡ 2분의 1이상
③ ㉠ 2분의 1이상, ㉡ 2분의 1이상
④ ㉠ 2분의 1이상, ㉡ 3분의 2이상

해설
수용 또는 사용방식에 따른 사업 시행(도시개발법 제22조)
• 시행자는 사업대상 토지면적의 3분의 2 이상에 해당하는 토지를 소유하고 토지 소유자 총수의 2분의 1 이상에 해당하는 자의 동의를 받아야 한다.

정답 83. ④ 84. ④ 85. ②

문제 86

"도시개발법"에 규정된 환지방식에 관한 규정에서 ㉠, ㉡에 각각 들어갈 용어가 바르게 연결된 것은?

> 시행자는 도시개발사업에 필요한 경비에 충당하거나 규약·정관·시행규정 또는 실시계획으로 정하는 목적을 위하여 일정한 토지를 환지로 정하지 아니하고 (㉠)로 정할 수 있으며, 그 중 일부를 (㉡)로 정하여 도시개발 사업에 필요한 경비에 충당할 수 있다.

	㉠	㉡		㉠	㉡
①	보류지	체비지	②	감보지	유보지
③	체비지	보류지	④	유보지	감보지

해설
체비지, 보류지(도시개발법 제34조)
• 시행자는 도시개발사업에 필요한 경비에 충당하거나 규약·정관·시행규정 또는 실시계획으로 정하는 목적을 위하여 일정한 토지를 환지로 정하지 아니하고 보류지로 정할 수 있으며, 그 중 일부를 체비지로 정하여 도시개발사업에 필요한 경비에 충당할 수 있다.

문제 87

【기출15-4】 환지계획에서 사업에 필요한 경비를 조달하고 공공시설 설치에 필요한 용지를 확보하기 위해 정하는 것은?

① 체비지, 보류지
② 청산환지
③ 입체환지
④ 증환지

해설
체비지, 보류지
• 환지 방식에서는 도시 개발 사업에 필요한 경비에 충당하거나 특정한 목적을 위하여 일정한 토지를 환지로 정하지 않고, 체비지 또는 보류지로 정할 수 있다.

문제 88

『국토의 계획 및 이용에 관한 법률』에서 정의하고 있는 도시계획과 관련한 용어에 대한 올바른 설명이 아닌 것은?

① "도시·군계획"이란 특별시·광역시·시 또는 군의 관할 구역에 대하여 수립하는 공간구조와 발전방향에 대한 계획으로서 도시·군기본계획과 도시·군개발계획으로 구분한다.
② "광역도시계획"이란 광역계획권의 장기발전방향을 제시하는 계획을 말한다.
③ "도시·군기본계획"이란 특별시·광역시·시 또는 군의 관할구역에 대하여 기본적인 공간구조와 장기발전방향을 제시하는 종합계획으로서 도시·군관리계획 수립의 지침이 되는 계획을 말한다.
④ "지구단위계획"이란 도시·군계획 수립 대상지역의 일부에 대하여 토지이용을 합리화하고 그 기능을 증진시키며 미관을 개선하고 양호한 환경을 확보하며, 그 지역을 체계적·계획적으로 관리하기 위하여 수립하는 계획을 말한다.

정답 86. ① 87. ① 88. ①

| 해설 | 도시·군 계획(국토의 계획 및 이용에 관한 법률 제2조)
• "도시·군계획"이란 특별시·광역시·특별자치시·특별자치도·시 또는 군(광역시의 관할 구역에 있는 군은 제외한다. 이하 같다)의 관할 구역에 대하여 수립하는 공간구조와 발전방향에 대한 계획으로서 도시·군기본계획과 도시·군관리계획으로 구분한다. |
|---|---|

문제 89

우리나라 도시기본계획의 수립 단위 기간과 타당성 재검토 단위기간을 올바르게 나타낸 것은?

	수립 단위 기간	타당성검토 단위 기간
①	10년	2년
②	10년	5년
③	20년	5년
④	20년	10년

| 해설 | 도시기본계획
• 20년 단위로 수립하며, 매 5년 마다 재검토 한다 |
|---|---|

문제 90

도시기본계획의 성격으로 볼 수 없는 것은?

① 개인재산권에 대한 법적 구속력이 있다.
② 도시에 대한 기본적이고 장기적인 개발구상이다.
③ 도시계획의 입안에 따른 과정과 방향을 제시하는 계획이다.
④ 도시기본계획은 도시개발, 도시계획을 실시하는 데 영향을 준다.

| 해설 | 도시기본계획 VS 도시관리계획
• 도시 기본 계획 – 행정적인 구속력(시·군 행정의 바탕이 되는 주요 지표와 토지의 개발·보전 기반시설의 확충 및 효율적인 도시 관리 전략을 제시)
• 도시 관리 계획 – 시민 개개인에 대한 법적인 구속력 |
|---|---|

문제 91

다음 중에서 하천, 저수지, 유수지 등은 도시계획시설 결정구조에 관한 규칙에 의한 7대 도시 계획 시설군 중 어느 시설군에 속하는가?

① 교통시설
② 도시방재시설
③ 공공문화체육시설
④ 공간시설

| 해설 | 방재 시설
• 하천, 유수지, 저수지, 방화 시설, 방풍 설비, 방수 시설, 사방 설비, 방조 설비 |
|---|---|

정답 89. ③ 90. ① 91. ②

문제 92

용도지역 중 관리지역에 대한 세부설명으로 옳지 않은 것은?

① 개발할 곳과 보전할 곳을 구분함으로써 관리 지역이 친환경적, 계획적으로 개발될 수 있도록 하였다.
② 계획관리지역이란 도시 지역으로의 편입이 예상되는 지역이나 자연환경을 고려하여 제한적인 이용 개발을 하려는 지역으로서 계획적·체계적인 관리가 필요한 지역이다.
③ 보전관리지역은 자연환경보호, 녹지공간확보, 생태계보전 등을 위하여 보전이 필요하나 주변의 용도 지역과의 관계 등을 고려할 때 농림지역으로 지정하여 관리하기가 곤란한 지역이다.
④ 관리지역은 종전 준도시 지역과 준농림 지역을 통합한 것으로 도시지역의 인구와 산업을 수용하기 위하여 도시 지역에 준하여 체계적으로 관리한다.

해설
보전관리지역
• 자연환경 보호, 산림 보호, 수질 오염 방지, 녹지 공간 확보 및 생태계 보전 등을 위하여 보전이 필요하나, 주변의 용도 지역과의 관계 등을 고려할 때 자연 환경 보전 지역으로 지정하여 관리하기가 곤란한 지역

문제 93

다음 설명에 해당하는 것은?

> 도시에서 큰 강이나 바다, 호수 등과 접해 있는 수변 공간

① 워터프론트   ② 비오톱
③ 스프롤   ④ 인공섬

해설
워터프론트(water-front)
• 워터프론트는 도시의 일부 혹은 도시 전체로 존재할 수 있고 적극적인 친수 공간으로서 항만 및 해운 기능, 어업, 농업, 공업 등의 생산 기능 뿐만 아니라 상업, 업무, 주거, 레크레이션 등의 다양한 인간 활동을 수용할 수 있는 유연성을 지니고 있다.
• 대표적인 사례로서 두바이 워터프론트 개발을 들 수 있다.

문제 94

국토의 계획 및 이용에 관한 법률에 정의된 기반시설에 대한 사항으로 올바르지 않은 것은?

① 기반 시설 중 도시·군관리계획으로 결정된 시설을 도시·군계획시설이라 한다.
② 도시관리계획으로 결정해야만 하는 시설을 의무시설이라 한다.
③ 민간부분에 의해서 공급이 가능한 시설로 개별법이나 건축법에 의해서 설치할 수 있는 시설을 임의 시설이라 한다.
④ 도시·군관리계획의 절차를 반드시 거쳐야만 기반시설을 설치할 수 있다.

정답 92. ③   93. ①   94. ④

해설	기반시설
	• 도시에 많은 사람이 모여 공동생활을 영위하기 위해서는 도로, 상하수도, 시장, 학교 등 여러 시설이 제공되어야 하며, 이러한 정주 활동에 필요한 물리적 시설을 총칭
• 대통령령으로 기반 시설의 종류(총 7개 분류, 53개 시설)가 정해져 있음
• 도시 계획 시설 : 기반 시설에 포함되어 있는 시설 중, 도시 관리 계획으로 결정된 시설
• 의무 시설 : 도시 관리 계획으로 결정해야만 하는 시설
• 임의 시설 : 민간 부분에 의해서 공급이 가능한 시설로 개별법이나 건축법에 의해서 설치할 수 있는 시설

문제 95

기반시설 중 유통·공급시설이 아닌 것은?

① 공동구　　　② 시장　　　③ 유수지　　　④ 수도

해설	유통·공급 시설
	• 유통 업무 시설, 수도, 전기 공급 시설, 가스 공급 시설, 방송·통신시설, 공동구, 시장, 유류 저장 및 송유 설비, 열 공급 시설
※ 유수지는 방재시설로 구분된다.

문제 96

인구추정방법에 대한 설명으로 옳지 않은 것은?

① 등차급수법 : 선형적 증가, 지방중심도시에 적용, 과소평가 우려가 있다.
② 등비급수법 : 일정 비율로 증가, 신흥공업도시에 적용, 과대평가의 우려가 있다.
③ 로지스틱 곡선법 : 인구증가가 처음에는 급격히 증가하다가 일정기간이 지나면 완만히 증가하고, 결국에는 다시 증가율이 점차 증가하는 인구 성장 경로에 적합하다.
④ 자연증가와 사회증가에 의한 계산법 : 대도시, 신흥도시 같은 사회적 증가가 자연적 증가에 비해 현저한 도시에 적용한다.

해설	로지스틱 곡선법
	• 인구 성장이 처음에는 완만하다가 일정 기간이 지나면 급속한 인구 증가가 있게 되고, 또 일정 기간이 지나면 그 증가율이 점차 감소하여 결국에는 인구가 일정한 수를 유지하는 인구 성장 경로에 적합
• 대도시권의 인구를 어느 상한선까지 강력히 통제하고자 할 때 적용

문제 97

광역도시계획 승인요청을 받은 관계 중앙행정기관의 장은 요청받은 날로부터 며칠 이내에 국토교통부장관에게 의견을 제시해야 하는가?

① 15일　　　② 21일　　　③ 30일　　　④ 60일

해설	광역도시계획의 승인(국토의 계획 및 이용에 관한 법률, 제16조)
	• 협의 요청을 받은 관계 중앙행정기관의 장은 특별한 사유가 없으면 그 요청을 받은 날부터 30일 이내에 국토교통부장관에게 의견을 제시하여야 한다.

정답　95. ③　96. ③　97. ③

문제 98

도시 및 주거 환경 정비법으로 시행하는 도시계획사업으로 옳지 않은 것은?

① 주택 재건축 사업
② 주거 환경 개선 사업
③ 주택 재개발 사업
④ 택지 개발 사업

해설	택지개발사업(택지개발촉진법 제2조) • 일단(一團)의 토지를 활용하여 주택건설 및 주거생활이 가능한 택지를 조성하는 사업을 말한다. • 택지개발촉진법 : 도시지역의 시급한 주택난(住宅難)을 해소하기 위하여 주택건설에 필요한 택지(宅地)의 취득·개발·공급 및 관리 등에 관하여 특례를 규정함으로써 국민 주거생활의 안정과 복지 향상에 이바지함을 목적으로 한다.

문제 99

용도지구에 해당되지 않는 것은?

① 경관지구
② 개발제한지구
③ 방재지구
④ 개발진흥지구

해설	용도구역 • 개발제한구역 • 도시자연공원구역 • 시가화 조정구역 • 수산자원보호구역 • 입지규제최소구역

문제 100

도시기본계획에 관한 사항으로 고려해야 할 것이 아닌 것은?

① 특별시·광역시·시 또는 군의 기본적인 공간구조와 장기발전방향을 제시하는 토지이용·교통·환경 등에 관한 종합계획이 되도록 할 것
② 여건변화에 탄력적으로 대응할 수 있도록 포괄적이고 개략적으로 수립하도록 할 것
③ 특별시장·광역시장·시장 또는 군수는 도시기본계획을 수립 또는 변경하는 때에는 대통령의 승인을 얻어야 한다.
④ 특별시장·광역시장·시장 또는 군수가 도시기본계획을 수립 또는 변경하는 때에는 미리 당해 특별시·광역시·시 또는 군의 의회의 의견을 들어야 한다.

해설	도시기본계획의 확정(국토의 계획 및 이용에 관한 법률 제22조) • 특별시·광역시·특별자치시·특별자치도의 도시·군기본계획의 확정 ① 특별시장·광역시장·특별자치시장 또는 특별자치도지사는 도시·군기본계획을 수립하거나 변경하려면 관계 행정기관의 장(국토교통부장관을 포함)과 협의한 후 지방도시계획위원회의 심의를 거쳐야 한다. 즉, 대통령의 승인을 필요로 하는 사항은 아니다.

정답 98. ④ 99. ② 100. ③

문제 101

국토교통부 장관이 도시개발구역을 지정할 수 있는 요건이 아닌 것은?

① 해당구역이 둘 이상의 시·도 또는 대도시 행정구역에 걸치는 경우
② 관계 중앙 행정기관의 장이 요청하는 경우
③ 국가가 도시개발 사업을 실시할 필요가 있는 경우
④ 천재지변이나 그 밖의 사유로 인하여 도시개발사업을 긴급하게 할 필요가 있는 경우

해설	• "둘 이상의 시·도 또는 대도시의 행정구역에 걸치는 경우 시·도지사 또는 인구 50만 이상의 대도시 시장의 협의가 성립되지 아니하는 경우"에 국토교통부 장관이 도시개발구역을 지정할 수 있다.

문제 102

광역 도시 계획에 관한 설명으로 옳은 것은?

① 10년 내외를 기준으로 수립된다.
② 광역 계획권의 단기 발전방향을 제시한다.
③ 하나의 계획권으로 묶기에는 도시의 범위와 기능이 광범위해짐에 따라 여러 개의 계획권으로 분산시키고, 효율적으로 나누어 관리하고자 한다.
④ 도시 계획의 위계상 최상위 계획이다.

해설	광역도시계획 • 도시계획의 위계상 최상위 계획 • 계획 수립 시점으로부터 20년 내외를 기준으로 수립되는 장기계획 • 도시의 범위와 기능이 외연적으로 확산되고 연담화됨에 따라 이들 지역을 하나의 계획권으로 묶어 효율적으로 관리함으로써 무질서한 도시 확산을 방지하고자 하는 목적

문제 103

도시관리계획의 내용 중, 용도구역에 해당하지 않는 것은?

① 개발 제한 구역
② 자연환경 보전 지역
③ 시가화 조정 구역
④ 수산 자원 보호 구역

해설	용도구역 • 개발 제한 구역 • 도시 자연 공원 구역 • 시가화 조정 구역 • 수산 자원 보호 구역 • 입지 규제 최소 구역 ※ '자연환경 보전지역'은 "용도지역"에 해당한다

정답 101. ① 102. ④ 103. ②

문제 104

새로운 도시계획의 흐름 및 기법에 대한 설명으로 옳지 않은 것은?

① 압축도시 (Compact City)는 저밀개발과 도시의 엄격한 기능분리를 통해 기존 도심의 과밀 등 도시 문제를 해결하기 위한 새로운 미래도시 개념이다.
② U-City는 유비쿼터스 컴퓨팅, 정보통신기술을 기반으로 도시 전반의 영역을 융합하여, 통합되고, 지능적이며, 스스로 혁신되는 도시로 정의할 수 있다.
③ 도시재생이란 대도시 도성에서의 인구 및 산업의 회귀를 촉진하고 재활성화를 모색하기 위한 계획 경향이다.
④ 친환경 생태도시(Eco-City)는 환경적 자연자원 조건 사회경제적 요소와 공동체적인 요소까지 고려한 다양한 측면에서의 지속 가능한 도시조성의 개념이다.

해설	압축도시 • 기존 도시의 수평적인 확산으로 인해 스프롤 현상, 도시 가용지 부족 등의 문제발생에 대한 대안 • 고밀도 도시 개발을 통하여 도시 주변의 자연환경을 보존하며 개발하는 방법 • 주거, 공공시설을 일정공간에 집적화, 나머지 지역을 녹색 도시화 하며 효율적인 에너지 절약을 달성할 수 있는 도시로 환경적으로 지속 가능한 도시의 형태임

문제 105

미래 사회의 변화에 따른 도시 계획의 새로운 패러다임변화의 방향이 아닌 것은?

① 환경 사회 경제적 공동체 요소를 포함한 지속가능성 추구
② 에너지 절약형 도시개발로의 전환
③ 입체적이고 기능통합적인 토지이용관리
④ 시민참여의 확대와 계획 및 개발주체의 단일화

해설	미래 도시 변화 방향 • 새로운 미래 사회의 변화 방향에 따라 탈산업 사회, 정보화 사회, 복합적 토지 이용과 친환경적 개발로의 변화, 시민 사회의 성숙에 대응하는 도시로 변모할 것임 • 시민참여의 확대와 계획 및 개발주체의 다양화 추구

문제 106

다음 중 21세기 새로운 도시계획의 흐름에 대한 설명으로 옳지 않은 것은?

① U-City는 유비쿼터스 컴퓨팅, 정보통신기술을 기반으로 도시 전반의 영역을 융합하여 통합되고 지능적이며, 스스로 혁신되는 도시로 정의할 수 있다.
② 도시재생(Urban Regeneration)이란 대도시 도심지역에서의 인구 및 산업의 회귀를 촉진하고 재활성화를 모색하기 위한 최근의 도시 계획 경향이다.

정답 104. ①　105. ④　106. ④

③ 친환경 생태도시(Eco-City)는 환경적 자연자원 조건·사회경제적 요소와 공동체적인 요소까지 고려한 다양한 측면에서의 지속가능한 도시 조성의 개념이다.
④ 압축도시(Compact City)는 토지이용의 수평적 분산과 도시의 엄격한 기능 분리를 통해 기존 도심의 과밀 등 도시문제를 해결하기 위한 새로운 미래도시 개념이다.

해설	압축도시 • 토지 이용의 집적을 통해 토지의 이용 가치를 높이기 위해 나온 개발 방식 • 대중교통 중심지를 대상으로 주거, 상업, 업무, 숙박 등 상호 지원하는 여러 가지 용도를 서로의 기능을 해치지 않으면서 물리적·기능적으로 보완하여 시너지 효과를 이끌어 냄

문제 107

국토의 계획 및 이용에 관한 법률에 따른 도시·군 관리 계획에 해당하지 않는 것은?

① 용도지역의 지정 또는 변경에 관한 계획
② 택지개발예정지구의 지정에 관한 계획
③ 지구단위계획구역의 지정 또는 변경에 관한 계획
④ 기반시설의 설치·정비 또는 개량에 관한 계획

해설	도시 관리 계획의 내용 • 용도 지역, 용도 지구, 용도 구역의 지정 및 변경에 관한 계획 • 기반 시설의 설치, 정비, 개량에 관한 계획 • 도시 개발 사업 및 정비 사업에 관한 계획 • 지구 단위 계획 구역의 지정·변경과 지구 단위 계획 택지개발예정지구의 지정에 관한 계획은 기타 개발사업에 관한 계획으로 "택지개발촉진법"에 따른다

문제 108

다음 기반 시설 중 유통·공급 시설이 아닌 것은?

① 방송·통신 시설
② 유통 업무 설비
③ 유류 저장 및 송유 설비
④ 방수 시설

해설	유통·공급 시설 • 유통 업무 시설, 수도, 전기 공급 시설, 가스 공급 시설, 방송·통신시설, 공동구, 시장, 유류 저장 및 송유 설비, 열 공급 시설 • 방수 시설은 방재시설로 구분이 된다.

문제 109

미래의 도시 모델로 적절하지 않은 것은?

① 생산적인 활동 여건 구비
② 복지 사회 체계 확립
③ 중앙 집권적 정부단체로서의 기능과 역할을 충실히 수행하는 도시
④ 건전한 삶의 공간을 창조하는 도시

정답 107. ② 108. ④ 109. ③

| 해 설 | 미래 도시 모델
• 중앙 집권적 정부 단체보다는 민주적인 지방 자치 단체로서의 기능과 역할을 충실히 수행하는 도시모델이 적합하다.
• 이상적인 도시상을 확립하는 데는 도시 정부의 역할이 매우 중요하다. 따라서 도시 정부는 적절한 제도와 체제를 구축하고 충분한 역량과 조건을 구비하며 건전한 풍토와 문화를 조성하는 데 힘써야 한다. |
|---|---|

문제 110

토지의 집적 활용을 통해 토지의 이용 가치를 높이기 위해 나온 개발 방식이며, 대중교통 중심지를 대상으로 주거, 상업, 숙박 등 상호지원하는 여러 가지 용도를 서로의 기능을 해치지 않으면서 물리적·기능적으로 보완하여 상승 효과를 이끌어 내도록 하는 것은?

① 압축 도시 개발
② 복합도시 개발
③ 유비쿼터스 도시 개발
④ 창조적 혁신도시 개발

| 해 설 | 압축 도시 개발(Compact City Development)
• 기존의 도시가 수평적인 확산으로 인해 스프롤 현상, 도시 가용지 부족, 무분별한 개발 등과 같은 2차원적인 도시 형태에서 발생하는 각종 문제들을 해결하기 위해 이를 보다 효율적으로 제어할 수 있는 새로운 미래 도시 개념 |
|---|---|

문제 111

도시 저소득 주민이 집단으로 거주하는 지역으로서 정비 기반 시설이 극히 열악하고 노후, 불량건축물이 과도하게 밀집한 지역에서 주거환경 개선을 위하여 시행하는 사업은?

① 주택 재개발 사업
② 주택 재건축 사업
③ 주거 환경 개선 사업
④ 재정비 촉진 사업

| 해 설 | 주거 환경 개선 사업
• 도시 저소득 주민이 집단으로 거주하는 지역으로서 정비기반 시설이 극히 열악하고 노후, 불량 건축물이 과도하게 밀집한 지역에서 주거 환경 개선을 위하여 시행하는 사업이다
• 현지 개량 방식과 공동 주택 건설 방식으로 나누어진다. |
|---|---|

문제 112

현대 도시 계획 변화의 특징 중 옳지 않은 것은?

① 건축물 도로 상하수도 등 물적 기반 시설을 갖추는 것에서 인구 경제 사회 문화 등 비물적 분야를 포함하는 종합계획으로의 전환
② 편리성 위주에서 쾌적성 위주로의 전환
③ 광역적 도시계획에서 개별적 도시계획으로의 전개
④ 이상적 도시계획으로의 전환

| 해 설 | 현대 도시 계획 변화의 특징
• 개별적 도시계획에서 광역적 도시계획으로의 전개이다 |
|---|---|

정답 110. ① 111. ③ 112. ③

문제 113

현대 도시 계획 변화의 특징으로 옳지 않은 것은?

① 이상적 도시계획으로의 전환이다.
② 도시환경목표의 쾌적성 위주에서 편리성 위주로의 전환이다.
③ 각 도시의 자연, 역사, 문화 등을 살리기 위한 개성을 강조한다.
④ 물적기반과 비물적 분야를 포괄하는 종합계획으로의 전환이다.

해 설	현대 도시 계획 변화의 특징 (1) 건축물, 도로, 상하수도 등 물적 기반 시설을 갖추는것에서 인구·경제·사회·문화 등 비물적 분야를 포함하는 종합 계획으로의 전환이다. (2) 이상적 도시 계획으로의 전환이다. (3) 개별적 도시 계획에서 광역적 도시 계획으로의 전개이다. (4) 도시 환경 목표의 편리성 위주에서 쾌적성 위주로의 전환이다. (5) 현대 도시는 다수의 다양한 개인과 기업들로 이루어진 사회이며, 다수의 다양한 행동 주체들은 각각의 행동 양식을 갖고 있기 때문에 획일성을 탈피하고 각 도시의 자연·역사·문화 등을 살리기 위한 개성을 강조하고 있다.

문제 114

우리나라 도시화 특징 중 올바르지 않은 것은?

① 도시화가 경제 발전과 밀접하게 진행되었다.
② 도시화에 따른 사회계층의 이동이 있었으며, 도시행정의 서비스 공급 체계는 변화하는 도시환경에 적절히 대응해 왔다.
③ 도시인구의 증가가 초기에는 서울을 중심으로 진행되었다.
④ 정부의 경제 및 지역개발 정책의 영향으로 도시 정주 체계 및 도시의 순위에 영향을 주었다.

해 설	우리나라 도시화의 특징 (1) 도시화가 경제 발전과 밀접하게 진행되었다. (2) 도시화가 빠르게 진행되었다. (3) 도시 인구의 증가가 초기에는 서울을 중심으로 진행되었다. (4) 정부의 경제 및 지역 개발 정책의 영향으로 도시 정주 체계 및 도시의 순위에 영향을 주었다. (5) 도시화에 따른 사회 계층의 이동이 있었으며, 도시 행정의 서비스 공급 체계는 변화하는 도시 환경에 대응하지 못하고 있다.

문제 115

도시기본계획에 대한 설명 중 잘못된 것은?

① 효율적인 도시관리전략을 제시하는 계획이다.
② 행정적인 구속력을 가진다.
③ 시민 개개인에 대한 법적 구속력을 가진다.
④ 광역도시계획의 내용을 수용 및 반영하여야 한다.

정답 113. ② 114. ② 115. ③

해설	도시 기본 계획 vs 도시 관리 계획	
	도시 기본 계획	도시 관리 계획
	- 광역도시 계획 내용을 수용하여 시·군 행정의 바탕이 되는 주요 지표와 토지의 개발·보전 기반시설의 확충 및 효율적인 도시 관리 전략을 제시 - 행정적인 구속력을 가짐	- 시·군의 제반 기능이 조화를 이루고 주민이 편안하고 안전하게 생활할 수 있도록 하면서 당해 시 군의 지속가능한 발전을 도모하기 위하여 구체적으로 수립하는 계획 - 시민 개개인에 대한 법적인 구속력을 가짐

문제 116

다음 건축물의 용적률은?

〈보기〉 대지면적 1500㎡
지하 1~5층 각 800㎡
지상 1층 주차장으로 사용 1000㎡
지상 2~6층 600㎡

① 533 %   ② 267 %   ③ 200 %   ④ 67 %

해설
$$용적율(\%) = \frac{건축물의 연면적}{대지면적} \times 100$$
- 건축물의 연면적 계산시, 지하층 전부 및 지상주차장으로 사용되는 면적은 제외한다.
- 건축물의 연면적 = 600 × 5 = 3,000

$$용적율(\%) = \frac{3,000}{1,500} \times 100$$

그러므로, 용적율은 200% 이다.

문제 117

다음 중 A, B 그래프가 의미하는 도시화를 보기에서 순서대로 고르면?

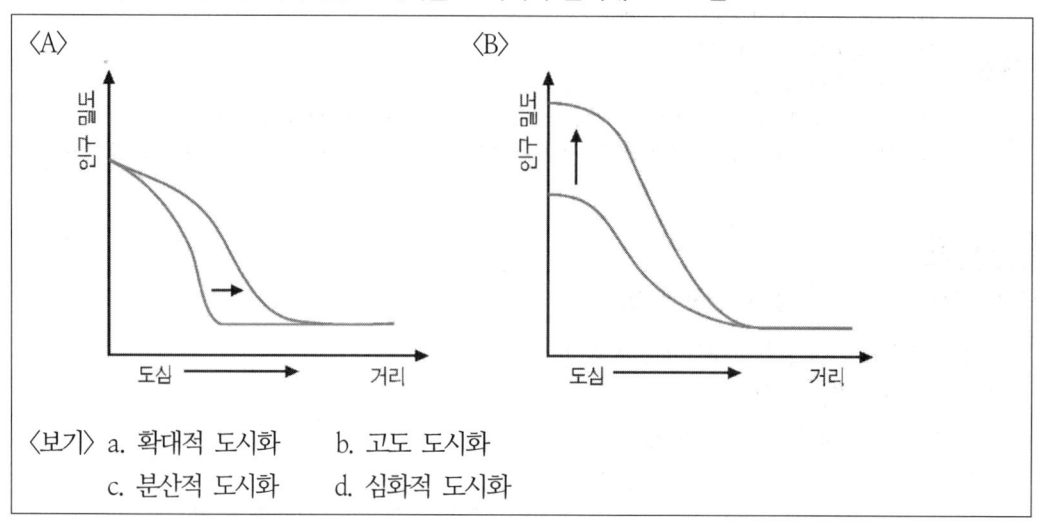

〈보기〉 a. 확대적 도시화   b. 고도 도시화
c. 분산적 도시화   d. 심화적 도시화

정답 116. ③   117. ③

① a, b　　　　② c, b　　　　③ a, d　　　　④ d, c

해설	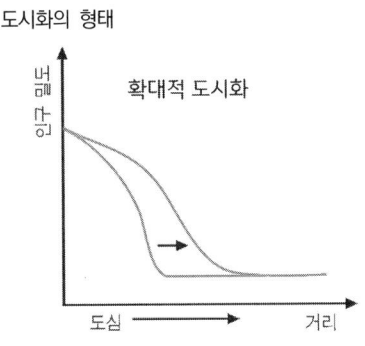 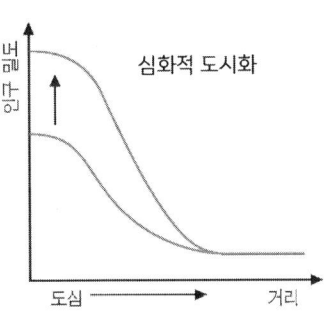

문제 118

2010년도에 800,000명이었던 도시 인구가 2020년도에는 1,000,000명이 되었다. 이 기간 동안 등차급수법에 의한 연평균 인구 증가율은?

① 1.0%　　　　② 1.25%　　　　③ 2.0%　　　　④ 2.5%

해설	등차급수법에 의한 인구증가율 • 인구증가율 (r) = $\dfrac{(P_0 - P_t)}{t \cdot P_t}$ 이다. r = $\dfrac{(1,000,000 - 800,000)}{10 \cdot 800,000}$ = 0.025 그러므로, r = 2.5% 이다.

문제 119

2020년 현재인구 100만명인 한 도시의 인구증가율이 2%일 때, 등비급수법에 의한 2030년의 도시의 인구를 추정하면? (단, $1.02^{10} = 1.219$)

① 약 110만 명　　　　② 약 120만 명
③ 약 130만 명　　　　④ 약 150만 명

해설	등비급수법에 의한 인구추정 • $P_n = P_0(1+r)^n$ 이므로, 인구(추정) = = 100만× $(1+0.02)^{10}$ 　　　　　 = 100만× 1.219 　　　　　 = 121.9만 이므로, 추정인구는 약 120만명이다.

정답　118. ④　119. ②

문제 120

한 도시의 인구조사 결과가 다음 표와 같을 때, 2040년의 인구를 등차급수법으로 추정하면?

년도	2000	2010	2020
인구(만명)	85	92.5	100

① 105만 명
② 110만 명
③ 115만 명
④ 120만 명

해설

등차급수법에 의한 인구추정

- 년평균 인구증가수 (a) = $\dfrac{(P_0 - P_t)}{t}$

$a = \dfrac{(1,000,000 - 850,000)}{20} = 7,500$

계획년도의 인구(추정) $P_n = P_0 + n \times a$

$P_n = 1,000,000 + 7,500 \times 20$
$= 1,150,000$

이므로, 추정인구는 115만 명이다.

정답 120. ③

03

도로·철도·터널

Ⅰ. 도로·철도·터널의 이해
Ⅱ. 도로·철도·터널의 시공 방법 이해
예상문제 및 기출문제

Ⅰ. 도로·철도·터널의 이해
  도로의 이해
  철도의 이해
  터널의 이해

Ⅱ. 도로·철도·터널의 시공 방법 이해
  도로의 종류 및 시공 방법 이해
  철도의 종류 및 시공 방법 이해
  터널의 종류 및 시공 방법 이해

도로·철도·터널의 이해

I.

도로의 이해
철도의 이해
터널의 이해

03 도로·철도·터널

학습요점
» 도로의 정의
» 도로의 기능
» 도로의 기능별 분류
» 도로 기능과 교통특성

1 도로의 이해

(1) 도로의 정의

① 보행자 및 차량의 통행을 위한 공공의 통로
② 사전적 정의 : 차나 우마 및 사람 등이 한곳에서 다른 곳으로 오갈 수 있게 만들어진 거의 일정한 너비로 뻗은 땅 위의 선
③ 육상 교통을 철도와 함께 분담하는 중요한 시설이며 터널, 교량, 도선장 등 도로와 일체가 되어 이용되는 시설물을 포함
④ 도로법에서의 정의 : 차도, 보도(步道), 자전거도로, 측도(側道), 터널, 교량, 육교 등 대통령령으로 정하는 시설
  - 차도 · 보도 · 자전거도로 및 측도
  - 터널 · 교량 · 지하도 및 육교(해당 시설에 설치된 엘리베이터를 포함한다)
  - 궤도
  - 옹벽 · 배수로 · 길도랑 · 지하통로 및 무넘기시설
  - 도선장 및 도선의 교통을 위하여 수면에 설치하는 시설

● 측도
일반 도로 또는 도시 지역의 도로 구조가 도로 주변의 자유로운 출입이 불가능한 경우에 자동차가 도로 주변으로 출입할 수 있도록 본선 차도에 병행하여 설치하는 도로이다. 특히, 고속도로가 도시 지역을 통과할 경우에는 교통의 분산이나 합류의 목적으로 측도를 설치한다.

(2) 도로의 필요성

① 접근성

도로는 인간다운 삶을 살기 위해 필요하며, 직접 대면하고 접근할 수 있는 것은 만남의 가치를 높일 수 있음
  - 여가 및 문화생활
  - 다양한 사회생활
  - 편리한 삶
  - 지구촌 시대 가능

② 경제성

국가 내에서 지역의 균형적인 발전과 산업의 활발한 운영과 발전을 위해서 도로는 반드시 필요하며 적재적소에 원활한 소통량을 갖추고 설치된 도로는 무한한 경제적 가치로 다가옴
  - 산업 발달
  - 다양한 제품의 이동
  - 개인의 경제적 활동
  - 국토의 균형적 발전

(3) 도로의 기능

① 통행기능
- 이동기능 – 자동차, 보행자, 자전거 등이 안전하고 원활하며 쾌적하게 통행
- 접근기능 – 주변 도로와 시설에 편리하고 안전하게 출입
- 체류기능 – 자동차의 주차나 자전거 이용자, 보행자가 보도나 광장부 등에 안전하게 머무름

② 공간기능
- 시가지 형성기능 – 도시의 골격을 형성하거나 도로 주변의 개발을 촉진
- 수용기능 – 대중 교통 수단의 수용
- 방재기능 – 임도나 소방 도로와 같이 재난·재해의 예방
- 환경기능 – 녹화나 경관의 형성, 주변 도로 환경의 보전
- 교류기능 – 문화·정보의 교류

(4) 도로의 기능별 분류

종류	내용
고속 도로	• 지역 간 또는 도시 간의 많은 통과 교통을 신속히 이동시키는 도로
주 간선 도로	• 고속 도로와 보조 간선 도로를 연결하면서 지역 간 또는 도시 간의 통과 교통을 처리 주간선도로 출입구를 적절히 통제한다면 인접 토지에의 직접 접근도 가능 • 일반 국도의 대부분이 해당
보조 간선 도로	• 주 간선 도로와 집산 도로를 연결하면서 군 간의 주요 지점을 연결하는 도로 • 일반 국도의 일부분과 지방도 대부분이 해당
집산 도로	• 간선 도로와 국지 도로 사이의 교통을 처리하며, 인접 토지에 직접 접근하게 하는 도로 • 지방도의 일부분과 군도 대부분이 해당
국지 도로	• 인접 토지에 직접 접근하는 지구 내의 교통을 처리 • 군도의 일부 및 농어촌 도로 등 기타 도로가 해당
외곽 순환 도로	• 도시 외곽에 출발점과 목적지를 둔 지역 간 교통을 도시 내로 신속, 원활하게 연결, 도시 내에서 도시 외곽 및 다른 지역으로 빠져나가는 교통을 신속하게 처리 • 순환 도로이며 차량의 고속 주행이 가능하여 시속 60km 이상의 속도를 낼 수 있는 도로 • 고속의 통행이 가능하도록 평면 교차나 신호등이 설치되지 않으며 도로 주변 시설물 배치억제 • 주거지를 통과하는 구간에는 완충 녹지 혹은 차음벽을 설치(소음과 매연 가스로부터 주거지를 보호)

개념 Check

❶ 통행기능은 도로가 갖는 가장 기본적이고 중요한 기능으로 이동기능, 접근기능, 체류기능이 있다. 그 중 자동차의 주차나 자전거 이용자 보행자가 보도나 광장부 등에 안전하게 머무를 수 있는 것은 (   ) 기능에 해당한다.
❷ (   )도로는 간선 도로와 국지 도로 사이의 교통을 처리하며, 인접 토지에 직접 접근하게 하는 도로이다.

[정답] ❶ 체류 ❷ 집산

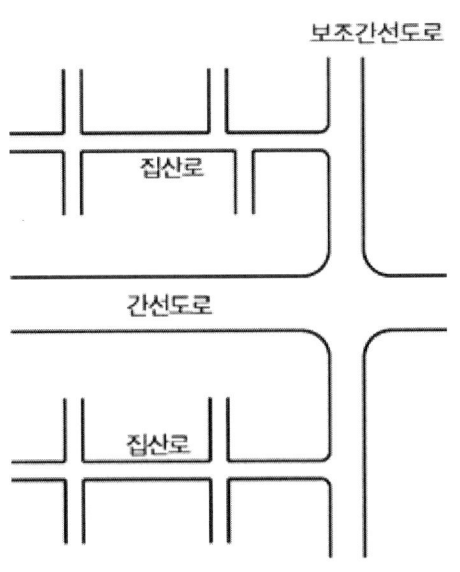

자료 Plus | 도로 기능과 교통 특성과의 관계

도로 기능		교통량	통행길이	교통속도	교통수단	교통목적
이동성	간선도로	많다	길다	빠르다	자동차	직업적 통근 업무
	집산도로					
접근성	국지도로	적다	짧다	느리다	자전거, 보도	통학, 산보

자료 Plus | 교통 용량

① 주어진 도로, 교통 및 교통통제 조건 하에서 일정시간 동안 한 도로 구간 또는 한 지점을 무리하지 않고 통과할 것으로 기대되는 최대 시간 교통량
  • 도로 조건 : 차로 폭, 차로 수, 설계 속도, 길어깨 폭
  • 교통 조건 : 교통량의 차종별 구성, 차로별 분포
  • 교통 통제 조건 : 교통 통제의 형태, 법규
② 교통량이 교통용량 이상이면 교통 흐름이 저하되고 서비스 수준이 악화된다.

03 도로·철도·터널

자료 Plus 도로 종류별 노선 마크와 노선번호 체계

도로종류별 노선 마크			노선 번호 체계
도로종류	노선마크	도로관리청	
고속도로	100	국토교통부 장관 (한국도로공사 대행)	
일반국도	47	국토교통부 장관 (시 관내는 해당 시장)	
지방도	711	도지사	
시도	70	시장 (특별·광역시장 포함)	

• 간선노선 : 남→북측 끝자리 5
　　　　　서→동측 끝자리 0
• 보조간선노선 : 남→북측 끝자리 홀수
　　　　　　　서→동측 끝자리 짝수
※ 대도시순환선 : 100, 300, 500, 700 등

자료 Plus 도로 표현 곡선

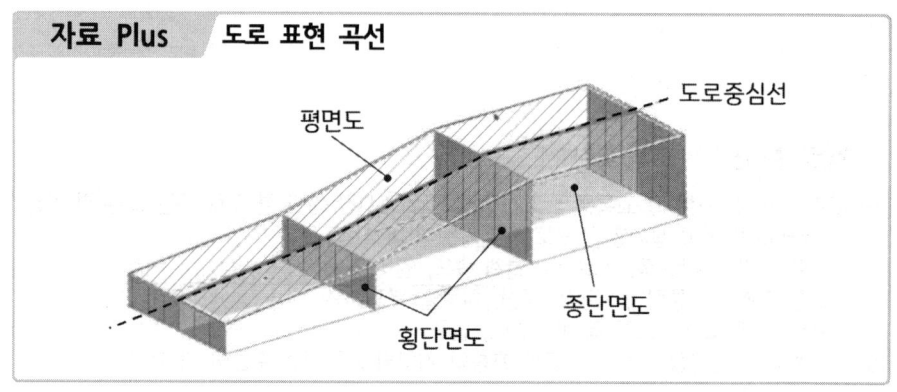

2 철도의 이해

(1) 철도의 정의

① 철도 : 땅을 고른 후 그 위에 선로를 만들고 동력으로 차량을 운전하여 사람이나 화물을 운반하는 설비
② 좁은 의미의 철도 – 육상의 교통 기관으로서 일정한 땅을 점유하고 도상, 레일, 침목 등으로 구성되는 궤도에서 기계적, 전기적 동력을 이용하는 차량을 운전하여 여객이나 화물을 운반하는 것
③ 넓은 의미의 철도 – 일정한 가이드 웨이(guide way)에 따라 차량을 운전하여, 여객이나 화물을 운반하는 철도를 포함한 미니지하철, 노면 철도, 모노레일, 트롤리 버스, 케이블카, 로프 웨이, 자기 부상 열차 등이 포함

> **학습요점**
> » 철도의 정의
> » 철도의 필요성
> » 철도의 기능
> » 철도의 장, 단점

(2) 철도의 필요성

① 경제성
- 도로보다 시간 비용을 절감
- 동시에 많은 사람이 이동가능
- 수송 능력이 높음(항공기의 4.5배, 승용차의 353배)
- 단위당 수송비는 도로의 14배, 항공기보다 3.5배 저렴

② 친환경적 교통수단
- 철도의 이산화탄소 배출량은 도로의 1/30 수준
- 환경오염을 비용으로 환산시 2.5%에 해당(도로 100을 기준)

③ 안전성
- 교통사고 발생률 및 부상빈도 낮음

● 철도의 장점
- 대량 수송성
- 안전성
- 에너지 효율성
- 전기 운전성, 저공해성
- 고속성
- 정확성
- 쾌적성, 저렴성, 장거리성 등

(3) 철도의 기능

① 교통기능
- 사람과 물류의 이동이 안전하고 원활하며 대량으로 신속하게 이동
- 대량 수송으로 인해 운송비가 싸고, 배기가스에 의한 대기 오염 및 자연 환경 파괴 적음
- 운행 중 차량의 흔들림이 적고 공간이 넓으며 승차감이 좋고 차내의 소음이 적으므로 장거리 여행 시 자동차보다 피로가 적고 쾌적

② 철도역의 지역 거점 기능
- 철도가 정차하거나 출발하는 역은 역사(驛舍)와 더불어 지역의 상징성을 갖게 되며 주변 지역의 거점 기능 역할
- 역과 주변 도시와의 안전하고 효율적인 연계 방안도 함께 고려하여야 함(지역 거점 기능은 자칫 지역의 균형 발전에 나쁜 영향을 끼칠 수 있음)

(4) 철도의 단점
① 시설을 독점적으로 사용하며 거대한 자본을 소요
② 단위 수송 비용이 낮은 대신, 철도 교통을 유지하기 위한 충분한 교통량이 확보되지 않으면 투자 및 운영의 경직성이 커서 경영의 어려움
③ 문전 접근성이 나쁘며, 특히 화물의 경우 최종 수요처까지 다른 교통수단을 통한 연계가 필수적임
④ 소음과 진동 문제가 발생, 철도의 유지를 위해 소비되는 윤활유나 제초제 등과 같은 약품, 기타 발생 분진에 의한 토양오염, 레일 마모에 의한 철분 배출 등 각종 분진에 의한 환경 피해가 존재

자료 Plus — 궤도의 구성 요소

침목	레일	도상	레일 이음매 및 체결장치
- 기차선로(rail) 아래에 까는 목재로 최근엔 콘크리트를 사용하는 경우가 많음 - 레일을 견고하게 체결하여 위치를 유지 - 레일로부터 받은 하중을 도상에 전달한다(열차 하중 지지).	- 차량을 직접 지지 / 차바퀴를 세로방향으로 안내 / 원활한 주행 표면이 있어, 점착력에 의한 가속력과 제동력을 분포시킴 - 열차 하중을 침목과 도상을 통하여 광범위하게 노반에 전달 - 전기철도에서는 전기적 전도체 작용 - 신호 회로로 처리	- 노반과 침목 둘레를 둘러싼 깬 돌 또는 자갈층을 말함. - 레일 및 침목으로부터 받은 하중을 노반에 넓게 전달 - 침목을 탄성적으로 지지하고 충격을 완화하여 승차감을 좋게 한다. - 침목의 이동을 방지한다. - 궤도의 정정 및 침목 갱환 작업이 용이하며 경제적이다. - 배수가 잘 되게 하고, 잡초성장을 방지한다.	- 이음매 이외의 부분과 강도와 강성이 동일하여야 함 - 구조가 간단하고 설치와 철거가 용이해야 한다.

● 철도 선로
열차를 운행하기 위한 전용통로로 다음과 같이 구성된다.
- 궤도
- 노반 및 선로 구조물

개념 Check
❶ 철도는 단위 수송 비용이 (낮으며 / 높으며), 투자 및 운영의 경직성이 (크다 / 작다).
❷ 철도는 문전 접근성이 (좋으며 / 나쁘며), 특히, 화물의 경우 최종 수요처까지 다른 교통수단을 통한 연계가(필요 없다 / 필수적이다).

[정답] ❶ 낮으며, 크다
❷ 나쁘며, 필수적이다

개념 Check
❶ 궤도의 구성 요소 중, ( )은 레일을 견고하게 체결하여 위치를 유지시키며, 레일로부터 받은 하중을 도상에 전달하여 열차의 하중을 지지한다.
❷ 레일 및 침목 등에서 전달되는 하중을 널리 노반에 전달하며, 침목의 위치를 유지하는 역할을 하는 궤도의 구성 요소는? ( )

[정답] ❶ 침목
❷ 도상

3 터널의 이해

(1) 터널의 정의
도로, 철도, 수로 등이 끊기지 않고 이어지도록 땅 속을 뚫은 통로

(2) 터널의 필요성

① **경제성**
- 산악지에서 굽이굽이 돌아가던 길을 직접 통할 수 있도록 하기 때문에 시간과 경비를 줄일 수 있음
- 터널 공사 시공이 쉽지 않고, 단기간 공사비가 많이 소요되며 공사 후의 관리 등의 어려움이 고려되어야 하지만 다른 요소와 비교하고 장기간의 효율성을 검토할 때 터널의 시공이 경제적임

② **공공성**
- 개인의 이익보다는 공공의 목적을 달성하기 위해 필요한 구조물

(3) 터널의 기능
① 도로 기능
② 철도 기능
③ 수로 기능
④ 채굴 및 저장 기능

학습요점
» 터널의 정의
» 터널의 필요성
» 터널의 기능
» 터널의 내부 구조

(4) 터널의 내부 구조

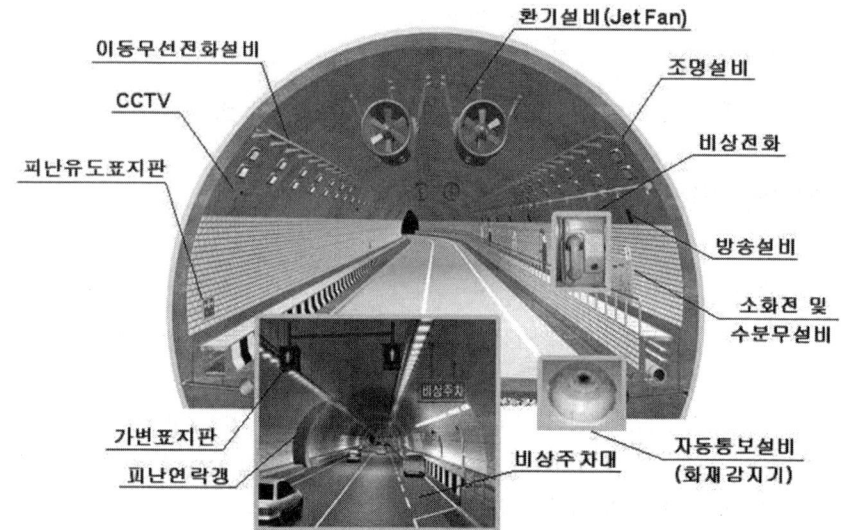

〈 터널 방재시설 〉 출처: 국토교통부

도로·철도·터널의 시공 방법 이해

II.

도로의 종류 및 시공 방법 이해
철도의 종류 및 시공 방법 이해
터널의 종류 및 시공 방법 이해

03 도로·철도·터널

학습요점

» 도로의 분류
» 도로의 설계
» 토공과 포장
» 도로 부대시설 시공
» 도로 유지관리
» 도로 시공시 고려사항

1 도로의 종류 및 시공 방법 이해

(1) 도로의 종류

① 도로법에 의한 분류

분류 및 등급	
1등급 고속국도 (고속국도의 지선 포함)	도로교통망의 중요한 축(軸)을 이루며 주요 도시를 연결하는 도로로서 자동차 전용의 고속교통에 사용되는 도로 노선이며 국토교통부장관이 고시한 노선
2등급 일반국도 (일반국도의 지선 포함)	주요 도시, 지정항만(「항만법」 제3조에 따라 해양수산부장관이 지정한 항만을 말한다), 주요 공항, 국가산업단지 또는 관광지 등을 연결하여 국가간선도로망을 이루는 도로 노선이며 국토교통부장관이 고시한 노선
3등급 특별시도(特別市道)·광역시도(廣域市道)	○ 해당 특별시·광역시의 주요 도로망을 형성하는 도로로서 해당 특별시장 또는 광역시장이 고시한 노선 ○ 해당 특별시·광역시의 주요 지역과 인근 도시·항만·산업단지·물류시설 등을 연결하는 도로로서 해당 특별시장 또는 광역시장이 고시한 노선 ○ 해당 특별시 또는 광역시의 기능을 유지하기 위하여 특히 중요한 도로로서 해당 특별시장 또는 광역시장이 고시한 노선
4등급 지방도	도(道) 또는 특별자치도의 관할구역에 있는 도로 중 해당 지역의 간선도로망(도청 소재지에서 시청 또는 군청 소재지에 이르는 도로, 시청 또는 군청 소재지를 연결하는 도로, 해당 도 또는 특별자치도와 밀접한 관계에 있는 공항·항만·역을 연결하는 도로, 도 또는 특별자치도에 있는 공항·항만 또는 역에서 해당 도 또는 특별자치도와 밀접한 관계가 있는 고속국도·일반국도 또는 지방도를 연결하는 도로)을 이루는 도로이며 도지사 또는 특별자치도지사가 고시한 노선
5등급 시도	특별자치시장 또는 시장(행정시의 경우에는 특별자치도지사를 말한다)은 특별자치시, 시 또는 행정시의 관할구역에 있는 도로 노선이며 특별자치시장 또는 시장이 고시한 노선
6등급 군도	해당 군의 관할구역에 있는 도로(군청 소재지에서 읍사무소 또는 면사무소 소재지에 이르는 도로, 읍사무소 또는 면사무소 소재지를 연결하는 도로)로서 해당 군수가 고시한 노선
7등급 구도	구 관할구역에 있으면서 특별시도 또는 광역시도가 아닌 도로 중 동(洞) 사이를 연결하는 도로 노선이며 해당 구청장이 고시한 노선

② 구조 및 설계 기준에 의한 분류

- 도로는 고속도로와 일반도로로 구분
- 고속도로 중 도시지역에 있는 고속도로는 도시고속도로로 한다.
- 일반도로의 기능별 분류와 도로법에 따른 분류와의 상관관계는 다음 표와 같다.

일반도로의 기능별 분류	도로법에 따른 분류
주간선도로	일반국도, 특별시도·광역시도, (고속국도*)
보조간선도로	일반국도, 특별시도·광역시도, 지방도, 시도
집산도로	지방도, 시도, 군도, 구도
국지도로	군도, 구도

※ 단, 고속국도*는 일반도로에 해당하지 않음

③ 포장 재료에 의한 분류
- 토사도
- 자갈도
- 쇄석도
- 아스팔트 콘크리트 포장도
- 시멘트 콘크리트 포장도
- 블록포장도

④ 사용 목적에 의한 분류
- 산업도로
- 군사도로
- 관광도로
- 산림도로

⑤ 소유권에 의한 분류
- 공도 – 공공 용지에 만들어진 도로로서, 국가나 지방자치단체 등이 건설하고 관리하는 도로
- 사도 – 사유지에 만들어진 도로로서, 주로 개인 또는 기업 등이 소유하고 관리하는 도로

개념 Check

❶ 도로법에 의한 2등급 ( )는, 주요 도시, 지정항만, 주요 공항, 국가산업단지 또는 관광지 등을 연결하여 국가 간선도로망을 이루는 도로 노선이며 (**대통령 / 국토교통부장관**)이 고시한 노선을 말한다.

❷ 도로를 주간선도로, 보조간선도로, 집산도로, 국지도로로 나누는 것은 (**도로법에 의한 / 도로의 기능별 / 소유권에 의한**) 분류방법에 해당한다.

[정답] ❶ 일반국도, 국토교통부장관
❷ 도로의 기능별

자료 Plus — 민간 투자로 공공 시설을 짓는 방식의 이해

① 건설
  B : build 건설(민간이 건설)
② 소유권
  T : transfer 전달(국가로 소유권 이전)
  O : own 소유(민간이 소유)
③ 직영, 임대
  O : operate 운영(민간이 운영)
  L : lease 임대, 임차(임대계약)

① 건설	② 소유권	③ 직영, 임대	사업 방식	시설의 예
B	T	O	수익형 민간 투자 사업	터널, 도로 등
B	O	T		
B	O	O		
B	T	L	임대형 민간 투자 사업	학교, 도서관, 기숙사 등

(예) 최근 대형 도로 공사에서 많이 도입하고 있는 것이 민자 도로이다. 민자 도로는 민간 자본의 일부 또는 전부를 들여 사회 간접 자본인 <u>도로를 건설 (B)</u>한다는 점은 변함이 없지만, 사업 방식에 따라서는 <u>소유권을 민간 사업자에게 주지 않고 국가와 지자체가 완공 즉시 갖는다(기부 채납) (T)</u>. 다만 민간 사업자는 특정 기간 동안 해당 도로를 유료화하고 통행료를 받는 <u>운영권 (O)</u>을 얻어 이익을 챙기며, 기간이 끝나면 <u>운영권을 반납</u>하게 된다.

개념 Check

❶ 국가 또는 지방자치단체 외의 자가 재산의 소유권을 무상으로 국가 또는 지방자치단체에 이전하여 국가 또는 지방자치단체가 이를 취득하는 것을 말하며, 예를 들어 민간이 자본을 들여 도로를 건설한 후 그 소유권을 국가 또는 지자체에게 주는 것을 ( )이라 한다.

❷ ( )도로는 국가 또는 지방자치단체의 예산이 아닌 민간 자본을 들여 건설한 도로로 100% 민간 자본만으로 건설하는 경우는 드물며, 어느 정도는 국가나 자자체에서 투자를 한다.

[정답] ❶ 기부채납
       ❷ 민자

● 완화곡선
; 평면 곡선부에서 자동차의 안전하고 원활한 주행을 위해, 곡선반지름, 폭, 횡단면의 형상(편경사)을 원활하게 연결하기 위하여 변이구간을 설치
- 완화곡선의 형상 ; 클로소이드, 렘니스케이트, 3차 포물선 등
- 클로소이드 곡선 ; 도로에서 가장 많이 사용
▶ 설계속도 60km/h이상 : 완화곡선 설치
▶ 설계속도 60km/h미만 : 완화구간 설치

● 확폭
- 곡선부의 차량운행에 있어 일반적으로 자동차의 뒷바퀴가 앞바퀴보다 안쪽으로 지나게 된다. 곡선부에서는 내측 부분을 직선부에 비하여 더 넓게 할 필요가 있는데, 이를 곡선부의 확폭이라고 한다.

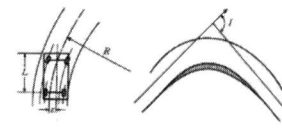

(2) 도로의 시공방법

도로 설계 - 토공과 포장 - 도로 부대시설 시공 - 도로 유지 관리 순으로 이루어짐

① 도로 설계
- 도로 설계 사업 계획 수립
  발주처의 의도를 파악하고 사업 수행에 필요한 각종 기준, 과업 지시서, 현황 조사, 사업 개요 분석, 업무 분장 등을 수행
- 도로 설계 노선 선정
  도로의 중요도, 교통량, 지형 조건 및 경제성 등을 근거로 노선 설계에 필요한 기준을 수립하고 노선을 선정
- 도로의 출입 시설 계획
- 도로 설계 구조물 계획 검토
- 도로 설계 교통 수요 경제성 검토
  공공 투자 사업에 대한 교통 수요, 비용과 편익을 상호 비교하여 사업의 타당성 분석, 투자 우선순위 결정, 사업의 최적 투자 시기 등을 결정
- 도로의 공종별 세부 설계
  기본 설계에서 결정한 노선, 기본 선형, 도로 시설물 위치 및 형식을 근거로 하여 공사에 필요한 선형 설계, 토공 및 비탈면 설계, 배수 및 구조물(교량 및 터널 등) 설계, 포장 설계, 교통안전 및 부대 시설물을 설계
  - 선형 설계

평면 선형	평면곡선 반지름 평면곡선 길이 완화곡선 길이 횡방향 마찰계수 확폭
종단 선형	종단경사 종단곡선 변화율 오르막차로 종단곡선 길이
횡단 요소	차로폭 길어깨 중앙분리대 측대 편경사

자료 Plus   선형설계의 원칙

- 도로 선형은 지형 및 지역의 토지 이용과 조화를 이루어야 한다.
- 도로 선형은 연속성을 고려해야 한다
- 평면 곡선, 종단 곡선끼리의 조합시에는 조화를 이루어야 한다.
- 평면 교차에서는 평면 곡선 및 종단 곡선 모두 가능한 한 완만해야 한다.

- 토공 및 비탈면 설계
  토공 : 흙 굴착 터파기, 암 깎기, 굴착, 운반, 쌓기
- 배수 및 구조물 설계
  노면 배수, 지하 배수, 횡단 배수, 비탈면 배수, 측도 및 도로 인접지 배수 등

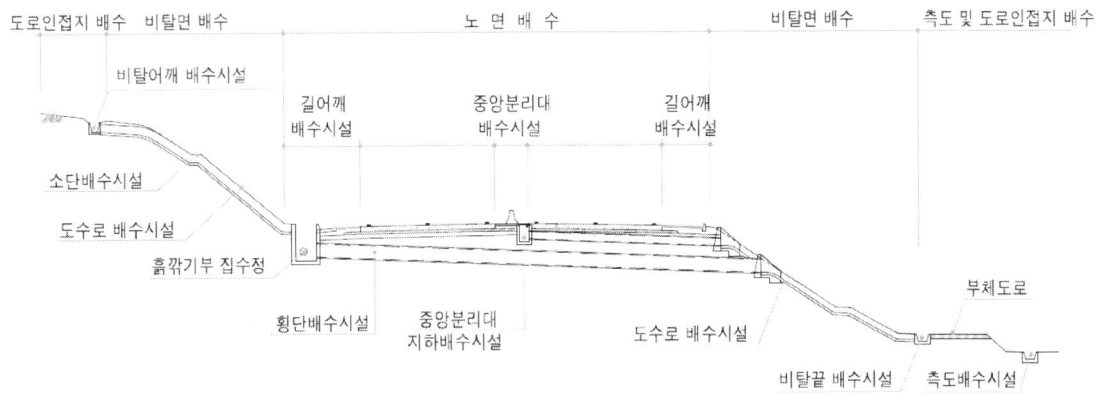

- 포장 설계
  계획한 대상 지역에 적합한 포장 형식이 시멘트 콘크리트 포장인지 아스팔트 콘크리트 포장인지를 선택
  설계 대상 지역의 교통 조건, 설계할 도로가 고속도로인지 일반국도인지 등의 구분을 고려하여 설계 등급을 결정

자료 Plus 도로의 경사

횡단경사	편경사	종단경사
- 도로의 진행방향에 직각으로 설치하는 경사 • 도로의 배수를 원활하게 하기 위함 • 평면 곡선부에 설치(편경사)	- 평면 곡선부에서, 자동차가 원심력에 저항할 수 있도록 하기 위하여 설치하는 횡단경사	- 도로의 진행방향 중심선의 길이에 대한 높이의 변화 비율

자료 Plus 시거

- 도로 위를 주행하는 자동차가 노면 위에 있는 장애물을 발견하고 정지하거나 또는 저속 차를 앞지르기 할 때 충돌의 위험이 없도록 하기 위한 도로의 선형이 운전자의 위치에서 앞쪽을 충분히 내다볼 수 있는 차로 중심선 상의 거리
  • 정지시거 ; 차로 중심선 1m 높이에서 높이 15cm의 정점을 볼 수 있는 거리
  • 앞지르기 시거 ; 차로 중심선 1m 높이에서 반대편 차로 중심선 1.2m의 마주오는 자동차를 발견하고 안전하게 앞지를 수 있는 거리

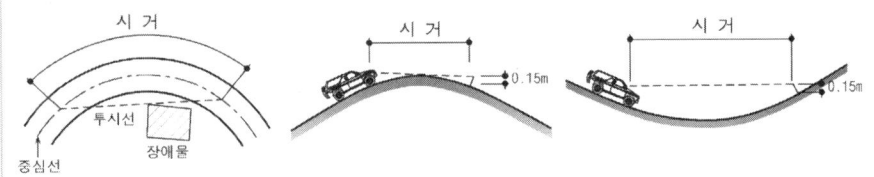

자료 Plus 차두 거리(간격), 차간 거리, 차두 시간

차두 거리(간격)	차간 거리	차두 시간
앞차의 앞머리에서 뒤차의 앞머리까지의 거리 = 앞차의 길이 + 차간 거리 = 속도 × 차두시간	앞차의 뒤 꼬리에서 뒤차의 앞머리까지의 거리	앞, 뒤로 주행하는 2대의 차량 앞머리가 어떤 지점을 통과할 때의 시간차

자료 Plus 지점 속도, 구간 속도, 주행 속도

지점 속도	구간 속도	주행 속도
어떤 지점을 차량이 통과할 때의 순간속도	두 지점을 주행하는 데 두 지점 간의 구간거리를 정지 시간과 지체 시간을 포함한 여행시간으로 나눈 속도	두 지점을 주행하는 데 두 지점 간의 구간거리를 정지 시간을 제외한 실제로 차가 움직인 주행시간으로 나눈 속도

자료 Plus 교통량과 교통밀도

- 교통량 ; 단위 시간 동안 도로 위의 어떤 지점을 실제로 통과하는 자동차의 수
- 교통밀도 ; 단위 거리 안에 몇 대의 자동차가 주행하고 있는 지를 나타내는 것

교통량, 속도, 밀도 사이에는 다음과 같은 관계가 있다.
$$V = S \cdot D \quad (V\ 교통량,\ S\ 교통\ 속도,\ D\ 교통\ 밀도)$$

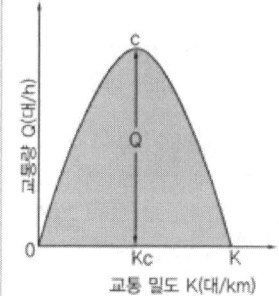

- 교통 안전 및 부대 시설물 설계
  가로등, 중앙분리대, 가드레일, 델리네이터, 볼라드, 표지병, 도로표지판 등

구분	설명	예시
주의 표지	도로 상태가 위험하거나 도로 또는 그 부근에 위험물이 있는 경우에 필요한 안전조치를 할 수 있도록 이를 도로 사용자에게 알리는 표지	
규제 표지	도로교통의 안전을 위하여 각종 제한·금지등의 규제를 하는 경우에 이를 도로 사용자에게 알리는 표지	
지시 표지	도로의 통행방법·통행구분 등 도로교통의 안전을 위하여 필요한 지시를 하는 경우에 도로 사용자가 이에 따르도록 알리는 표지	
보조 표지	주의표지·규제표지 또는 지시표지의 주기능을 보충하여 도로 사용자에게 알리는 표지	
노면 표지	도로교통의 안전을 위하여 각종 주의·규제·지시등의 내용을 노면에 기호·문자 또는 선으로 도로 사용자에게 알리는 표지	

주 의   규 제   지 시   보 조

03 도로·철도·터널

- 도로 설계 도면 작성
  도면 작성 공통 기준과 도로 도면 작성 기준에 준하여 공사에 필요한 세부 설계 도면을 작성
- 도로 설계 계산서 작성
  각종 구조물에 대해 전산 소프트웨어 또는 프로그램으로 계산한 모든 것을 정확하게 수록하여 손쉽게 검토할 수 있도록 계산서를 작성
- 도로 설계 시방서 작성
  시설물 및 구조물의 설계 도면에 명기할 수 없는 자재나 시공의 질적 내용을 제반 여건에 맞게 공사별, 공정별로 작성
- 도로 설계 공사비 산출
  공사에 소요되는 직접 공사비와 간접 공사비, 일반 관리비 등을 계산하고 그 결정된 내용에 따라 도로 설계 공사비 내역을 산출
- 도로 설계 보고서 작성
  공사 목적물 결과를 보고하기 위하여 업무 진행 상황 결과를 정리하여 이를 토대로 주요 재료와 공법들을 결정하고 현장 조건에 부합되는 계약 목적물이 시공되도록 설계 보고서 및 설계 도서를 작성
- 도로 설계 인허가 서류 작성
  도로 건설 목적을 실현하기 위하여 법령에 따라 허가 권한을 갖는 행정청을 대상으로 도로 건설 인·허가서류 작성

개념 Check

❶ 시설물 및 구조물의 설계 도면에 명기할 수 없는 자재나 시공의 질적 내용을 제반 여건에 맞게 공사별, 공정별로 작성하는 서류는 (시방서 / 계산서)이다.

❷ 도로의 곡선부에서 자동차의 회전에 따라 뒷바퀴의 궤적이 차로를 벗어나는 경우가 발생하는 것을 방지하기 위하여 차로의 안쪽으로 폭을 넓히는 것을 (　　)이라고 한다.

[정답] ❶ 시방서
　　　 ❷ 확폭

자료 Plus 도로 설계비의 산출, 총공사비

직접공사비	간접공사비	일반관리비
- 재료비 + 직접노무비 + 직접 공사경비 - 실적공사비	- 간접노무비, 산재보험료, 안전관리비, 간접 공사경비 등	- (직접공사비 + 간접공사비) * 일정요율(%)

〈쉽게 이해하기〉

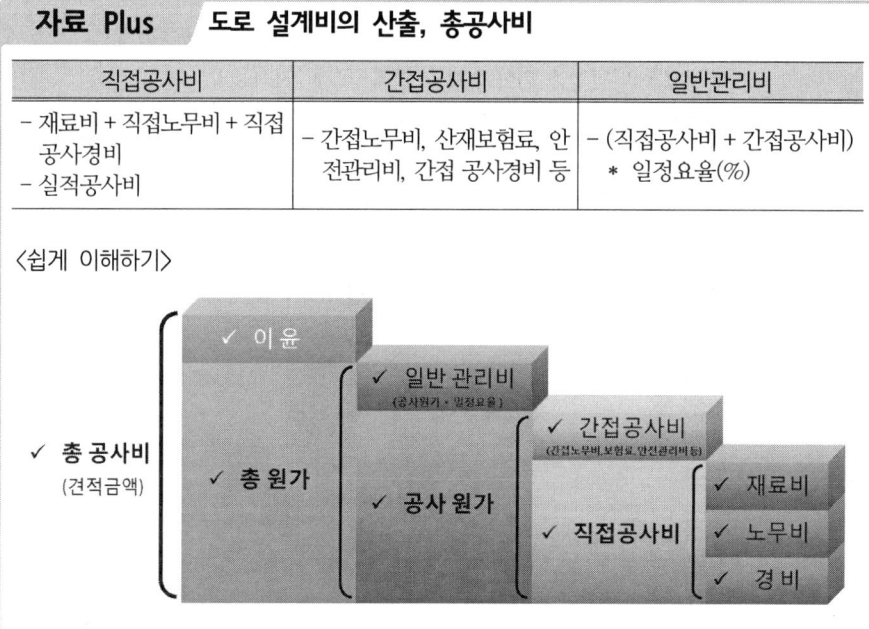

② 토공과 포장
- 토공
  - 지장물 현황 파악
    · 설계도에 표기된 지장물 현황 파악
    · 지장물 처리 방법의 협의

직접 피해 보상 처리	현장 내에 설치되어 있는 지상, 지하의 모든 지장물
간접 피해 보상 처리	현장 작업 중 발생하는 진동, 소음, 먼지 등으로 피해를 주는 모든 것

    · 지장물 처리 공법 선정
    · 지장물 처리 분쟁에 대한 대책 수립
  - 굴착 터파기
    · 장비, 인력, 자재 배치 및 확보
    · 기준틀(규준틀) 설치 및 경계와 계획 높이에 맞추어 시공
    · 배수 처리 시행
    · 땅깎기, 터파기(Trench), 시공 완료 후 되메우기
  - 지반 및 비탈면 보호 보강하기
    · 지반 보강계획 수립 및 지반보강공법 선정 및 시공
    · 현장 지반 검토 및 비탈면 보호 계획수립
    · 비탈면 보호 · 보강공법 선정 및 시공
    · 보강 공법의 안정성 확인을 위한 계측 및 비탈면 유지 관리 계획 수립

자료 Plus 도로 각 부분의 명칭

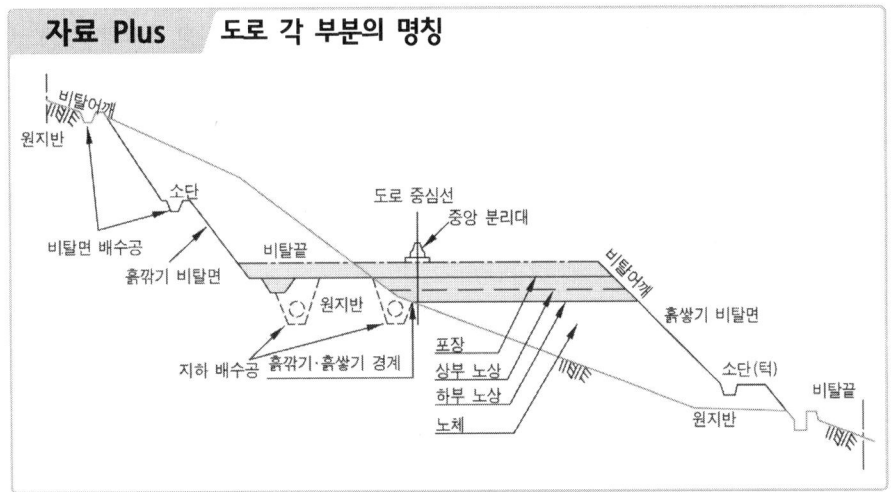

03 도로 · 철도 · 터널

- 도로포장

구분	아스팔트 콘크리트 포장	시멘트 콘크리트 포장
단면도	(포장층: 표층, 중간층, 기층, 보조기층, 동상방지층 / 토공: 노상, 노체 / 택코트 살포(동질재료간), 프라임 코트 시공(이질재료간), 아스팔트 혼합물 사용)	(포장층: 콘크리트 슬래브, 보조기층(빈배합 콘크리트), 동상방지층 / 노상, 노체 / 줄눈(종방향), 줄눈(횡방향), 시멘트 콘크리트 사용, 다웰바)
성격	가요성 포장(연성포장)	강성포장
구조적 특징	• 포장 각층이 교통하중을 지지하고 노상에 윤하중 분포 • 아스팔트 혼합물의 강성은 온도변화 및 하중 재하속도에 민감 • 반복되는 중차량 교통하중에 민감	• 콘크리트 슬래브 자체로 교통하중 및 온도변화에 대해 지지 • 슬래브에 불규칙한 균열방지를 위해 가로수축줄눈 또는 팽창줄눈을 설치하고, 다웰(dowel) 바를 통하여 슬래브 간 하중 전달
하중 전달	교통하중을 표층 → 기층 → 보조기층 → 노상으로 분산시켜 하중을 경감시켜 나가는 형식	교통하중을 콘크리트 슬래브가 직접 지지하는 형식
시공성	양생기간이 짧아 시공 후 즉시 교통개방	콘크리트의 품질관리, 양생, 평탄성, 줄눈시공 등 고도의 숙련 필요
유지 관리	• 잦은 덧씌우기로 유지 관리비 고가 • 국부적 파손에 대한 보수 용이	• 유지관리비 저렴 • 국부적 파손에 대한 보수 곤란
시공 순서	아스팔트 혼합물 생산 → 아스팔트 운반 → 프라임코트 → 택코트 → 아스팔트 혼합물 포설 → 아스팔트 다짐	분리막 설치 → 다웰 바 및 철근 설치 → 시멘트 콘크리트 타설 → 표면마무리 → 줄눈 컷팅 및 줄눈재 설치
장단점	• 중차량에 대한 소성변형 발생 • 소음이 적음 • 평탄성 및 승차감 양호 • 시공 후, 즉시 교통개방으로 공사 기간 단축	• 중차량에 대한 적응성 양호 • 소음이 많음 • 줄눈 설치로 승차감 불량 • 장기양생으로 공사기간 길어짐

개념 Check

❶ 아스팔트 콘크리트 포장은, 아스팔트 혼합물 생산 → 아스팔트 운반 → (프라임코트 / 택코트) → (프라임코트 / 택코트) → 아스팔트 혼합물 포설 → 아스팔트 다짐의 순서로 시공한다.

❷ (아스팔트 / 시멘트) 콘크리트 포장은 강성 포장으로, 슬래브에 불규칙한 균열방지를 위해 가로수축줄눈 또는 팽창줄눈을 설치하고, (　　)를 통하여 슬래브 간 하중을 전달하는 구조적 특징이 있다.

[정답] ❶ 프라임코트, 택코트
　　　❷ 시멘트, 다웰바

③ 도로 부대시설 시공

• 시선 유도 시설

시설명	종류	설명	예시
시선 유도 시설	시선 유도표지	주 야간에 직선 및 곡선부에서 운전자에게 전방의 도로 선형이나 기하 구조 조건이 변화되는 상황을 반사체를 사용해 안내하여 안전하고 원활한 차량 주행을 유도	
	갈매기 표지	평면 곡선 반지름이 작은 구간 등 시거가 불량한 장소에서 갈매기 기호체를 사용하여 운전자가 도로의 선형 및 굴곡 정도를 명확히 알 수 있도록 하여 안전 주행을 도모	
	표지병	도로상에 설치된 노면 표시의 선형을 보완하여 야간 및 악천후 때 운전자의 시선을 명확히 유도하여 교통 안전 및 원활한 소통을 도모	

• 도로 조명 시설

시설명	종류	설명	예시
도로 조명 시설	연속조명	터널, 교량 등을 제외한 도로에서 일정 구간에 일정 간격으로 등기구를 배치하여 그 구간 전체를 조명	
	터널 조명 시설	터널 또는 지하차도 등에 설치하는 조명 시설로서, 터널 내부 특수 조건에서의 원활하고 안전한 교통을 확보할 수 있도록 설치	

03 도로·철도·터널

- 차량 방호 안전 시설

시설명	종류	설명	예시
차량 방호 안전 시설	방호 울타리	주행 중 정상적인 주행 경로를 벗어난 차량이 대향 차로 또는 보도, 도로 외측 등으로 이탈하는 것을 방지하는 동시에 탑승자의 상해 및 차량의 파손을 최소로 줄이고, 차량을 정상 진행 방향으로 복원시키는 것	
	충격흡수 시설	주행 차로를 벗어난 차량이 고정된 구조물 등과 직접 충돌하는 것을 방지하고, 차량이 충돌하였을 때 차량의 충격 에너지를 흡수하여 차량을 정지토록 하거나 방향을 교정하여 안전하게 본래의 주행 차로로 복귀시키는 것을 주목적으로 하는 시설	
	과속 방지 시설	도로 구간의 낮은 주행 속도가 요구되는 일정 지역에서 통행 차량의 과속 주행을 방지하고, 생활 공간이나 학교 지역 등 일정 지역에서 통과 자동차의 진입을 억제하기 위하여 설치	

- 원활한 교통의 확보, 통행의 안전 또는 공중의 편의를 도모하기 위하여 주차장, 버스 정류 시설, 비상 주차대, 휴게 시설 등도 설치를 고려

개념 Check

❶ 도로상에 설치된 노면 표시의 선형을 보완하여 야간 및 악천후 때 운전자의 시선을 명확히 유도하여 교통안전 및 원활한 소통을 도모하는 시선유도 시설은 (   )이다.
❷ 평면 곡선 반지름이 작은 구간 등 시거가 불량한 장소에서 (<u>갈매기 / 화살표</u>) 기호체를 사용하여 운전자가 도로의 선형 및 굴곡 정도를 명확히 알 수 있도록 하여 안전 주행을 도모한다.

[정답] ❶ 표지병
       ❷ 갈매기

④ 도로 환경 시설

종류	설명 및 내용	예시
방음시설	• 소음에 대한 피해 예상지역이 발생하는 경우, 「소음·진동 규제법」「환경정책기본법」에서 규정한 환경기준을 초과하지 않도록 저감방안을 수립 • 방음시설의 종류는 방음벽, 방음터널, 방음둑 및 식수대 (수림대 또는 방음림) 등	
생태통로	• 도로 등으로 인하여 야생 동·식물의 서식지가 단절되거나 훼손 또는 파괴되는 것을 방지하고, 야생 동·식물의 이동을 돕기 위하여 설치 • 터널형, 육교형	
동물침입 방지시설	• 동물이 도로를 횡단할 수 없도록 하여 로드킬을 방지하고 생태통로를 이용할 수 있도록 대상동물을 유도하기 위하여 설치 • 침입방지 울타리, 동물 침입방지벽, 탈출구조물 등	
비점오염 처리시설	• 비점오염물질에 의한 수질오염을 저감하기 위하여 설치 • 자연형과 장치형으로 구분	
비탈면 시설	• 땅깎기·흙쌓기 비탈면의 붕괴에 의한 사태, 강우에 따른 토사유출을 방지하기 위한 목적의 안정화 대책을 위한 시설 • 비탈면 보강공법, 옹벽공법, 표면보호공법, 배수시설로 분류	
세륜·세차 시설	• 기존 포장도로와 연결되는 토량운반로 및 공사차량 주출 입구에 1개 이상의 세륜·세차시설을 설치	
가로등 시설	• 조명갓 부착 • 주변 환경을 감안하여 조명에 갓을 붙여서 빛의 확산을 억제	
도로변 대체 서식지 조성	• 교차로, 터널 입출구 등의 여유 공간은 수목식재 위주로 이루어진 녹지공간 창출보다는 습지조성, 떼측구 등 다양한 환경을 조성하여 대체 서식지로도 활용	

⑤ 도로 유지 관리

• 노면

종류	보수내용
덧씌우기 포장 보수 공법	- 아스팔트 포장 위에 아스팔트 포장 덧씌우기 - 콘크리트 포장 위에 아스팔트 포장 덧씌우기
덧씌우기 포장 이외의 보수 공법	- 전단면 재포장 - 부분 재포장 - 줄눈 및 균열부 실링 - 콘크리트 포장의 하부 실링 - 포장의 그라인딩 - 하중 전달 기능 회복 - 표면 처리
특수한 보수 공법	- 재생공법 - 파쇄 후 안치 공법

• 아스팔트 콘크리트 포장의 보수 공법

균열 실링(sealing) 및 충전(crack filling)	균열에 채움재 주입 전 컷팅을 실시하는 경우를 실링이라 하고, 컷팅 작업없이 채움재를 채워 넣는 것을 충전이라 한다.
패칭(patching)	파손 부분과 주위 불량 부분을 절삭기를 이용하여 직사각형으로 절삭한 후 걷어내고 측면과 저면에 택 코트를 실시한 후에 혼합물을 포설
포그 실(fog seal)	완속 경화형 유화 아스팔트를 얇게 살포하여 미세 균열이나 표면의 공극을 채우는 공법으로 재료는 유화 아스팔트를 물로 희석시켜 사용
택 코트(tack coat)	역청 재료 또는 시멘트 등을 사용한 하층과 아스팔트 혼합물로 된 상층을 결합시키기 위하여 하층의 표면에 역청 재료를 소량 살포하는 것

• 시멘트 콘크리트 포장의 보수 공법

구분	내용
균열 보수	컷팅 작업 시행 후 줄눈재로 충전 작업을 실시
다이아몬드 그라인딩	콘크리트슬래브 표면을 그라인딩함으로써 미끄럼 저항성, 평탄성, 소음 등을 개선시키는 공법
그루빙 (grooving)	콘크리트 슬래브의 마모로 인하여 미끄럼 저항이 저하된 구간 및 배수 문제 등이 있는 구간에 그루빙을 시공하여 미끄럼 저항성을 높이고 배수 기능을 증진시킨다.
부착형 덧씌우기 (overlay)	기존의 콘크리트 포장과 오버레이 사이를 시멘트 그라우트로 부착시켜 두 층이 일체 거동을 하게 하는 것으로 강도 보강 및 자동차 승차감을 개선

개념 Check

❶ 역청 재료 또는 시멘트 등을 사용한 하층과 아스팔트 혼합물로 된 상층을 결합시키기 위하여 하층의 표면에 역청 재료를 소량 살포 하는 것을 (**포그 실 / 택 코트**)(이)라 한다.

❷ 콘크리트 슬래브의 마모로 인하여 미끄럼 저항이 저하된 구간 및 배수 문제 등이 있는 구간에 (**그루빙 / 패칭**)을 시공하여 미끄럼 저항성을 높이고 배수 기능을 증진시킨다.

[정답] ❶ 택 코트
　　　❷ 그루빙

(3) 도로 시공시 고려 사항

① 횡단면 구성 및 시공 시 고려 사항

- 횡단면구성
  계획된 도로의 기능에 적합한 횡단면을 구성하고, 설계 속도가 높고 계획 교통량이 많은 노선일수록 규격이 높은 횡단면의 구성 요소를 갖추도록 하여야 한다.
- 교통처리능력
  계획 목표 연도의 교통 수요와 요구되는 계획 수준에 적응할 수 있는 교통처리 능력을 갖도록 하여야 한다.
- 안전성과 효율성
  교통의 안전성과 효율성에 대하여 각각 검토하여 구성하고 시공하며, 교통 상황을 감안하여 필요에 따라 자전거 및 보행자 도로를 분리하여야 한다.
- 도로 주변환경
  출입 제한의 방식, 교차 접속부의 교통 처리 능력, 교통 처리 방식도 연관하여 검토하고, 인접 지역의 토지 이용 실태 및 계획을 충분히 감안하여 도로 주변에 대한 생활환경 보전에 노력하여야 한다.
- 횡단구성의 표준화
  도로의 횡단 구성 표준화를 도모하여 도로의 유지 관리, 도시 또는 지역의 경관 확보, 유연한 도로 기능을 확보하여야 한다.

② 토공 설계 및 시공 시 고려 사항

- 도로의 특성을 고려
  도로의 기능, 규모, 중요도 등에 따라 토공에 적용하는 기준을 일률적으로 적용하는 것보다는 도로의 특성에 적합한 기준에 따라 시공한다.
- 지형 및 지질 조건 등을 고려
  토공 설계 및 시공에서는 지형, 토질 및 지질·기상 조건 등을 사전에 충분히 파악하고, 필요에 따라서는 소규모 시험 시공 등을 실시하여 불합리한 설계 및 시공이 되지 않도록 한다.
- 유지 보수 및 문제 발생에 따른 대책 수립
  토공은 공사 진행 중 또는 공사 후 국부적으로 손상이 발생할 수 있으므로 유지보수 등을 고려하며, 조사 단계에서 예측할 수 없는 상황이 발생할 수 있으므로 이에 대한 대책을 반드시 수립하도록 한다.

자료 Plus   설계기준 자동차

- 도로 설계시 기초가 되는 자동차를 말함.
- 설계 자동차의 종별로는 승용자동차, 소형자동차, 대형자동차, 세미트레일러가 있음.

도로의 구분	설계기준자동차
고속도로 및 주간선도로	세미트레일러
보조간선도로 및 집산도로	세미트레일러 또는 대형자동차
국지도로	대형자동차 또는 승용자동차

- 설계기준 자동차와 도로설계의 관련성
 자동차의 치수와 성능은 도로의 폭원, 곡선부의 확폭, 교차로의 설계, 종단경사, 시거 등에 큰 영향 미침
  • 소형자동차 : 폭원, 시거 등의 기준을 정하기 위해 필요
  • 대형자동차 및 세미트레일러 : 폭원, 곡선부의 확폭, 교차로의 설계, 종단경사 등의 결정을 위해 필요

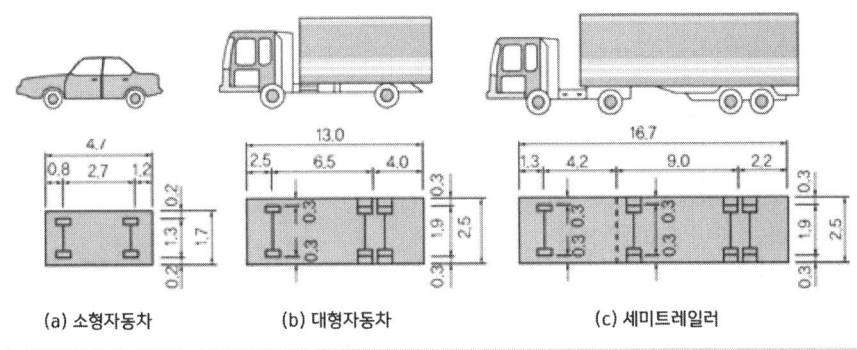

(a) 소형자동차   (b) 대형자동차   (c) 세미트레일러

학습요점

» 철도의 분류
» 철도의 설계
» 철도의 선로 구조물 시공
» 철도의 설비 시공 및 유지관리
» 철도 시공시 고려사항

● 궤간(rail gauge)
궤간이란 양쪽 레일 안쪽 간의 거리 중 가장 짧은 거리를 말하며, 레일의 윗면으로부터 14mm 아래 지점을 기준으로 한다.

개념 Check

❶ 「대도시권 광역교통관리에 관한 특별법」에 따라 둘 이상의 시·도에 걸쳐 운행되는 도시철도 또는 철도를 (　　　)라 한다.
❷ 우리나라의 철도는 표준궤를 사용하며, 궤간 거리는 (　　　)mm 이다.

[정답] ❶ 광역철도
　　　 ❷ 1,435

2 철도의 종류 및 시공 방법 이해

(1) 철도의 종류

① 법규에 의한 분류
- 고속철도 – 열차가 주요 구간을 시속 200킬로미터 이상으로 주행하는 철도로서 국토교통부장관이 그 노선을 지정·고시하는 철도
- 광역철도 – 「대도시권 광역교통관리에 관한 특별법」에 따라 둘 이상의 시·도에 걸쳐 운행되는 도시철도 또는 철도로서 대통령령으로 정하는 요건에 해당하는 도시철도 또는 철도
- 일반철도 – 고속철도와 「도시철도법」에 따른 도시철도를 제외한 철도

② 구조 및 설계에 의한 분류
- 궤간 폭에 따른 분류
  - 협궤 : 표준궤간보다 좁음. 일본, 뉴질랜드 등
  - 표준궤 : 1,435mm, 한국, 미국, 영국 등
  - 광궤 : 표준궤간보다 넓음. 러시아, 인도, 몽골 등

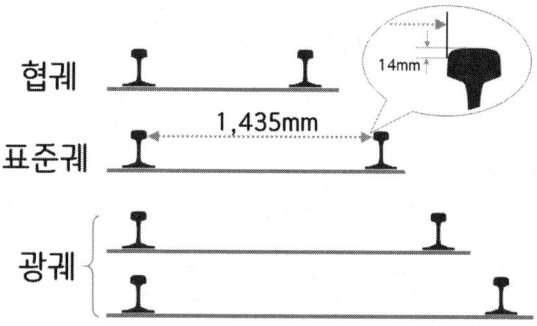

- 동력에 따른 분류
  - 증기철도
  - 내연기관철도
  - 전기철도
- 경영 방법에 따른 분류
  - 공영철도
  - 사유철도

- 레일 수에 따른 분류
  - 모노레일 : 관광, 시내 교통수단으로 사용
  - 보통철도 : 일반 철도
  - 3레일 철도
  - 트롤리 버스 : 무궤도 전차

자료 Plus 광궤 vs 협궤

광궤의 장점 (협궤의 단점)	협궤의 장점 (광궤의 단점)
- 고속 주행 가능 - 수송력, 주행안전성 증대 - 차륜 마모의 경감 - 승차감이 좋음	- 건설비와 유지 관리비의 경감 - 곡선 저항이 적어 산악지대 선로 선정 용이(즉, 급곡선 주행 가능)

자료 Plus 경량전철의 특징

- 배차 간격이 짧아 승차 대기 시간이 적음.
- 지하철보다 건설비 및 고정시설비가 적게 듦.
- 무인 운전 및 여객설비 자동화로 운영 비용이 적게 듦.
- 급 기울기, 급곡선 채용이 가능하며, 주행성이 좋음.
- 사령실에서 원격제어함으로 승객 수송 수요 변화에 신속 대응이 가능.
- 정거장 간격 축소로 인근 주민에게 보다 높은 서비스 제공 가능.

자료 Plus 노면철도(노면전차)

- 장점 : 고가화, 지하화하여 효율적으로 운행가능
         급구배, 급곡선 주행이 가능
- 단점 : 도시 도로 정체로 정시성, 신속성이 떨어짐

(2) 철도의 시공 방법

① 철도 설계
- 철도 설계 사업 계획 수립
- 철도 설계 현황 조사
- 철도 설계 노선 설계
- 철도 설계 시설물 관리
- 철도 설계 시스템 인터페이스
- 철도 설계 계산서 작성
- 철도 설계 도면 작성
- 철도 설계 시방서 작성
- 철도 설계 사업비 산정
- 철도 설계 보고서 작성
- 철도 설계 인허가 작성

② 선로 구조물 시공
- 노반 시공
  - 궤도에 작용하는 열차 하중을 충분히 지지하여야 함
  - 침목 설치 : 열차 하중과 충격으로 인한 변형 및 물로 인한 피해를 방지
  - 형상 : 중심부를 높게, 양쪽을 약간 낮게 하는 횡단 기울기를 둠
  - 선로 등급에 따른 시공 기면 폭을 고려
- 도상 시공
  - 레일 및 침목으로부터 받은 하중을 노반에 넓게 전달
  - 침목을 탄성적으로 지지하고 충격을 완화하여 승차감을 좋게 해야 함
  - 침목의 이동을 방지해야 함
  - 궤도의 정정 및 침목 교체 작업이 쉽고 경제적이어야 함
  - 배수가 잘 되게 하고, 잡초 또는 잡목의 성장을 방지
  - 보통 도상 시공 : 깬 자갈 또는 강자갈을 사용하여 시공
  - 보조 도상 시공 : 연약 지반 또는 통과 하중이 큰 경우 포장을 2층으로 나누어 시공하게 되며, 이때의 아래층 시공(자갈, 모래, 석탄재를 사용하고 위층에는 좋은 체가름 자갈이나 깬 자갈을 사용하여 시공)을 말함
  - 콘크리트 도상 시공

장점	보선비 절약, 배수 양호, 잡초 발생이 없다. 도상의 진동과 차량 흔들림이 적고 궤도의 세척이 용이
단점	궤도의 탄성이 적어 충격과 소음이 크고, 건설비가 많이 들며 레일이 닳을 우려가 있고 수리가 어려움

개념 Check

❶ 철도 시공시, 노반의 중심부를 (높게 / 낮게), 양쪽을 약간 (높게 / 낮게) 하는 횡단 기울기를 두도록 한다.

❷ 보조도상은, 연약 지반 또는 통과 하중이 큰 경우 포장을 2층으로 나누어 시공하게 되며 이때의 (위층 / 아래층) 도상을 말한다.

[정답] ❶ 높게, 낮게
　　　 ❷ 아래층

● 슬랙(slack)
; 곡선부에서는 직선부보다 궤간을 확대해야 한다. 곡선부에서의 궤간 확대량을 슬랙(확폭)이라고 한다.
- 곡선의 안쪽 레일을 궤간 밖으로 넓힌다.

● 캔트(cant)
; 곡선을 통과할 때 발생하는 원심력에 의한 차량의 전복, 승차감 불량, 바깥쪽 레일에 가해지는 부담을 방지하기 위하여 궤도의 바깥쪽 레일을 안쪽 레일보다 높여서 차량 하중의 합력이 궤도 중심에 오게 한다. 이와 같이, 바깥쪽 레일을 높인 양을 캔트(고도)라 한다.

자료 Plus 노반, 시공기면

노반	시공기면
자연 지반을 가공하여 궤도를 직접 지지하기 위한 흙 구조물을 말함 - 궤도로부터 작용하는 열차 하중을 충분히 지지할 수 있어야 함 - 윗면의 중심부를 높게 하고, 양쪽을 약간 낮게 하는 횡단 물매를 두어 배수가 잘 되게 한다.	선로 중심을 기준으로 노반의 한쪽 비탈머리에서 다른 쪽 비탈머리까지의 수평거리를 시공 기면 폭(너비)라 한다. - 선로 등급에 따라 다름 　1,2급선 : 3.0m, 　3급선 : 2.7m, 　4급선 : 2.5m - 선로를 건설할 때 이 시공기면이 노면 높이의 기준이 됨.

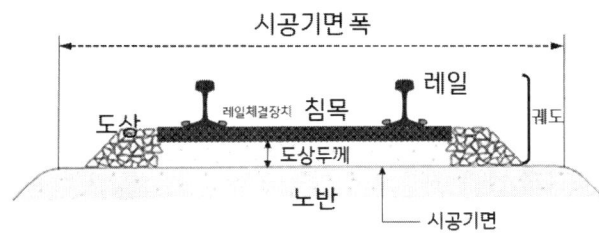

자료 Plus "자갈도상"의 구비조건

- 경질로서 충격과 마찰에 강할 것
- 단위중량이 크고 입자간 마찰력이 클 것
- 입도가 적정하고 도상작업이 용이할 것
- 토사혼입량이 적고, 배수가 양호할 것
- 동상, 풍화에 강하고 잡초가 자라지 않을 것
- 양산이 가능하고, 값이 저렴할 것

자갈도상	콘크리트 도상

개념 Check

❶ 곡선부에서는 직선부보다 궤간을 확대해야 한다. 곡선부에서의 궤간 확대량을 (　　)이라고 한다.
❷ 곡선을 통과할 때 발생하는 원심력에 의한 차량의 전복, 승차감 불량, 바깥쪽 레일에 가해지는 부담을 방지하기 위하여 궤도의 바깥쪽 레일을 안쪽 레일보다 높여서 시공해야 하는데, 이와 같이 바깥쪽 레일을 높인 양을 (　　)라 한다.

[정답] ❶ 슬랙
　　　❷ 캔트

- 철도 구조물 시공
  - 교량 시공
    · 하천, 호수, 수로, 도로, 철도 등을 횡단하는 곳에 가설하는 구조물이다.
    · 중량물이 고속으로 주행하므로 도로보다 안정성, 시공성, 내구성과 유지보수가 경제적이어야 한다.
    · 강교, 철근 콘크리트교, 프리스트레스트 콘크리트교 등이 사용된다
    · 일반 철도교의 경우 LS 하중, 고속 철도교의 설계에는 HL 하중을 사용하며, 사하중, 활하중, 충격 하중, 시동 하중, 제동 하중 및 온도, 지진의 영향, 콘크리트 건조 수축과 크리프 영향 등 많은 요인들에 의한 하중을 고려하여야 한다
  - 터널 시공
    · 터널은 안정성, 시공성, 내구성, 경제성이 확보되고 유지·관리가 편리한 시설이 되도록 하는 것을 원칙으로 한다,
    · 터널 설계는 제반 조사 자료들을 근거로 지반 특성을 고려하여 터널 주변 원지반이 보유하고 있는 지보 능력을 최대한 활용할 수 있도록 단면 형상, 굴착 공법과 방법, 지보재 형식, 라이닝, 터널 입구와 출구부, 방재 및 부대 시설 등을 계획 선정하여야 한다.
    · 터널 안정성을 확보하기 위하여 터널 구조물의 안전뿐만 아니라 주변 위험 영향도 최소화되도록 하여야 하며, 터널 주위에 미치는 영향에 대하여는 필요 시 합리적인 대책을 강구하여야 한다
    · 환기, 조명, 방재 시설 등의 제반 설비 사항들도 고려하여야 하며 이들의 역할이 잘 발휘되도록 하여야 한다.
  - 옹벽 시공
    · 옹벽은 안정성, 시공성, 내구성, 경제성이 확보되어야 한다
    · 옹벽은 사용 재료에 따라 무근 콘크리트 옹벽, 돌쌓기 옹벽, 블록 및 벽돌쌓기 옹벽, 철근콘크리트 옹벽 등이 있으며 현장 조건과 설계에 맞도록 시공하여야 한다
    · 옹벽은 구조에 따라 중력식 옹벽, 반중력식 옹벽, T형 옹벽, 역T형 옹벽, 부벽식 옹벽, 선반식 옹벽, 틀식 옹벽, 기대임식 옹벽, 케이슨식 옹벽 등 다양한 옹벽이 있으며 안정성을 확보하기 위하여 옹벽 설계 기준에 맞는 옹벽을 시공한다
    · 선로가 하천이나 해안의 연해에 있을 때에는 유수나 파랑의 침식 작용에 의한 노반의 파괴를 방지하기 위하여 호안 옹벽을 설치한다. 이때 기초 단면을 크고 깊게 해야 하며, 파도가 옹벽을 넘어 노반에 피해를 주지 않도록 상부에 소파제를 설치한다. 옹벽의 앞부분에 테트라포드공, 사석공, 돌망태공을 이용하여 기초를 보호하여야 한다

③ 철도의 설비 시공 및 유지 관리
- 선로 설비
  - 선로 표지
    열차 승무원, 선로 보선원 및 일반 통행인들에게 필요한 사항을 알려주기 위하여 철도 선로에 세운 표지
  - 선로 보호 시설
    열차 운행의 보안 유지와 선로의 보호를 목적으로 설치
  - 건널목
    철도와 도로가 만나는 교차부분

철도 건널목	구비 시설물
제1종 철도건널목	건널목 표지판, 경보기, 차단기(건널목 안내원 근무)
제2종 철도건널목	건널목 표지판, 경보기
제3종 철도건널목	건널목 표지판

  - 철도 신호 보안
    신호장치, 전철장치, 폐색장치, 건널목 보안장치 및 기타 보안장치를 포함한 신호보안장치를 이용하여 열차를 운전하고 위험으로부터 보호하여 적극적으로 운전능률을 향상할 목적으로, 부호, 형상, 색, 음향 등으로 기관사에게 열차의 운행조건을 제시
    · 신호 장치, 전철 장치, 궤도 회로, 폐색 장치, 연동 장치, 자동 열차 정지 장치, 자동 열차 제어 장치, 자동 열차 운행 장치 등

- 철도 보선
  - 궤도 틀림
    · 궤간틀림 : 좌우 레일의 간격이 틀림. 궤간 틀림이 큰 경우에는 차량이 주행에 막대한 지장을 일으키며 궤간이 확대되면 차륜이 궤간 내로 빠지게 됨
    · 수평틀림 : 좌우 레일 높이 면의 틀림, 고저차로 표시. 차량의 좌우 움직임을 일으킴
  - 보선 작업
    · 선로를 수리하는 작업
    · 침목 바꿔 넣기, 레일 바꿔 넣기, 도상 다지기, 노반 작업 등이 있다.
    · 보선 작업 중 대부분은 도상 작업임(40~50%를 차지)
  - 보선 장비
    · 멀티플 타이 탬퍼(도상 다지기 작업, 줄맞춤 작업, 궤도 들기 작업 등)
    · 밸러스트 클리너(혼입된 토사 석분 등의 불순물 제거)
    · 밸러스트 레귤레이터(궤도 살포 자갈 정리 등)
    · 밸러스트 콤팩터(침목 도상내 고정 작업, 침목 청소)

● 궤도 틀림의 종류
· 궤간 틀림
· 수평 틀림 : 좌우레일의 높이차
· 면 틀림 : 한쪽 레일의 길이 방향 높이 차(탈선요인)
· 줄 틀림 : 한쪽 레일의 좌우 방향 들락날락함(차량의 사(蛇)통행의 원인)

개념 Check

❶ 제( )종 철도건널목은 건널목 표지판과 경보기만 설치되어 있다.
❷ 철도 ( )은, 열차의 운행 조건을 제시하여 열차의 진입, 진행 여부 및 위험의 유무 등을 알려주어 수송 능률의 향상을 도모하기 위한 것을 말하며, 부호, 형상, 색, 음향 등으로 기관사에게 열차의 운행조건을 제시하는 기능을 한다.

[정답] ❶ 2
　　　❷ 신호 보안

(3) 철도 시공시 고려 사항

① 기본 설계에 따른 시공
- 최소 곡선 반지름, 선로 기울기, 세로 곡률 반지름, 완화 곡선 길이, 시공 기면 폭, 건축 한계, 정거장의 유효 길이, 궤간, 캔트(cant), 레일 규격, 도상, 체결구, 분기기 등 선로 설비
- 전자 연동 장치, 분기부의 눈 및 얼음 녹이는 장치 등의 선로 연변 설비
- 소음 및 진동의 방지 설비, 통신 유도대책 등의 환경 설비를 기본 설계 조건에 따라 시공해야 함

② 장대 철도 터널 공사 시공 시 유의 사항
- 공사 구간별로 공기, 단면, 구배, 환경, 작업장의 입지 조건 등을 고려
- 지형 지질, 단면, 공구 연장, 공정, 환경 조건을 고려하여 시공법을 선정
- 시공 방법, 장비 조합, 동원 인원, 수급 자재에 따른 공정 계획을 수립
- 장대 터널의 공정, 지형지질, 환경조건에 따라 작업 갱을 결정
- 공사 규모, 시공 방식, 환경 조건, 지형, 가능성에 따라 공사용 설비를 검토
- 환경 조건, 운반 조건, 공사 완료 후의 조치를 고려하여 사토장 선정 및 운영
- 소음, 진동, 지반 및 구조물 변형, 갈수 오염 등의 환경보전 대책과 교통 대책, 지장물 처리계획, 노면 교통 처리 계획을 포함하여 인근 구조물 안전 대책 수립 및 시행
- 근로 보건 관리 규정, 근로 안전 관리 규정 등 안전 위생 대책을 수립하여 실시, 총포 화약품 단속 법규 준수

3 터널의 종류 및 시공 방법 이해

학습요점
» 터널의 분류
» 터널의 설계
» 터널 굴착 및 버력처리
» 지보재 및 라이닝 시공
» 터널의 유지관리
» 터널 시공 시 고려 사항

(1) 터널의 종류

① 용도에 따른 분류
- 도로 터널
- 철도 터널
- 수로 터널

② 위치에 따른 분류
- 도심지 터널
- 산악지 터널
- 하저, 해저 터널

③ 길이에 따른 분류
- 짧은 터널
- 장대 터널
- 초장대 터널

자료 Plus   지반 특성에 따른 터널 라이닝 형상의 분류

단면	말굽형	원형	복잡원형	수직측벽형
형상				
적용	지질이 보통일 때	대단히 큰 토압이 작용시	지질이 나쁘고 토압이 클 때	지질이 좋을 때

(2) 터널의 시공 방법

터널 설계 - 터널 굴착 및 버력 처리 - 지보재 및 라이닝 시공 - 배수 및 방수 - 터널 유지 관리 순서로 이루어짐

03 도로·철도·터널

개념 Check

❶ 일반적으로 지질이 보통일 때의 터널 단면의 형상은 (   )형을 적용한다.
❷ 터널 단면의 일부를 굴착하여 도갱을 만들고, 이것을 넓혀가면서 터널을 시공하는 공법으로 터널 전방의 지질을 미리 확인가능한 방법은 (   ) 굴착이다.

[정답] ❶ 말굽
　　　❷ 선진 도갱

① 터널 설계

- 터널 설계 사업 계획 수립
- 터널 설계 현황 조사
- 터널 설계 기본 계획 수립
- 일반 터널 설계
- 부문별 터널 설계
- 터널 설계 계산서 작성
- 터널 설계 도면 작성
- 터널 설계 시방서 작성
- 터널 설계 사업비 산정
- 터널 설계 보고서 작성

② 터널 굴착 및 버력 처리

- 터널 굴착의 종류

종류	설명 및 내용	개요도
전단면 굴착	- 터널의 상반, 하반을 동시에 굴착하는 방법 - 터널 단면이 작거나 지반이 단단하여 지보 능력이 충분한 경우 적용 - 대형 시공 기계 사용 가능 - 굴착 속도가 빠름	
상하 반단면 굴착	- 굴착 단면을 수평 분할하여 상반, 하반, 인버트로 굴착하는 공법 - 막장이 연약해 전단면 굴착이 어려운 경우 적용	
중벽분할 굴착	- 단면이 큰 터널을 좌우로 분할하는 공법(CD굴착) - 하반의 지반 조건이 양호하고 상반의 지반 조건이 좋지 않은 경우에 지반이 내려앉는 것을 최대한 방지하기 위해 사용	
선진도갱 굴착	- 터널 단면의 일부를 굴착하여 도갱을 만들고, 이것을 넓혀가면서 터널을 시공 - 터널 전방의 지질을 미리 확인가능 - 도갱을 통한 용수 배출과 버력 처리에도 유리한 공법	

- 터널 공법
  - NATM 공법

항목	설명 및 내용
개요	- 원 지반 본래의 강도를 유지시켜 원 지반 자체를 주요 지반 보호 자재로 이용하는 공법으로 굴착된 원 지반에 빠른 시간 내 록 볼트와 숏크리트를 실시하여 원지반의 이완을 방지하고, 지지력을 증대시켜 지보공 없이 원지반이 지보의 역할을 하도록 한 공법
장점	- 적용 단면의 범위가 넓어 시공성 및 경제성이 우수 - 기계가 중심이 되므로 적은 인원으로도 공사가 가능 - 범용성이 높고, 보조적 공법과 조합하여 토질과 지반의 영향에 관계 없이 굴착 가능 - 단면이 큰 터널도 쉽게 만들 수 있고 곡선방향 굴착이 가능
단점	- 계측 및 시공 시 전문 인력이 필요하고 공정이 다소 복잡 - 다수의 장비 활용으로 소규모 단면의 시공에는 경제성이 떨어짐 - 화약 발파로 낙반의 가능성이 있음 - 천공, 숏크리트 분진, 발파가스로 인하여 작업 환경이 불량 - 발파 진동 및 소음으로 인한 주변 피해 및 민원 발생 가능성
시공 순서	천공 → 장약 → 발파 → 버력 처리 → 강지보재(강지보 또는 래티스거더 설치) → 숏크리트 타설 → 록볼트 설치 → 라이닝 타설 천공, 장약, 발파 ⇒ 버력 처리 ⇒ 강지보재 설치, 숏크리트 타설 ⇒ 록볼트 설치, 라이닝 타설

- TBM 공법

항목	설명 및 내용
개요	- TBM : 다수의 디스크 커터를 전면에 장착한 커터헤드를 회전시켜 암반을 암쇄, 굴삭하는 전단면 터널 굴착기 - TBM을 이용해 공사하는 것을 TBM 공법이라고 함
장점	- 굴진(파며 나아감), 버력 반출, 지보(지탱하면 유지하는) 작업 등이 연속적으로 행해지는 특징이 있어 시공이 빠르고 안전함 - 원형 단면으로 굴착됨으로 역학적으로 안정적 - 무진동, 무발파의 기계화 굴착이므로 지반 굴착에 따른 지반 변형을 최소화함으로써 지반 굴착으로 인한 시공 중 안전성을 최대한 확보 - 소음 진동에 의한 환경 피해를 최소화하여 안전하고 청결한 갱내 작업 환경을 유지할 수 있는 친환경적 공법
단점	- 지반변화에 대한 적응성이 NATM에 비해 불리 - 적용단면 및 단면의 크기가 제한적 - 굳은 암석 또는 연약지반이 돌출하는 경우, 다량의 용수가 분출하는 경우, 지반의 굴착 단면이 급작스럽게 변화하는 경우에 적용이 곤란 - 초기 시설 투자(장비비)가 큼
시공순서	TBM 운반 및 조립 → TBM 굴착 → 버력처리 → 지보공 설치 → TBM 관통 및 해체 → 라이닝 타설
TBM 예 (Open TBM)	(그림: 제어실, 록볼트 천공기, 숏크리트 타설기, 컨베이어벨트(버력반출), 커터 헤드)

- 쉴드 공법

항목	설명 및 내용
개요	- 터널 단면의 외경보다 약간 큰 강재의 터널 굴착기인 쉴드를 사용해 지반 토사를 수평으로 굴진하면서 세그먼트로 복공을 조립해서 터널을 형성하는 공법 - 시공 심도가 증가되고 있는 도시 터널의 시공 수단으로 개착공법(Open cut)을 대신 할 수 있어서 지하철, 상하수도, 전력, 통신, 공동구 등의 건설 공사에 활용 - 2m 정도부터 12m 이상의 넓은 범위에 걸쳐서 이용되고 있으며 암반을 제외한 모든 지반에 적용할 수 있는 공법으로 특히 연약한 지반에 유리한 공법
장점	- 수직 갱구를 제외하면 거의 모두가 지하 작업이므로 소음 및 진동에 의한 피해가 적으며 반복된 시공 작업으로 공사 관리 용이 - 시공 심도가 깊거나 연약 지반 등 나쁜 지질 조건, 지장물 등 시공 조건이 불리할 경우 개착 공법에 비해서 공사 기간, 공사비 등에서 경제적임
단점	- 덮개가 너무 얇은 경우에는 특별히 주의하여야 함 - 지반 안정 처리 등에 의해 주변 지하수에 영향을 줌 - 쉴드의 경로에 따라서 지반 침하가 발생할 우려가 있음 - 수직갱 주변에서 간혹 소음, 진동이 발생할 가능성이 있음
시공순서	작업구 공사 → 지압벽 설치 → 발진 갱구부 공사 → 원압 추진 잭설치 → 쉴드 갱내 거치 → 초기 굴진공사 → 본굴진공사 → 중압관설치 → 도달갱구 및 관통 → 완공

03 도로·철도·터널

– 침매 공법

항목	설명 및 내용
개요	- 터널 일부를 케이슨 모양으로 육상에서 제작하여 이것을 물에 띄워 배로 이동한 후 시공할 위치에 침하시켜, 이미 설치된 부분과 연결하여 되메우기 한 다음 케이슨 속의 물을 빼서 터널을 구축하는 공법 - 하저 또는 지하수면 밑에 터널을 시공하기 위한 공법
장점	- 단면 형상이 비교적 자유로움 - 깊은 수심에서도 시공 가능 - 지상에서 제작하므로 터널 본체의 품질이 좋고, 공사 기간이 단축 됨 - 수중에 설치하므로 자중이 적고, 연약 지반 상에서도 시공이 가능
단점	- 물의 흐름이 빠른 곳에는 강력한 작업 비계가 필요하며 침설 작업이 곤란 - 협소한 장소의 수로나 항행 선박이 많은 곳에서는 공사에 장애가 발생하기 쉬움 - 암초가 있을 때는 터널을 놓기 위한 트렌치 굴착이 곤란
시공순서	침매함 제작 → 기초/준설 → 예인 → 침설 → 되메우기 → 내부 의장

개념 Check

❶ 토질과 지반의 영향에 관계 없이 굴착 가능하며, 단면이 큰 터널도 쉽게 만들 수 있고 곡선방향 굴착이 가능한 공법은 (NATM 공법 / TBM 공법)이다.

❷ 터널 일부를 케이슨 모양으로 육상에서 제작하여 이것을 물에 띄워 배로 이동한 후 시공할 위치에 침하시켜 이미 설치된 부분과 연결하여 되메우기 한 다음 케이슨 속의 물을 빼서 터널을 구축하는 공법은 (　　　)터널 공법이다.

[정답] ❶ NATM 공법
　　　❷ 침매

- 버력처리

  버력 ; 굴착 또는 암반 등을 파쇄할 때 나오는 파쇄물들
  - 버력 처리 능력과 굴착 비용의 결정에 중요한 요소가 버력의 크기이므로 초기에 시험 발파를 실시하여 결정
  - 버력 반출이 터널 공기의 25~35%를 차지하므로 효율적인 적재장비 및 운반 기계(타이어 방식, 레일 방식 등) 조합을 하여 공기를 단축하고 굴착 비용을 절감하도록 함

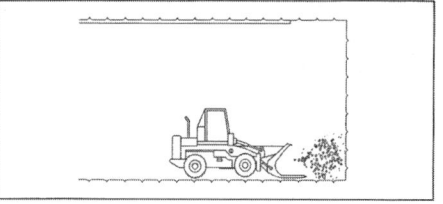

〈버력 처리 및 반출〉

③ 지보재 및 라이닝 시공

구분	종류	내용
터널 지보재	강지보재	- 굴착 후 즉시 설치한다. - 구조용 H형강, U형강, 격자지보 등이 있다. - 콘크리트 라이닝의 두께가 확보될 수 있도록 정확하게 시공한다.
	숏크리트	- 거푸집이 거의 필요 없이 도갱 굴착 후 모르타르 또는 콘크리트를 호스로 보내 압축 공기에 의하여 시공 면에 고속으로 뿜어 붙이는 방법이다. - 지반을 터널의 주 지보재로 활용하는 공법에서 가장 우선적으로 적용하는 지보재이다. - 건식 숏크리트와 습식 숏크리트가 있다.
	록볼트	- 기계화 시공으로 가능하다. - 암석 터널 주변의 암반 자체를 지보재로 활용하기 위해 굴착면과 원 지반에 앵커를 걸어 터널 안의 공간을 유지시키는 공법이다. - 봉합 작용, 보형성 작용, 내압 작용, 아치 형성 작용, 지반 보강 작용기능을 한다.
터널 라이닝	라이닝공	- 터널의 기능을 장기간 유지하기 위한 중요 구조물이다. - 터널 주변의 지반 상태와 환경 조건이 주 지보재의 지보 능력에 적합하다. - 균열, 변형 등을 일으키지 않는 것으로 침식이나 강도의 감소 등이 없는 내구성을 가진다.
	인버트	- 터널의 바닥면을 말한다. - 하반 굴착과 동시에 인버트를 시공한다. - 매우 불리한 지반인 경우 강 지보 하부에 버팀대를 설치한다. - 곡선형 인버트와 직선형 인버트로 분류한다.

● 훠폴링(Pore Poling)
일시적 지보재로서 굴착 전 터널 천단부에 종방향으로 설치하여 굴착 천단부의 안정을 도모하여 막장 전반의 지반보호 및 느슨함을 방지 한다.

강지보재	H형강 지보재 / 격자 지보재 / 지보재의 종류 (a) H-형강 (b) 격자지보재 (c) U-형강(가축성지보)
숏크리트	
록볼트	① 천공 ② 레진삽입 ③ 록볼트 정착 ④ 록볼트 조임
라이닝공	터널 외부 조립 / 터널 내부 조립
인버트	① Invert 굴착 ② strut(버팀대) 설치 ③ 인버트 Con'c 타설

④ 배수 및 방수

구분	내용
배수공	- 유입 지하수를 원활히 배수 할 수 있는 배수 능력을 갖추어야 한다 - 집수된 지하수 배수관은 직경 0.1m 이상의 유공관을 사용한다 - 유공관 주위에 토사가 들어가지 않도록 하고 청소구를 설치한다.
방수공	- 배수 보호층인 부직포와 차수층인 방수막으로 구성된다. - 부직포 : 원활한 배수, 차수 기능, 방수재인 시트의 손상을 보호한다 - 방수막 : 숏크리트면에 밀착시켜 늘어지지 않도록 설치한다.

⑤ 터널 유지 관리
- 터널의 환기
  - 자연환기- 터널 길이가 500m 미만으로 짧을 경우
  - 종류식
  - 횡류식
  - 반횡류식

구분	종류식	반횡류식	횡류식
환기개요			
환기방식 개요	차도를 풍도로 이용하며, 제트팬의 풍압에 의해 환기풍 생성 환기기의 설치가 용이	터널 상부에 급기닥트를 설치하여 신선외기를 터널내 공급 비교적 환기 신뢰성이 높음	터널 상부에 급기 배기 닥트를 설치하여 신선외기를 터널내 공급하고 오염공기를 배출 환기신뢰성이 가장 높음
방재대책	화재시 제연용 제트팬을 운전하여 배연	급기팬을 역회전하여 배연	배기팬을 운전하여 배연

- 터널 조명 및 안전 방재 설비
  - 주간 노면 조도는 50~60lx이어야 하며 운전자의 시력 장애 경감을 위하여 약 150m 이내의 중등 조명이 필요
  - 안전 방재 설비로 비상 경보 장치, 통보 장치, 소화전, 소화기 비치 및 자동 경보 장치나 자동 소화 설비 설치
  - 장대 터널에는 비상 주차대 및 방향 전환소, 서비스 터널 등을 설치

(3) 터널 시공시 고려 사항

① 정량화된 터널 지보재의 시공
- 불량한 지반 조건은 터널 굴착 시 막장의 자립성이 불량하거나 용출수에 의해 시공이 곤란해지고 지보 효과가 쉽게 저하되어 주변 인접 시설물의 안정성을 위협
- 이런 경우 보조 공법을 터널의 지보재(숏크리트, 록볼트, 강지보재 등)와 병용하면 안전하고 효율적인 터널 시공이 가능
- 보조 공법은 터널 굴착과 동시에 터널 내외부에서 주변 지반이나 굴착 시 자립의 안정을 돕는 것으로 천단부와 막장 안정을 위한 지반 강화 및 구조적 보강과 차수 및 배수 등의 보강을 동시에 얻을 수 있는 보조 공법 개발이 필요

개념 Check

❶ (　　　　)는 거푸집이 거의 필요 없이 도갱 굴착 후 모르타르 또는 콘크리트를 호스로 보내 압축 공기에 의하여 시공면에 고속으로 뿜어 붙이는 방법을 말한다.

❷ 암석 터널 주변의 암반 자체를 지보재로 활용하기 위해 굴착 면과 원 지반에 앵커를 걸어 터널 안의 공간을 유지시키는 방법은 (인버트 / 록볼트)공법이다.

[정답] ❶ 숏크리트
　　　❷ 록볼트

② 터널 발파 진동 저감 대책
- 지발당 폭약량의 감소
  - 터널 단면을 여러 단계로 분할 발파하는 방법
  - 터널 천공장을 감소시켜 발파하는 방법
  - 터널 발파의 기폭 시스템을 이용하여 발파하는 방법(전기 뇌관 + 다단식 발파기를 사용하는 방법
  - 비전기식 뇌관을 사용하는 방법
- 심발 공법을 개선
- 발파공 위치별 지발당 장약량을 차등 설계
- 선진도갱에 의한 분할 굴착 및 방진공을 천공

③ 터널 발파 폭음의 저감 대책
- 발파의 폭음은 전파경로를 차단하는 것이 효율적임
  - 자연적 지형을 활용하거나 전파 경로에 방음벽 설치
  - 터널의 갱구부에 방음 갱문의 설치 필수

④ 유지 관리 계측
- 장기적 구조물 거동 발생에 대처하기 위한 목적으로 유지·관리 계측을 수행해야 하며 시공 계측과 연계하여 합리적이고 효율적인 터널 유지·관리시스템을 구축

자료 Plus 훠폴링(Fore Poling)

훠폴링은 일시적 지보재로서 굴착 전 터널 천단부에 종방향으로 설치하여 굴착 천단부의 안정을 도모하여 막장 전반의 지반보호 및 느슨함을 방지함

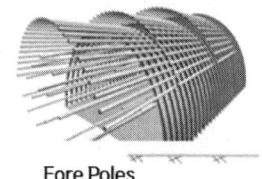

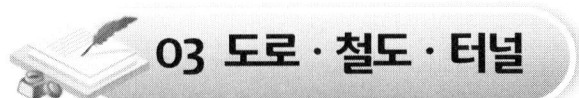

문제 1

TBM 공법의 장점으로 옳지 않은 것은?

① 시공이 빠르고 안전하다
② 원형단면으로 굴착되므로 역학적으로 안정적이다
③ 단면이 큰 터널도 쉽게 만들 수 있고 곡선방향 굴착이 가능하다
④ 갱내 작업 환경을 유지할 수 있는 친환경적 공법이다

해설	NATM 공법 • 단면이 큰 터널도 쉽게 만들 수 있고, 곡선방향 굴착이 가능하다.

문제 2

도로의 공간적 기능이 아닌 것은?

① 자동차의 주차나 자전거 이용자, 보행자가 보도나 광장부 등에 안전하게 머무를 수 있는 체류 기능
② 도시의 골격을 형성하거나 도로 주변의 개발을 촉진하는 시가지 형성 기능
③ 대중교통수단의 수용 기능
④ 임도나 소방도로와 같이 재난·재해로부터의 방재 기능

해설	도로의 공간적 기능 • 시가지형성기능, 수용기능, 방재기능, 환경기능, 교류기능 도로의 통행적 기능 • 이동기능, 접근기능, 체류기능

문제 3

도로의 통행기능으로 볼 수 없는 것은?

① 자동차, 보행자, 자전거 등이 안전하고 원활하게 이동
② 주변도로와 시설에 편리하고 안전하게 접근
③ 대중교통 수단의 수용
④ 자동차의 주차나 보행자가 보도에 안전하게 머무름

정답 1. ③   2. ①   3. ③

해설	도로의 공간적 기능 • 시가지형성기능, 수용기능, 방재기능, 환경기능, 교류기능 • 대중교통 수단의 수용은 도로의 공간적 기능에 해당함

문제 4

도로는 통행기능과 공간기능으로 구분이 되는데, 다음 중 공간기능에 해당하지 않는 것은?

① 시가지 형성기능　　　　　　　② 교류기능
③ 접근기능　　　　　　　　　　④ 환경기능

해설	도로의 통행기능 • 이동기능, 접근기능, 체류기능

문제 5

도로 종류별 노선 마크와 도로 관리청이 옳게 짝지어진 것을 고르시오.

① [43] 일반국도-국토교통부 장관

② [66] 지방도-도지사

③ [1] 고속국도-특별광역시장

④ [20] 시도-시장

해설	도로 종류별 도로관리청 • 고속국도 - 국토교통부 장관(한국도로공사 대행) • 일반국도 - 국토교통부 장관(시 관내는 해당 시장) • 지방도 - 도지사 • 시도 - 시장(특별, 광역시장 포함)

정답　4. ③　5. ①

문제 6

도로법에 의한 분류 중, 도(道) 또는 특별자치도의 관할 구역에 있는 도로 중 해당 지역의 간선 도로망을 이루는 도로로, 도청 소재지에서 군청소재지에 이르는 도로는?

① 일반국도 ② 군도
③ 지방도 ④ 특별시도

해설

지방도(도로법 제15조)
- 도지사 또는 특별자치도지사는 도(道) 또는 특별자치도의 관할구역에 있는 도로 중 해당 지역의 간선도로망을 이루는 다음 각 호의 어느 하나에 해당하는 도로
  1. 도청 소재지에서 시청 또는 군청 소재지에 이르는 도로
  2. 시청 또는 군청 소재지를 연결하는 도로
  3. 도 또는 특별자치도에 있거나 해당 도 또는 특별자치도와 밀접한 관계에 있는 공항·항만·역을 연결하는 도로
  4. 도 또는 특별자치도에 있는 공항·항만 또는 역에서 해당 도 또는 특별자치도와 밀접한 관계가 있는 고속국도·일반국도 또는 지방도를 연결하는 도로
  5. 제1호부터 제4호까지의 규정에 따른 도로 외의 도로로서 도 또는 특별자치도의 개발을 위하여 특히 중요한 도로

문제 7

도로의 기능별 분류 중, 다음 설명에 해당하는 것은?

- 간선 도로와 국지 도로 사이의 교통을 처리하며, 인접 토지에 직접 접근하게 하는 도로
- 지방도의 일부분과 군도 대부분이 해당

① 주 간선 도로 ② 집산 도로
③ 외곽 순환 도로 ④ 보조간선 도로

해설

집산도로(集散道路)
- 다른 도로로부터 모이는 교통을 처리하는 기능을 가진 도로. 통행의 말단인 주거지나 각종 시설물과 접속되는 국지 도로의 교통을 보조 간선 도로로 연결하여 주는 기능이 있다
- 집산 – 모여들었다 흩어졌다 함(집중, 분산)

문제 8

터널의 종류 중 위치에 따른 분류에 해당하는 것은?

① 도로 터널 ② 수로 터널
③ 산악 터널 ④ 철도 터널

해설

터널의 위치에 따른 분류
- 도심지터널 – 시가지 등에 사람 또는 교통류, 물의 흐름을 위해 설치되는 지하도, 도로, 지하철 등에 사용되는 터널
- 산악터널 – 산악 지형에 사람 또는 교통류, 물의 흐름을 위해 설치되는 터널
- 하천 및 해저 터널 – 강이나 하천, 바다의 지하에 교통의 흐름을 위해 설치되는 터널

정답 6. ③ 7. ② 8. ③

문제 9

경량 전철의 특징으로 옳지 않은 것은?

① 배차간격이 짧아 승차 대기시간이 적다
② 지하철에 비해 건설비 및 고정시설비가 적게 든다
③ 사령실에서 원격제어하므로 승객 수송 수요변화에 대응이 어렵다
④ 급 기울기, 급 곡선 채용이 가능하며, 주행성이 좋다

해설	경량 전철 • 사령실에서 원격제어하므로, 승객의 수송 수요변화에 대응이 쉽다.

문제 10

경량전철의 특징으로 옳은 것은?

① 지하철보다 건설비, 고정시설비가 적게 든다
② 무인운전 및 여객설비 자동화로 운영비용이 많이 든다
③ 사령실에서 원격제어하므로 수요변화에 신속 대응이 불가능하다
④ 급기울기 급곡선 채용이 불가능하다

해설	경량전철 • 지하철보다 건설비, 고정시설비 적게 듬 • 무인 운전 및 여객설비의 자동화 - 운영비용이 적게듬 • 사령실에서의 원격제어 - 수요변화에 신속대응 가능 • 소량(1~2량)의 객차구성 - 급기울기 급곡선 채용 가능

문제 11

궤간 폭에 따른 철도의 분류 중, 협궤의 장점으로 올바른 것은?

① 수송력과 주행안정성이 좋다
② 곡선 저항이 적어 산악지대 선로 선정이 용이하다
③ 고속주행이 가능하다
④ 건설비와 유지관리비가 비싸다

해설	광궤 vs 협궤	
	광궤의 장점 (협궤의 단점)	협궤의 장점 (광궤의 단점)
	- 고속 주행 가능 - 수송력, 주행안전성 증대 - 차륜 마모의 경감 - 승차감이 좋음	- 건설비와 유지 관리비의 경감 - 곡선 저항이 적어 산악지대 선로 선정 용이 (즉, 급곡선 주행 가능)

정답 9. ③   10. ①   11. ②

문제 12

철도에 대한 설명으로 올바르지 않은 것은?

① 문전 접근성이 나쁘며 다른 교통수단 연계가 필수적이다
② 물류의 단위 수송 비용이 높다
③ 철도역은 지역의 거점기능의 역할을 한다
④ 안전성과 정시성이 매우 높다

해설	철도의 특징 • 도로교통에 비해 대량수송으로 인해 물류의 운송비가 싸며, 배기가스에 의한 대기 오염 및 자연환경 파괴 등이 적다

문제 13

철도에 대한 특징으로 올바르지 않은 것은?

① 시설을 독점적으로 사용하며 거대한 자본을 소요로 한다
② 철도교통을 유지하기 위한 충분한 교통량이 확보되어야 하며, 투자 및 운영의 경직성이 크다
③ 화물은 최종 수요처까지의 다른 교통수단을 통한 연계가 필요없다
④ 철도의 유지를 위한 약품, 토양오염, 각종분진에 의한 환경피해가 존재한다

해설	철도의 단점 • 문전접근성이 나쁘며, 특히 화물의 경우 최종 수요처까지의 다른 교통수단에 의한 연계가 필수적이다.

문제 14

다음 그림의 도로 표현에서 각 면의 명칭을 올바르게 연결한 것은?

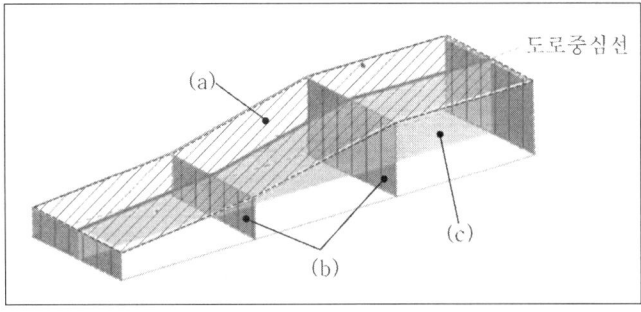

	(a)	(b)	(c)
①	평면	종단면	횡단면
②	평면	횡단면	종단면
③	종단면	평면	횡단면
④	종단면	횡단면	평면

정답 12. ② 13. ③ 14. ②

해설	도로의 표현 • 평면 : 하늘에서 내려다 보이는 면 • 종단면 : 길이방향으로 도로의 중심선을 따라서 절단하여 보이는 면 • 횡단면 : 길이의 직각방향으로 각 Sta. 마다 절단하여 보이는 면

문제 15

도로와 비교한, 철도의 우수한 특성으로 볼 수 없는 것은?

① 안전성　　　　② 접근성　　　　③ 정확성　　　　④ 저공해성

해설	철도의 단점 • 문전 접근성이 나쁘며, 특히 화물의 경우 최종 수요처까지 다른 교통수단을 통한 연계가 필수적이다.

문제 16

터널의 기능에 대한 설명으로 잘못 연결된 것은?

① 도로의 연장선으로서의 기능을 수행한다
② 채굴을 위한 갱도를 만들거나 젓갈류를 저장하기도 한다
③ 도심지의 전철건설이나, 산악지를 우회하지 않고 통과하는 경우에 시공한다
④ 취수원으로부터 인근 주변의 도시에 용수를 공급하는 수로의 경우는 터널에 포함시키지 않는다.

해설	터널의 기능 • 도로기능 • 철도기능 • 수로기능 • 채굴 및 저장기능

문제 17

도로법에 의한 도로의 정의에 해당하는 시설이 아닌 것은?

① 운하　　　　② 자전거도로　　　　③ 터널　　　　④ 육교

해설	도로의 정의(도로법 제2조) • "도로"란 차도, 보도(步道), 자전거도로, 측도(側道), 터널, 교량, 육교 등 대통령령으로 정하는 시설로 구성된 것으로서, 도로의 부속물을 포함한다. 도로의 부속물 가. 주차장, 버스정류시설, 휴게시설 등 도로이용 지원시설 나. 시선유도표지, 중앙분리대, 과속방지시설 등 도로안전시설 다. 통행료 징수시설, 도로관제시설, 도로관리사업소 등 도로관리시설 라. 도로표지 및 교통량 측정시설 등 교통관리시설 마. 낙석방지시설, 제설시설, 식수대 등 도로에서의 재해 예방 및 구조 활동, 도로환경의 개선·유지 등을 위한 도로부대시설 바. 그 밖에 도로의 기능 유지 등을 위한 시설로서 대통령령으로 정하는 시설

정답　15. ②　16. ④　17. ①

문제 18

다음 설명에 해당하는 도로시설은?

> 일반 도로 또는 도시 지역의 도로 구조가 도로 주변의 자유로운 출입이 불가능한 경우에 자동차가 도로 주변으로 출입할 수 있도록 본선 차도에 병행하여 설치하는 도로. 특히, 고속도로가 도시 지역을 통과할 경우에는 교통의 분산이나 합류의 목적으로 설치함

① 보도 ② 자전거 도로
③ 측도 ④ 육교

해설

측도(Frontage Road)
- 일반도로 또는 도시지역 도로의 구조가 성토와 절토로 이루어져, 본 도로와의 고저차로 인해 자동차가 주변으로 출입이 불가능한 경우
- 환경대책 상 방음벽을 연속으로 설치하여 도로 주변의 자유로운 출입이 불가능한 경우
- 도로주변으로 출입할 수 있도록 본선 차도에 병행하여 설치하는 도로임

문제 19

도로법에 의한 도로의 분류 중 "4등급" 도로에 해당하는 것은?

① 광역시도 ② 지방도
③ 시도 ④ 구도

해설

도로의 종류와 등급(도로법 제10조)
1등급. 고속국도(고속국도의 지선 포함)
2등급. 일반국도(일반국도의 지선 포함)
3등급. 특별시도(特別市道)·광역시도(廣域市道)
4등급. 지방도
5등급. 시도
6등급. 군도
7등급. 구도

문제 20

도로의 기능에 따른 구분으로 올바른 것은?

① 주간선도로, 보조간선도로, 집산도로, 국지도로
② 고속국도, 일반국도, 지방도, 시도
③ 콘크리트 포장길, 아스팔트 포장길, 블록포장길, 흙길
④ 임도, 군용도로, 자동차 전용도로, 산업도로

정답 18. ③   19. ②   20. ①

| 해설 | 도로의 기능별 구분(도로의 구조·시설 기준에 관한 규칙) • 도로는 기능에 따라 주간선도로(主幹線道路), 보조간선도로, 집산도로(集散道路) 및 국지도로(局地道路)로 구분한다. |

도로의 기능별 구분	도로의 종류(도로법)
주간선 도로	고속국도, 일반국도, 특별시도, 광역시도
보조 간선 도로	일반국도, 특별시도, 광역시도, 지방도, 시도
집산도로	지방도, 시도, 군도, 구도
국지도로	군도, 구도

문제 21

〈보기〉에 제시된 도로의 설계순서를 바르게 나열한 것은?

〈보기〉
1. 설계계획수립
2. 설계서 작성
3. 인허가 서류 작성
4. 공종별 세부설계

① 2-1-4-3
② 2-3-1-4
③ 1-4-2-3
④ 1-2-3-4

해설
도로 설계 방법
1. 도로 설계 사업계획 수립
2. 도로 설계노선 선정
3. 도로 설계 교통 수요·경제성 분석
4. 도로의 공종별 세부 설계
5. 도로의 설계서 작성
6. 도로 설계 인·허가 서류 작성

문제 22

도로의 설계 및 시공 순서로 옳게 나열한 것은?

ㄱ. 토공과 포장
ㄴ. 도로 유지관리
ㄷ. 도로 설계
ㄹ. 도로 부대시설 시공

① ㄷ-ㄱ-ㄹ-ㄴ
② ㄱ-ㄷ-ㄴ-ㄹ
③ ㄱ-ㄷ-ㄹ-ㄴ
④ ㄷ-ㄱ-ㄴ-ㄹ

해설 도로의 시공과정
• 도로의 시공은 크게 도로 설계 – 토공과 포장 – 도로 부대시설 시공 – 도로 유지 관리 순으로 이루어진다

정답 21. ③　22. ①

문제 23

다음 설명에 해당하는 도로부대시설은?

> 도로상에 설치된 노면 표시의 선형을 보완하여 야간 및 악천후 때 운전자의 시선을 명확히 유도하여 교통안전 및 원활한 소통을 도모

① 시선유도표지
② 갈매기 표지
③ 표지병
④ 연속조명

해설 시선유도시설의 종류

시선유도표지	주야간에 직선 및 곡선부에서 운전자에게 전방의 도로 선형이나 기하 구조 조건이 변화되는 상황을 반사체를 사용해 안내
갈매기표지	평면 곡선 반지름이 작은 구간 등 시거가 불량한 장소에서 갈매기 기호체를 사용하여 운전자가 도로의 선형 및 굴곡 정도를 명확히 알 수 있도록 함
표지병	도로상에 설치된 노면 표시의 선형을 보완하여 야간 및 악천후 때 운전자의 시선을 명확히 유도

문제 24

다음 설명에 해당하는 차량 방호 안전시설의 종류는?

> 주행 차로를 벗어난 차량이 고정된 구조물 등과 직접 충돌하는 것을 방지하고, 차량이 충돌하였을 때 차량의 충격 에너지를 흡수하여 차량을 정지토록 하거나 방향을 교정하여 안전하게 본래의 주행 차로로 복귀시키는 것을 주목적으로 하는 시설

① 방호울타리
② 중앙분리대
③ 과속방지시설
④ 충격흡수시설

해설

충격흡수시설

문제 25

다음 중 도로환경시설에 해당하는 것은?

① 일정구간에 일정간격으로 배치한 연속조명시설
② 빛을 차단하기 위한 조명갓을 부착한 가로등 시설

정답 23. ③ 24. ④ 25. ②

③ 터널 또는 지하차도 등에 설치한 조명 시설
④ 학교지역 등에 설치한 통행차량의 과속방지 시설

해설	조명갓을 부착한 가로등 시설 • 환경친화적인 조명시설은 도로의 조명과 전조등 불빛이 도로 외부로 누출될 경우 동물의 행동과 생리적 조건에 많은 영향을 미칠 수 있는 점을 고려하여 도로 외부로 빛이 나가지 않도록 조명시설을 설치하여 주는 것을 의미한다

문제 26

다음 설명에 해당하는 도로 환경시설은?

- 야생 동·식물의 서식지가 단절되거나 훼손 또는 파괴되는 것을 방지하고, 야생 동·식물의 이동을 돕기 위하여 설치
- 터널형과 육교형, 선형, 교량하부형 등이 있음

① 비오톱
② 생태통로
③ 비점오염저감시설
④ 도로변 대체서식지 조성

해설	생태통로 • 생태통로는 도로·댐·수중보·하구언 등으로 인하여 야생 동식물의 서식지가 단절되거나 훼손 또는 파괴되는 것을 방지하고, 야생 동·식물의 이동을 돕기 위하여 설치되는 인공 구조물·식생 등의 생태적 공간을 말한다

문제 27

다음 중 비점오염원에 해당하는 것은?

① 공장 하수
② 농가의 축산폐수
③ 도로 중의 오염물질
④ 가정 하수

점오염원과 비점오염원

구분	점오염원	비점오염원
배출원	- 공장, 가정하수, 분뇨처리장, 축산농가 등	- 대지, 도로, 논, 밭, 임야, 대기 중의 오염물질 등
특징	- 인위적 - 배출지점이 특정/명확 - 관거를 통해 한 지점(주로 처리장)으로 집중적 배출 - 자연적 요인에 영향을 적게 받아 연중 배출량의 차이가 일정함 - 모으기 용이하고 처리효율이 높음	- 인위적 및 자연적 - 배출지점이 불특정/불명확 - 희석, 확산되면서 넓은 지역으로 배출 - 강우 등 자연적 요인에 따른 배출량의 변화가 심하여 예측이 곤란함 - 모으기 어렵고, 처리효율이 일정치 않음

정답 26. ② 27. ③

문제 28

다음 〈보기〉의 아스팔트 콘크리트 포장 보수 공법에 대한 설명이 올바르게 연결된 것은?

〈보기〉
(a) 절삭기를 이용하여 직사각형 모양을 만들고, 측면과 저면에 택코트를 실시한 후 혼합물 포설
(b) 유화아스팔트를 얇게 살포하여 미세균열이나 표면의 공극을 채우는 공법
(c) 균열에 채움재 주입전 컷팅을 실시하고 채움재를 주입하는 공법
(d) 컷팅작업 없이 채움재를 채워 넣는 공법

	(a)	(b)	(c)	(d)
①	패칭	포그실	충전	실링
②	그루빙	패칭	실링	충전
③	그루빙	그라인딩	충전	실링
④	패칭	포그실	실링	충전

해설
아스팔트 콘크리트 포장의 보수 공법
- 실링(sealing) – 커팅을 실시한 다음, 채움
- 충전(crack filling) – 단순하게 균열된 부분을 채움

문제 29

아스팔트 콘크리트 포장의 보수방법 중, 균열을 보수할 때 컷팅을 실시 한 후 채움을 하는 것은?

① 패칭
② 충전
③ 포그실
④ 실링

해설
실링(sealing)
- 커팅을 실시한 다음, 채움

문제 30

콘크리트의 보수 공법중 옳게 연결되지 않은 것은?

① 충전 – 채움재 주입 전 컷팅 작업 없이 채움재를 채워 넣는 것
② 패칭 – 파손 부분을 절삭기를 이용하여 직사각형으로 절삭한 후 걷어내고 측면과 저면에 택 코트를 실시한 후 혼합물을 포설하는 것
③ 포그 실 – 완속 경화형 유화 아스팔트를 얇게 살포하여 미세균열이나 표면의 공극을 채우는 방법
④ 프라임 코트 – 역청재료 또는 시멘트 등을 사용한 하층과 아스팔트 혼합물로 된 상층을 결합시키기 위해 하층의 표면에 역청재료를 소량 살포하는 것

정답 28. ④ 29. ④ 30. ④

해설	프라임 코트(prime coat) vs 택코트(tack coat)	
	프라임코트	택코트
	• 이질재료(혼합골재층–아스팔트혼합물층)사이에 시공 • 보조기층(혼합골재층)과 기층(아스팔트 혼합물층)사이의 부착성과 하부에서 올라오는 수분상승 차단효과가 있음	• 동질재료(구아스팔트 혼합물층–신아스팔트 혼합물층)사이에 시공 • 역청재료 또는 시멘트 등을 사용한 하층과 아스팔트 혼합물로 된 상층을 결합시키기 위하여 역청재를 소량 살포

문제 31

다음 중 철도 선로와 관련한 설명으로 옳지 않은 것은?

① 침목은 레일의 간격을 유지시킨다
② 레일 이음매는 다른 부분과 강도와 강성이 동일해야 한다
③ 노반은 자연지반을 가공해 만든 흙 구조물이다.
④ 곡선부에서 원심력에 저항하기 위해 바깥쪽 레일을 안쪽 레일보다 높이는 슬랙(slack)을 두어야 한다.

해설	슬랙(slack) • 곡선부에서는 직선부보다 궤간을 확대해야 한다. 곡선부에서의 궤간 확대량을 슬랙(확폭)이라고 한다. • 곡선의 안쪽 레일을 궤간 밖으로 넓힌다.

문제 32

다음 중 도로에 대한 설명으로 옳지 않은 것은?

① 아스팔트 콘크리트 포장은 연성포장으로 유지관리비가 많이 든다
② 아스팔트 콘크리트 포장은 양생기간이 짧아 시공 후 즉시 교통개방이 가능하다
③ 터널 내부 도로포장은 일반적으로 시멘트 콘크리트 포장 형식을 적용한다
④ 시멘트 콘크리트 포장의 횡방향 줄눈에는 타이바(tie-bar)를, 종방향 줄눈에는 다웰바(dowel-bar)를 설치한다.

해설	시멘트 콘크리트 포장 • 다웰바(dowel-bar) – 횡방향 줄눈 시공시 온도변화에 따른 수축, 팽창시 균열방지 대책. 전단에만 저항하며 구속은 자유로움. 원형철근을 사용 • 타이바(tie-bar) – 종방향 줄눈에 설치, 전단저항과 구속의 역할을 동시에 함. 이형철근을 사용

문제 33

도로 설계 공사비 산출 중 간접공사비에 해당하는 것은?

① 재료비 ② 산재보험료 ③ 실적공사비 ④ 직접노무비

해설	간접공사비 • 간접노무비, 산재보험료, 산업안전보건관리비, 기타경비, 퇴직공제부금비, 고용보험료, 국민건강보험료, 국민연금보험료 등

정답 31. ④ 32. ④ 33. ②

문제 34

아스팔트 도로 포장에 대한 설명으로 옳지 않은 것은?

① 다웰바를 설치하여 슬래브간 하중 전달의 구조특성을 이용한다.
② 아스팔트 혼합물에 해당하는 포장층은 표층, 중간층, 기층 등이 있다.
③ 노반 또는 기층에서 수분의 모관상승을 차단하여 표면을 안정시키는 프라임코트를 실시한다.
④ 지하수위가 매우 낮아 노상으로의 수분공급이 억제된 경우에는 동상방지층을 생략해도 된다.

해설	다웰바(Dowel-Bar) • 철근 콘크리트 구조물의 부등 침하 시 수직 응력을 증대시키고, 수축 팽창 변위(수평 변위)시에 일정 방향으로 균일하게 변화한 후 복원하는 기능을 함

문제 35

아스팔트 콘크리트의 특징으로 옳지 않은 것은?

① 반복되는 교통하중에 민감하다.
② 시공기간이 짧고 보수가 쉬우며 유지관리 비용이 저렴이다.
③ 시공시 프라임코트와 택코트를 사용한다.
④ 상부포장층에서 하부노체로 갈수록 작용응력이 감소한다.

해설	아스팔트 콘크리트 포장의 특성 • 파손에 대한 보수가 용이하나, 잦은 덧씌우기로 인한 유지관리비가 고가이다.

문제 36

다음 설명에 해당하는 시멘트 콘크리트 포장의 보수공법은?

> 슬래브의 마모로 인하여 미끄럼 저항이 저하된 구간 및 배수 문제 등이 있는 구간에 시공하여 미끄럼 저항성을 높이고 배수 기능을 증진
> 도로 노면에 가로 방향의 홈을 만들어 주행 때 전달되는 음과 진동에 의한 차량 속도 억제 효과도 있음

① 다이아몬드 그라인딩
② 부착형 덧씌우기
③ 그루빙
④ 패칭

해설	그루빙(grooving) 공법 • 도로 포장 표면에 일정한 규격의 홈을 형성하여, 타이어 패턴과 같은 효과를 유도하는 미끄럼 방지 도로안전기술 • 횡방향 그루빙 - 제동거리 단축을 위하여 적용 • 종방향 그루빙 - 운전자 시선 유도효과 및 주행 접지력 향상 등을 위해 곡선구간, 경사구간, 터널구간 등을 중심으로 적용

정답 34. ① 35. ② 36. ③

문제 37

아스팔트 콘크리트 포장을 주로 적용하는 도로의 종류로 알맞지 않은 것은?

① 중차량 구성비가 큰 도로
② 연약지반에 축조되는 도로
③ 적설-한랭 지역 도로
④ 교량, 암거, 터널 등 구조물이 많은 구간 도로

해설
- 아스팔트 콘크리트 포장은 연성포장이므로 무거운 중차량의 하중을 효과적으로 분산시키기가 어렵다. 그래서, 중차량의 반복되는 통행으로 인한 포장의 파손이 생기기 쉽다
- 그러므로, 중차량의 구성비가 큰 도로에서는 시멘트 콘크리트 포장을 적용하는 것이 바람직하다

문제 38

다음 설명에 해당하는 도로포장 단면 구성 요소는?

> 노상토에 기온강하로 인한 동결로 인한 부피팽창에 따른 융기의 우려가 있는 경우 보조기층에서 노상의 동결 깊이까지 동상에 민감하지 않은 양질의 재료로 치환하여 노상의 동결을 막고자 시공하는 층을 말한다.

① 마모층　　② 동상방지층　　③ 보조기층　　④ 기층

해설 동상방지층
- 노상토에 동상우려가 있는 경우 보조기층에서 노상의 동결 깊이까지 동상에 민감하지 않은 양질의 재료로 치환하여 노상의 동결을 막고자 시공하는 층을 말한다.

문제 39

다음 설명에 해당하는 도로포장 단면 구성 요소는?

> 포장을 지지하고 있는 지반 중에서 포장의 밑면으로부터 약 1m 깊이 부분을 말하며, 노체 위에 축조되는 것으로 노면의 교통하중을 널리 분산시켜 노체에 하중의 영향을 작게 하고 안전하게 전달하는 역할을 한다.

① 노상　　② 기층　　③ 중간층　　④ 보조기층

문제 40

도로의 일부가 아닌 것은?

① 터널　　② 교량　　③ 수로　　④ 도선장

정답 37. ①　38. ②　39. ①　40. ③

해설	도로 • 도로는 육상 교통을 철도와 함께 분담하는 중요한 시설이며 터널, 교량, 도선장 등 도로와 일체가 되어 이용되는 시설물을 포함한다.

문제 41

터널의 굴착 방법 중, TBM 공법의 특징이 아닌 것은?

① 발파로 인한 진동 및 소음으로 인한 민원 발생이 잦다
② 초기 시설투자가 크다
③ 적용단면 및 단면의 크기가 제한적이다
④ 지반의 굴착 단면이 급작스럽게 변화시 적용이 힘들다

해설	NATM 공법의 단점 • 화약 발파로 낙반 사고의 가능성이 있다 • 천공 숏크리트 분진, 발파가스로 인하여 작업환경이 불량하다 • 발파 진동 및 소음으로 인한 주변 피해 및 민원 발생 가능성이 있다.

문제 42

보기에 설명하고 있는 터널공법은?

〈보기〉
- 굴진, 버력반출, 지보작업 등이 연속적으로 행해지는 특징이 있어 시공이 빠르고 안전하다
- 소음 진동에 의한 환경 피해를 최소화하여 안전하고 청결한 갱내 작업환경을 유지할 수 있는 친환경적 공법이다
- 원형단면으로 굴착됨으로 역학적으로 안정적이다

① NATM
② TBM
③ 쉴드공법
④ 침매공법

해설	TBM(Tunnel Boring Machine) 공법의 장점 • 굴진(파며 나아감), 버력 반출, 지보(지탱하면 유지하는) 작업 등이 연속적으로 행해지는 특징이 있어 시공이 빠르고 안전 • 원형 단면으로 굴착됨으로 역학적으로 안정적임 • 무진동 무발파의 기계화 굴착이므로 지반 굴착에 따른 지반 변형을 최소화함으로써 지반 굴착으로 인한 시공 중 안전성을 최대한 확보 가능 • 소음 진동에 의한 환경 피해를 최소화하여 안전하고 청결한 갱내 작업 환경을 유지할 수 있는 친환경적 공법

정답 41. ① 42. ②

문제 43

터널단면의 종류와 쓰이는 상황이 올바르지 않은 것은?

① 말굽형 – 지질이 보통일 때 적용
② 수직 측벽형 – 지질이 나쁠 때 적용
③ 원형 – 큰 토압이 작용 시 적용
④ 복합원형 – 지질이 나쁘고 토압이 클 때 적용

해설	터널 단면의 종류			
	말굽형	원형	복합원형	수직측벽형
	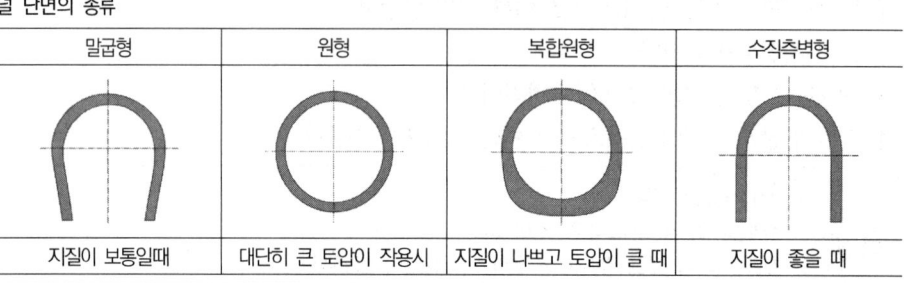			
	지질이 보통일때	대단히 큰 토압이 작용시	지질이 나쁘고 토압이 클 때	지질이 좋을 때

문제 44

도로의 한구간에서 시간당 1800대, 평균속도 30 km/hr, 3차로일 경우 교통밀도는 얼마인가?

① 20 대/km ② 25 대/km ③ 27.5 대/km ④ 50 대/km

해설	교통밀도 • 단위거리 안에 몇 대의 자동차가 주행하고 있는지를 나타내는 것 • $V = S \cdot D$ (V:교통량, S:교통속도, D:교통밀도) • $D = \dfrac{V}{S}$ 　$= \dfrac{1800}{30 \times 3} = 20\,(대/km)$

문제 45

터널 굴착시 큰 변위가 발생할 때의 대응 방안으로 적절하지 못한 것은?

① 숏크리트 등 보강작업 실시
② 상·하반 벤치장 조성
③ 강지보재 추가 설치
④ 신속하고 연속적인 추가 발파

해설	변위 과다 발생시 대응방안 • 굴착 작업 중지 및 신속한 폐합 • 상하반 벤치장 조성 • 숏크리트 등 보강 실시

정답　43. ②　44. ①　45. ④

03 도로·철도·터널

문제 46

다음 중 TBM 공법의 단점이 아닌 것은?

① 지반변화에 대한 적응성이 NATM에 비해 불리하다.
② 적용 단면의 단면크기가 제한적이다.
③ 초기시설투자비가 크다.
④ 화약발파로 낙반사고의 가능성이 있다.

해설
• 발파로 인한 낙반사고의 가능성은 NATM 공법의 단점에 해당한다.

문제 47

도로설계시 공사비 산출에 대한 설명으로 옳지 않은 것은?

① 공사원가는 직접공사비와 간접공사비를 더한 것이다.
② 총원가는 일반관리비와 공사원가를 더한 것이다.
③ 간접공사비는 재료비, 노무비, 경비, 외주비를 더한 것이다.
④ 총공사비는 총원가와 이윤을 더한 것이다.

해설

직접공사비 = 재료비 + (직접)노무비 + 경비 + 외주비

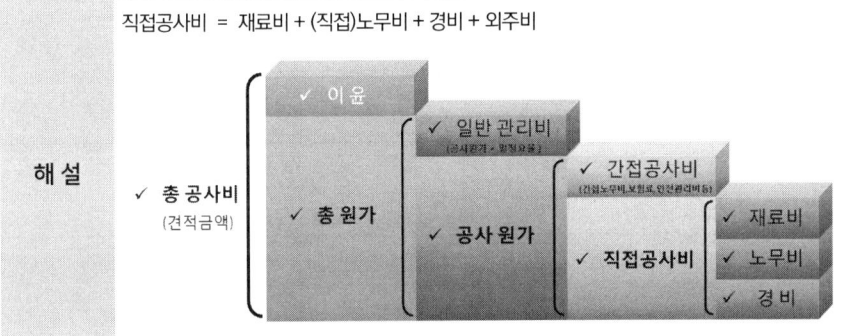

문제 48

도로 및 교통과 관련한 설명으로 옳지 않은 것은?

① 시설한계 내에서는 도로표지판을 제외한 어떠한 구조물도 설치되어서는 안된다.
② 확폭은 차량의 뒷바퀴가 앞바퀴보다 안쪽으로 지나 안쪽도로를 넓히는 것이다.
③ 시거의 종류에는 정지 시거, 앞지르기 시거가 있다.
④ 단위 시간동안 한 지점을 통과하는 차량 대수를 교통량이라 한다.

해설
시설한계
• 일정한 폭, 높이 범위 내에는 장애가 되는 시설물을 설치하지 못하게 하는 공간확보의 한계
• 시설한계 내에서는 도로 표지판을 포함하여 어떠한 구조물도 설치되어서는 안된다.

정답 46. ④ 47. ③ 48. ①

문제 49

토공 설계 및 시공 시 고려 사항으로 옳지 않은 것은?

① 도로의 기능, 규모에 따라 토공작업에 적용하는 기준을 일률적으로 적용하여야 한다.
② 지형 토질 및 지질 기상 조건 등을 사전에 충분히 파악한다.
③ 소규모 시험 시공 등을 실시하여 불합리한 설계 및 시공이 되지 않도록 한다.
④ 토공 공사 진행 중 또는 공사 후 국부적으로 손상이 발생될 수 있으므로 유지보수 등을 고려한다.

해설	토공 설계 및 시공시 고려사항 • 도로의 기능, 규모, 중요도 등에 따라 토공에 적용하는 기준을 일률적으로 적용하는 것보다는 도로의 특성에 적합한 기준을 따르며 시공한다.

문제 50

보기에 해당하는 철도보선 장비는?
〈보기〉 궤도 살포 자갈 정리를 하는 장비

① 멀티플 타이 탬퍼
② 밸러스트 클리너
③ 밸러스트 레귤레이터
④ 밸러스트 콤팩터

해설	보선 장비 • 멀티플 타이탬퍼 - 도상 다지기 작업, 줄맞춤 작업, 궤도 들기 작업 • 밸러스트 클리너 - 혼입된 토사 석분 등의 불순물 제거 • 밸러스트 레귤레이터 - 궤도 살포 자갈 정리 등 • 밸러스트 컴팩터 - 침목 도상내 고정 작업, 침목 청소

문제 51

지질이 보통일 때 이용하는 터널 단면은?

① 말굽형
② 복잡 원형
③ 수직측벽형
④ 원형

해설	터널 단면 형상 • 말굽형 - 보통의 지질에 적용

문제 52

다음 중 도로의 선형설계의 원칙으로 옳지 않은 것은?

① 도로 선형은 지형 및 지역의 토지 이용과 조화를 이루어야 한다.
② 평면 곡선, 종단 곡선끼리의 조합 시에는 조화를 이루지 않아도 된다.
③ 평면 교차에서는 평면 곡선 및 종단 곡선 모두 가능한 한 완만해야 한다.
④ 도로 선형은 연속성을 고려해야 한다.

해설	도로의 선형설계 원칙 • 평면곡선과 종단곡선 끼리의 조합시, 조화를 이루어야 한다.

정답 49. ① 50. ③ 51. ① 52. ②

03 도로·철도·터널

문제 53

다음 중 도로 환경 시설의 종류가 아닌 것은?

① 도로 조명 시설   ② 방음 시설   ③ 가로등 시설   ④ 세륜, 세차 시설

해설	도로 부대 시설 • 시선유도시설 – 시선유도 표지, 갈매기 표지, 표지병 • 도로조명시설 – 연속조명, 터널조명 시설 • 차량방호안전시설 – 방호울타리, 충격흡수시설, 과속방지시설 • 주차장, 버스정류시설, 비상주차재, 휴게시설 등

문제 54

도로 표지의 설치장소의 조건으로 알맞지 않은 것은?

① 도로 교차점에 집중적으로 설치하여야 한다.
② 연도 주민에 지장을 주지 않는 장소이어야 한다.
③ 교통 장애 또는 위험이 되지 않는 장소이어야 한다.
④ 운전자가 필요한 행동을 취할 수 있는 충분한 거리를 두고 설치하여야 한다.

해설	도로 표지의 설치 장소와 요령 • 도로 이용자가 쉽게 판독할 수 있도록 시야가 좋은 장소에 설치한다. 곡선구간, 비탈면, 나무 등으로 시야의 장애가 되는 장소에 설치해서는 안 된다. • 도로 교차점에 집중적으로 설치해서는 안 된다. • 교통 장애 또는 위험이 되지 않는 장소이어야 한다. • 도로 관리상 지장이 없는 장소이어야 한다. • 도로 구조에 지장이 없는 장소이어야 한다. • 운전자가 필요한 행동을 취할 수 있는 충분한 거리를 두고 설치한다. • 연도 주민에 지장을 주지 않는 장소이어야 한다.

문제 55

터널의 기능으로 옳지 않은 것은?

① 도로 기능   ② 채굴 및 저장 기능
③ 지역 거점 기능   ④ 수로 기능

해설	• 지역 거점 기능은 "철도역"의 기능에 해당한다

문제 56

터널의 배수 및 방수 공사에 대한 설명으로 옳은 것은?

① 배수공 : 배수 보호층인 부직포와 차수층인 방수막으로 구성된다.
② 방수공 : 집수된 지하수 배수관은 직경 0.1m 이상의 유공관을 사용

정답 53. ① 54. ① 55. ③ 56. ④

③ 방수공 : 유공관 주위에 토사가 들어가지 않도록 하고 청소구를 설치한다.
④ 배수공 : 유입 지하수를 원활히 배수할 수 있는 배수 능력을 갖추어야 한다.

해설	배수공 vs 방수공	
	배수공	방수공
	• 유입 지하수를 원활히 배수 할 수 있는 배수 능력을 갖추어야 함 • 집수된 지하수 배수관은 직경 0.1m 이상의 유공관을 사용 • 유공관 주위에 토사가 들어가지 않도록 하고 청소구를 설치	• 배수 보호층인 부직포와 차수층인 방수막으로 구성 • 부직포-원활한 배수, 차수 기능 방수재인 시트의 손상을 보호 • 방수막-숏크리트면에 밀착시켜 늘어지지 않도록 설치

문제 57

터널의 환기 방식 중, 횡류식에 대한 설명으로 옳지 않은 것은?

① 흡기구 배기구 별도로 설치
② 화재시 흡기구 배기구 모두 매연 배출
③ 장대터널에서 효과적
④ 시설비와 유지관리비 저렴

해설	횡류식 • 터널 상부에 급기 배기 덕트를 설치하여 신선 외기를 터널 내 공급하고 오염공기를 배출 • 타 방식(종류식, 반횡류식)에 비해 환기신뢰성이 가장 높음 • 화재시 배기팬을 운전하여 배연 • 급배기 덕트를 설치하여야 하므로 시설비와 유지관리비가 많이 든다

문제 58

보기에서 설명하는 사업의 형식 및 방식을 알맞게 고르면?

〈보기〉 개인이 국가에게 투자하면 국가는 그 돈으로 시설을 공사한다. 그리고 시설에 대한 모든 운영권을 일정기간 개인에게 부여하고, 개인은 일정기간 수익을 창출한 후 권리를 다시 국가에게 돌려준다.

① BTO ② BTL ③ BOT ④ BOO

해설	BTO(Build-Transfer-Operate) • 수익형 민간투자 사업 • 시설을 공사한다 - Build • 국가로 소유권 돌려준다 - Transfer • 일정기간 시설에 대한 운영권 부여 - Operate

문제 59

다음 중 사업방식이 '수익형 민간 투자 사업'으로 옳은 것은?

① BOT ② BTL ③ BOO ④ BTO

정답 57. ④   58. ①   59. ④

03 도로 · 철도 · 터널

해설	민간 투자로 공공 시설을 짓는 방식의 이해
	① 건설 B : build 건설(민간이 건설)
	② 소유권 T : transfer 전달(국가로 소유권 이전)
	         O : own 소유(민간이 소유)
	③ 직영, 임대 O : operate 운영(민간이 운영)
	         L : lease 임대, 임차(임대계약)				

	① 건설	② 소유권	③ 직영, 임대	사업방식	시설의 예
	B	T	O	수익형 민간 투자 사업	터널, 도로 등
	B	O	T		
	B	O	O		
	B	T	L	임대형 민간 투자 사업	학교, 도서관, 기숙사 등

문제 60

도로 횡단면의 구성 및 시공 시 고려 사항 중 옳은 것은?

① 계획 교통량이 적은 노선일수록 규격이 높은 횡단면의 구성 요소를 갖추도록 해야 한다.
② 자전거 및 보행자 도로를 통합해야 한다.
③ 횡단 구성 표준화를 다양화 해야 한다.
④ 인접 지역의 토지 이용 실태 및 계획을 충분히 감안해야 한다.

해설	횡단면 구성 및 시공시 고려 사항 • 설계 속도가 높고 계획 교통량이 많은 노선일수록 규격이 높은 횡단면의 구성요소를 갖추도록 해야 한다. • 교통상황을 감안하여 필요에 따라 자전거 및 보행자 도로를 분리하여야 한다 • 횡단구성 표준화를 도모하도록 한다

문제 61

도로 교통 용량에 영향을 주는 요소 중, 교통통제조건 에 해당하는 것은?

① 차로폭   ② 설계속도   ③ 신호주기   ④ 길어깨 폭

해설	도로 교통 용량에 영향을 주는 요소	
	조건	내용
	도로조건	도로의 종류와 연도의 환경, 차로 폭, 길어깨 또는 측방의 여유폭, 설계 속도, 평면 및 종단 선형
	교통조건	교통량 구성비, 방향별 또는 차로별 분포, 좌·우회전 비율
	교통통제조건	신호등의 유무, 신호 방식 및 신호 주기

문제 62

법규에 의한 철도의 분류에 대한 설명으로 옳은 것은?

① 고속철도는 열차가 시속 200km이상으로 주행하는 철도로 시도지사가 그 노선을 지정, 고시한다.
② 표준궤간 철도의 궤간은 1435cm이다.

정답 60. ④ 61. ③ 62. ④

③ 광역철도와 도시철도를 제외한 철도는 일반철도이다.
④ 광역철도는 둘 이상의 시도에 걸쳐 운행되는 도시철도이다.

해설	철도의 분류 • 고속철도 – 국토교통부 장관이 노선을 지정 고시 • 표준궤간 – 1435mm • 일반 철도 – 고속철도와 도시철도를 제외한 철도

문제 63

다음 중 〈보기〉에 해당하는 철도 보선 장비는?

〈보기〉 침목 도상 내 고정작업, 침목청소, 침목사이 및 도상 어깨의 표면다지기

① 밸러스트 클리너　　　　　　　　② 밸러스트 레귤레이터
③ 멀티플 타이탬퍼　　　　　　　　④ 밸러스트 컴팩터

해설	보선 장비 • 멀티플 타이탬퍼 – 도상 다지기 작업, 줄맞춤 작업, 궤도 들기 작업 • 밸러스트 클리너 – 혼입된 토사 석분 등의 불순물 제거 • 밸러스트 레귤레이터 – 궤도 살포 자갈 정리 등 • 밸러스트 컴팩터 – 침목 도상내 고정 작업, 침목 청소

문제 64

철도의 보선작업에 관한 설명으로 가장 올바른 것은?

① 좌우레일의 간격이 틀리는 궤간 틀림은, 차량의 좌우 움직임을 일으킨다.
② 보선 작업의 대부분을 차지하는 것은 노반작업이다.
③ 수평틀림은 고저차로 표시하며, 좌우 레일 높이의 차이를 말한다.
④ 도상다지기 작업, 줄맞춤 작업, 궤도 들기 작업이 가능한 보선장비는 밸러스터 레귤레이터이다.

해설	철도 보선 작업 • 궤간틀림 : 좌우레일의 간격이 틀림. 궤간이 확대되면 차륜이 궤간 내로 빠지게 된다. • 수평틀림 : 좌우레일 높이면의 차이로 고저차로 표시하며, 차량의 좌우 움직임을 일으킨다. • 보선작업의 대부분은 도상 다지기 작업이다. • 도상 다지기 작업, 줄맞춤 작업, 궤도 들기 작업이 가능한 보선장비는 "멀티플 타이탬퍼"이다.

문제 65

철도의 법규에 의한 분류 중 다음 설명에 해당하는 것은?

둘 이상의 시·도에 걸쳐 운행되는 도시 철도 또는 철도로서 대통령령으로 정하는 요건에 해당하는 도시 철도 또는 철도

정답　63. ④　64. ③　65. ②

① 고속 철도 ② 광역 철도
③ 일반 철도 ④ 공영 철도

해설 광역철도
- '대도시권 광역교통관리에 관한 특별법' 제2조 제2호 나목에 따른 둘 이상의 시·도에 걸쳐 운행되는 도시철도 또는 철도로서 대통령령으로 정하는 요건에 해당하는 도시 철도 또는 철도

문제 66

횡단면 구성 및 시공시 고려사항으로 옳지 않은 것은?

① 교통의 안전성과 효율성에 대해 각각 검토하여 구성하고 시공하며, 교통상황을 감안하여 필요에 따라 자전거 및 보행자 도로를 분리하여야 한다.
② 현재의 교통수요와 요구되는 계획 수준에 적용할 수 있는 교통처리 능력을 갖도록 해야 한다.
③ 계획된 도로의 기능에 적합한 횡단면을 구성하고 설계속도가 높고 계획 교통량이 많은 노선일수록 규격이 높은 횡단면의 구성요소를 갖추어야 한다.
④ 도로의 횡단 구성 표준화를 도모하고, 도시 또는 지역의 경관을 확보하여야 한다.

해설
- 현재의 교통수요가 아닌, 계획 목표 연도의 교통수요와 요구수준에 대응할 수 있도록 하여야 한다.

문제 67

도로 시공시 고려사항으로 옳지 않은 것은?

① 계획된 도로의 기능에 적합한 횡단면을 구성하여야 한다
② 인접 지역의 토지 이용 실태 및 계획을 충분히 감안해야 한다
③ 도로의 횡단 구성 표준화를 도모해야 한다
④ 도로의 기능 규모 중요도 등에 따라 토공에 적용하는 기준을 일률적으로 적용해야 한다

해설 도로의 설계 및 시공 시 고려 사항
- 도로의 기능, 규모, 중요도 등에 따라 토공에 적용하는 기준을 일률적으로 적용하는 것보다는 도로의 특성에 적합한 기준을 따르며 시공한다.

문제 68

굴착전 터널 천단부에 종방향으로 설치하여 굴착 천단부의 안정을 도모하는 것은?

① 버력처리 ② 인버트 시공 ③ 훠폴링 ④ 선진도갱

해설 훠폴링
- 일시적 지보재로서 굴착 전 터널 천단부에 종방향으로 설치하여 굴착 천단부의 안정을 도모하며 막장 전반의 지반보호 및 느슨함을 방지한다

정답 66. ② 67. ④ 68. ③

문제 69

지보재 및 라이닝 시공 종류에 대한 설명으로 옳지 않은것은?

① 강지보재 – 굴착 후 즉시 설치하며, 구조용 H철강, U형강, 격자지보 등이 있다.
② 숏크리트 – 지반을 터널의 주 지보재로 활용하는 공법에서 가장 우선적으로 적용하는 지보재이다.
③ 인버트 – 터널의 바닥면을 말하며 하반 굴착과 동시에 작용한다.
④ 록볼트 – 터널의 기능을 장기간 유지하기 위한 중요한 라이닝 구조물이다.

해 설	라이닝공 • 터널의 가장 내측에 시공되는 무근 또는 철근 콘크리트의 터널부재 • 터널의 기능을 장기간 유지하기 위한 중요 구조물

문제 70

옹벽을 시공하기 위해서 확보해야 할 것으로 옳지 않은 것은?

① 안전성   ② 시공성   ③ 내구성   ④ 활동성

해 설	옹벽의 안정조건 • 전도에 대한 안정 • 활동에 대한 안정 • 침하에 대한 안정

문제 71

철도의 단점으로 옳지 않은 것은?

① 충분한 교통량이 확보되지 않으면 투자 및 운영의 경직성이 커서 운영이 어렵다.
② 시설을 독점적으로 사용하며 거대한 자본을 소요한다.
③ 문전 접근성이 좋으며 최종수요처까지 바로 연결된다.
④ 진동문제가 발생할 수 있으며, 윤활유나 제초제등의 사용으로 토양오염이 심화될 수 있다.

해 설	철도의 단점 • 특히, 화물의 경우 최종수요처까지 다른 이동수단을 필요로 하는 등, 문전접근성이 나쁘다.

문제 72

궤도 틀림 중, 일반 철도 궤도의 좌우레일의 높이차를 의미하는 것은?

① 수평틀림   ② 면틀림   ③ 궤간틀림   ④ 줄틀림

해 설	수평틀림 • 좌우 레일 높이 면의 차이

정답   69. ④   70. ④   71. ③   72. ①

문제 73

노면철도(전차)에 대한 설명으로 옳지 않은 것은?

① 고가화 지하화가 가능하여 효율적으로 운행 가능하다.
② 급구배, 급곡선 주행이 가능하다.
③ 무인 운전 및 여객설비 자동화로 운영비용이 적게 든다.
④ 도시 도로 정체 발생시, 정시성 및 신속성이 떨어진다.

해 설	※ 무인 운전 및 여객설비 자동화로 운영 비용이 적게 듦 – 경량전철의 특징

문제 74

경량전철의 특징으로 옳지 않은 것은?

① 급구배 주행이 가능하다.
② 사령실에서 원격으로 제어하기 때문에 승객 수송수요 변화에 신속 대응이 어렵다.
③ 정거장 간격의 축소로 인근 주민에게 보다 높은 서비스 제공이 가능하다.
④ 무인 운전 및 여객설비 자동화로 운영 비용이 보다 적게 든다.

해 설	경량전철의 특징 • 배차 간격이 짧아 승차 대기 시간이 적음. • 지하철보다 건설비 및 고정시설비가 적게 듦. • 무인 운전 및 여객설비 자동화로 운영 비용이 적게 듦. • 급 기울기, 급곡선 채용이 가능하며, 주행성이 좋음. • 사령실에서 원격제어함으로 승객 수송 수요 변화에 신속대응이 가능. • 정거장 간격 축소로 인근 주민에게 보다높은 서비스 제공 가능

문제 75

철도 구조물 시공 중 교량 시공에 대한 설명으로 옳은 것은?

① 하천, 호수, 도로, 수로, 철도 등을 종단하는 곳에 가설하는 구조물이다.
② 도로보다 중량물이 고속으로 주행하므로 안정성, 시공성, 내구성과 유지 보수가 경제적이지 않아도 된다.
③ 강교, 철근 콘크리트교, 프리스트레스트 콘크리트교 등이 사용된다.
④ 일반 철도교의 경우 HL하중, 고속철도교의 설계에는 LS하중을 사용한다.

해 설	교량 시공 • 종단(×), 횡단구조물 • 경제적이어야 한다. • 일반철도교의 설계하중(LS하중), 고속철도교의 설계하중(HL하중)

정답 73. ③ 74. ② 75. ③

문제 76

콘크리트 포장의 팽창 줄눈, 수축 줄눈에 있어서 포장 슬래브의 표면이 같은 높이로 유지하기 위한 방법은?

① 그루빙
② 타이바 설치
③ 다웰바 설치
④ 실링

해설

다웰바
- 시멘트 콘크리트 포장에서 횡단수축줄눈, 팽창줄눈, 시공줄눈부에 사용
- 연결된 콘크리트 슬래브 사이의 하중 전달과 연결된 슬래브가 단차가 일어나지 않도록 하기 위하여 사용하며, 한쪽은 움직임이 고정되어 있고 한쪽은 움직임이 자유로운 짧은 길이의 압연강봉

문제 77

집산도로에 해당되지 않는 것은?

① 일반국도
② 시도
③ 군도
④ 구도

해설

집산도로
- 지방도, 시도, 군도, 구도

문제 78

선형 설계의 요소 중, 횡단요소에 해당하지 않는 것은?

① 확폭
② 측대
③ 중앙분리대
④ 편경사

해설

횡단요소
- 차로폭, 길어깨, 중앙분리대, 측대, 편경사 등

평면선형 요소
- 확폭, 평면곡선반지름, 평면곡선길이, 완화곡선 길이

문제 79

다음 중 선로의 보호 시설로 옳지 않은 것은?

① 비탈면 보호 설비
② 방파 설비
③ 분기기 장치 설비
④ 산사태 방지 설비

해설

선로 보호 시설
- 열차 운행의 보안 유지와 선로의 보호를 목적을 설치
- 비탈면 보호설비, 경계설비, 산사태 방지 설비, 방파설비 등

※ 분기기 장치 : 열차를 한 궤도에서 다른 궤도로 옮기기 위하여 궤도상에 설치한 설비

정답 76. ③   77. ①   78. ①   79. ③

문제 80

겨울철 기온이 낮아 결빙 사고의 위험이 높을 때 사용하는 포장은?

① 아스팔트 콘크리트   ② 시멘트 콘크리트 포장
③ 블록포장길   ④ 자갈길

해설 아스팔트 포장
• 겨울철 기온이 낮아 결빙 사고의 위험이 높은 도로는 아스팔트로 도로를 포장해 화학적으로 사고를 예방하고 있다.

문제 81

단면이 큰 터널을 좌우로 분할하는 공법으로 하반 지반 조건이 양호하며 상반 지반 조건이 좋지 않은 경우 적용하는 터널 굴착 공법은?

① 중벽분할 굴착(CD굴착)   ② 선진 도갱 굴착
③ 전단면 굴착   ④ 상. 하 반단면 굴착

해설 중벽분할 굴착(Center Diaphragm)공법

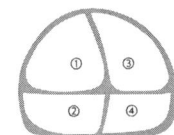 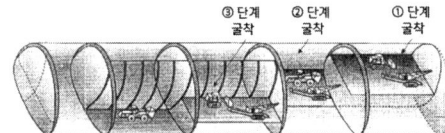

문제 82

터널 공법 설명 중 옳지 않은 것은?

① NATM공법은 초기 시설 투자(장비비)가 크다.
② 침매공법은 수중에서 설치함으로 부력이 작용하여 자중이 적다.
③ TBM공법은 적용단면크기가 제한적이다.
④ 쉴드 공법은 연약한 지반에 유리한 공법이다.

해설 TBM 공법의 단점
• TBM 장비를 이용해 공사를 시작하여야 하므로, 초기 시설 투자(장비비)가 크다.

문제 83

자갈도상의 구비조건으로 볼 수 없는 것은?

① 경질로서 충격과 마찰에 강하여야 한다.
② 단위중량이 작고 입자간 마찰이 작아야 한다.
③ 동상, 풍화에 강하고 잡초가 자라지 않아야 한다.
④ 토사 혼입량이 적고 배수가 양호하여야 한다.

정답 80. ① 81. ① 82. ① 83. ②

해설	자갈도상의 구비 조건 • 경질로서 충격과 마찰에 강할 것 • 단위중량이 크고 입자간 마찰력이 클 것 • 입도가 적정하고 도상작업이 용이할 것 • 토사혼입량이 적고, 배수가 양호할 것 • 동상, 풍화에 강하고 잡초가 자라지 않을 것 • 양산이 가능하고, 값이 저렴할 것

문제 84

도로의 종류 중 구조 및 설계 기준에 따른 분류에서 고속도로에 해당하지 않는 요소는?

① 중앙분리대가 있어야 한다.
② 주행속도가 빨라야 한다.
③ 입체교차를 원칙으로 해야 한다.
④ 완화곡선 반지름이 작아야 한다.

해설	완화곡선 • 직선도로와 곡선도로가 만날 때 갑작스런 곡면으로 인한 사고 방지를 위해서 완만한 곡선을 넣는 것 • 고속교통 일수록 완화곡선의 반지름을 크게 하여 안정성을 확보하여야 한다.

문제 85

다음 중 궤도 틀림에 대한 설명이 옳지 않은 것은?

① 궤간 틀림은 좌우 레일의 간격이 틀리는 것으로 궤간이 확대되면 차륜이 궤간 내로 빠지게 된다.
② 수평 틀림은 좌우 레일 높이면의 차이로 차량의 좌우 움직임을 일으킨다.
③ 면 틀림은 양쪽 레일의 횡방향 높이차이다.
④ 줄 틀림은 한쪽 레일의 좌우 방향이 들락날락하는 것이다.

해설	면틀림 • 한쪽 레일의 길이방향 높이차로 탈선의 요인이 된다

문제 86

다음 설명에 해당하는 교통표지의 형태로 옳은 것은?

> 도로 상태가 위험하거나 도로 또는 그 부근에 위험물이 있는 경우에 도로 사용자가 필요한 안전 조치를 할 수 있도록 알리기 위하여 설치한 표지

①  ②  ③  ④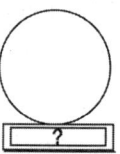

해설	주의 표지

정답 84. ④ 85. ③ 86. ①

문제 87

터널 시공시 고려사항 중에서 특별히 도심지 터널에 대한 시공 시 고려사항으로 옳지 않은 것은?

① 테러 방지 대책
② 침수 방지 대책
③ 발파폭음 방지 대책
④ 화재 방지 대책

해설
- 터널 발파공법은 도심지 터널에서는 적용하기 어려우며, 일반적으로 산악지대의 터널에 적용된다.

문제 88

터널의 종류에서 위치에 따른 분류로 옳지 않은 것은?

① 산악 터널   ② 도심지 터널   ③ 도로 터널   ④ 하천 및 해저 터널

해설
터널의 용도에 따른 분류
- 도로터널, 철도터널, 수로터널

문제 89

도로법에 의한 분류 중, 다음에 설명에 해당하는 것은?

> 주요 도시, 지정항만, 주요 공항, 국가산업단지 또는 관광지 등을 연결하여 국가간선도로망을 이루는 도로 노선

① 광역시도   ② 고속도로   ③ 일반국도   ④ 특별시도

해설
일반국도
- 주요 도시, 지정 항만, 주요 공항, 국가산업단지 또는 관광지 등을 연결하여 고속 국도와 함께 국가 간선 도로망을 이루는 도로이며 국토교통부 장관이 지정·고시하는 도로

문제 90

협궤와 비교한, 광궤의 장점으로 옳지 않은 것은?

① 차륜의 마모가 적다
② 곡선저항이 적어 산악지대 선로 선정이 용이하다
③ 수송력과 주행 안전성이 증가한다.
④ 고속 주행이 가능하다

해설

광궤 vs 협궤

광궤의 장점 (협궤의 단점)	협궤의 장점 (광궤의 단점)
- 고속 주행 가능 - 수송력, 주행안전성 증대 - 차륜 마모의 경감 - 승차감이 좋음	- 건설비와 유지 관리비의 경감 - 곡선 저항이 적어 산악지대 선로 선정 용이 (즉, 급곡선 주행 가능)

정답 87. ③   88. ③   89. ③   90. ②

문제 91

도로법에 의한 분류 중 옳은 것은?

① 고속국도 : 도로 교통망의 중요한 축을 이루며 주요 도시를 연결하는 도로로서 자동차 전용의 고속 교통에 사용되는 도로이며 국토교통부장관이 고시하는 도로
② 일반국도 : 주요 도시, 지정 항만, 주요 공항, 국가산업단지 또는 관광지 등을 연결하여 고속 국도와 함께 국가 간선 도로망을 이루는 도로이며 국토교통부 장관이 지정·고시하는 도로
③ 특별시도·광역시도 : 해당 특별시 또는 광역시의 관할 구역에 있는 도로로 해당 특별시, 광역시의 주요 도로망을 형성하는 도로이며 특별시장 또는 광역시장이 지정·고시하는 도로
④ 지방도 : 특별자치시, 시 또는 행정시의 관할구역에 있는 도로이며 특별자치시장 또는 시장이 지정·고시하는 도로

해설	지방도 • 도(道) 또는 특별자치도의 관할 구역에 있는 도로 중 해당 지역의 간선 도로망을 이루는 도로이며 도지사 또는 특별자치도지사가 지정 고시하는 도로

문제 92

도로법에 의한 도로의 분류 중, 국토교통부 장관이 그 노선을 지정 고시하는 도로를 모두 나열한 것은?

① 고속국도
② 고속국도, 일반국도
③ 고속국도, 일반국도, 특별시도·광역시도
④ 고속국도, 일반국도, 특별시도·광역시도, 지방도

해설	도로의 노선 지정권자 • 고속국도 - 국토교통부 장관 • 일반국도 - 국토교통부 장관 • 특별시도·광역시도 - 해당 특별시장, 광역시장 • 지방도 - 해당 도지사 또는 특별자치도지사 • 시도 - 특별자치시장 또는 시장 • 군도 - 해당 군수 • 구도 - 해당 구청장

문제 93

철도의 궤간 폭에 따른 분류 중 우리나라 표준 궤간 철도는 몇 cm인가?

① 106.7cm
② 143.5cm
③ 167.6cm
④ 152.5cm

해설	표준궤간 • 1,435mm

정답 91. ④ 92. ② 93. ②

문제 94

레일의 기능으로 올바르지 않은 것은?

① 차량하중을 침목이나 도상에 분포시킨다.
② 신호회로로 처리한다.
③ 원활한 주행 표면이 있어 점착력에 의한 가속력과 제동력을 분포시킨다.
④ 마찰 및 주행저항이 작을수록 좋다.

해 설 • 레일은 어느 정도의 마찰이 있어야 출발, 가속, 제동, 정지 등을 할 수 있는 주행안정성이 있게 된다.

문제 95

장대 터널 철도 공사시 유의 사항으로 올바르지 않은 것은?

① 근로 보건 관리 규정, 근로 안전 관리 규정 등 안전위생 대책을 수립하여 실시하고 총포 화약품 단속 법규를 준수한다.
② 지형, 지질, 단면, 공구연장, 공정, 환경조건을 고려하여 시공법을 선정한다.
③ 공사시 공정을 고려하여 지반 및 구조물의 변형에 대한 계측을 최소화 하도록 한다.
④ 환경 조건, 운반 조건, 공사 완료 후의 조치를 고려하여 사토장을 선정하여 운영한다.

해 설
계측의 목적
• 터널 굴착에 따른 주변 지반의 움직임과 각 지보재의 효과 파악
• 공사의 안정성 및 경제성을 확보하는 데 있음
• 향후 설계 및 공사 중 민원발생시 자료로 활용

문제 96

다음 중 천단 및 막장의 안정을 목적으로 시공되지 않는 시공법은 무엇인가?

① 훠폴링 시공   ② 록볼트 시공   ③ 숏크리트 시공   ④ 차수 공법

해 설
터널 굴착시 용수처리의 목적으로 시행
• 차수공법 – 주입공법, 동결공법, 압기공법
• 배수공법 – Deep Well 공법, Well point 공법, 막장면 물빼기 공법 등

문제 97

침매 터널 공법의 시공 순서로 바르게 나열한 것은?

ㄱ. 침매함 제작   ㄴ. 준설
ㄷ. 예인   ㄹ. 침설
ㅁ. 되메우기   ㅂ. 내부 의장

정답 94. ④   95. ③   96. ④   97. ①

① ㄱ, ㄴ, ㄷ, ㄹ, ㅁ, ㅂ
② ㄱ, ㄴ, ㄹ, ㄷ, ㅂ, ㅁ
③ ㄴ, ㄱ, ㅂ, ㄹ, ㄷ, ㅁ
④ ㄱ, ㅂ, ㄴ, ㄷ, ㄷ, ㅁ

해설	침매 터널 공법의 시공순서 • 침매함제작 → 기초/준설 → 예인 → 침설 → 되메우기 → 내부의장

문제 98

도로 설계시 기초가 되는 설계 기준 자동차에는 승용 자동차, 소형자동차, 대형자동차, 세미트레일러 등이 있다. 다음 중 소형차가 기준이 되는 도로의 설계항목에 해당하는 것은?

① 폭원
② 확폭
③ 시거
④ 종단경사

해설	설계 기준 자동차 • 시거 등의 기준 - 소형차 • 폭원, 확폭, 교차로, 종단경사 등을 결정 - 대형차, 세미트레일러

문제 99

콘크리트 도상의 특징에 대한 올바른 설명은?

① 궤도의 탄성이 크며, 충격과 소음이 적다.
② 도상의 진동이 크며, 차량이 진동이 크다.
③ 자갈 도상에 비해 보선비가 절약되며 배수가 양호하고 잡초 발생이 없다.
④ 궤도의 세척이 어려우나, 궤도가 닳을 우려가 적다.

해설	콘크리트 도상 • 보선비 절약, 배수 양호, 잡초 발생이 없다. • 도상의 진동과 차량 흔들림이 적고 궤도의 세척이 용이한 장점이 있는 반면 궤도의 탄성이 적어 충격과 소음이 크다. • 건설비가 많이 들며 레일이 닳을 우려가 있고 수리가 어려운 단점이 있다.

문제 100

선로구조물 시공에 대한 설명으로 올바르지 않은 것은?

① 노반 - 선로등급에 따른 시공기면 폭을 고려한다.
② 노반 - 중심부는 낮게, 양쪽을 약간 높게 하는 횡단기울기를 둔다.
③ 도상 - 침목을 탄성적으로 지지하고 충격을 완화하여 승차감을 좋게 해야 한다.
④ 도상 - 레일 및 침목으로부터 받은 하중을 노반에 넓게 전달해야 한다.

해설	• 노반의 형상은 중심부를 높게, 양쪽은 약간 낮게하는 횡단기울기를 둔다.

정답 98. ③ 99. ③ 100. ②

문제 101

주원이가 서울-부산간 400 km 출장을 가는데 자동차로 2시간 동안 200 km를 운전한 후, 휴게소에 들러 1시간 쉬고, 나머지 구간을 다시 2시간 동안 운전하여, 총 5시간 만에 도착했다. 이때의 '주행속도'와 '구간속도'를 순서대로 짝지은 것은?

① 100 km/h, 80 km/h
② 80 km/h, 100 km/h
③ 100 km/h, 100 km/h
④ 80 km/h, 80 km/h

해설	주행속도 vs 구간속도	
	주행속도	구간속도
	두 지점을 주행하는 데 두 지점 간의 구간 거리를 정지시간을 제외한 실제로 차가 움직인 주행시간으로 나눈 속도	두 지점을 주행하는 데 두 지점 간의 구간거리를 정지시간과 지체 시간을 포함한 여행시간으로 나눈 속도
	주행속도 $= \dfrac{구간거리}{여행시간 - 정지시간}$ $= \dfrac{400km}{4시간} = 100\,km/h$	구간속도 $= \dfrac{구간거리}{여행시간}$ $= \dfrac{400km}{5시간} = 80\,km/h$

문제 102

다음과 같은 교통 상태였을 때, 차량의 구간속도와 주행속도는 얼마인가?

> 어느 도시의 도로 2km 구간을 차량이 통과하는 데 5분이 걸렸다. 이 중 교통신호 대기로 인하여 2분을 정지하였다.

	구간속도(km/h)	주행속도(km/h)
①	48,	24
②	40,	24
③	24,	40
④	24,	48

해설	구간속도 vs 주행속도	
	구간속도	주행속도
	$= \dfrac{2km}{\frac{5분}{60분}} = \dfrac{2}{5} \times 60$ $= 24(km/h)$	$= \dfrac{2km}{\frac{(5-2)분}{60분}} = \dfrac{2}{3} \times 60$ $= 40(km/h)$

정답 101. ① 102. ③

문제 103

다음의 아스팔트 포장 단면도를 보고 옳게 표현된 것은?

```
─────────────────────
        표층
─────────────────────
         ⓐ
─────────────────────
         ⓑ
─────────────────────
         ⓒ
─────────────────────

         ⓓ

▨▨▨▨ 노 체 ▨▨▨▨
```

	ⓐ	ⓑ	ⓒ	ⓓ
①	기층	보조기층	노상	중간층
②	기층	중간층	보조기층	노상
③	중간층	보조기층	기층	노상
④	중간층	기층	보조기층	노상

해설

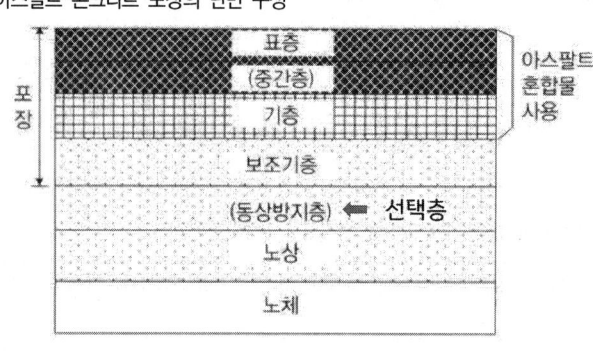

아스팔트 콘크리트 포장의 단면 구성

문제 104

다음 설명에 해당하는 아스팔트 콘크리트 포장공의 시공내용은?

입상 재료층에 점성이 낮은 역청재료를 뿌리고, 침투시켜 보조기층, 기층 등의 방수성을 높이고, 기층의 모세공극을 메워 그 위에 포설하는 아스팔트 혼합물 층과의 부착을 좋게 하기 위해 역청재료를 얇게 피복하는 것

① 택 코트
② 프라임 코트
③ 실 코트
④ 컷백 아스팔트

정답 103. ④ 104. ②

	프라임코트 vs 택코트	
해설	프라임코트	택코트
	• 이질재료(혼합골재층-아스팔트혼합물층)사이에 시공 • 보조기층(혼합골재층)과 기층(아스팔트 혼합물층)사이의 부착성과 하부에서 올라오는 수분상승 차단효과가 있음	• 동질재료(구아스팔트 혼합물층-신아스팔트 혼합물층)사이에 시공 • 역청재료 또는 시멘트 등을 사용한 하층과 아스팔트 혼합물로 된 상층을 결합시키기 위하여 역청재를 소량 살포

문제 105

다음 설명에 해당하는 터널 굴착방법은?

- 터널 단면의 일부를 굴착하여 도갱을 만들고, 이것을 넓혀가면서 터널을 시공한다.
- 터널 전방의 지질을 미리 확인할 수 있고, 도갱을 통한 용수 배출과 버력의 처리에도 유리한 공법이다.

① 중벽 분할 굴착
② 전단면 굴착
③ 선진 도갱 굴착
④ 상하 반단면 굴착

해설	선진 도갱 굴착 

문제 106

터널공법 중, 침매공법의 장점이 아닌 것은?

① 유속에 상관없이 시공할 수 있으며, 협소한 수로에 적합하다.
② 지상에서 터널 구조체를 제작하므로 터널본체의 품질이 좋고, 공사기간이 단축된다.
③ 단면형상이 비교적 자유롭고 큰 단면으로 할 수 있다.
④ 수중에 설치하므로 자중이 적고, 연약지반에도 시공이 가능하다.

	침매공법의 장·단점	
해설	장점	- 단면 형상이 비교적 자유롭다. - 깊은 수심에서도 시공이 가능하다. - 지상에서 제작하므로 터널 본체의 품질이 좋고, 공사 기간이 단축된다. - 수중에 설치하므로 자중이 적고, 연약 지반상에서도 시공이 가능하다
	단점	- 물의 흐름이 빠른 곳에는 강력한 작업 비계가 필요하며 침설 작업이 곤란하다. - 협소한 장소의 수로나 항행 선박이 많은 곳에서는 공사에 장애가 발생하기 쉽다. - 암초가 있을 때는 터널을 놓기 위한 트렌치 굴착이 곤란하다.

정답 105. ③ 106. ①

문제 107

아스팔트 콘크리트 포장층 구성을 상단부터 차례로 맞게 나열한 것은?

① 차단층, 중간층, 표층, 기층, 보조기층
② 표층, 기층, 중간층, 보조기층, 차단층
③ 표층, 중간층, 차단층, 기층, 보조기층
④ 표층, 중간층, 기층, 보조기층, 차단층

해설
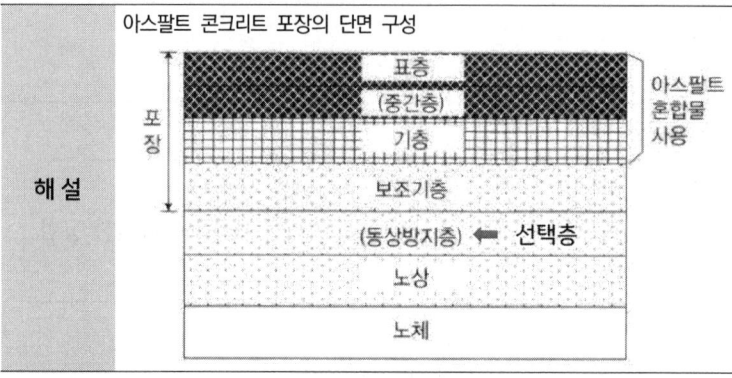

문제 108

시공 심도가 증가하고 있는 도시 내의 지하굴착 공사 시 노면교통의 확보와 지하 매설물 안전의 필요성으로, 강제 틀을 땅속에 추진시켜 수평으로 굴진하면서 세그먼트를 조립하여 터널을 형성하는 공법은?

① 벤치컷 공법   ② 쉴드 공법   ③ TBM 공법   ④ 개착 공법

해설
쉴드공법
- 터널 단면의 외경보다 약간 큰 강제의 터널 굴착기인 쉴드를 사용해 지반 토사를 수평으로 굴진하면서 세그먼트로 복공을 조립해서 터널을 형성하는 공법
- 시공 심도가 증가되고 있는 도시 터널의 시공 수단으로 개착공법(Open cut)을 대신 할 수 있어서 지하철, 상하수도, 전력, 통신, 공동구 등의 건설 공사에 활용

문제 109

옹벽 자체의 자중으로 토압에 저항하도록 3~4m 높이로 만들어진 옹벽은?

① 중력식 옹벽   ② 캔틸레버식 옹벽   ③ 부벽식 옹벽   ④ 역T형 옹벽

해설
중력식 옹벽
- 무근콘크리트(또는 석축)로 축조하는 구조물로서 옹벽 자체의 무게로써 안정을 유지
- 주로 5m 이하의 높이에서 사용

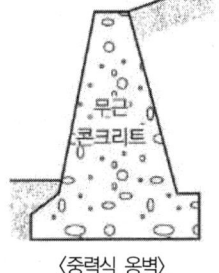
〈중력식 옹벽〉

정답 107. ④   108. ②   109. ①

문제 110

다음 철도에 관한 설명에 해당하는 것은?

> 열차의 운행 조건을 제시하여 열차의 진입, 진행 여부 및 위험의 유무 등을 알려주어 수송 능률의 향상을 도모하기 위한 것

① 철도 설계 시스템
② 선로 보호 시설
③ 철도 신호 보안
④ 철도 보선 장비

해설 철도 신호 보안
- 신호 장치, 전철 장치, 궤도 회로, 폐색 장치, 연동 장치, 자동열차정지장치, 자동열차제어장치, 자동열차운행장치 등

문제 111

다음 철도와 관련 용어에 대한 설명으로 옳지 않은 것은?

① 궤도 – 레일·침목 및 도상과 이들의 부속품으로 구성된 시설
② 슬랙 – 차량이 곡선구간의 선로를 원활하게 통과하도록 바깥쪽 레일을 기준으로 안쪽 레일을 조정하여 궤간을 넓히는 것
③ 시공기면 너비 – 도상의 한쪽 비탈머리에서 다른쪽 비탈머리까지의 수평거리
④ 캔트 – 차량이 곡선구간을 원활하게 운행할 수 있도록 안쪽 레일을 기준으로 바깥쪽 레일을 높게 부설하는 것

해설 시공기면 너비(폭)
- 노반의 한쪽 비탈머리에서 다른 쪽 비탈머리까지의 수평거리

문제 112

NATM 터널 공법의 시공 사이클에 대한 순서를 맞게 나열한 것은?

a. 천공	b. 발파	c. 장약
d. 숏크리트 타설	e. 강지보재 설치	f. 록볼트 설치
g. 라이닝 타설	h. 버력 처리	

① a → c → b → e → d → h → f → g
② a → c → b → h → e → d → f → g
③ c → b → a → g → e → d → f → h
④ c → b → a → e → d → f → g → h

해설 NATM 공법의 시공 Cycle
- 천공 – 장약 – 발파 – 버력처리 – 강지보재(강지보 또는 래티스거더)설치 – 숏크리트타설 – 록볼트설치 – 라이닝타설

정답 110. ③ 111. ③ 112. ②

문제 113

건널목의 종류(1종, 2종, 3종)에 관계없이 설치하여야 하는 건널목 설비는?

① 건널목 안전원 초소 ② 건널목 경보기
③ 건널목 차단기 ④ 건널목 교통안전 표지

해설	종별 건널목 설치 요소 • 제1종 건널목 – 차단기, 경보기, 건널목 교통안전 표지 설치, 건널목 안내원 근무 • 제2종 건널목 – 경보기, 건널목 교통안전 표지 설치 • 제3종 건널목 – 건널목 교통안전 표지만 설치

문제 114

차단기, 경보기, 표지를 설치하고 주야간 계속 작동하거나 또는 지정한 시간 동안 안내원이 근무하는 건널목은?

① 1종 ② 2종
③ 3종 ④ 4종

해설	제1종 건널목 • 차단기, 경보기, 건널목 교통안전 표지 설치, 건널목 안내원 근무

정답 113. ④ 114. ①

04

상·하수도

Ⅰ. 상·하수도의 이해
Ⅱ. 상·하수도 시설 시공 방법
예상문제 및 기출문제

Ⅰ. 상·하수도의 이해
   상·하수도 시설 계획
   상수도
   하수도

Ⅱ. 상·하수도 시설 시공 방법
   상수도의 시공
   하수도의 시공

상·하수도의 이해

상·하수도 시설 계획
상수도
하수도

04 상·하수도

학습요점

» 상수도 계획(시설물, 급수인구, 급수량)
» 하수도 계획(하수량, 하수관로 계획)

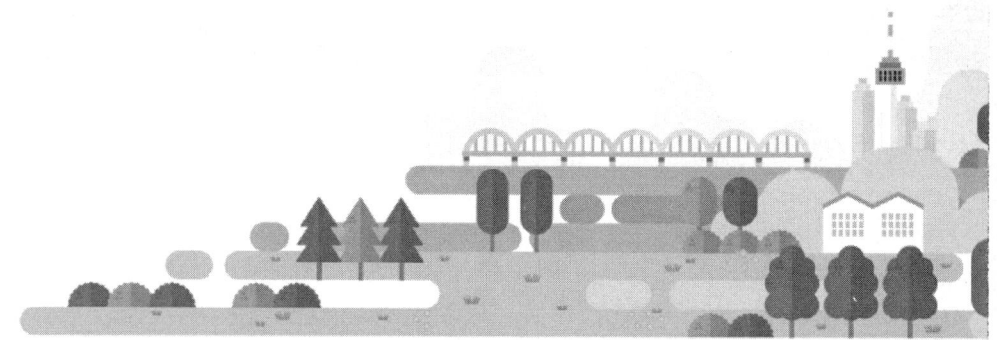

1 상·하수도 시설계획

(1) 상수도의 기본계획

① 계획기간
- 계획 목표연도 : 15~20년
- 계획연도 결정시 고려 사항
    - 채용 구조물과 시설의 내용연수
    - 시설 확장의 난이도
    - 도시의 산업발전 정도와 인구증가에 대한 전망
    - 금융사정, 자금취득의 난이, 건설비
    - 수도사업의 년차별 예상
- 상수도 시설물에 따른 계획연도

상수도 시설물	내용	계획 연차
큰 댐 및 대구경 관로	확장이 어렵고 비용이 많이 든다.	25~50년
우물, 배수관, 여과지	확장이 쉽다.	20~25년(이자율 3% 이하) 10~15년(이자율 3% 이상)
직경 30cm 이상인 관	더 작은 관으로 교체하려면 장기적으로 볼 때 교체 비용이 더 든다.	20~25년
직경 30cm 이하인 관	제한된 지역은 요구 조건이 급속히 변하므로 장기적인 안목에서 필요한 크기로 시설 전체 길이가 길기 때문에 부설 교체에 막대한 비용이 추가	개발완료 포화상태로 계획

② 급수인구의 추정
계획연도에 충분한 양의 급수량을 확보하기 위해서는 계획연도의 급수인구의 추정이 선행되어야 함
- 등차급수법
    - 적용
        연평균 인구증가 수가 일정하다고 보는 방법
        추정인구가 과소평가될 우려가 있음
        발전성이 적은 읍·면에 적합한 방법
    - 인구의 추정

$$P_n = P_0 + nq$$

여기서, P_n ; 추정인구
P_0 ; 현재연도인구
P_t ; 현재로부터 t년 전의 인구
n ; 계획연차
q ; 연평균 인구증가수 $\left(= \dfrac{P_0 - P_t}{t}\right)$
t ; 경과연수

- 등비급수법
  - 적용
    연평균 인구증가율이 일정하다고 보는 방법
    추정인구가 과대평가될 우려가 있음
    성장단계에 있는 도시, 대도시에 적용하는 방법
  - 인구의 추정
    $$P_n = P_0(1 + r)^n$$
    여기서, 연평균인구증가율 $r = \left(\dfrac{P_0}{P_t}\right)^{\frac{1}{t}} - 1$

③ **급수량**

- 급수보급률
  - 급수구역내의 총인구에 대한 급수인구의 비율을 급수보급율이라 한다.
  - 급수보급율(%) $= \dfrac{\text{급수인구}}{\text{급수구역 내 총인구}} \times 100(\%)$

- 계획 급수량의 종류
  - 1일 평균급수량 $= \dfrac{\text{연간 총 급수량}}{365}$
  - 1인 1일 평균급수량 $= \dfrac{\text{연간 총 급수량}}{365 \times \text{급수인구}}$
  - 1일 최대 급수량 = 연간 최대 사용수량을 나타내는 날의 급수량
  - 1인 1일 최대급수량 $= \dfrac{\text{1일 최대 급수량}}{\text{급수인구}}$
  - 시간최대급수량
    $= \dfrac{\text{1일 최대 급수량}}{24} \times \begin{cases} 1.3 & \text{(대도시 및 공업도시)} \\ 1.5 & \text{(중소도시)} \\ 1.8(2.0) & \text{(농촌 및 주택단지)} \end{cases}$

- 계획 급수량의 산정
  계획 급수량은 수도시설의 규모를 결정하는 기본 수량임

상주인구 1인당 1일 급수량을 추정하고, 여기에 계획급수인구를 곱하여 계획급수량을 산정하는 방법을 이용

- 계획 1일 최대급수량 = 계획 1인 1일 최대급수량 × 계획급수인구
- 계획 1일 평균급수량 = 계획 1일 최대급수량 × 0.7 (중소도시)
  × 0.8 (대도시 및 공업도시)
- 계획 1인 1일 평균급수량 = 계획 1일 평균급수량 ÷ 계획급수인구
- 계획 1일 최대급수량
  = 계획 1일 평균급수량 × 1.3 (대도시 및 공업도시)
  × 1.5 (중소도시)
  × 1.8(2.0) (농촌, 주택단지, 소도시)
- 계획시간 최대급수량
  = 계획 1일 최대급수량 / 24 × 1.3 (대도시 및 공업도시)
  × 1.5 (중소도시)
  × 1.8(2.0) (농촌, 주택단지, 소도시)

④ 계획급수량의 사용

급수량	적용 및 용도
계획 1일 평균 급수량	약품, 전력사용량의 산정, 유지관리비, 수도요금의 산정 등 수도재정계획에 활용
계획 1일 최대 급수량	수도시설의 설계규모를 결정
계획시간 최대 급수량	배수관 및 배수펌프의 직경 결정

⑤ 사용목적에 따른 급수량의 종류

- 가정용수
  - 가정에서 일상적인 생활을 할 때 사용하는 물
  - 1인당 표준 사용량은 80~100L/day
  - 수세식 화장실을 사용할 때는 1인당 약 30~50L/day가 더 필요함
- 영업용수
  - 영업하는 곳에서 사용하는 물
  - 1인당 1일 사용량은 약 15~20L/day
- 공업용수
  - 공장에서 사용하는 물
  - 공장의 종류 규모에 따라 사용량이 다름

04 상·하수도

- 공공용수
  - 관공서나 학교, 병원, 소화용수 등에 사용되는 물
  - 1인당 1일 사용량은 약 20~30L/day
- 소화용수
  - 화재의 진압에 사용되는 물
  - 소화 용수량은 도시의 성격, 소방 시설, 인구밀도, 내화성 건축물의 비율, 기상 조건 등을 기준으로 함
- 불명수량
  - 배수관이나 급수관의 접합 부분이 시공 불량, 불완전한 유지와 관리, 관내 수압상승으로 인한 누수, 그 밖의 공공시설의 누수로 발생된 물
  - 총 급수량의 10~30% 정도가 됨
- 급수량의 변화
  - 사용수량의 변동
    · 계절별
      여름인 7~8월 사이에 최대이고, 겨울인 1~2월에 최소
    · 시간별
      아침과 저녁 시간에 최대이고, 밤 1~4시 사이에 최소
    · 대도시는 소도시에 비해 수량이 크며, 공업과 문화가 발달하고 기온이 높을수록 수량이 크다.

개념 Check

❶ 상수도의 기본 계획을 수립할 때에는 해당 도시에서 상수도가 기능을 발휘할 수 있도록 (   )년의 기간을 고려하여 계획 당시의 자금 사정, 건설비, 유지 관리비, 시설의 수명 등에 의하여 결정한다.

❷ 상수도의 급수량은 기온이 올라갈수록 (감소 / 증가)하며, 사용수량은 대도시는 소도시에 비해 수량이 (작다 / 크다).

[정답] ❶ 15~20
      ❷ 증가, 크다

개념 Check

❶ 1일 최대 급수량 중 가장 많이 사용한 1시간당 급수량으로, 배수본관이나 급수 탱크 용량을 결정하는 데 활용되는 수량은 (   )이다.

❷ 대도시나 공업도시에서의 시간최대급수량은 1일 최대급수량의 한시간당 평균수량에 (   )배를 한 수량으로 한다.

[정답] ❶ 시간 최대 급수량
      ❷ 1.3

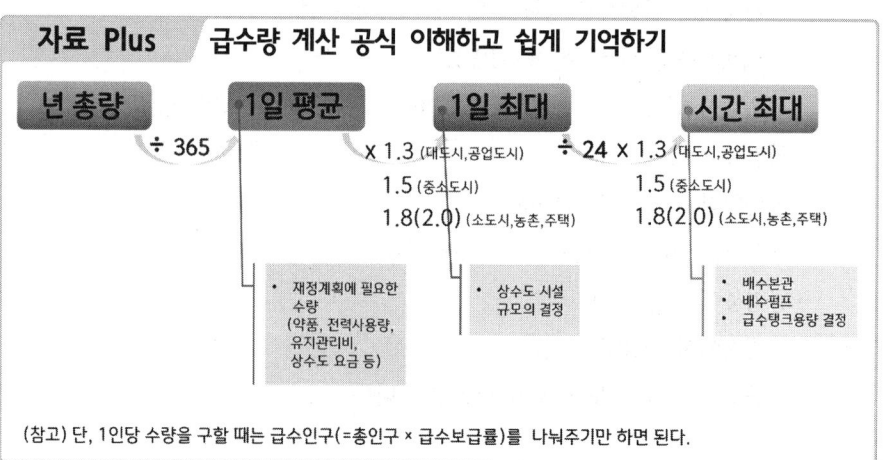

자료 Plus   급수량 계산 공식 이해하고 쉽게 기억하기

(참고) 단, 1인당 수량을 구할 때는 급수인구(=총인구 × 급수보급률)를 나눠주기만 하면 된다.

(2) 하수도의 기본계획

① 하수도 계획
- 하수도 시설의 기본계획 수립시 고려사항
  - 하수도 계획구역 및 배수계통
  - 목표연도 및 계획인구
  - 하수의 배제방식
  - 주요 간선 펌프장 및 하수처리장의 위치
  - 오수량, 지하수량, 우수 유출량의 조사
  - 지형 및 지질조사

- 계획 목표연도
  각 시설의 내용연수, 시설의 단계적 정비계획, 투자효율 등을 고려하여 일반적으로 20년 후를 목표로 함

- 계획인구
  - 계획연도에 있어 계획구역 내의 인구
  - 계획 오수량 산정의 기초가 됨

② 하수량
- 하수량의 산정
  - 하수량 = 오수량 + 우수량
  - 오수량 = 생활오수(가정오수+영업오수) + 공장폐수 + 지하수량 + 기타배수량
  - 우수량 = 계획우수량
- 계획오수량
  - 계획오수량의 종류
    생활오수량
    공장폐수량
    지하수량 : 하수관거가 지하수면 아래에 매설되어 지하수의 유입을 방지할 수 없으며, 1인 1일 최대오수량의 10~20% 정도로 가정
    기타수량(온천 배수, 축산폐수 등)
  - 계획오수량의 산정
    계획1일 최대오수량
    · 계획년도 내의 1일 최대 오수량이 계획 1일 최대 오수량이다
    · 하수처리시설의 용량을 결정하는 기초로 삼는 수량
    · 계획 1일 최대 오수량 = 계획 1인 1일 최대 오수량 × 계획인구
    　　　　　　　　　　　+ 공장폐수량 + 지하수량 + 기타배수량

계획1일 평균오수량
- 연중 총오수량을 365로 나눈 값이 1일 평균오수량이다.
- 계획년도의 1일 평균오수량을 계획 1일 평균오수량이라 한다.
- 하수처리장의 유입하수의 수질을 추정하는 기준이 된다
- 계획 1일 최대오수량의 70~80%를 기준으로 결정한다.
- 계획 1일 평균오수량 = 계획 1일 최대오수량 × 0.7(중소도시)
   × 0.8(대도시, 공업도시)

계획시간 최대오수량
- 일 중 최대의 오수가 배출되는 시간대의 오수량을 시간최대오수량이라 한다.
- 계획연도의 시간최대 오수량을 계획시간 최대오수량이라 한다.
- 관거 및 펌프장의 용량결정의 기준이 된다.
- 계획시간 최대 오수량은 계획1일 최대 오수량의 1시간당 수량에 1.3~1.8배를 해주어서 결정한다.
- 합류식에서 우천시 계획오수량은 원칙적으로 계획시간최대오수량의 3배 이상으로 한다.

③ 하수관로 계획
- 계획하수량
  - 오수관거 : 계획 시간최대 오수량
  - 우수관거 : 계획 우수량
  - 합류관거 : 계획 시간최대 오수량 + 계획 우수량
- 하수관로 내의 유속
  하수관로의 유속은 관로 내의 침전과 마모 방지를 위해 최소유속과 최대유속의 한도를 두고 있다.
  - 오수관거 : 0.6 ~ 3.0m/sec
  - 우수관거 및 합류관거 : 0.8 ~ 3.0m/sec
  - 우수 및 합류관거의 최소유속이 큰 이유는 비중이 큰 물질이 많이 흘러가기 때문이다.
  ※ 상수도 도·송수관의 유속범위 : 0.3 ~ 3.0m/sec

자료 Plus 오수량 계산 공식 이해하고 쉽게 기억하기

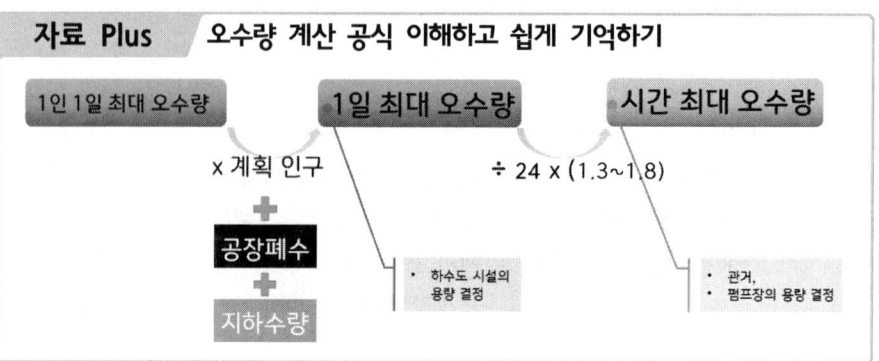

개념 Check
❶ 하수도의 각 시설의 내용연수, 시설의 단계적 정비계획, 투자효율 등을 고려하여 일반적으로 (   )년 후를 목표로 한다.
❷ 하수량은 오수량과 (   )의 합으로 정해진다.

[정답] ❶ 20
❷ 우수량

개념 Check
❶ 오수 관거에 대한 계획 하수량은 (계획 시간 최대 / 계획 1일 최대)오수량으로 정한다.
❷ 우수관거 및 합류관거 내의 침전과 마모 방지를 위해 최소유속은 (0.6 / 0.8)m/sec, 최대유속은 (   ) m/sec의 한도를 두고 있다.

[정답] ❶ 계획 시간 최대
❷ 0.8, 3.0

2 상수도

(1) 상수도의 역할

① 상수도의 정의
- 상수도란 양질의 물을 필요한 수량만큼 적소에 공급하기 위한 시설의 총체
- 도관 및 기타 공작물을 사용하여 원수 또는 정수를 공급하는 시설물의 총체

② 상수도 설치의 효과
- 보건위생상의 효과
- 생산성 증가의 효과
- 소방상의 효과

(2) 상수도의 구성

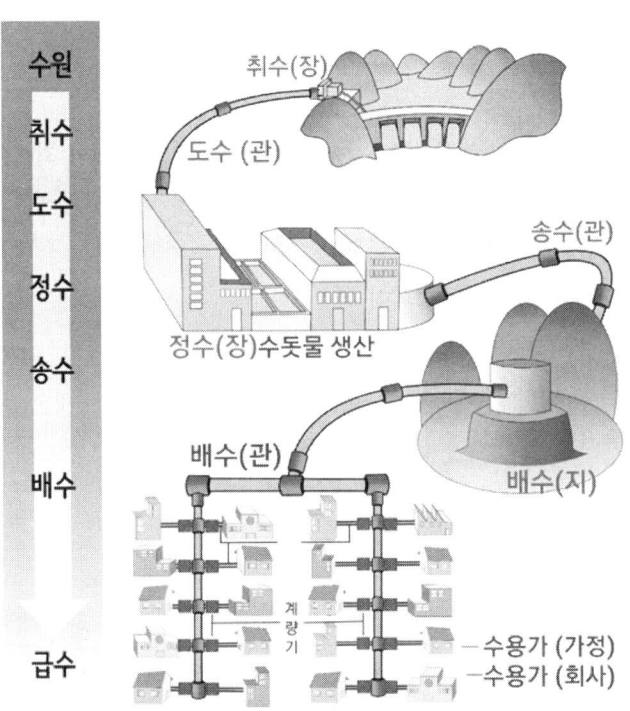

학습요점
» 상수도의 구성
» 수원의 종류
» 상수도 수질

> **개념 Check**
>
> ❶ 상수도는 수원→취수→( )→정수→( )→배수→급수의 단계로 구성된다.
> ❷ 상수도의 구성요소 중, ( )는 정수된 물을 급수구역에 적정수압을 확보하여 보내주는 시설을 말한다.
>
> [정답] ❶ 도수, 송수
>   ❷ 배수

① 수원 - 상수원의 원료가 되는 물로 상수도의 공급원
② 취수 - 수원으로부터 필요 수량을 취입하는 시설
③ 도수 - 수원에서 취수한 원수를 정수장으로 보내는 시설
④ 정수 - 수원에서 취수한 원수의 수질을 용도에 맞도록 정화시키는 시설
⑤ 송수 - 정수된 물을 배수시설까지 유송해 주는 시설
⑥ 배수 - 정수된 물을 급수구역에 적정수압을 확보하여 보내주는 시설
⑦ 급수 - 각각의 사용자에게 정수 처리된 물을 공급하는 시설

(3) 수원

① **수원의 종류**
- 천수
  - 우수, 눈 등을 총칭한 강수
  - SO_2, CO_2, 먼지, 부유 분진, 세균 등을 함유하게 되어 오염되고 수량도 적고 일정하지 않으므로 상수원으로 부적당
  - 도서 지방이나 특수 지역에서 사용
- 지표수
  - 하천수, 호소수, 저수지수
  - 하천수
    · 하천수를 수원으로 선정할 때는 갈수량을 기준으로 함(하천의 최대갈수량 ≥ 계획취수량)
    · 대규모 상수원으로 가장 많이 이용
    · 용존산소가 풍부하여 자정능력이 큼
    · 주위의 오염원으로부터 오염가능성이 큼
  - 지표수의 특징(지하수에 비해)
    · 부유성 유기물이 풍부
    · 공기 성분이 용해되어 있음
    · 경도가 작은 단물임
- 지하수
  지하수는 유기물 및 무기 불순물이 세균에 의해 정화되어 수질상태가 양호하며 이때 생성되는 CO_2등이 물속에 용해되어 경도가 높은 것이 특징
  - 복류수 : 하천이나 호수의 바닥, 변두리의 자갈 모래층에 함유되어 있는 물
    · 지표수와 지하수 양쪽의 중간 성질을 갖고 있음
    · 지표수에 비해 다소 여과되어 수질이 양호하여 대개 침전지를 생략함

- 용천수 : 피압 지하수면이 지표면 상부에 있을 경우 지하수가 우물로부터 용출하는 물
  · 피압면 지하수가 지반의 약한 면을 뚫고 지표에 솟아나온 물
- 천층수 : 지하로 침투한 물이 제1불투수층 위에 고인 자유면 지하수
  · 공기 투과가 양호하여 산화작용이 활발하게 진행
  · 오염원으로부터 노출되어 있음
- 심층수 : 제1불투수층과 제2불투수층 사이의 피압면 지하수
  · 대지의 정화작용에 의해 거의 무균상태에 가까운 물

② 수원의 특성
- 수원의 구비조건
  - 수량이 풍부한 곳
  - 수질이 양호한 곳
  - 계절적으로 수량 및 수질의 변동이 적은 곳
  - 가능한 한 자연유하식을 이용할 수 있는 곳
  - 주위에 오염원이 없는 곳
  - 소비지로부터 가까운 곳

개념 Check

❶ 지하수 중, (　　)는 하천이나 호수의 바닥, 변두리의 자갈 모래층에 함유되어 있는 물을 말하며, 지표수에 비해 다소 여과되어 수질이 양호하여 대개 침전지를 생략한다.

❷ 수원으로서 갖추어야 할 구비조건중 하나는, 가능한 한(**자연유하식** / 가압식)을 이용할 수 있는 곳이어야 한다는 것이다.

[정답] ❶ 복류수
　　　 ❷ 자연유하식

(4) 상수도 수질

① 1급수 – 소독하지 않고 간단한 여과 장치만으로 식수로 사용
② 2급수 – 침전 여과 및 염소 소독 등 일반 정수 처리를 거쳐 수돗물로 사용
③ 3급수 – 일반 정수 후, 오존 처리 등 고도의 정수과정을 거쳐야 식수로 사용
④ 4급수, 5급수 – 공업 용수나 농업 용수로 사용

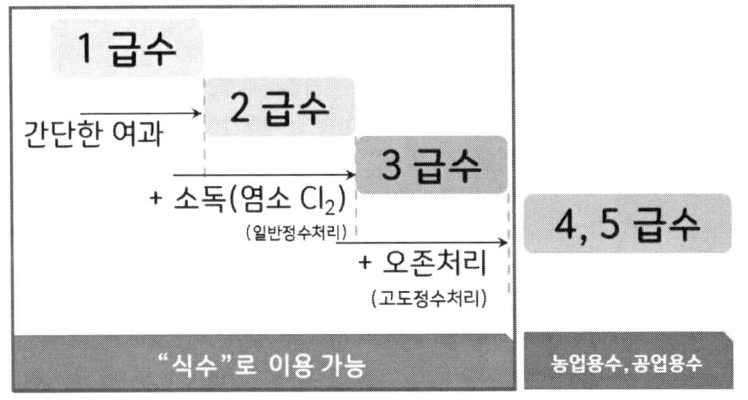

04 상·하수도

⟨하천의 생활환경기준(환경정책기본법 시행령)⟩

등급		상태 (캐릭터)	기준			등급별 수질 및 수생태계 상태
			수소이온농도 (pH)	생물화학적산소요구량 (BOD) (mg/L)	화학적산소요구량 (COD) (mg/L)	
매우 좋음	Ia		6.5~8.5	1 이하	2 이하	용존산소가 풍부하고 오염물질이 없는 청정상태의 생태계로 간단한 정수처리 후 생활용수 사용
좋음	Ib		6.5~8.5	2 이하	4 이하	용존산소가 많은 편이며, 오염물질이 거의 없는 청정상태에 근접한 생태계
약간 좋음	II		6.5~8.5	3 이하	5 이하	약간의 오염물질은 있으나 용존산소가 많은 상태의 다소 좋은 생태계로 일반적 정수처리후 생활용수 또는 수영용수 사용
보통	III		6.5~8.5	5 이하	7 이하	용존산소를 소모하는 오염물질이 보통수준에 달하는 일반 생태계로 고도의 정수처리후 생활용수로 이용하거나 일반적 정수처리후 공업용수 사용
약간 나쁨	IV		6.0~8.5	8 이하	9 이하	상당량의 용존산소를 소모하는 오염물질이 있어 영향을 받는 생태계로 농업용수로 사용하거나, 고도의 정수처리후 공업용수로 이용
나쁨	V		6.0~8.5	10 이하	11 이하	과량의 용존산소를 소모하는 오염물질이 있어 물고기가 드물게 관찰되는 빈곤한 생태계로 산책 등 국민의 일상생활에 불쾌감을 유발하지 않는 한계이며, 특수한 정수처리후 공업용수 사용
매우 나쁨	VI			10 초과	11 초과	용존산소가 거의 없는 오염된 물로 물고기가 살 수 없음

개념 Check

❶ 침전 여과 및 염소 소독 등 일반 정수 처리를 거쳐 수돗물로 사용가능한 물은 (2급수 / 3급수)이다.
❷ 환경정책기본법 시행령에 의하면, 수질 및 수생태계 상태를 전체 ( )개의 등급으로 구분하여 하천의 생활환경기준을 정하고 있다.

[정답] ❶ 2급
❷ 7

① 수질 오염
- 인위적인 요인에 의해 자연 수자원이 오염되어 이용 가치가 저하되거나 피해를 주는 현상으로 하천, 호소, 항만 해역 등의 자연수역에 폐물질이 유입되어 일으키는 오염
- 수질 및 수생태계 환경 기준(2017년 4월 25일부터 시행)에 의해, 수역은 하천과 호소로 구분하고, 항목은 생활 환경 항목과 건강 보호 항목을 구분하고 생활환경 항목은 7등급으로 구분하여 단계별로 목표를 설정

② 수질 검사
- 물리적 검사
  - 탁도
    · 물의 맑고 흐린 정도를 나타내는 것
    · 백도토 1mg이 증류수 1L에 포함되어 있을 때의 탁도를 1도(1ppm)로 함
    · 우리나라 기준은 2도 이하
  - 색도
    · 물의 색의 정도를 나타낸 것으로 백금 1mg을 포함한 색도 표준액을 증류수 1L에 용해시켰을 때의 색상을 1도라 한다.
    · 우리나라 기준은 5도 이하이다
- 화학적 검사
  - pH값
    · 물의 액성(산성, 중성, 알칼리성)의 정도를 나타내는 지표
    · 물 1L 중에 용존하는 이온수
    · pH < 7 : 산성
    · pH = 7 : 중성
    · pH > 7 : 알칼리성
  - 알칼리도
    · 수중에 포함되어 있는 알칼리분(수산화물 탄산염, 중탄산염)을 탄산칼슘으로 환산해서 1L 중의 mg량(ppm)으로 표시
  - 산도
    · 수중의 탄산, 유기산 등을 중화시키는 데 필요한 알칼리를 탄산칼슘의 양(ppm)으로 표시
  - 유리탄산
    · 수중에 용해되어 있는 이산화탄소의 양
  - 질소
    · 암모니아성질소, 알부노이드질소, 질산성질소 등이 있음
  - 염소이온
    · 하수나 시뇨 또는 공장폐수에 다량 함유하므로 오염의 지표가 됨
  - 황산이온

- 분뇨, 화학 비료, 광산 폐수, 공장 폐수의 혼입에 의해 증가하고, 권석을 만들고, 콘크리트나 철관을 부식시킴
- 생화학적 산소요구량(BOD)
  - 수중 유기물이 호기성으로 분해할 때에 소비되는 용존 산소량
  - biochemical oxygen demand
  - 물이 오염된 정도를 나타내는 지표로, 호기성(好氣性) 박테리아가 일정기간(보통 섭씨20도에서 5일간) 동안 수중의 유기물을 산화·분해시켜 정화하는 데 들어가는 산소량을 ppm(백만분율)으로 나타낸 것이다.
  - 물의 오염이 많이 진행되었을수록 유기물의 양이 많기 때문에 그만큼 박테리아 분해에 소비되는 산소량도 증가한다. 즉 BOD가 높을수록 오염이 많이 진행된 물이다. 1 ℓ 의 물에 1mg의 산소가 필요한 것을 1ppm이라 하는데 일반적인 하천에서는 5ppm이 되면 자정(自淨)능력을 잃으며 10ppm을 넘으면 악취가 난다
- 용존산소(DO)
  - 수중에 용해되어 있는 산소량
  - Dissolved Oxygen
  - 오염된 물일수록 적다
  - 온도가 높은 물일수록 적다
  - 교란상태가 큰 물일수록 크다
  - BOD가 큰 물일수록 적다
- 잔류염소
  - 염소 처리 후 수중에 잔존하는 염소량
- 증발잔류물
  - 105℃에서 증발 건조시킬 때 최후에 남는 고형물
- 화학적 산소요구량
  - 수중의 유기물을 화학적으로 산화하는 데 필요한 산소량
- 경도
  - 물 속의 칼슘(Ca), 마그네슘(Mg)의 이온량을 이에 대응하는 탄산칼슘의 ppm으로 환산하여 표시한 값
  - 물의 단단한 정도, 비누 소비량

• 세균학적 검사
  검수 1cc(1mℓ) 중에 함유되어 있는 일반 세균수로 확인
• 생물학적 검사
  수중 생물의 종류와 수를 조사하여 물의 오염도 추정, 침전 및 여과 효율의 판정, 냄새와 맛의 원인 발견, 정수 방법의 검토, 저수지의 조류 제거 방법을 모색

개념 Check

❶ (BOD / COD)는 수중 유기물이 호기성으로 분해할 때에 소비되는 용존 산소량을 의미한다.
❷ 우리나라는 수질 검사의 기준 중, 탁도는 (   )도 이하, 색도는 (   )도 이하로 정하고 있다.

[정답] ❶ BOD
❷ 2, 5

3 하수도

(1) 하수도의 역할
① 생활환경의 개선과 수질 보전에 의한 수자원보호
② 보건 위생 유지
③ 토지 이용 증대
④ 구조물의 내용 연수 증대
⑤ 하천 정화
⑥ 도시 환경 개선
⑦ 물의 가치 향상을 도모
⑧ 도시재해 방지

(2) 하수도의 구성
① 집배수 시설 – 오수와 우수를 모으는 시설(관거시설)
② 하수 처리 시설 – 모인 하수를 정화하는 시설(처리장 시설)
③ 방류 시설 – 정화된 물을 하천이나 해안으로 방류하는 시설(펌프장, 토구 등)
④ 처분 시설

학습요점
» 하수도의 구성
» 하수도 배수계통
» 하수도의 배제방식
» 하수도의 수질

● 하수 처리 시설 선정시 유의 사항
• 평균 수질 및 평균 유량
• 수질 및 유량의 변동 범위
• 처리 구역 내 공장 등에 의한 배출 유량 및 수질의 변화
• 처리 구역 내 확장 및 신설이 예상되는 공장 배수량
• 수로의 이용 등의 방류 수역의 현재 및 장래 이용 상황
• 처리장의 입지 조건
• 건설비
• 유지관리비
• 운전의 난이도 등

자료 Plus — 하수관거

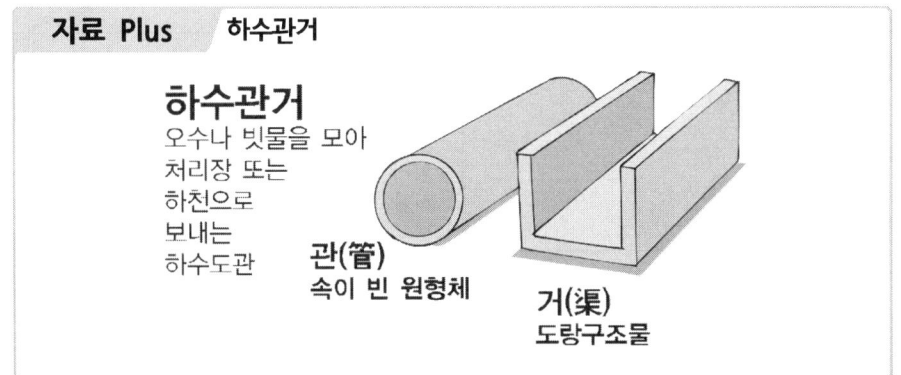

하수관거: 오수나 빗물을 모아 처리장 또는 하천으로 보내는 하수도관
- 관(管): 속이 빈 원형체
- 거(渠): 도랑구조물

(3) 하수도의 배수 계통

배수계통	개념도	특 징
직각식	<분류식> / <합류식>	• 도시 중앙에 큰 강이 흐르거나 해안을 따라 개발된 도시에 유리 • 하천유량이 풍부할 때 하수의 배제가 가장 신속하고 경제적인 방식 • 많은 수의 토출구가 필요하며 역류에 대비해야 하는 결점
차집식	<분류식> / <합류식>	• 하수를 방류할 하천 유량이 하수량을 배출하기에는 부족하여 하천 오염이 심할 것으로 예상되는 경우에 설치 • 토구수가 많아지는 직각식의 단점을 보완한 방법 • 하천을 따라 차집거를 설치하여 우수는 방류하고 오수는 처리장으로 보내는 방식
다단식		• 높이가 다른 층을 이루는 도시에서 층별 하수를 모아서 처리하는 방법
집중식		• 펌프 양수식을 말함
선형식		• 전 지역의 하수를 나뭇가지 형으로 배치된 배수 계통을 통하여 한정된 한 장소로 집수한 후 처리하는 방법 • 지형이 한쪽 방향으로 경사져서 나뭇가지(수지상) 형상으로 배치된 방식 • 지세가 단순한 곳에서는 경제적이지만 하수 간선이나 펌프장들이 집중된 대도시에는 부적합한 방식
방사식		• 여러 배수 구역으로 나누어 중앙으로부터 방사형으로 배관하여 각 분할 구역별로 배수와 하수를 처리하는 방법 • 처리장이 많아지는 결점이 있어 대도시에 적합하며, 중·소 도시에는 부적합

<범례> 처 : 처리장
◇ : 우수토관
P : 펌프장

(4) 하수도의 배제 방식

① 분류식
- 오수와 우수를 별개의 하수관거에 의하여 배제하는 방식

② 합류식
- 오수와 우수를 하나의 관거로 배제하는 방식

③ 하수배제방식의 특징

	합류식	분류식
장점	- 검사 보수가 쉽다. - 세척이 편리하다. - 공사비가 적게 들고 시공이 쉽다. - 공공 하수와 시설 하수의 연결이 쉽다. - 우수에 의한 오수의 희석 배율이 크다.	- 방류 수역의 오염을 줄일 수 있다. - 관거 단면이 작아 시공이 쉽다. - 처리량이 일정하여 일관성 있는 처분이 가능하다. - 일정량의 오수가 항상 관을 통해 흐르므로 오물의 침전부패가 없다.
단점	- 미처리 방류로 수역을 오염시킬 염려가 있다. - 갈수기에는 고형 물질이 하수관에 많이 퇴적되어 부패한다. - 강우 발생 시에는 처리장에 부하를 가중시킨다. - 갈수기에 침전되어 하수의 고형화가 일어난다. - 강우 시에 물질이 공공 수역으로 일시에 유출한다. - 처리 용량 및 펌프의 용량이 일정하지 않아 처리 수질의 변동이 크다.	- 지하 매설물이 많은 시가지에 시공이 어렵다. - 강우 발생 초기에 오염도가 높은 노면 배수가 우수 관거를 통해 직접 공공 수역으로 방류된다. - 오수와 우수의 배출 설비의 접속을 잘못하는 오류를 발생하기 쉽다. - 관거의 부설비가 많이 든다. - 오수 관거의 세척이 어렵고 관리 운영이 복잡하다.
개념도	오수와 빗물을 동일한 관거로 수송하는 방식 (합류맨홀, 정화조, 우수토실, 합류관(빗물+오수), 빗물토구, 하수처리장, 하천, 처리수)	오수와 빗물을 별개의 관거로 수송하는 방식 (오수관, 오수받이, 오수맨홀, 빗물관, 빗물토구, 하수처리장, 하천, 처리수)

04 상·하수도

개념 Check

❶ 강우 발생 초기에 오염도가 높은 노면 배수가 우수관거를 통해 직접 공공수역으로 방류되는 단점이 있는 하수배제방식은 (합류식 / **분류식**)이다.

❷ 많은 비가 내릴 때 하수처리장 용량 이상의 빗물을 오수와 구분하여 하천으로 방류하는 시설은 ( )이며, 이것은 (분류식 / **합류식**)하수도에 해당하는 시설이다.

[정답] ❶ 분류식
❷ 우수토실, 합류식

자료 Plus 우수토실

우수토실이란? 오수와 우수 합류식 하수 관로 시스템에서 평상시 우수가 없거나 적을 때에는 오수를 관로를 통해 하수처리장으로 보내다가 홍수시에 관로용량이 부족할 때는 빗물의 전부 또는 일부를 하수처리장으로 보내지 않고 하천으로 방류하는 장치 또는 시설을 말한다.
- 관로의 단면을 줄이고, 배수펌프장이나 하수처리장의 부담을 줄이기 위해 설치

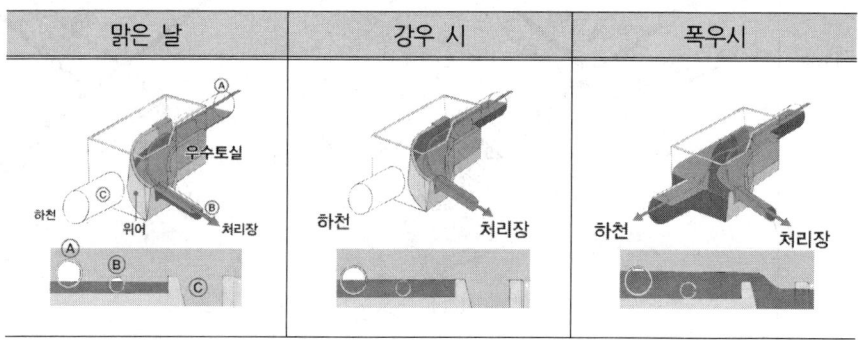

분류식 하수도에서는 처음부터 빗물과 오수가 분리되므로 우수토실이 필요없다.

(5) 하수도의 수질

① 하수 수질 시험
- 온도, 투시도, pH 값
- 증발 잔유물
  - 105℃ 건조로에서 증발 건조시킬 때 최후에 남는 고형물이다
- 작열 잔유물
  - 증발 잔유물을 태워서 잔류하는 물질
  - 작열 잔유물 $(ppm) = b \times \dfrac{1000}{검수(cc)}$
- 부유 물질
  - 부유 물질 $(ppm) = a \times \dfrac{1000}{검수(cc)}$
- 용존성 물질
  - 용존성 물질 $(ppm) = a \times \dfrac{1000}{검수(cc)}$
    여기서, a ; 검수 중 용존성 물질의 양
- 산소 포화 백분율
  - 산소 포화 백분율 $(\%) = b \times \dfrac{D.O \times 1000}{D.O.T}$

    여기서, $D.O(ppm)$; 용존 산소
    $D.O.T$; 동일 온도와 기압에서의 순수한 물의 포화 용존 산소
- 생물화학적 산소요구량(BOD)
  - 수중 유기물이 호기성으로 분해할 때 소비되는 용존 산소량으로 오수의 오염도를 나타내는 지표
  - 분해 가능한 유기 물질을 20℃에서 5일간 안정화하는 데 박테리아가 소비하는 산소량으로 정의
  - 가정 하수의 경우 BOD는 100~400mg/L의 범위에 있음
- 화학적 산소요구량(COD)
  - 수중의 유기물을 화학적으로 산화하는 데 필요로 하는 산소량으로 폐수의 오염도를 나타내는 지표
  - 중크롬산염이 황산용액과 반응하여 산소를 감소시키는 폐수 중의 유기물량을 측정
  - 오염원으로 되는 물질이 산화하여 유기성 산화물과 가스로 되며, 소비되는 산화제에 대응하는 산소량을 ppm으로 나타낸 것
- 암모니아성 질소
  - 유기물이 박테리아에 의하여 분리되어 발생하는 암모니아의 질소량을 측정하여 하수처리의 지표로 함

- 아질산성 질소 및 질산성 질소
  - 아질산성 질소는 암모니아성 질소와 질산성 질소의 중간 생성물로서 불안정하며, 산화되면 질산성 질소가 됨
  - 아질산성질소가 존재하면 하수가 변질된 상태라는 것을 의미
- 황화물
  - 하수 중의 분뇨와 식재료의 부패에 의하여 발생하는 황화물은 암모니아와 함께 존재
- 기타
  - 생물학적 시험, 콜로이드성 물질, 유·무기물질 시험 등

② 슬러지 시험
- 색과 냄새, 온도와 비중, 활성 슬러지의 침전율, 슬러지 지표, 슬러지 일령, pH값, 증발 잔유물과 수분, 작열 잔유물, 질소 총량, 암모니아성 질소, 칼륨 등을 시험

③ 방류수 수질기준(단위 : mg/ℓ)

구분	생물학적 산소요구량 (BOD)	화학적 산소요구량 (COD)	부유물질량 (SS)
하수종말 처리장	20이하	40이하	20이하
폐수종말처리장	30이하	40이하	30이하

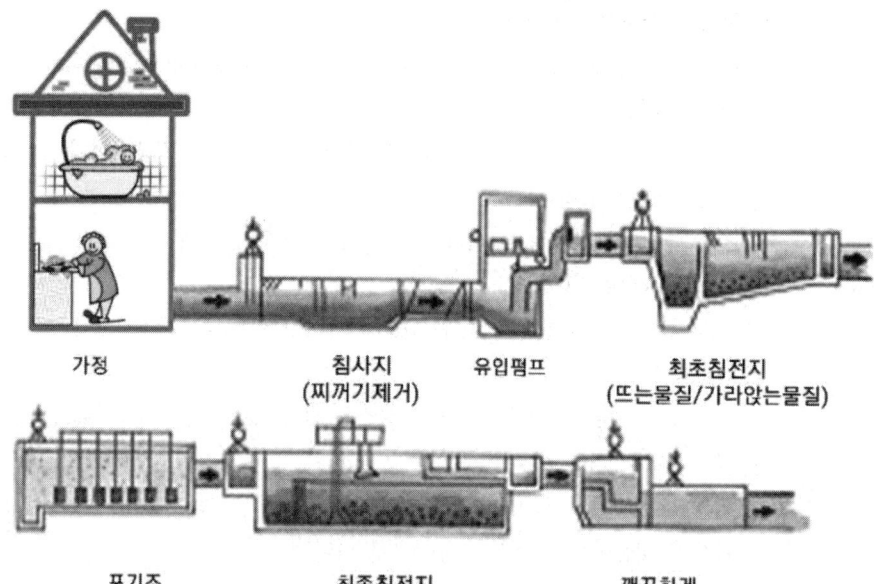

〈하수 처리 과정〉

개념 Check

❶ (BOD / **COD**)는 수중의 유기물을 화학적으로 산화하는 데 필요로 하는 산소량으로 폐수의 오염도를 나타내는 지표이다.
❷ 생물학적 산소요구량의 하수종말처리장의 방류수 수질기준은 ( ) ppm 이하이다.

[정답] ❶ COD
      ❷ 20

상·하수도 시설 시공 방법

상수도의 시공
하수도의 시공

04 상·하수도

학습요점
- 취수시설
- 도수 및 송수시설
- 정수시설
- 배수시설
- 급수시설

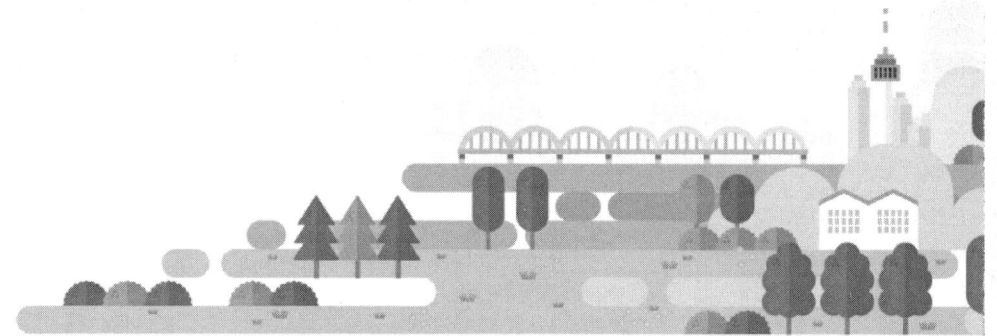

1 상수도의 시공

(1) 취수 시설 공사

① 취수 지점의 구비 조건
- 수질이 깨끗하고, 수량이 충분해야 함
- 수량 변동폭이 적고, 앞으로 오염될 우려가 적어야 함
- 해수의 혼입이 없고 안전하며 취수와 관리가 쉬워야 함
- 취수할 때 모래가 혼입되지 않아야 함
- 결빙 우려가 없어야 함
- 최대 홍수 시와 최대 갈수 시에도 취수를 할 수 있는 취수구의 높이를 가져야 함

② 취수 설비
- 취수관
  - 하천이나 호수의 수위 변동이 적은 곳에 사용
  - 하천의 흐름에 지장이 없고 취수구의 유입 속도는 토사 유입을 방지하기 위하여 15~30cm/sec 정도이고 자연유하 시킴
  - 취수구는 최대 갈수 시에도 취수를 위해 취수구를 갈수위보다 30cm 낮추어 하천 바닥에 설치
- 취수탑
  - 하천, 저수지, 호수에서의 수위 변화에 따라 취수가 가능하도록 여러 개의 취수구를 설치
  - 계획 최고 수위보다 1~1.5m 정도 높아야 함
  - 유입속도는 하천에서 15~30cm/sec, 호소나 저수지 1~2m/sec 정도
  - 취수구에는 부유물의 혼입을 방지하기 위하여 거름망(screen)을 설치
- 취수문
  - 하천의 하안이나 제방에 직접 취수구를 설치하여 취수하는 방법
  - 취수 지점의 표고가 높아 자연 유하식으로 도수할 수 있는 곳에 설치
  - 유입 속도는 1m/sec 이하가 되도록 취수문의 크기를 정함
- 취수틀
  - 하상이나 호소 밑바닥에 설치된 직사각형 수중 틀에 취수구를 연결하여 취수구에 물을 받는 시설
- 취수보
  - 하천의 흐름 방향에 직각으로 댐을 축조하여 물을 막고 하천의 수위를 높여 수문에 의해 조절되는 취수구로 물을 받는 시설
  - 하천의 유량이 불안정한 경우에 많이 사용

(2) 도수 및 송수 시설 공사

도수관로 : 취수 시설에서 정수장까지 가는 관거를 말함
송수관로 : 정수장에서 배수지 배수탑 혹은 고가 수조까지 가는 관거

① 도수 및 송수 방식
수원에서 정수장, 정수장에서 배수장 사이의 고저차, 계획 도·송수량, 그리고 지형 조건을 비교 검토 후 결정

- 자연유하식
  - 도수 및 송수가 안전하고 확실
  - 유지 관리가 용이하고 비용이 적게 듬
  - 수원의 위치가 높고 도수로가 길 때 특히 적당함
  - 반면에 수로가 길어지면 건설비가 많이 듬
  - 개거의 경우, 외부로부터의 수질 오염 우려가 있음
- 가압식
  - 경사에 관계없이 도수로를 짧게 할 수 있어 건설비를 절감 가능
  - 수원을 급수 지역 가까운 곳에서 자유로이 선택 가능
  - 외부로부터 오염의 우려가 없음
  - 관수로만 이용할 수 있으며 수압으로 인한 누수의 우려가 큼
  - 전력 등의 유지 관리비가 많이 들며, 도수의 안정성이 없음
  - 정전이나 펌프의 고장 등으로 인한 송수의 안정성과 확실성이 떨어짐

② 송수관로의 구분
- 개수로 유송
  - 개수로의 흐름은 수로 단면의 형태에 관계없이 자유 수면을 가지고 중력차에 의하여 흐르는 수로, 하수도의 유송에 보편적으로 사용되는 수로
  - 개수로 흐름의 특성에 따른 분류

분류	내용
층류 (laminar flow)	유체가 평행한 층을 이루어 흐르며 이 층 사이가 붕괴되지 않음을 의미
난류 (turbulent flow)	불규칙하게 움직이면서 서로 섞이는 흐름이다. 난류는 한 점에서 속도의 크기와 방향이 계속해서 변함 흐름이 잔잔하다 할지라도 바람이나 강은 일반적으로 난류이며 전체적인 흐름이 일정한 방향으로 움직이더라도 공기 또는 물은 소용돌이를 침
등류 (uniform flow)	정상류 중에서 흐름의 상태가 **장소**에 따라 변하지 않는 흐름을 의미
부등류 (nonuniform flow)	관길이나 물길의 매 단면에서 물 따위의 흐름 속도가 다른 흐름을 의미
정류	흐르고 있는 유체 안의 모든 곳에서 유체의 속도가 **시간**에 상관없이 일정한 크기와 방향을 유지하는 흐름을 의미
부정류	속도, 압력, 방향 따위가 일정하지 아니하고 자주 변하는 흐름을 의미

개념 Check

❶ 하천, 저수지, 호수에서의 수위 변화에 따라 취수가 가능하도록 여러 개의 취수구를 설치한 취수설비는 (　　　)이다.
❷ 경사에 관계없이 도수로를 짧게 할 수 있어 건설비를 절감 가능하나 전력 등의 유지 관리비가 많이 들며, 도수의 안정성이 없는 특징이 있는 도수방식은 (**자연유하식 / 가압식**)이다.

[정답] ❶ 취수탑
　　　❷ 가압식

- 관수로 유송
  - 관수로 단면을 가득 채워서 압력차에 의하여 유송하는 수로
  - 관수로 내 흐름에서의 수두 손실
    · 마찰 손실은 관 마찰에 의한 주 손실
    · 미소 손실은 흐름 단면의 급 확대로 인한 손실, 단면의 급 축소로 인한 손실, 유입에 의한 입구 손실 등
    · 미소 손실도 감속 또는 가속에서 발생하는 에너지 손실, 속도 수두에 비례

● 최소 동수 구배선
시점 수조의 최저수위(L.W.L)에서 종점 수조의 최고수위(H.W.L)를 연결한 선

개수로식	관수로식
• 자연 수면이 있다.	• 만류로 흐른다.
• 중력차에 의해 흐른다.	• 압력에 의해 흐른다.
• 수량이 많을 때 사용한다.	• 주철관, 강철관을 사용한다.
• 오수 침입 우려가 있다.	• 수압에 의한 누수가 있다.
• 유지 관리가 쉽다.	• 유지 관리가 어렵다.
• 관리비가 적게 든다.	• 관리비가 많이 든다.

자료 Plus 관로 노선의 선정

① 원칙적으로 공공도로 또는 수도용지로 한다.
② 수평이나 수직의 급격한 굴곡을 피하고, 어느 경우라도 "최소 동수 구배선 이하" 가 되도록 하는 것이 원칙이다.
③ 만약, 관로가 최소 동수 구배선 위에 있을 경우에는 상류측 관경을 크게 하거나, 하류측 관경을 작게 한다. (동수구배선 상승 효과)
④ 동수구배선을 인위적으로 상승시킬 경우, 관내 압력경감을 목적으로 접합정이나 감압밸브를 설치하도록 한다.

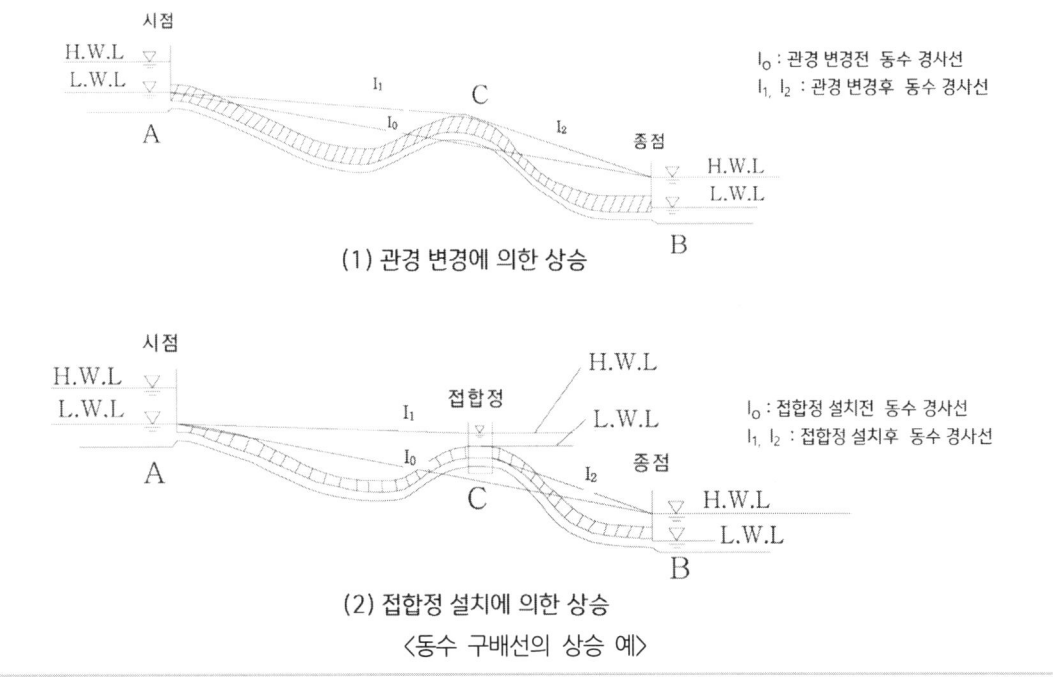

(1) 관경 변경에 의한 상승

(2) 접합정 설치에 의한 상승

〈동수 구배선의 상승 예〉

③ 송수노선의 결정

  송수 노선은 일반적으로 최소의 저항으로 송수하고, 경제적으로 최소의 공사비가 드는 지점을 선정
- 가급적 단거리여야 한다.
- 이상 수압을 받지 않아야 한다.
- 급격한 굴곡을 피한다.
- 공사비를 절감할 수 있는 장소여야 한다.
- 몇 개의 노선에 대해서 건설비 등의 경제성, 유지 관리의 난이도 등을 비교·검토한다.

④ 송수관로
- 송수 방식이 자연 유하식인지 또는 가압식인지에 따라 차이
- 같은 자연 유하식일지라도 원수냐 정수냐에 따라 다름
- 지형·지질에 따라서도 다름
- 종류는 개수로(open channel), 터널(tunnel), 관로(pipe line) 등이 있음

⑤ 관의 종류
- 강관
  - 대표적 상수도관으로 이용
  - 인장강도가 매우 크고 충격에 강하여 압력관에 적합
  - 전식, 부식에 약한 단점
- 주철관
  - 부식에 대한 저항성이 큼
  - 이형관의 제작이 용이
  - 충격에 약하여 두께의 보강으로 중량이 무거움
  - 시공성이 떨어짐
- 경질염화비닐관(PVC관)
  - 산, 알칼리에 침식 없음
  - 가볍고 시공성이 좋음
  - 열에 약하고, 온도에 따른 신축이 큼
  - 주로 급수관 등에 이용
- 원심력 철근콘크리트관(Hume관)
  - 대표적 하수도관으로 이용
  - 원심력을 이용하여 외압에는 강하지만 내압에 약하여 개수로에 이용하면 성능이 뛰어난 관

⑥ 관의 매설 위치와 깊이
- 매설깊이 결정 시 고려사항
  - 수압
  - 매설토의 하중
  - 차량 등에 의한 윤하중
  - 동결깊이
  - 지하수위의 부상
- 매설깊이
  - 직경 900mm 이하는 120cm 이상으로 매설
  - 직경 1,000mm 이상은 150cm 이상으로 매설
  - 한랭지에서는 동결심도보다 20cm 이상 깊게 매설

⑦ 송수관로 부대 설비
- 침사지
  - 원수와 함께 유입되는 큰 현탁물질이나 모래 등을 미리 제거시키기 위함
  - 취수구 바로 부근에 침사지 설치
- 양수정(guaging well)
  - 송수관로의 시점과 종점에 설치하여 송수량을 측정, 이 두 곳의 유량을 비교하여 관로의 고장이나 누수 등을 발견
- 접합정(junction well, 연결정)
  - 수로의 분지, 합류, 개수로에서 관수로로 변하는 지점 또는 수로의 수압이나 유속을 감소시킬 목적으로 설치
- 맨홀(manhole)
  - 암거 내부의 점검 및 보수 및 청소를 하기 위한 목적으로 100~500m 간격으로 설치

자료 Plus — 평균 유속의 한도
- 도·송수관에서는 관의 마모 및 침전을 방지하게 위해 최대 및 최소 유속의 한도를 두고 있다.
  - 최소한도 0.3m/sec (침전물의 퇴적 방지)
  - 최대한도 3m/sec (관 내면의 마모 방지)

개념 Check
❶ 정상류 중에서 흐름의 상태가 장소에 따라 변하지 않는 흐름은 (**등류** / 정류)이며, 흐르고 있는 유체 안의 모든 곳에서 유체의 속도가 시간에 상관없이 일정한 크기와 방향을 유지하는 흐름은 (등류 / **정류**)이다.
❷ 송수관로의 시점과 종점에 설치하여 송수량을 측정, 이 두 곳의 유량을 비교하여 관로의 고장이나 누수 등을 발견하기 위한 목적으로 설치하는 것은 (**양수정** / 접합정)이다.

[정답] ❶ 등류, 정류
❷ 양수정

(3) 정수 시설 공사

정수 시설에는 착수정, 응집지, 침전지, 급속 여과지, 완속 여과지, 전 염소 처리 설비 등이 있다.

정수 처리 과정은 다음과 같다.

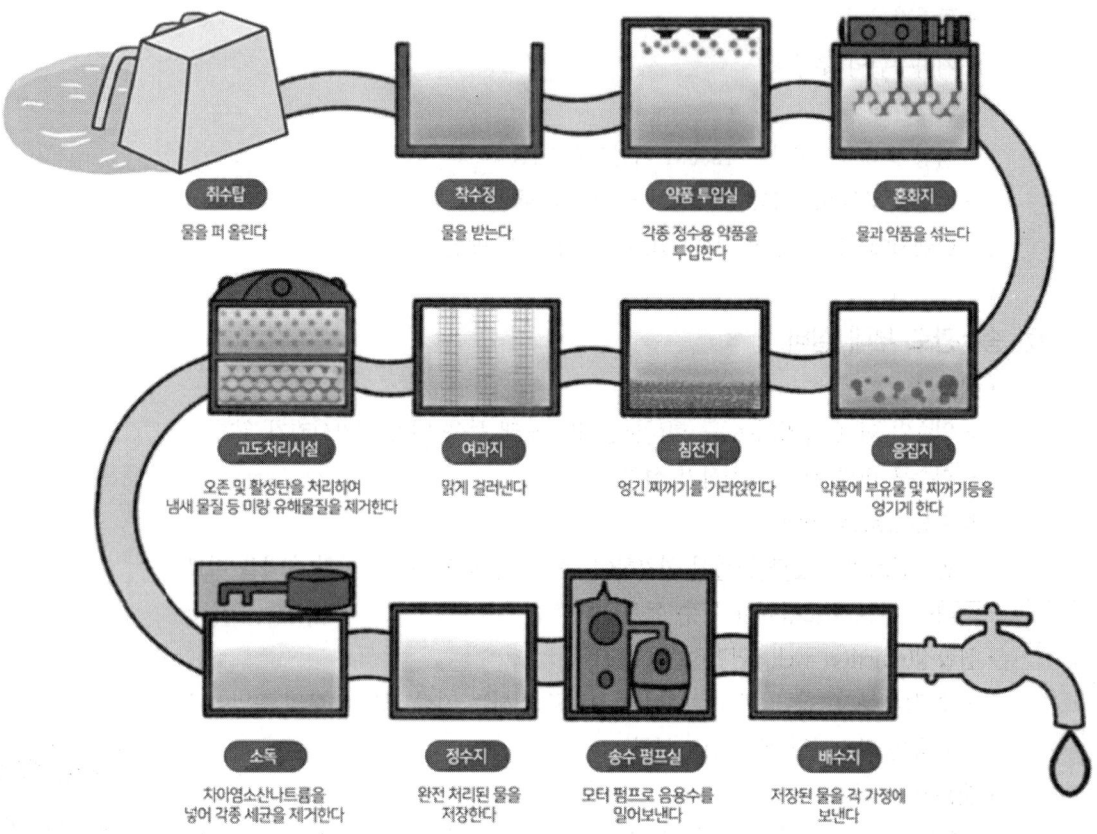

① 침전

침전은 물을 8~12시간 정도 장기 체류 시간을 가지며 물을 서서히 흐르게 하여 현탁물을 가라앉히는 것을 말함.

가라앉지 않는 현탁물은 여과지로 보내진다.

- 약품 침전지
  - 콜로이드 등의 미립자를 응집시켜 미세덩어리(플록)를 형성하고 큰 덩어리로 뭉쳐지면 침전지에서 단기간 내에 침전시킬 수 있다.
  - 약품을 이용해서 뭉쳐진 입자를 가라앉히는 장치를 약품 침전지라 함
- 고속 응집 침전지
  - 한 개의 장치 속에서 플록 형성과 침전 조작을 조합하여 1시간 정도의 체류 시간 내에 응집시키는 방법

- 양질의 침전수를 얻을 수 있고 필요한 면적이 적은 장점이 있음
- 고도의 기술과 숙련이 필요하고 수질의 변화, 탁도의 변동, 급변하는 수량의 변화에 대처하기 힘든 단점이 있음

② 응집
- 콜로이드
  - 자체 처리에 의해 제거되지 않는 물질은 수중의 불순물 중 $1\mu m \sim 1nm$ 정도의 콜로이드로 탁도, 천연의 착색 성분, 바이러스, 세균류, 조류 등임
  - 수중에 있는 콜로이드의 성질은 표면에 전하를 띠고 있음
  - 콜로이드가 띠고 있는 부전하 때문에 2개의 입자가 접근하여도 서로 반발하여 접촉되지 않고 분산하여 수중에 존재
- 응집제
  - 콜로이드를 반대 전하를 가진 이온으로 만드는 중화 능력과 고분자 물질과 작용하도록 하는 가교 능력으로 응집시키는 약품
  - 황산알루미늄, 폴리염화알루미늄 등

③ 여과
- 완속여과
  - 두께 60~90cm의 모래층을 1일 3~5m 정도의 속도로 천천히 통수
  - 모래층의 기능은 거름 작용, 흡착 작용, 생물학적 응결 작용, 침전 작용
  - 모래층과 모래층 표면에 증식한 미생물 군에 의해 물속의 불순물을 산화·분해시켜 제거하는 정수 방법
- 급속여과
  - 원수 중의 현탁 물질을 약품에 의해 응집시킨 후 분리하여 물을 정화하는 방법
  - 제거 대상의 현탁 물질은 미리 정수 약품에 의한 응집 처리가 필요하고 여과 속도는 120~150m/day이며 대용량에 적합

● 플록(floc)
물 속의 부유물이 미립자로 되어 있는 경우는 침강하기 어렵기 때문에 응집제를 첨가해서 입자를 응집시켜 침강 속도를 빠르게 한다. 응집해서 만들어진 크고 무거운 입자의 덩어리를 플록이라 하며, 침강하기 쉬운 플록이 만들어질수록 그 응집제는 우수한 것이다. 플록에는 여러 가지 물질을 흡착하는 작용이 있다.

● 응집제
- 황산알루미늄, 폴리염화알루미늄, 알루미산나트륨, 황산제1철, 황산제2철

● 응집보조제
무겁고 신속히 침강하는 플록을 만들며, 강도를 증가시키는 목적 / 응집제 사용량을 절감
- 소석회, 소다회, 가성소다, 벤토나이트

자료 Plus | **여과 처리 계통**

● **완속 여과 처리 계통** :
　　보통침전지 ➡ 완속사 여과 ➡ 살균

● **급속 여과 처리 계통** :
　　응결 ➡ 플록(Floc) 형성 ➡ 침전 ➡ 급속(심층) 여과 ➡ 살균

④ 살균소독
- 살균 – 여과를 통해서 제거되지 않고 남아 있거나 정수된 물이 배수도중 세균 등으로 재오염될 우려가 있을 때, 이 같은 병원균을 죽여서 무해화하는 조작
- 소독에는 염소가 주로 쓰임. 그 외 오존, 자외선, 은 이온 등을 쓰기도 함 (고도정수처리)

⑤ 탈수건조
- 물속의 불순물을 물과 분리하면 분리된 불순물은 일반적으로 고체형으로 되어 응집 침전에 의해 콜로이드가 플록과 오니로 됨
- 용해성 철, 망간은 산화되어 수산화철, 이산화망간으로 침전하여 오니가 됨

⑥ 급배수
- 정수장에서 생산된 물은 각 배수 구역별로 설치된 배수지(저장 탱크)로 보내짐
- 급수 관망을 통하여 각 가정에 안정적으로 공급

개념 Check

❶ 일반적인 정수 처리 과정은 착수정 → 침사지 → 약품투입실 → (　　) → 응집지 → (　　) → 여과지 → 살균, 소독 → 정수지의 순서이다.

❷ 정수처리시, 살균소독과정에서 주로 쓰이는 소독약품은 (　　)이다.

[정답] ❶ 혼화지, 침전지
　　　 ❷ 염소

자료 Plus　고도 정수 처리

고도정수처리란, 표준정수처리공정에서는 완벽하게 제거하기 어려웠던 맛·냄새물질 등을 제거하는 정수 처리기술을 말하며, 오존처리, 입상활성탄처리, 고도산화처리 등이 있다.
- 병원균에 대한 살균효과가 크다.
- 냄새, 색도 제거에 효과적이다.
- 철, 망간의 제거 능력이 크다.
- 효과의 지속성이 없다.
- 수온이 높아지면 오존 소비량이 증가한다.

(4) 배수 시설 공사

① 계획 배수량
- 평상시 : 계획 시간 최대 급수량
- 화재시 : 계획 1일 최대 급수량의 1시간당 수량 + 소화 용수량
  - 배수 시설은 배수관의 연장이 매우 크므로, 수도 시설 중에서 60~70%의 건설 비용을 차지

② 배수조절
- 목적 : 1일 최대 급수량을 기준으로 한 취수에서 정수까지의 정수 작업은 항상 일정하나 소비량은 시간에 따라 변하므로 조절할 필요가 있음
- 야간의 잉여수를 저수하여 소비가 많은 주간이나 화재 시에 배수

③ 배수지
- 배수지 위치
  - 배수지의 위치는 가능한 한 급수 구역 내 또는 이와 근접한 곳이 좋음
  - 급수 구역 중심에 있는 것이 이상적이며, 수압을 전체적으로 균등히 조절할 수 있고, 배수관경이 작아지는 이점이 있음
- 배수지 높이
  - 배수지는 최소 1.5kg/㎠의 동수압을 갖도록 높이(15m)를 정해야 함
  - 배수지가 높으면 배수관의 경사가 급해져 유속이 커지므로 배수 관경을 작게 할 수 있고 충분한 수압으로 배수가 용이하나 누수가 많아짐. 펌프로써 양수하는 경우 동력비가 많이 드는 결점이 있음
  - 배수지의 높이가 낮으면 배수관경이 커져 건설비가 많이 듦
- 배수지 용량
  - 배수지 용량은 계획 1일 최대 급수량을 기준으로 하여, 이것의 1시간당 수량에 소요시간을 곱하여 용량을 산출
  - 12시간 분량 이상을 표준으로 하고, 주간의 시간 변화와 화재 시의 소화 용수에 충당할 수 있도록 결정
  - 배수지의 유효용량(m^3) = (계획 1일 최대 급수량)$\times \dfrac{t}{24}$

    여기서, t ; 배수지에 저류하는 시간

자료 Plus — 배수지의 유효용량 쉽게 이해하기

배수지 용량은 계획 1일 최대 급수량을 기준으로 하며, 이것의 1시간당 수량에 소요시간을 곱하여 유효용량을 산출한다.

$$c = (\text{계획 1일 최대 급수량}) \times \frac{t}{24}$$

여기서, c ; 배수지의 유효용량(m^3) t ; 배수지에 저류하는 시간

※ 위의 공식으로 외우기 보다는, 다음과 같이 이해하면 쉽다.
- 배수지의 유효 용량은, t시간 동안 급수할 물을 미리 배수지에 저장하는 양이다.
- 만약, 아주 큰 배수지가 있어 하루치(24시간) 급수할 물을 다 저장할 수만 있다면 그 양이 바로 계획 1일 최대급수량인 것이다.

그러므로, 다음의 비례식을 세울 수 있다.

| 배수지의 유효 용량(㎥) : 계획 1일 최대 급수량(㎥) = t시간 : 24시간 |

이제 헷갈리게 외우지 말고, 비례식 세워서 풀자!!

④ 배수관망

- 격자식
  - 관을 그물처럼 연결하는 것으로 물이 정체하지 않고 수압도 유지하기 쉬우며, 화재시 특히 유리
  - 관망의 계산이 매우 복잡
  - 보통의 경우, 격자식으로 계획하는 것이 좋음
- 수지상식
  - 관이 연결되지 않고 수지상으로 나뉘어져 끝으로 갈수록 가늘어지고 수량은 서로 보충할 수 없어 수압의 저하가 현저함
  - 관경이 커야 하므로 비경제적이지만 수리계산은 간단하고 정확
  - 추가 설치 비용이 적게 드는 이점
  - 농촌 지구 등 지형이 부득이한 경우에만 쓰임

자료 Plus — 배수관망의 방식

배수관망 방식		장점	단점
격자식	(배수지)	- 수압을 유지하기 쉽다 - 단수 발생시, 그 대상지역이 좁아진다 - 화재시 등 사용량의 변화에 대처하기 쉽다 - 물이 정체하지 않는다	- 관망의 수리계산이 복잡하다 - 관거의 포설 시 건설비가 비싸다
수지상식	(배수지, 소화전)	- 시공이 용이 - 관망의 수리계산이 간단하다 - 제수 밸브가 적게 설치된다	- 수량을 서로 보충할 수 없다. - 관경이 커야 하므로 비경제적이다. - 관의 말단에 물이 정체하여 수질을 악화시킨다.

⑤ 배수관의 매설
- 보도에 부설하는 배수관의 매설깊이는 흙두께 90cm 정도를 표준으로 함
- 배수관은 시가지 공공 도로 아래에 매설하는 것이 보통
- 관지름 900mm 이하는 120cm, 관지름 1,000mm 이상은 150cm 이상의 매설 깊이
- 지하 매설물과는 최소 30cm 이상 간격을 두어야 함
- 오수관과 부득이하게 인접시는 오수관보다 높게 매설

⑥ 부식 대책
- 전식에 의한 부식대책
  - 전식 – 전류가 일부 누전되어 대지를 통해 인접해 있는 수도 등의 금속관에 흐르는 전류로 인해 배수관인 주철관 및 동관에 부식이 생김
    · 절연물로 피복 : 아스팔트계나 코울타르계의 도료로 외면을 피복
    · 절연 접속법 : 관로에 전기적 절연단수를 삽입해서 전류의 흐름을 막음
    · 선택 배류법(직접 배류법)
    · 강제 배류법 : 관에서 전류의 유출을 막는 유입 전류를 만들어 전식을 방지
- 산에 의한 부식대책
  - 공업 폐수 등이 지하에 침투한 곳이나 해안에 가까운 지하수 중에 다량의 염분을 포함한 곳, 유황분을 포함한 석탄으로 성토한 곳에 금속관을 매설하면 산 등이 침투하여 부식이 발생
    · 산에 강한 경질 염화비닐관이 가장 좋음
    · 금속관, 석면 시멘트관은 산으로부터 보호해 줄 수 있는 도료로 관 외면을 충분히 피복

(5) 급수 시설 공사

① 급수량
- 1인 1일당 사용수량은 일반적으로 건물에 있어서 사용 인수만 알면 건물에 급수해야 할 수량을 추정 가능
- 건물별 사용 수량에 사용 인원을 곱하여 추정함
- 인구의 주야의 이동, 사용 목적에 따라 수량은 변화함

개념 Check

❶ 배수지는 최소 ( )kg/cm²의 동수압을 갖도록 높이를 정해야 한다.

❷ (격자식 / 수지상식)배수관망은 배수관을 그물처럼 연결하는 것으로 물이 정체하지 않고 수압도 유지하기 쉬우며, 화재시 특히 유리하지만, 관망의 계산이 매우 복잡한 특징이 있다.

[정답] ❶ 1.5
　　　❷ 격자식

② 급수방식

수도 직결 방식	고가 수조 방식	압력탱크 방식	부스터펌프 방식
상수도 본관의 압력으로 건물에 급수하는 방식	건물 옥상에 설치된 고가수조에 물을 저장 후 중력을 이용하여 물을 공급하는 방식	압력탱크의 압력으로 물을 공급하는 방식	저수조에 물을 저장 후 급수펌프로 물을 공급하는 방식
• 층수가 적은 건물에서 사용 • 소규모 급수에 적합 • 물을 직접 받아와서 사용하는 것이기 때문에 정전시에도 급수 가능 • 물을 저장해서 사용하지 않기 때문에 물이 오염 되지 않음	• 물을 저장해서 사용하기 때문에 대규모 급수에 적합 • 물을 저장해놓기 때문에 물이 오염될 수 있음 • 물을 저장해놓기 때문에 단수 시에도 급수할 수 있음 • 건물 위에서 밑으로 하향 급수이므로 급수압력은 항상 일정 • 물의 용량은 양수펌프의 양수량과 상호관계(펌프가 양수한 만큼 사용가능)	• 정전이나 펌프가 고장났을 때 급수가 되지 않음 • 압력탱크를 사용하기 때문에 급수압력의 변동이 큼 • 압력탱크의 용량이 적기 때문에 펌프 동작횟수가 많음(펌프 고장확률이 증가)	• 저수조를 이용하므로 고가수조 불필요 • 고가수조가 없으므로 물이 오염되지 않음 • 펌프 고장을 방지하기 위해 소형 압력탱크를 설치해야 합니다. (안해도 됩니다.) • 펌프 수와 회전수제어 시스템으로 급수압력, 급수량을 조절합니다. • 층 수가 많을 경우 감압밸브를 설치하여 수압을 조절해야 함

개념 Check

❶ 수도직결 급수방식의 특징은 수질오염가능성은 (거의없으 / 많으)며, 단수시 급수가 (안되고 / 가능하고), 정전시 급수가 (된다 / 안된다).

❷ (고가탱크 / 압력탱크) 식 급수방식은 건물 옥상에 설치된 ( )에 물을 저장 후 중력을 이용하여 물을 공급하는 방식으로, 건물 위에서 밑으로 하향 급수이므로 급수압력은 항상 일정하다.

[정답] ❶ 거의없으, 안되고, 된다
❷ 고가탱크, 고가탱크

〈급수 방식의 비교〉

급수 방식	수도 직결식	고가 탱크식	압력 탱크식	부스터 방식
수질 오염의 가능성	거의 없음	많음	보통	보통
급수압의 변화	입력에 따라 변화함	거의 일정함	수압변화 큼	거의 일정함
단수 시의 급수	급수가 안 됨	저수조와 고가탱크에 남아있는 물을 이용함	저수조에 남아있는 물을 이용함	압력탱크식과 같음
정전 시의 급수	관계없음	고가 탱크에 남아 있는 물을 이용함	급수가 안 됨 (발전기를 설치하면 가능함)	압력탱크식과 같음
설비비	저렴함	조금 비쌈	보통	비쌈
유지 관리비	저렴함	보통	비쌈	조금 비쌈

2 하수도의 시공

(1) 유량의 계산

① 오수량
- 오수량은 가정 하수, 공장 폐수 및 지하수를 포함하며 그 중 가정 하수는 제일 다량이고 일반적인 것이므로 기본이 됨

② 우수량
- 강우는 침투·증발 또는 침수하여 실제 하수관거에 집수하는 양은 몇십 %에 지나지 않으나 오수량에 비한다면 그 양은 상당히 많음
- 우수량은 합류식 하수도에서 배관 설계의 기본이 됨

(2) 하수관의 유속 및 경사의 결정

① 유속

구분	유속(m/s)
오수관거	0.6~3.0
오수관거 및 합류식 관거	0.8~3.0
이상적인 유속	1.0~1.8

- 하수 관거 내 유속이 느리면 관거 바닥에 침전물이 많이 퇴적되어 준설 작업 등으로 유지 관리비가 증가
- 유속이 너무 빠르면 관내에 유입된 모래와 자갈 등으로 관 마찰과 마모 및 손상이 심해져 관거의 내용 연수를 줄여 비경제적임

② 경사
- 관의 경사가 작아서 유속이 너무 느리면 오수에 포함된 여러 가지 오물이 운반 중에 관의 내부에 침전, 부패, 악취를 발생, 관의 부식을 촉진
- 지형별 관로 경사
  - 평탄지 경사의 토지 - 관경(mm)의 역수
  - 적당한 경사의 토지 - 평탄지의 1.5배
  - 급경사의 토지 - 평탄지의 2.0배
- 관거의 동수 경사
  - 동수경사선과 지반 높이와의 차를 0.5m 이상 유지

학습요점
» 하수관의 유속 및 경사
» 하수관의 종류와 접합 방법
» 맨홀
» 하수처리 시설
» 슬러지처리 시설
» 하수처리 공법

● 동수경사(구배)
수로에서 지하수가 흐르는 거리에 대한 물의 낙차 비율을 말한다.

(3) 최소 관경

관경이 너무 작으면 배수설비의 연결이 곤란하고 관거 내에 토사나 오물이 퇴적할 경우에 청소 등 유지 관리에 불편을 주므로 최소관경을 제한함

구분	최소관경(mm)
오수 관거	200
우수 관거 및 합류 관거	250

(4) 하수관의 종류와 단면

① 하수관의 종류
- 원심력 철근콘크리트관(흄관)
    - 대표적인 하수도관으로 사용
    - 수밀성과 외압에 대한 강도가 큼
    - 산 및 알칼리에 약함
- 도관
    - 내산 및 내알칼리성에 우수
    - 이형관 제작에 용이
    - 내경 300mm 이하의 소구경관에 사용
    - 충격에 약한 단점이 있어 시공의 어려움 있음
- 프리스트레스트 콘크리트관
    - 콘크리트관 주위에 PC강선을 인장한 관
    - 물리적 특성이 가장 우수한 관
    - 가격이 비싸다는 단점
- PVC관
    - 최근 기술개발로 강도의 보강으로 사용이 증가하는 추세
    - 열에 약하여 처짐의 문제
- 하수관의 결정시 고려사항
    - 외압에 대한 강도가 충분하고 파괴에 대한 저항이 클 것
    - 관거의 내면이 매끈하고 조도계수가 작아야 함
    - 유량변동에 따라 유속의 변동이 적은 수리 특성을 가진 단면이어야 함
    - 이음 및 시공성이 좋고, 수밀성과 신축성이 좋아야 함

② 하수관의 단면

원형	직사각형	마제형	계란형
• 수리학적으로 유리한 단면 • 역학 계산이 쉬움 • 공장제품으로 공기를 단축 • 연결부가 많아서 지하수 침투량이 많아질 우려	• 역학 계산이 쉬움 • 만류가 되기 전까지는 수리학적으로 유리 • 현장 타설로 공기가 길어질 수 있음	• 수리학적으로 유리한 단면 • 상부 아치작용으로 역학적으로 유리한 단면 • 대구경 관거에서 경제적임 • 단면형상이 복잡하여 시공이 어려움 • 현장 타설의 경우 공기가 길어짐	• 유량이 적은 경우 원형관보다 수리학적으로 유리한 단면 • 수직방향의 토압에 유리 • 수직 정도가 요구되므로 시공이 어려움

- 하수관의 단면 결정시 고려사항
  - 수리학적으로 유리할 것
  - 유량 변동에 따라 유속의 변동이 적은 수리특성을 가진 단면일 것
  - 노면하중과 토압에 대해 충분한 강도가 있을 것
  - 재료를 구하기 용이할 것
  - 시공이 용이하며, 건설비가 저렴할 것
  - 유지관리가 용이할 것

● 하수관로의 유속과 구배의 기준
- 하류로 갈수록 유속은 빠르게, 구배는 완만하게 잡는 것을 원칙으로 한다.

(5) 관의 접합

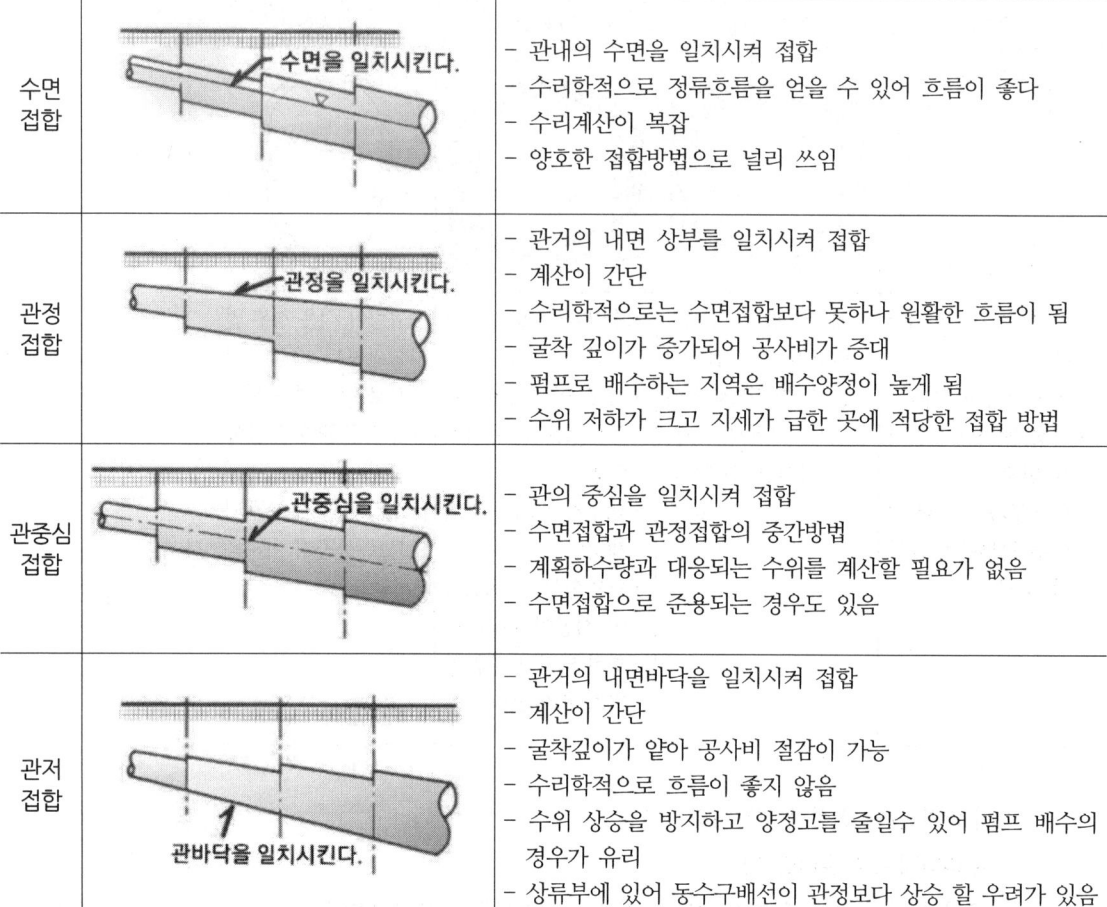

구분	그림	설명
수면 접합	수면을 일치시킨다.	- 관내의 수면을 일치시켜 접합 - 수리학적으로 정류흐름을 얻을 수 있어 흐름이 좋다 - 수리계산이 복잡 - 양호한 접합방법으로 널리 쓰임
관정 접합	관정을 일치시킨다.	- 관거의 내면 상부를 일치시켜 접합 - 계산이 간단 - 수리학적으로는 수면접합보다 못하나 원활한 흐름이 됨 - 굴착 깊이가 증가되어 공사비가 증대 - 펌프로 배수하는 지역은 배수양정이 높게 됨 - 수위 저하가 크고 지세가 급한 곳에 적당한 접합 방법
관중심 접합	관중심을 일치시킨다.	- 관의 중심을 일치시켜 접합 - 수면접합과 관정접합의 중간방법 - 계획하수량과 대응되는 수위를 계산할 필요가 없음 - 수면접합으로 준용되는 경우도 있음
관저 접합	관바닥을 일치시킨다.	- 관거의 내면바닥을 일치시켜 접합 - 계산이 간단 - 굴착깊이가 얕아 공사비 절감이 가능 - 수리학적으로 흐름이 좋지 않음 - 수위 상승을 방지하고 양정고를 줄일수 있어 펌프 배수의 경우가 유리 - 상류부에 있어 동수구배선이 관정보다 상승 할 우려가 있음

(6) 맨홀

① 맨홀
- 관내부의 검사·청소를 위한 사람의 출입구로서 축조
- 관내의 통풍·환기 및 관의 접합에도 유효
- 맨홀의 형상은 구조상 원통형이 제일 유리
- 내경은 맨홀의 깊이, 유입의 크기 등에 따라 다르나 대체로 90cm에서 150cm까지가 제일 많이 사용

② 맨홀의 설치목적
- 하수관거의 청소, 점검, 장애물의 제거, 보수를 위한 기계 및 사람의 출입이 가능
- 통풍 및 환기, 접합을 위해 설치

개념 Check

❶ 수위 저하가 크고 지세가 급한 곳에 적당한 접합 방법으로, 굴착 깊이가 증가되어 공사비가 증대하며, 펌프로 배수하는 지역은 배수양정이 높게 되는 관 접합방식은 (관정접합 / 관저접합) 방식이다.

❷ 하수관거의 청소, 점검, 장애물의 제거, 보수를 위한 기계 및 사람의 출입을 목적으로 하는 하수 시설은 ( )이다.

[정답] ❶ 관정접합
❷ 맨홀

③ 맨홀의 설치장소
- 관거의 기점, 방향, 경사, 관경이 변하는 곳
- 단차가 발생하고, 관거가 합류하는 곳
- 관거의 유지관리 상 필요한 곳

④ 맨홀의 설치 간격

관의 내경	60cm 이하	60~100cm	100~150cm	165cm 초과
오수관거	75m	100m	150m	200m

(7) 하수 처리 시설 공사

- 하수의 처리 방법에는 물리적, 화학적, 생물학적 처리 방법이 있는데, 이들을 적당히 조합하여 처리가 행해져야 함
- 하수 성분의 주체는 유기물이므로 유기물 제거에 대해서는 가장 경제적이고 확실한 처리 방법인 생물학적 처리가 주류를 이룸
- 하수 처리 시설 공사의 순서
  침사지 → 최초 침전지 → 공기 공급조(포기조) → 최종 침전지 → 방류

① 침사지
- 가정에서 버리는 하수와 함께 들어온 모래와 흙, 쓰레기를 제거하여 최초 침전지로 펌프를 통해 보냄

② 최초 침전지
- 하수 속에 있는 찌꺼기를 제거하고 남은 물은 다음 단계인 공기 공급조(포기조)로 보내고 찌꺼기는 농축조로 보냄

③ 포기조
- 최초 침전지에서 오는 물은 송풍기에서 공급된 공기 중 산소와 함께 섞이면서 공기 공급조에서 미생물이 물속의 찌꺼기를 잡아먹고 미생물 덩어리(플록)가 형성

④ 최종 침전지
- 최종 침전지에서 무거워진 미생물 덩어리들이 가라앉고 나면, 남는 물을 소독하여 하천으로 방류하고 찌꺼기 일부는 공기 공급조로 되돌아가고 나머지는 농축조로 보냄

개념 Check

❶ 하수 처리 시설의 순서는 침사지 → 최초 침전지 →( ) →최종 침전지→방류의 과정이다.
❷ 최종 침전지에서 무거워진 미생물 덩어리들이 가라앉고 나면 남는 물을 소독하여 하천으로 방류하고 찌꺼기 일부는 공기 공급조로 되돌아가고 나머지는 (농축조 / 소화조)로 보냄

[정답] ❶ 포기조(공기공급조)
❷ 농축조

(8) 슬러지 처리 시설 공사

- 하수 처리 과정에서 발생한 액상 부유 물질을 슬러지라고 함
- 슬러지 처리 방법
  농축 → 소화 → 개량 → 탈수 → 소각 → 최종 처분의 과정을 거침

① **농축**
- 슬러지 함수율을 감소시켜 고형물의 농도를 증가시켜 부피를 감소시키는 방법
- 중력식, 부상식, 원심 분리식 농축법 등이 있음

② **소화**
- 농축조에서 보내온 찌꺼기를 소화조에 모아서 약 한 달 정도(20~30일) 적당한 온도 35℃를 유지하면서 놓아 두면 찌꺼기가 썩게 되어 가스가 발생
- 이 중 메탄가스는 발전기나 보일러 연료로 사용
- 찌꺼기는 탈수기로 보냄
- 이용 미생물에 따라 공기의 공급이 필요한 호기성 방법, 공기가 불필요한 혐기성 방법으로 구분

구분	호기성	혐기성
BOD	상등액의 BOD가 낮음	상등액의 BOD가 높음
냄새	냄새가 없다	냄새가 많이 남
운전	운전이 용이	운전이 어려움
시설비	적게 든다	많이 든다
비료	비료로 사용 가능	비료로 사용이 적다
규모	공장이나 소규모에 적합	대규모 시설에 적합
적용	2차 슬러지에 적용 가능	1차 슬러지에 적합

③ **개량**
- 소화 공정을 거친 슬러지를 탈수하기 전에 탈수 효율을 높이기 위하여 하는 전처리
- 물리적인 방법(슬러지 세정, 열처리 동결 등), 화학적인 방법(응집제를 사용)
- 탈수되는 슬러지는 특성에 따라 함수율을 90~96%에서 65~85%로 줄일 수 있음

④ **탈수**
- 슬러지를 최종 처분하기 전에 함수율을 85% 이하로 감소시키기 위하여 탈수 시행
- 자연적인 방법(슬러지 건조상, Lagoon 슬러지), 기계적인 방법(진공여과법,

원심 탈수법, 가압 탈수법 등)
- 남은 찌꺼기는 빵의 케이크 모양처럼 되는데, 매립지로 보내거나 소각 처리

⑤ 소각
- 고온에 의해 슬러지를 소각해서 유기물을 산화시켜 가스화하는 방법
- 슬러지 케이크가 모두 재가 되고 병원균을 포함한 미생물은 모두 사멸되므로 가장 위생적
- 경비가 많이 들고 연기에 의한 대기오염과 재, 냄새 등에 주의
- 슬러지 소각의 특징은 위생적으로 안전하고, 부패성이 없으며 슬러지 용적이 1~2%로 감소
- 비용이 많이 들고 대기오염 방지를 위한 대책이 필요

⑥ 최종 처분
- 매립 처분이나 퇴비화, 소각재 이용, 해양 처분 등
- 사용 가능한 토지의 유무, 시장성, 슬러지의 특성을 고려하여 적절한 방법을 선택

(9) 하수 처리 공법

① 표준활성 슬러지 법
- 포기조에 유입되는 하수에 산소를 공급하면 하수 중의 유기물을 영양원으로 하여 각종 호기성 미생물에 의해 유기물이 분해
- 폭기에 의한 교반작용으로 하수 중의 부유물과 콜로이드상 물질을 응집시켜 하수처리에 효과적인 활성슬러지 플록(Floc)이 형성되며 이 활성슬러지를 이용해서 하수를 정화하는 방법

② 단계식 포기법
- 하수를 포기조 길이에 걸쳐 골고루 분할 주입으로 산소요구량이 균등하고, 처리가 균등한 방법

③ 장기 포기법
- 포기조에서 체류시간을 18~24시간으로 길게 체류 시킴

④ 접촉안정법

⑤ 산화구법

개념 Check

❶ 상등액의 BOD가 낮고, 냄새가 없으며, 운전이 용이한 소화 방법은 (호기성 / 혐기성)소화법이다.
❷ 소화 공정을 거친 슬러지를 탈수하기 전에 탈수 효율을 높이기 위하여 하는 전처리를 (   )이라 한다.

[정답] ❶ 호기성
❷ 개량

⑥ 살수 여상법
- 여상에 뿌려진 하수가 여재 사이를 통과하는 동안 여재 표면에 부착하여 성장한 호기성 미생물의 생물학적 작용으로 하수 중의 유기물을 제거하는 방법

⑦ 회전 원판법
- 살수여상법과 같이 생물막을 이용하여 하수를 처리하는 방식
- 원판의 일부가 수면에 잠기도록 원판을 설치하여 이를 천천히 회전시키면서 원판 위에 자연적으로 발생하는 호기성 생물을 이용하여 하수를 처리하는 방식

⑧ 고도 처리 공법
- 고도처리 : 수자원의 보호와 처리수의 재이용의 목적으로 2차 처리 이상으로 실시하는 처리
- 2차 처리의 유출수를 보다 높은 수준으로 처리하기 위하여 고도처리를 실시
- 주요제거 대상물질은 부영양화를 유발하는 영양염류(질소, 인 등) 임
- A^2/O 공법(Anaerobic-Anoxic/Oxic Process)
  - 혐기조-무산소/산소조의 흐름을 유지
  - 대표적인 고도 처리 공법(유기물, 질소, 인 제거)
  - 활성 슬러지 공법에 비해 질소, 인 제거율이 높음
  - 유기물, 질소, 인을 먹는 미생물이 잘 자랄 수 있는 환경을 하나의 생물 반응조에 조합

개념 Check

❶ (　　　　)은 폭기에 의한 교반작용으로 하수 중의 부유물과 콜로이드상 물질을 응집시켜 하수처리에 효과적인 활성슬러지 플록(Floc)이 형성되며 이 활성슬러지를 이용해서 하수를 정화하는 방법이다.

❷ 혐기조-무산소/산소조의 흐름을 유지하여, 부영양화를 유발하는 질소, 인 등의 영양염류를 제거하는 데 효과적인 고도하수 처리 공법은 (살수여상법 / A^2/O 공법)이다.

[정답] ❶ 표준활성슬러지법
　　　❷ A^2/O 공법

자료 Plus 　 부영양화(富營養化, Eutrophication)

물 속에 영양 염류인 질소(N)나 인(P)의 유입으로 조류 및 식물성 플랑크톤이 과도하게 번식하여 사멸하는 과정의 반복으로 종국에는 늪의 형태로 변해 버리는 현상
- 사멸된 조류의 분해 작용으로 심층수로부터 용존산소가 줄어든다.
- 조류의 증가로 물에 맛과 냄새가 발생된다.
- 물의 투명도 저하
- 수심이 낮은 곳에서 발생되며 한번 발생되면 회복이 어렵다.
- "적조" 현상의 원인이 됨 ▶ 대책 ; 황산구리와 염산구리 살포

04 상·하수도

문제 1

【기출13.기】 상수도는 생활기반시설로서 영속성과 중요성을 가지고 있으므로 안정적이고 효율적으로 운영되어야 하며, 가능한 한 장기간으로 설정하는 것이 기본이다. 보통 상수도의 기본계획 시 계획(목표)연도는 계획수립 시부터 몇 년을 표준으로 하는가?

① 3~5년　　　② 5~10년　　　③ 15~20년　　　④ 25~30년

해설 　상수도 시설의 기본계획
- 상수도의 기본 계획을 수립 시, 상수도가 기능을 발휘할 수 있도록 15~20년의 기간을 고려
- 계획 당시의 자금 사정, 건설비, 유지 관리비, 시설의 수명 등에 의하여 결정

문제 2

상수도의 급수량(사용수량)에 관한 일반적인 설명으로 틀린 것은?

① 생활정도와 생활양식이 나아질수록 급수량은 증대된다
② 도시의 규모가 커질수록 급수량은 증대된다
③ 기온이 올라갈수록 급수량은 증대된다
④ 아침과 저녁 시간에 최소이고, 오전1시~4시 사이에 최대이다.

해설 　급수량(사용수량)의 변동
- 시간별로는 아침과 저녁 시간에 최대이고, 활동이 없는 오전 1시에서 4시 사이에 최소이다.
- 대도시는 소도시에 비해 수량이 크며, 공업이 발달되고 문화, 생활수준이 높고 기온이 높을수록 수량이 크다.

문제 3

【기출12.산】 다음 중 1인 1일 평균 급수량에 대한 식으로 옳은 것은?

① $\dfrac{1년간\ 총\ 급수량}{급수인구 \times 365}$　　　　② $\dfrac{1년간\ 총\ 급수량}{365}$

③ $\dfrac{1일간\ 평균\ 급수량}{급수인구 \times 365}$　　　　④ $\dfrac{1일간\ 평균\ 급수량}{365}$

해설 　1인 1일 평균 급수량

1인 1일 평균 급수량 $= \dfrac{연간\ 급수\ 총량}{총인구수 \times 365}$

정답 　1. ③　　2. ④　　3. ①

문제 4

다음은 상수도의 시공에 관한 설명이다. 빈칸에 알맞은 말을 순서대로 나열한 것은?

> 취수 시설에서 정수장까지 가는 관거를 (㉠)라 하고, 정수장에서 배수지, 배수탑 혹은 고가 수조까지 가는 관거를 (㉡)라 한다

① 도수 관로, 송수 관로
② 갑체 배관, 배수 관로
③ 갑체 배관, 송수 관로
④ 송수 관로, 도수 관로

해 설	도수 및 송수시설 • 도수(도수관로, 도수관) : 수원에서 취수한 물을 정수장까지 운반하는 것. 그에 따른 관로 및 관 • 송수(송수관로, 송수관) : 물을 정수장에서 배수지로 운반하는 것. 그에 따른 관로 및 관

문제 5

【기출12.산】 인구 20만 도시에 계획 1인 1일 최대급수량 500L, 급수보급률 85%를 기준으로 상수도 시설을 계획할 때 이 도시의 계획 1일 최대급수량은?

① 170,000m³
② 120,000m³
③ 100,000m³
④ 85,000m³

해 설	1일 최대 급수량 • 1일 최대 급수량 = 1인 1일 최대급수량 × 급수인구 　　　　　　　　= 1인 1일 최대급수량 × 총인구수 × 급수보급율 　　　　　　　　= $500 \times 10^{-3} \times 200,000 \times 0.85$ 　　　　　　　　= $85,000 \, m^3$

문제 6

총인구 20,000명인 어느 도시의 급수인구는 18,600명이며 일년간 총급수량이 2,000,000톤이었다. 급수 보급률과 1인 1일 평균급수량(ℓ)이 맞는 것은?

① 0.93%, 295L
② 93%, 295L
③ 107%, 274L
④ 9.3%, 274L

해 설	급수보급률, 1인 1일 평균급수량 • 급수보급률 = $\dfrac{급수인구}{총인구} = \dfrac{18,600}{20,000} \times 100(\%) = 93.0(\%)$ • 1인 1일 평균급수량 　= $\dfrac{년간\ 총\ 급수량}{급수인구 \times 365} = \dfrac{2,000,000}{18,600 \times 365} = 0.295(톤)$ 　= 0.295×1000 　= $295(L)$

정답 4. ① 5. ④ 6. ②

문제 7

다음 중 급수보급률의 정의로 올바른 것은?

① $\dfrac{급수인구}{총인구} \times 100\%$ ② $\dfrac{사용수량}{급수량} \times 100\%$

③ $\dfrac{총인구}{급수인구} \times 100\%$ ④ $\dfrac{급수면적}{총면적} \times 100\%$

해설	급수보급률 • 급수보급률 = $\dfrac{급수인구}{총인구} \times 100(\%)$

문제 8

상수도 계획에서 계획년차 결정에 있어서 고려해야 할 사항 중 틀린 것은?

① 장비 및 시설물의 내구년한
② 시설확장시 난이도와 위치
③ 도시발전 상황과 물사용량
④ 도시급수지역의 전염병 발생상황

해설	상수도 계획 • 상수도의 기본 계획을 수립할 때에는 해당 도시에서 상수도가 기능을 발휘할 수 있도록 15~20년의 기간을 고려하여 계획 당시의 자금 사정, 건설비, 유지 관리비, 시설의 수명 등에 의하여 결정 • 전염병 발생상황과 물사용량의 관계는 특별한 상관관계가 없다

문제 9

한 지역의 인구가 다음과 같이 증가하여 왔을 때, 등차급수법으로 2040년의 인구를 추정하면?

년도	2000년	2020년
인구(명)	148,000	170,000

① 182,000   ② 185,000
③ 190,000   ④ 192,000

해설	등차급수법에 의한 장래인구의 추정 • 년평균 인구증가수 $a = \dfrac{P_0 - P_t}{t}$ $\quad = \dfrac{170,000 - 148,000}{20}$ $\quad = 1,100$ • $P_n = P_0 + n \cdot a$ $\quad = 170,000 + 20 \times 1,100$ $\quad = 170,000 + 22,000$ $\quad = 192,000(명)$

정답 7. ① 8. ④ 9. ④

문제 10

【기출12.산】 상수도 시설계획의 급수인구 추정에서 연평균 증가율이 일정한 것으로 가정하여 계산하는 방법으로 장래 발전가능성이 있는 도시에 적용 가능한 방법은?

① 감소증가율법 ② 비상관법
③ 등차급수법 ④ 등비급수법

해설

등차급수법 vs 등비급수법

등차급수법	등비급수법
년평균인구증가수(a) 일정	년평균인구증가율(r) 일정
$a = \dfrac{P_0 - P_t}{t}$	$r = \dfrac{P_0 - P_t}{t \times P_t}$
$P_n = P_0 + n \cdot a$	$P_n = P_0(1+r)^n$
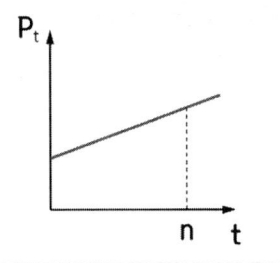	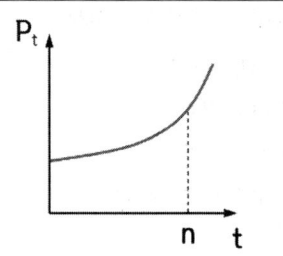

문제 11

다음의 인구추정방법 중에서 대상지역의 포화인구를 먼저 추정한 후 계획기간의 인구를 추정하는 방법은?

① 등차급수법 ② 등비급수법
③ 최소자승법 ④ 로지스틱 곡선법

해설

로지스틱 곡선법
- 인구 성장이 처음에는 완만하다가 일정 기간이 지나면 급속한 인구 증가가 있게 되고, 또 일정 기간이 지나면 그 증가율이 점차 감소하여 결국에는 인구가 일정한 수를 유지하는 인구 성장 경로에 적합
- 대도시권의 인구를 어느 상한선까지 강력히 통제하고자 할 때 적용

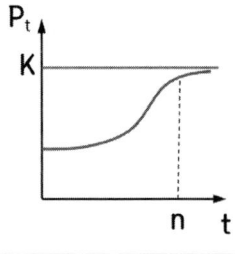

정답 10. ④   11. ④

문제 12

【기출12.산】 다음 중 계획급수량을 산정하는데 이용되지 않는 항목은?

① 계획 급수구역내 인구
② 계획 1인 1일 급수량
③ 계획년도에서의 급수보급률
④ 계획년에서의 누수율

해설

계획 급수량의 산정
- 계획급수량은 수도시설의 규모를 결정하는 기본수량이며, 상주인구 1인당 1일 급수량을 추정하고, 여기에 계획급수인구를 곱하여 계획급수량을 산정한다.
- 급수인구 = 급수구역내 총인구 × 급수보급률
- 계획1일 최대급수량 = 계획 1인 1일 최대급수량 × 계획급수인구

문제 13

【기출96.기】 급수인구 20만 명의 도시에 상수도 급수시설 계획을 하고자 한다. 계획 1인 1일 최대 급수량을 300L라 할 때, 1일 평균 급수량은? (단, 이 도시의 급수 보급률은 85%, 급수량 산출계수는 0.7이다.)

① 76,000m³
② 66,300m³
③ 40,800m³
④ 35,700m³

해설

계획 1일 평균급수량

$$(계획)1인1일 평균급수량 = (계획)1인1일 최대급수량 \times 급수량 산출계수$$
$$= 300(L) \times 0.7$$
$$= 210(L)$$

$$(계획)1일 평균급수량 = (계획)1인1일 평균급수량 \times 계획급수인구$$
$$= (계획)1인1일 평균급수량 \times 급수구역내총인구 \times 급수보급율$$
$$= 210(L) \times 200,000 \times 0.85$$
$$= 35,700,000(L)$$
$$= 35,700(m^3)$$

문제 14

인구 10만의 도시에 계획 1인 1일 최대급수량 600L, 급수보급률 90%를 기준으로 상수도 시설을 계획하고자 한다. 이 도시의 계획 1일 최대급수량은?

① 40,000m³
② 48,000m³
③ 54,000m³
④ 60,000m³

해설

계획 1일 최대급수량

$$(계획)1일 최대급수량 = (계획)1인1일 최대급수량 \times 계획급수인구$$
$$= (계획)1인1일 최대급수량 \times 급수구역내총인구 \times 급수보급율$$
$$= 600(L) \times 100,000 \times 0.90$$
$$= 54,000,000(L)$$
$$= 54,000(m^3)$$

정답 12. ④ 13. ④ 14. ③

문제 15

계획 시간 최대급수량은 계획 1일 최대급수량의 1시간 양에 대도시와 공업도시에서는 몇 %를 증가시키는가?

① 20　　　　② 30　　　　③ 40　　　　④ 50

해설

(계획)시간 최대 급수량

$\cdot \dfrac{(계획)1일\ 최대급수량}{24} \times \begin{matrix} 1.3\ (대도시\ 및\ 공업도시) \\ 1.5\ (중소도시) \\ 2.0\ (농촌,\ 주택단지,\ 소도시) \end{matrix}$

문제 16

A도시에서 현재 인구는 200만 명인데 과거 30년간에 년 평균 25,000명씩 증가되어 왔다고 할 때 30년 후의 인구를 등차급수법으로 추정한 값으로 옳은 것은?

① 2,250,000명　　　　② 2,500,000명
③ 2,750,000명　　　　④ 3,000,000명

해설

등차급수법에 의한 장래인구의 추정
- 년평균 인구증가수 $a = 25,000$
- $P_n = P_0 + n \cdot a$
  $= 2,000,000 + 30 \times 25,000$
  $= 2,000,000 + 750,000$
  $= 2,750,000 (명)$

문제 17

다음 인구 통계표를 이용하여 5년 후의 인구를 추정한 값은? (단, 등차급수법 $P_n = P_0 + na$ 에 의함)

연도	2016	2017	2018	2019	2020
인구(명)	20,100	22,400	24,300	27,300	30,400

① 20,750명　　　　② 31,400명
③ 43,275명　　　　④ 54,278명

해설

등차급수법에 의한 장래인구의 추정
- 년평균 인구증가수 $a = \dfrac{P_0 - P_t}{t}$
  $= \dfrac{30,400 - 20,100}{4}$
  $= 2,575$
- $P_n = P_0 + n \cdot a$
  $= 30,400 + 5 \times 2,575$
  $= 43,275 (명)$

정답 15. ②　16. ③　17. ③

문제 18

어떤 도시의 10년 전 인구는 25만명, 현재의 인구는 50만명이다. 이 도시의 인구가 등비급수법에 의한 인구증가를 보였다고 한다면, 이 도시의 연평균 인구증가율은 얼마인가?

① 0.072　　　　② 0.093　　　　③ 1.064　　　　④ 1.085

해설

등비급수법

- 연평균 인구 증가율(r) $= \sqrt[t]{\left(\dfrac{P_0}{P_t}\right)} - 1$

　　　　　　　　　$= \sqrt[10]{\left(\dfrac{500,000}{250,000}\right)} - 1$

　　　　　　　　　$= 1.0718 - 1$

　　　　　　　　　$= 0.0718$

문제 19

연평균 인구증가율이 일정하며 장래 발전 가능성이 있는 도시의 계획 급수량 산정을 위해 인구를 조사한 결과가 다음 표와 같다. 이 때, 2030년도의 추정인구는 약 얼마인가?

년도	인구(명)	년도	인구(명)
2010	146,200	2016	178,700
2011	151,200	2017	184,800
2012	156,300	2018	191,000
2013	161,600	2019	197,500
2014	167,100	2020	204,200
2015	172,800		

① 265,300명　　　　　　　　　　② 275,300명
③ 285,300명　　　　　　　　　　④ 295,300명

해설

등비급수법에 의한 인구 추정

- 연평균 인구 증가율(r) $= \sqrt[t]{\left(\dfrac{P_0}{P_t}\right)} - 1$

　　　　　　　　　$= \sqrt[10]{\left(\dfrac{204,200}{146,200}\right)} - 1$

　　　　　　　　　$= 1.034 - 1$

　　　　　　　　　$= 0.034$

- 10년 후의 추정인구

　　$P_n = P_0(1+r)^n$

　　　　$= 204,200(1+0.034)^{10}$

　　　　$= 285,300(명)$

정답 18. ①　19. ③

문제 20

1인 1일 평균 급수량의 증감에 대한 설명으로 올바르지 않은 것은?

① 생활수준이 높을수록 증가한다.
② 공업이 발달한 도시일수록 증가한다.
③ 수압이 낮을수록 증가한다.
④ 기온이 높을수록 증가한다.

해 설	1인 1일 평균급수량 • 대도시는 소도시에 비해 수량이 크며, 공업이 발달되고 문화가 높고, 기온이 높을수록 수량이 크다. • 수압이 높을수록 누수량이 커지고, 누수량이 많을수록 평균급수량은 증가하게 된다

문제 21

하수도시설의 내용년수, 장기간의 건설기간, 관거 하수량의 증가에 따라 단계적으로 단면을 증가시키기가 곤란하다. 장기적인 관거계획을 수립할 필요가 있는 하수도 계획의 목표연도는 몇 년 후를 원칙으로 하는가?

① 10년   ② 20년   ③ 30년   ④ 40년

해 설	하수도 계획의 목표연도 • 하수도 계획의 목표 연도는 원칙적으로 20년 후를 목표로 한다.

문제 22

다음 중 오수량 산정식에 포함되지 않는 것은?

① 가정하수   ② 공장폐수
③ 우수(빗물)   ④ 하수관거내에 침투한 지하수

해 설	하수량의 산정 • 하수량 = 오수량 + 우수량 • 오수량 = 생활오수(가정오수+영업오수)+공장폐수 +지하수량+기타배수량 • 우수량 = 계획우수량

문제 23

계획오수량 산정시 고려하는 사항 중 그 설명이 잘못된 것은?

① 지하수량은 1인 1일 최대오수량의 10~20%로 한다.
② 계획 1일 평균오수량은 계획 1일 최대오수량의 70~80%를 표준으로 한다.
③ 계획시간 최대오수량은 계획 1일 평균오수량의 1시간당 수량의 0.3~0.8배를 표준으로 한다.
④ 계획 1일 최대오수량은 1인 1일 최대오수량에 계획인구를 곱한 후 공장폐수량, 지하수량 및 기타 배수량을 더한 값으로 한다.

정답 20. ③   21. ②   22. ③   23. ③

해설	계획 시간최대 오수량
	• 계획 시간최대 오수량은 계획 1일 최대 오수량의 1시간당 유량의 1.3~1.8배(1시간당 유량의 30~80%를 증대시킨 양)를 표준으로 한다.

문제 24

하수도의 계획오수량에서 계획 1일 최대오수량 산정에 대한 식으로 올바른 것은?

① (계획배수인구×1인 1일 최대오수량) + 공장폐수량 + 지하수량 + 기타 배수량
② 계획배수인구 + 공장폐수량 + 지하수량
③ 계획배수인구×(공장폐수량 + 지하수량)
④ 1인 1일당 최대오수량 + 공장폐수량 + 지하수량

해설	계획 1일 최대 오수량
	• 계획 1일 최대오수량 = (1인 1일 최대 오수량×계획인구) + 공장폐수 + 지하수량 + 기타배수량

문제 25

하수처리장의 설계기준이 되는 기본적 하수량은 일반적으로 무엇을 기준으로 하는가?

① 계획 1일 평균오수량
② 계획 1일 최대오수량
③ 계획 1시간 최소오수량
④ 계획 1시간 최대오수량

해설	계획 오수량	
	계획 1일 최대 오수량	하수도 시설의 용량을 결정하는 기초로 삼는 수량
	계획 1일 평균 오수량	유입하수의 수질 규모를 추정하는 수량 유지관리비 산정에 이용
	계획 시간 최대 오수량	관거 및 펌프장의 용량 결정의 기준이 되는 수량

문제 26

취수장에서부터 가정에 이르는 상수도 계통을 옳게 나열한 것은?

① 취수시설 → 정수시설 → 도수시설 → 송수시설 → 배수시설 → 급수시설
② 취수시설 → 도수시설 → 송수시설 → 정수시설 → 배수시설 → 급수시설
③ 취수시설 → 도수시설 → 정수시설 → 송수시설 → 배수시설 → 급수시설
④ 취수시설 → 도수시설 → 송수시설 → 배수시설 → 정수시설 → 급수시설

해설	상수도의 구성
	• 상수도는 수원 → 취수 → 도수 → 정수 → 송수 → 배수 → 급수로 구성된다

정답 24. ① 25. ② 26. ③

문제 27

수원을 선정할 때 구비조건에 대한 설명으로 옳지 않은 것은?

① 수돗물 소비지에서 가까운 곳에 위치해야 한다.
② 가능한 한 낮은 곳에 위치해야 한다.
③ 수량이 풍부해야 한다.
④ 수질이 좋아야 한다.

해설
수원의 구비조건
- 수량이 풍부해야 한다.
- 수질이 양호해야 한다.
- 계절적으로 수량 및 수질의 변동이 적어야 한다.
- 가능한 한 자연유하식을 이용할 수 있는 곳이어야 한다.
- 주위에 오염원이 없는 곳이어야 한다.
- 급수구역으로부터 가까워야 한다.
- 해수의 영향을 받지 않는 곳이어야 한다.

문제 28

수원의 구비조건으로 옳지 않은 것은?

① 수질이 좋아야 한다.
② 가능한 한 높은 곳에 위치한 것이 좋다.
③ 계절적으로 수량 변동이 큰 것이 유리하다.
④ 급수구역으로부터 가까운 곳에 위치하여야 한다.

해설 계절적으로 수량의 변동폭이 작아야 하며, 최대 갈수기에도 계획 취수량을 확보할 수 있어야 한다.

문제 29

수원을 크게 천수, 지표수, 지하수로 분류할 때, 지하수에 포함되지 않는 것은?

① 천층수　　② 호소수　　③ 복류수　　④ 용천수

해설
수원의 종류 및 구분
- 천수 : 빗물, 눈 등을 총칭한 강수
- 지표수 : 하천수, 호소수, 저수지수
- 지하수 : 복류수, 용천수, 천층수, 심층수

문제 30

복류수에 대한 설명으로 옳은 것은?

① 비교적 양호한 수질을 얻을 수 있다.
② 지표수의 한 종류로 하천수보다 수질이 양호하다.

정답　27. ②　28. ③　29. ②　30. ①

③ 정수공정에 이용 시 침전지를 반드시 확보해야 한다.
④ 조류 등의 부유 생물 농도가 높다.

해설	복류수 • 지하수의 한 종류이다 • 하천이나 호수의 바닥, 변두리의 자갈이나 모래층에 함유된 물 • 침전지를 생략한 간이 정수처리 후에 사용이 가능하다 • 광물질 함량이 적다

문제 31

취수지점 선정시에 고려하여야 할 사항으로 옳지 않은 것은?

① 계획취수량을 안정적으로 취수할 수 있어야 한다.
② 강 하구로서 염수의 혼합이 충분하여야 한다.
③ 장래에도 양호한 수질을 확보할 수 있어야 한다.
④ 구조상의 안정을 확보할 수 있어야 한다.

해설	취수지점의 구비조건 • 수질이 깨끗하고, 수량이 충분해야 한다 • 수량변동폭이 적고, 앞으로 오염될 우려가 적어야 한다 • 해수의 혼입이 없고 안전하며 취수와 관리가 쉬워야 한다 • 취수할 때 모래가 혼입되지 않아야 한다 • 결빙 우려가 없어야 한다 • 최대 홍수 시와 최대 갈수 시에도 취수를 할 수 있는 취수구의 높이를 가져야 한다

문제 32

취수시설을 선정할 때 수원이 하천, 호소, 댐(저수지)인 경우에 적용할 수 있으며 보통 대량취수에 적합하고 비교적 안정된 취수가 가능한 것은?

① 취수탑   ② 깊은 우물   ③ 취수틀   ④ 취수관거

해설	취수탑 • 하천이나 호소내에 설치하는 탑형의 구조물 • 연간 수위변화가 큰 하천이나 호소, 저수지에도 적합 • 대량 취수와 원수의 선택적 취수가 가능함

문제 33

다음 설명 중 옳지 않은 것은?

① BOD가 과도하게 높으면 DO는 감소하며 악취가 발생한다.
② BOD, COD는 오염의 지표로서 하수 중의 용존산소량을 나타낸다.

정답   31. ②   32. ①   33. ②

③ BOD는 유기물이 호기성 상태에서 분해·안정화되는데 요구되는 산소량이다.
④ BOD는 보통 20℃에서 5일간 시료를 배양했을 때 소비된 용존산소량으로 표시된다.

해설	용존산소량(DO) • Dissolved Oxygen • 물 속에 녹아있는 산소의 양을 의미 • DO가 크다는 것은, 산소가 많이 녹아 있는 물로 깨끗한 물로 볼 수 있다. • DO가 작다는 것은, 산소가 적게 녹아 있는 물로 오염된 물로 볼 수 있다 • 수질의 지표로 사용되며, 적조현상과 같이 플랑크톤 등의 생물이 이상증식하는 경우, 용존산소량이 매우 적어진다 생물학적 산소요구량, 생화학적 산소요구량, 생물화학적 산소요구량(BOD) • biological oxygen demand • biochemical oxygen demand • 물 속에 있는 유기물의 오염 정도를 나타내는 지표로, 물속에 들어 있는 유기오염물질을 미생물이 분해하는데 필요한 산소의 양을 ppm(mg·L^{-1}) 단위로 나타낸 것 • 분해 가능한 유기물질을 20℃에서 5일간 안정화하는데 박테리아가 소비하는 산소량(BOD_5) • BOD = 초기DO - 최종DO 화학적 산소요구량(COD) • chemical oxygen demand • 유기오염물질을 화학적으로 분해할 때 요구되는 산소의 양을 ppm(mg·L^{-1})단위로 나타낸 것 • 산화제(과망간산 칼륨)를 이용하여 일정 조건(산화제 농도, 접촉시간 및 온도)에서 환원성 물질을 분해시켜 소비되는 산화제에 대응하는 산소량을 ppm으로 표시한 것

문제 34

하수도계획의 기본적 사항에 관한 설명으로 옳지 않은 것은?

① 하수도 계획의 목표연도는 시설의 내용연수, 건설기간 등을 고려하여 50년을 원칙으로 한다.
② 계획구역은 계획 목표 연도에 시가화 예상구역까지 포함하여 광역적으로 정하는 것이 좋다.
③ 신시가지 하수도계획의 수립 시에는 기존 시가지 및 신시가지를 합하여 종합적으로 고려해야 한다.
④ 공공수역이 수질보전 및 자연환경보전을 위하여 하수도 정비를 필요로 하는 지역을 계획구역으로 한다.

해설	하수도 계획의 목표 연도는 원칙적으로 20년 후를 목표로 한다

문제 35

하수배제 방식의 합류식과 분류식에 관한 설명으로 옳지 않은 것은?

① 분류식이 합류식에 비하여 일반적으로 관거의 부설비가 적게 든다.
② 분류식은 강우 초기에 비교적 오염된 노면배수가 직접 공공수역에 방류될 우려가 있다.
③ 하수관거 내의 유속의 변화폭은 합류식이 분류식 보다 크다.
④ 합류식 하수관거는 단면이 커서 관거 내 유지관리가 분류식보다 쉽다.

정답 34. ① 35. ①

	분류식	합류식
해설	• 수질오염 방지 면에서 유리하다. • 맑은 날에도 퇴적의 우려가 없다. • 강우초기 노면배수가 우수관거를 통해 직접 공공수역으로 방류된다. • 시공이 복잡하고 오접합의 우려가 있다. • 오수관거의 세척이 어렵고 관리운영이 복잡하다. • 관거 부설비가 많이 든다.	• 미처리 방류로 수역을 오염시킬 우려가 있다. • 맑은 날 관내 침전이 발생할 우려가 있다. • 초기 우수에 의한 노면 배수처리가 가능하다. • 관경이 크므로 검사가 편리하고 환기가 좋으며, 공공하수와 시설하수의 연결이 쉽다. • 우천시 수세효과가 있다. • 공사비가 적게 들고, 시공이 쉽다.

하수배제방식의 비교

문제 36

하수관거의 배제방식에 대한 설명으로 틀린 것은?

① 합류식은 맑은 날, 관 내에 오물이 침전하기 쉽다.
② 분류식은 합류식에 비해 부설비용이 많이 든다.
③ 분류식은 우천 시 오수가 월류하도록 설계한다.
④ 합류식 관거는 단면이 커서 환기가 잘 되고 검사에 편리하다.

해설
합류식 하수도
• 오수와 빗물을 동일한 관거로 수송하는 방식으로 많은 비가 내릴 때 하수처리장 용량 이상의 빗물을 오수와 구분하여 하천으로 방류(우수토실)한다
• 미처리 방류로 수역을 오염시킬 우려가 있다.

문제 37

하수도의 구성 및 계통에 관한 설명으로서 옳지 않은 것은?

① 하수의 집배수시설은 가압식을 원칙으로 한다.
② 하수처리시설은 물리적, 생물학적, 화학적 시설로 구별된다.
③ 하수의 배제방식은 합류식과 분류식으로 대별된다.
④ 분류식은 합류식보다 방류하천의 수질보전을 위한 이상적인 배제방식이다.

해설 | 하수의 집배수 시설은 자연유하식을 원칙으로 하며, 펌프시설도 사용할 수 있다.

문제 38

다음 보기에 해당하는 취수방식은?

〈보기〉 하천의 하안이나 제방에 직접 취수구를 설치하여 취수하는 방법으로 취수 지점의 표고가 높아 자연 유하식으로 도수할 수 있는 곳에 설치〈보기〉 하천의 하안이나 제방에 직접 취수구를 설치하여 취수하는 방법으로 취수 지점의 표고가 높아 자연 유하식으로 도수할 수 있는 곳에 설치

① 취수틀 ② 취수문 ③ 취수탑 ④ 취수관

정답 36. ③ 37. ① 38. ②

해설

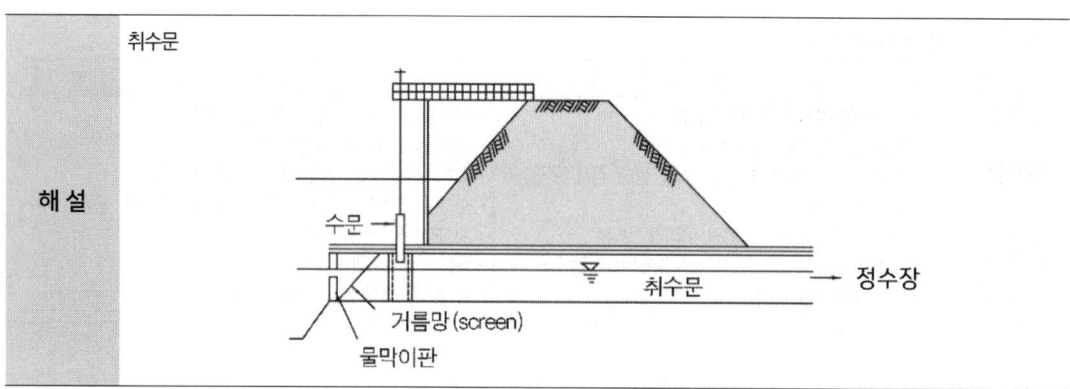

문제 39

자연유하식에 대한 설명으로 옳지 않은 것은?

① 수원을 급수 지역 가까운 곳에서 자유로이 선택할 수 있다.
② 도수 및 송수가 안전하고 확실하다
③ 수로가 길어지면 건설비가 많이 든다
④ 개거의 경우 외부로부터의 수질 오염 우려가 있다.

해설

도수방식의 비교	
자연유하식	• 도수, 송수가 안전하다 • 수원의 위치가 높고 도수로가 길 때 적당하다 • 유지관리가 용이하고 유지관리비가 저렴 • 수로가 길어지면 건설비가 많이 든다 • 오수의 침입우려가 있다 • 급수구역을 자유로이 선택할 수 없다
가압식	• 지하수를 수원으로 할 경우에 적당 • 도수로를 짧게 할 수 있어 건설비 절감가능 • 수원이 급수지역과 가까이 있을 때 적당 • 관수로에만 이용가능 • 수압으로 인한 누수의 우려가 있다 • 전력 등의 유지관리비가 많이 든다

문제 40

하수처리 시설의 처리 과정에 대한 설명으로 올바르지 않은 것은?

① 침사지 – 가정에서 버리는 하수와 함께 들어온 모래와 흙, 쓰레기를 제거하여 최초 침전지로 펌프를 통하여 보낸다
② 최종침전지 – 무거워진 미생물 덩어리들이 가라앉고나면 남은 물은 소독하여 하천으로 방류하고 찌꺼기 일부는 공기공급조로 되돌아가고 나머지는 농축조로 보낸다

정답 39. ① 40. ③

③ 최초침전지 – 하수 속에 있는 찌꺼기를 제거하고 남은 물은 다음 단계인 최종침전지로 보내고 찌꺼기는 농축조로 보낸다
④ 공기공급조 – 산소와 함께 섞이면서 공기공급조에서 미생물이 물속의 찌꺼기를 잡아 먹고 미생물 덩어리가 형성된다.

해설	하수처리 시설의 순서 및 계통	
	• 하수처리시설의 계통순서는 침사지 → 최초침전지 → 공기공급조(포기조) → 최종침전지 → 방류이다	
	침사지	가정에서 버리는 하수와 함께 들어온 모래와 흙, 쓰레기를 제거하여 최초침전지로 펌프를 통해 보낸다.
	최초침전지	하수 속에 있는 찌꺼기를 제거하고 남은 물은 다음 단계인 공기 공급조(포기조)로 보내고 찌꺼기는 농축조로 보낸다.
	공기공급조 (포기조)	최초 침전지에서 오는 물은 송풍기에서 공급된 공기 중 산소와 함께 섞이면서 공기 공급조에서 미생물이 물속의 찌꺼기를 잡아먹고 미생물 덩어리(플록)가 형성된다
	최종 침전지	최종침전지에서 무거워진 미생물 덩어리들이 가라앉고 나면 남는 물을 소독하여 하천으로 방류하고 찌꺼기 일부는 공기 공급조로 되돌아가고 나머지는 농축조로 보낸다.

문제 41

부영양화에 대한 설명으로 올바르지 않은 것은?

① 조류의 증가로 물에 맛과 냄새가 발생된다
② 적조현상의 원인이 되며, 보통 수심이 낮은 곳에서 발생되며, 한번 발생하면 회복이 어렵다
③ 사멸된 조류의 분해 작용으로 심층수로부터 용존산소가 줄어든다
④ 영양염류인 질소, 인 등의 감소로 발생한다.

해설	부영양화의 발생과 특징
	• 부영양화의 발생 : 가정하수, 공장폐수 등이 하천이나 호수에 유입되었을 때 질소나 인과 같은 영양염류 농도가 증가된다. 이로 인해 조류 및 식물성 플랑크톤의 과도한 증가가 발생하고 이들의 사멸로 저수지 바닥에 침전되면 다른 미생물에 의해서 분해되고 그 결과 생기는 물질은 다시 다른 조류의 번식을 초래하는 영양소가 된다. 이러한 순환을 거듭하면 저수지 수질은 점점 악화되어 나중에는 쓸모없는 늪 모양으로 변하게 된다.
	• 사멸된 조류의 분해 작용으로 인해 심층수로부터 용존산소(DO)가 줄어든다
	• 조류의 증가로 물에 맛과 냄새가 발생한다
	• 수심이 낮은 곳에서 발생되며, 한번 발생되면 회복이 어렵다
	• 물의 투명도가 저하된다

문제 42

도수 및 송수관로의 결정시에 고려할 사항으로 틀린 것은?

① 가급적 최단거리로 결정할 것
② 급격한 굴곡을 피할 것
③ 이상수압을 받지 않을 것
④ 마찰 손실 수두가 최대일 것

정답 41. ④ 42. ④

토목일반 단원별 문제

해 설	도수 및 송수 관로의 결정시 고려사항 • 가급적 최단거리로 결정 • 급격한 굴곡을 피할 것 • 이상 수압을 받지 않을 것 • 마찰 손실 수두가 최소일 것 • 노선은 가급적 공공도로를 이용

문제 43

200cc의 하수를 조사했을 때, 10mg의 증발 잔유물이 남았다. 이 하수의 증발 잔유물의 농도(ppm)는?

① 5ppm
② 10ppm
③ 50ppm
④ 100ppm

해 설	농도의 단위 (ppm) 정복하기 ☞ ppm : parts per million(백만 분의 일) ☞ cc = ml ☞ 물 1ml(부피)는 1g(질량)에 해당한다 • 증발 잔유물의 농도 $$\frac{10mg}{200ml} = \frac{0.01g}{200ml} = \frac{0.01}{200} = \frac{1}{20,000}$$ $$= \frac{1 \times 50}{20,000 \times 50}$$ $$= \frac{50}{1,000,000}$$ $$= 50\,ppm$$

문제 44

송수노선의 결정에 대한 사항으로 올바르지 않은 것은?

① 가급적 장거리여야 한다
② 최소의 저항으로 송수하고 최소의 공사비가 드는 지점을 선정해야 한다
③ 급격한 굴곡을 피한다
④ 이상수압을 받지 않도록 한다

해 설	송수노선의 결정시 고려사항 • 가급적 단거리 노선을 결정하여 공사비를 절감하도록 하여야 한다

문제 45

하수도의 배수계통 방식이 아닌 것은?

① 직각식　　② 차집식　　③ 합류식　　④ 선형식

정답　43. ③　44. ①　45. ③

해설

하수도의 배수계통
- 하수도의 배수계통에는 직각식, 차집식, 다단식, 집중식, 선형식, 방사식 등이 있다.

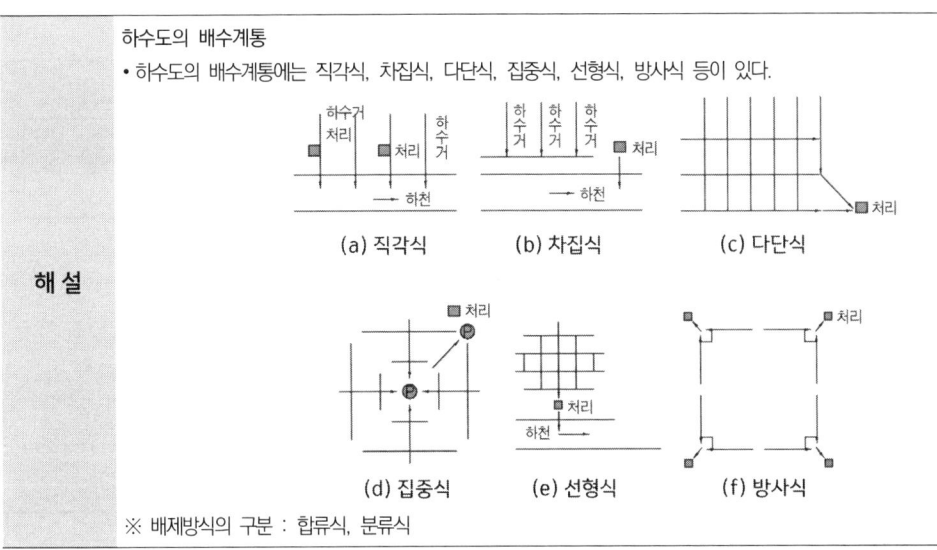

(a) 직각식　　(b) 차집식　　(c) 다단식

(d) 집중식　　(e) 선형식　　(f) 방사식

※ 배제방식의 구분 : 합류식, 분류식

문제 46

상하수도 시설계획에 대한 설명으로 옳지 않은 것은?

① 기존 설비의 개량보다는 시설의 증설과 확장을 통한 양적확대에 집중해야 한다
② 15~20년의 기간을 고려하여 계획을 수립한다
③ 상수도의 급수량은 기온이 올라갈수록 증대된다.
④ 상수도 시설의 설계규모의 결정기준은 계획 1일 최대급수량이다

해설 양적확대를 위한 시설의 증설이나 확장에 국한하지 말고 기존 설비의 개량 등도 함께 고려하는 것이 바람직하다

문제 47

자연 유하식의 특징으로 옳지 않은 것은?

① 도수 및 송수가 안전하고 확실하다
② 유지관리가 용이하고 비용이 적게 든다
③ 수원의 위치가 낮을 때 유리하다
④ 개거의 경우 외부로부터의 수질 오염 우려가 있다

해설

자연유하식의 특징	
자연유하식	• 도수, 송수가 안전하다 • 수원의 위치가 높고 도수로가 길 때 적당하다 • 유지관리가 용이하고 유지관리비가 저렴 • 수로가 길어지면 건설비가 많이 든다 • 오수의 침입우려가 있다 • 급수구역을 자유로이 선택할 수 없다

정답 46. ①　47. ③

문제 48

하수처리시설의 순서에 맞게 배열하시오.

ㄱ. 최초 침사지   ㄴ. 최종 침전지   ㄷ. 침사지
ㄹ. 방류   ㅁ. 공기공급조(포기조)

① ㄷ-ㄱ-ㅁ-ㄴ-ㄹ
② ㄷ-ㄱ-ㄴ-ㅁ-ㄹ
③ ㄱ-ㄷ-ㅁ-ㄴ-ㄹ
④ ㄱ-ㄴ-ㄷ-ㅁ-ㄹ

해설
하수처리 시설의 순서
• 하수처리시설의 계통순서는 침사지 → 최초침전지 → 공기공급조(폭기조) → 최종침전지 → 방류이다

문제 49

구조물과 계획 하수량을 옳게 짝지은 것은?

① 고도처리시설 – 계획 시간 최대 오수량
② 오수관거 – 계획 1일 평균 오수량
③ 우수관거 – 계획 1일 최대 오수량
④ 오수펌프장 – 계획 시간 최대 오수량

해설

계획 하수량의 결정
• 오수 및 우수 관거

합류식		계획 시간최대 오수량 + 계획 우수량
분류식	오수관거	계획 시간 최대오수량
	우수관거	계획 우수량

• 계획오수량

계획 1일 최대 오수량	하수도 시설의 용량을 결정하는 기초로 삼는 수량
계획 1일 평균 오수량	유입하수의 수질 규모를 추정하는 수량 유지관리비 산정에 이용
계획 시간 최대 오수량	관거 및 펌프장의 용량 결정의 기준이 되는 수량

문제 50

취수 설비의 특징으로 옳지 않은 것은?

① 취수관은 수위 변동이 적은 곳에 적합하다.
② 취수탑은 수위 변화가 잦은 곳에 적합하다.
③ 취수문은 표고가 높은 곳에 적합하다.
④ 취수보는 유량이 안정적인 경우에 적합하다.

정답 48. ① 49. ④ 50. ④

해설	취수보 • 하천의 흐름 방향에 직각으로 댐을 축조하여 물을 막고 하천의 수위를 높여 수문에 의해 조절되는 취수구로 물을 받는 시설로서 하천의 유량이 불안정한 경우에 많이 사용한다. • 하천의 유량이 불안정하므로 인위적으로 보를 축조하여 수위를 상승시켜 수위를 유지하는 방식임

문제 51

고가탱크 급수방식에 대한 설명으로 틀린 것은?

① 급수압이 거의 일정하다
② 수질오염의 가능성이 크다
③ 설비비가 조금 비싸다
④ 정전시 급수가 안된다

해설	고가탱크 급수방식 • 정전시에도 고가탱크 내부에 있는 물을 이용할 수 있다.

문제 52

슬러지 처리과정의 올바른 순서는?

① 농축 - 소각 - 개량 - 탈수 - 소화 - 최종처분
② 농축 - 소화 - 개량 - 탈수 - 소각 - 최종처분
③ 농축 - 탈수 - 소화 - 개량 - 소각 - 최종처분
④ 농축 - 개량 - 소화 - 탈수 - 소각 - 최종처분

해설	슬러지 처리 과정 • 슬러지 처리 방법은 농축 → 소화 → 개량 → 탈수 → 소각 → 최종 처분의 과정을 거친다

문제 53

수원의 특성으로 옳지 않은 것은?

① 수량이 풍부해야 한다
② 가능한 가압식을 이용해야 한다
③ 해수의 영향을 받지 않는 곳이어야 한다.
④ 급수 구역과 가까운 곳에 수원지가 위치해야 한다

해설	수원의 구비조건 • 수량이 풍부해야 한다 • 수질이 양호해야 한다 • 계절적으로 수량 및 수질의 변동이 적어야 한다 • 가능한 한 자연유하식을 이용할 수 있는 곳이어야 한다 • 주위에 오염원이 없는 곳이어야 한다 • 급수구역으로부터 가까워야 한다 • 해수의 영향을 받지 않는 곳이어야 한다

정답 51. ④ 52. ② 53. ②

문제 54

상수도의 도수 및 송수 방식인 자연 유하식의 특징이 아닌 것은?

① 수로가 길어지면 건설비가 많이 든다
② 도수 및 송수가 안전하고 확실하다
③ 수원의 위치가 낮고 도수로가 짧아야 적당하다
④ 유지관리가 용이하고 비용이 적게 든다

해설	자연유하식의 특징	
	자연유하식	• 도수, 송수가 안전하다 • 수원의 위치가 높고 도수로가 길 때 적당하다 • 유지관리가 용이하고 유지관리비가 저렴 • 수로가 길어지면 건설비가 많이 든다 • 오수의 침입우려가 있다 • 급수구역을 자유로이 선택할 수 없다

문제 55

정수처리 계통의 여과방식에 관한 설명으로 옳은 것은?

① 완속여과는 3~5m/s, 급속여과는 120~150m/s의 속도로 통수시킨다
② 완속여과에서 모래층의 기능은 거름, 흡착, 침전, 생물학적 응결 작용을 한다.
③ 급속여과는 현탁물질을 모래로 분리하며 물을 정화시키는 방법이다
④ 완속여과는 대규모, 급속여과는 소규모에 적합하다.

해설	여과방식의 비교	
	완속여과	• 모래층과 모래층 표면에 증식한 미생물 군에 의한 산화 및 분해작용을 이용한 정수방법 • 보통침전지 → 완속사 여과 → 살균 • 두께 60~90cm의 모래층을 3~5m/day의 속도로 천천히 통수시킴 • 모래층의 기능: 거름, 흡착, 생물학적 응결, 침전작용 • 소용량에 적합
	급속여과	• 현탁물질을 약품에 의해 응집시킨 후 분리하여 정수처리 • 응결 → 플록형성 → 침전 → 급속여과 → 살균 • 부유물질의 제거와 미리 응집제를 이용한 콜로이드 물질의 응집처리가 필요 • 120~150m/day의 여과속도 • 대용량에 적합

문제 56

수원으로서 갖추어야 할 구비조건으로 올바른 것은?

① 수위 변동이 크면 하수면이 많이 요동쳐 양질의 물을 얻을 수 있으므로 수위변동이 클수록 좋다
② 가능한 한 자연유하식을 이용할 수 있는 곳이 좋다
③ 급수구역과 먼 곳일수록 좋다
④ 해수의 영향을 받으면 안되지만 주위에 오염원은 있어도 된다.

정답 54. ③ 55. ② 56. ②

문제 57

등급별 물의 상태로 올바르지 않은 것은?

① 매우 좋음 : 용존산소가 풍부하고 오염물질이 없는 청정상태의 생태계로 간단한 정수 처리 후 생활 용수로 사용
② 약간 좋음 : 용존 산소가 많은 편이며, 오염물질이 거의 없는 청정 상태에 근접한 생태계
③ 보통 : 용존산소를 소모하는 오염물질이 보통 수준에 달하며 고도의 정수처리 후 생활 용수로 이용하거나, 일반적 정수 처리 후 공업용수로 사용
④ 매우 나쁨 : 용존 산소가 거의 없는 오염된 물로 물고기가 살 수 없음

해설	등급별 물 상태 • 매우 좋음 – 좋음 – 약간 좋음 – 보통 – 약간나쁨 – 나쁨 – 매우 나쁨의 순서	
	등급	내용
	매우좋음	용존 산소가 풍부하고 오염 물질이 없는 청정 상태의 생태계로 간단한 정수 처리 후 생활용수 사용
	좋음	용존 산소가 많은 편이며, 오염 물질이 거의 없는 청정상태에 근접한 생태계
	약간 좋음	약간의 오염물질은 있으나 용존산소가 많은 상태의 다소 좋은 생태계로 일반적 정수 처리 후 생활용수 또는 수영용수 사용
	보통	용존 산소를 소모하는 오염 물질이 보통 수준에 달하는 일반 생태계로 고도의 정수 처리 후 생활 용수로 이용하거나 일반적 정수 처리 후 공업 용수 사용
	약간나쁨	상당량의 용존 산소를 소모하는 오염 물질이 있어 영향을 받는 생태계로 농업 용수로 사용하거나 고도의 정수 처리 후 공업 용수로 이용, 낚시 가능
	나쁨	과량의 용존 산소를 소모하는 오염 물질이 있어 물고기가 드물게 관찰되는 빈곤한 생태계로 산책 등 국민의 일상생활에 불쾌감을 유발하지 않는 한계이며, 특수한 정수 처리 후 공업 용수 사용
	매우나쁨	용존 산소가 거의 없는 오염된 물로 물고기가 살 수 없음

문제 58

전식에 의한 관부식의 방지 대책으로 옳지 않은 것은?

① 관로에 비해 레일의 전압이 낮은 경우, 전류를 선택배류기를 통해 직접 레일로 되돌려 보내는 선택배류법을 실시한다.
② 관에서 전류의 유출을 막는 유입전류를 만드는 강제배류법을 시행한다.
③ 관로에 전기적 절연단수를 삽입하여 전류의 흐름을 막는 절연접속법을 시행한다.
④ 유황분을 포함한 도료로 관 외면을 충분히 피복하는 절연물 피복법을 시행한다.

해설	전식대책 • 절연물 피복법은 아스팔트계나 코울타르계의 도료로 관 외면을 충분히 피복하는 방법이다.

문제 59

하수 처리 시설 선정시 유의사항으로 볼 수 없는 것은?

① 운전의 난이도
② 처리구역 내 확장 및 신설이 예상되는 공장배수량

정답 57. ② 58. ④ 59. ③

③ 방류 수역의 과거 이용 상황
④ 처리장의 입지조건

해설	하수 처리 시설 선정 시 유의사항 • 평균 수질 및 평균유량 • 수질 및 유량의 변동 범위 • 처리 구역 내 공장 등에 의한 배출 유량 및 수질의 변화 • 처리 구역 내 확장 및 신설이 예상되는 공장 배수량 • 수로의 이용 등의 방류 수역의 현재 및 장래 이용상황 • 처리장의 입지 조건 • 건설비 • 유지관리비 • 운전의 난이도 등

문제 60

하수도 배제방식의 설명으로 옳은 것은?
① 합류식은 관거의 부설비가 많이 든다.
② 분류식은 갈수기에 침전되어 하수의 고형화가 일어난다.
③ 분류식은 일정량의 오수가 항상 관을 통해 흐르므로 오물의 침전부패가 없다.
④ 합류식은 관거 단면이 작아 시공이 쉽다.

해설	합류식과 분류식의 특징 • 분류식은 오수관거와 우수관거를 따로 시공하므로 관거 부설비가 많이 든다. • 합류식은 갈수기에 우수의 유입이 적으므로 오수의 침전 가능이 있어, 고형 물질이 하수관에 많이 퇴적되어 부패한다. • 분류식은 합류식에 비해 관거 단면이 작아 시공이 쉽다.

문제 61

슬러지 처리 시설공사에 관해 잘못 연결된 것은?
① 소각 – 고온에 의해 슬러지를 소각해서 유기물을 산화시켜 가스화한다.
② 탈수 – 슬러지를 최종 처분하기 전에 함수율을 감소시키는 과정
③ 개량 – 탈수 공정을 거친 슬러지를 소화 효율을 높이기 위해서 하는 전처리
④ 농축 – 고형물의 농도를 증가시켜 부피를 감소하게 만드는 방법

해설	개량 • 소화 공정을 거친 슬러지를 탈수하기 전에 탈수 효율을 높이기 위하여 하는 전처리 • 슬러지 세정, 열처리 동결 등의 물리적인 방법과 응집제를 사용하는 화학적인 방법이 있음 • 개량과정을 거침으로써, 탈수되는 슬러지는 특성에 따라 함수율을 90~96%에서 65~85%로 줄일 수 있음

문제 62

배수관의 배치 방식에 대한 설명으로 옳지 않은 것은?
① 격자식 배수관망은 화재시와 같이 수량의 변화가 급격한 상황에 유리하다.
② 수지상식 배수관망은 격자식에 비해 관거설치시 시공이 용이하다.

정답 60. ③ 61. ③ 62. ③

③ 수지상식 배수관망은 관망의 수리계산이 매우 어렵다.
④ 격자식 배수관망은 수압유지가 편리하다.

해설	배수관망의 특징	
	격자식	• 관을 그물처럼 연결하는 것으로 물이 정체하지 않고 수압도 유지하기 쉬움 • 화재시 특히 유리함 • 관망의 계산이 매우 복잡함
	수지상식	• 관이 연결되지 않고 수지상으로 나뉘어져 끝으로 갈수록 가늘어짐 • 수량은 서로 보충할 수 없어 수압의 저하가 현저함 • 관경이 커야 하므로 비경제적이지만 수리계산은 간단하고 정확함 • 추가 설치 비용이 적게 드는 이점이 있음

문제 63

하수원수가 4L이고 잔유물의 질량이 2.5g일때 잔유물의 농도는?

① 10 ppm ② 62.5 ppm ③ 100 ppm ④ 625 ppm

해설	농도의 계산 • 잔유물의 농도 $$\frac{2.5g}{4000ml} = \frac{2.5}{4000} = \frac{2.5 \times 250}{4000 \times 250} = \frac{625}{1,000,000} = 625 \, ppm$$

문제 64

하수도의 배제 방식 중, 합류식에 대한 설명으로 옳지 않은 것은?

① 공사비가 적게 들고 시공이 쉽다.
② 강우발생시에는 처리장에 부하를 가중시킨다.
③ 공공하수와 시설 하수의 연결이 쉽다.
④ 처리량이 일정하며 일관성있는 처분이 가능하다.

해설	합류식의 단점 • 강우 발생시에는 처리장에 부하를 가중시킨다. • 처리 용량 및 펌프의 용량이 일정하지 않아 처리 수질의 변동이 크다

문제 65

취수 시설공사에 대한 설명으로 옳지 않는 것은?

① 취수지점은 최대 홍수시와 최대 갈수시에도 취수를 할 수 있도록 적절한 취수구의 높이를 가져야 한다.
② 취수탑은 하천, 호수, 저수지에서의 수위변화에 따라 취수가 가능하도록 여러개의 취수구를 설치한다.

정답 63. ④ 64. ④ 65. ④

③ 취수보는 하천의 유량이 불안정한 경우에 많이 사용한다.
④ 취수관은 호수의 수위변동이 적은 곳에 설치하며, 최대 갈수시에도 취수를 위해 취수구를 갈수위보다 30cm 높게 하천 바닥에 설치한다.

해 설	취수관 • 취수구는 최대 갈수 시에도 취수를 위해 취수구를 갈수위보다 30cm 낮추어 하천 바닥에 설치한다

문제 66

6000cc의 하수를 조사하여 작열잔유물의 양이 120mg이 나왔을 때, 작열잔유물의 농도(ppm)는?

① 2　　　　　② 4　　　　　③ 20　　　　　④ 40

해 설	농도의 계산 • 잔유물의 농도 $$\frac{120mg}{6000cc} = \frac{0.12g}{6000ml} = \frac{0.12}{6000} = \frac{1}{50,000}$$ $$= \frac{1 \times 20}{50,000 \times 20}$$ $$= \frac{20}{1,000,000}$$ $$= 20\,ppm$$

문제 67

배수관망에 대한 설명으로 옳은 것은?

① 격자식은 시공이 용이하다.
② 수지상식은 수량을 서로 보충할 수 있다.
③ 격자식은 수압을 유지하기 쉽다.
④ 수지상식은 관경이 작아야 하므로 경제적이다.

해 설	수지상식 배수관망 • 관이 연결되지 않고 수지상으로 나뉘어져 끝으로 갈수록 가늘어짐 • 수량은 서로 보충할 수 없어 수압의 저하가 현저함 • 관경이 커야 하므로 비경제적이지만 수리계산은 간단하고 정확함 • 추가 설치 비용이 적게 드는 이점이 있음

문제 68

슬러지의 처리방법 중 탈수효율을 높이기 위하여 하는 전처리는?

① 소화　　　　　② 개량　　　　　③ 소각　　　　　④ 농축

해 설	개량 • 소화공정을 거친 슬러지를 탈수하기 전에 탈수 효율을 높이기 위하여 하는 전처리

정답　66. ③　67. ③　68. ②

문제 69

다음 중 오수량에 포함되지 않는 것은?

① 가정하수 ② 공장폐수
③ 빗물 ④ 지하수

해설	하수 = 오수 + 우수 • 오수 = 생활오수 + 공장폐수 + 하수관거 내 침투지하수

문제 70

지표수의 특징이 아닌 것은?

① 부유성 유기물이 풍부하다.
② 오염될 가능성이 커서 상수원수로 사용하기에 부적당하다.
③ 공기성분이 용해되어 있다.
④ 경도가 작다.

해설	지표수의 특징 • 하천수는 지표, 지중, 대기를 통하여 집적되는 물로 주위의 오염원에서 나오는 오염된 물로 인해 오염될 가능성이 크다. 그러나, 수원 중에서 가장 쉽게 얻을 수 있는 것이 지표수이기에 상수 원수로 가장 많이 사용된다. • 경도가 작다

문제 71

관로노선의 선정시 유의사항으로 옳지 않은 것은?

① 원칙적으로 공공도로 또는 수도용지를 이용한다.
② 수평이나 수직의 급격한 굴곡을 피하고, 관로는 가능한 한 최소동수구배선 이하가 되도록 한다.
③ 관로가 최소 동수구배선 위에 있을 경우, 상류측 관경을 작게 하여 수압을 감소시켜야 한다.
④ 동수구배선을 인위적으로 상승시킬 경우, 접합정이나 감압밸브를 설치하여 관내 압력을 줄이도록 한다.

해설	도수 및 송수관로의 결정 • 가급적 최단거리로 결정할 것 • 급격한 굴곡을 피할 것 • 이상 수압을 받지 않을 것 • 마찰손실 수두가 최소일 것 • 노선은 가급적 공공도로를 이용 ※ 관로가 최소 동수구배선 위에 위치할 경우, 사이펀 현상이 발생하므로, 음압력이 발생하므로 오염된 물의 관로 유입 가능성이 있다. 이럴때는 상류측 관경을 크게 하여 최소 동수구배선을 상승시키는 것이 바람직하다.

정답 69. ③ 70. ② 71. ③

문제 72

대지를 통해 흐르는 전류에 의해 금속관에 발생하는 전식에 대한 대책이 아닌 것은?

① 절연물로 피복
② 선택 배류법
③ 강제 배류법
④ 직접 접속법

해 설	전식에 의한 부식 대책 • 절연물로 피복 : 아스팔트계나 코울타르계의 도료로 외면을 피복 • 절연접속법 : 관로에 전기적 절연단수를 삽입해서 전류의 흐름을 막음 • 선택배류법(직접배류법) • 강제배류법 : 관에서 전류의 유출을 막는 유입 전류를 만들어 전식을 방지

문제 73

하수처리 공법중 A2O 공법의 하수처리 순서로 옳은 것은?

| 〈보기〉 a. 혐기조 | b. 무산소조 | c. 호기조 | d. 2차 침전지 |

① 침사지-유량조정조 - a - b - c - d - 소독조-방류
② 침사지-유량조정조 - c - a - b - d - 소독조-방류
③ 침사지-유량조정조 - a - c - d - b - 소독조-방류
④ 침사지-유량조정조 - c - d - a - b - 소독조-방류

해 설	A^2/O 공법(Anaerobic-Anoxic/Oxic Process) • 혐기조-무산소/산소조의 흐름을 유지 • 대표적인 고도 처리 공법(유기물, 질소, 인 제거) • 활성 슬러지 공법에 비해 질소, 인 제거율이 높음 • 유기물, 질소, 인을 먹는 미생물이 잘 자랄 수 있는 환경을 하나의 생물 반응조에 조합

문제 74

계획 1일 최대 급수량이 72,000 ㎥인 지역에 배수지 유효용량이 9,000 ㎥ 일 때, 최대 저장 가능시간은?

① 8시간
② 6시간
③ 4시간
④ 3시간

해 설	배수지 용량 • 배수지 용량 : (계획) 1일 최대급수량 = 배수지 저류 시간 : 24시간 $*$ 배수지용량 = (계획)1일 최대 급수량 $\times \dfrac{\text{배수지 저류시간}}{24}$ $*$ 배수지 저류시간 = $\dfrac{\text{배수지 용량}}{(\text{계획})1일 최대급수량} \times 24$ 그러므로, 배수지 저류시간 = $\dfrac{9,000}{72,000} \times 24 = 3$시간 이 된다.

정답 72. ④ 73. ① 74. ④

문제 75

오존을 사용한 고도정수처리 방법으로 옳지 않은 것은?

① 병원균에 대한 살균효과가 크다.
② 철, 망간의 제거 능력이 크다.
③ 효과의 지속성이 없다.
④ 수온이 높아지면 오존소비량이 감소한다.

해 설	오존에 의한 고도정수 처리 방법 • 병원균에 대한 살균효과가 크다. • 냄새, 색도 제거에 효과적이다. • 철, 망간의 제거 능력이 크다. • 효과의 지속성이 없다. • 수온이 높아지면 오존 소비량이 증가한다.

문제 76

맨홀에 대한 설명으로 잘못된 것은?

① 관내부의 검사 및 청소를 위한 사람의 출입구이다.
② 관내의 통풍, 환기 및 관의 접합에도 유효하다.
③ 맨홀의 형상은 구조상 사각기둥형이 제일 유리하다.
④ 맨홀의 내경은 깊이 유입의 크기등에 따라 다르나 90cm ~150cm를 가장 많이 사용한다.

해 설	맨홀 • 구조상 원통형이 제일 유리하다

문제 77

다음 중 수질검사 및 수질기준에 대해 올바르게 말한 사람을 모두 고른 것은?

> 〈보기〉 철수 – "물리적 검사는 외관, 탁도, 색도, 맛 등으로 판별한다"
> 영희 – "탁도는 백도토 1mg이 증류수 1L에 포함되어 있을 때의 탁도를 1도(1ppm)이라고 하며, 우리나라 기준은 3도 이하이다"
> 민서 – "색도는 백금 1mg을 포함한 색도 표준액을 증류수 1L에 용해시켰을 때의 색상을 1도라 하며, 우리나라 기준은 5도 이하이다"

① 철수, 영희, 민서   ② 철수, 민서   ③ 영희   ④ 민서

해 설	물리적 수질 검사 • 물리적 검사는 외관, 온도, 탁도, 색도, 맛, 냄새로 판별한다. • 탁도 : 물의 맑고 흐린 정도를 나타내는 것으로 백도토 1mg이 증류수 1L에 포함되어 있을 때의 탁도를 1도(1ppm)로 한다. 우리나라 기준은 2도 이하이며, 물의 탁도는 부유 물질의 함유 정도에 따른다. • 색도 : 물의 색의 정도를 나타낸 것으로 백금 1mg을 포함한 색도 표준액을 증류수 1L에 용해시켰을 때의 색상을 1도라 한다. 우리나라 기준은 5도 이하이다.

정답 75. ④   76. ③   77. ②

문제 78

하수처리 방법 중 미생물의 고정여부에 따른 분류 중 성격이 다른 하나는?

① 표준활성슬러지법
② 산화구법
③ 장시간 포기법
④ 회전 원판법

해설	미생물 고정여부에 따른 하수처리방법의 비교	
	부유성장방식	• 활성슬러지법 • 산화구법 • 장시간포기법
	고정성장방식	• 살수여상법 • 회전원판법

문제 79

부식대책에 대한 설명으로 옳지 않은 것은?

① 절연물피복법은 아스팔트나 콜타르계의 도료로 외면을 피복하는 전식방지 대책이다
② 절연접속법은 관로에 전기적 절연단수를 삽입해서 전류의 흐름을 막는 방법이다
③ 선택배류법은 직접배류법이라고도 하며 산에 의한 부식을 방지하기 위한 대책이다
④ 강제배류법은 관에서 전류의 유출을 막는 유입전류를 만들어 전식을 방지하는 방법이다

| 해설 | 선택배류법
• 관로에 비해 레일의 전압이 낮은 경우 관 외면에서 토양을 통해 레일로 되돌아가 전식을 일으키는 전류를 선택 배류기를 통해 직접 레일로 되돌려 보내는 것을 말하며 전식에 대한 방지 대책이다 |

문제 80

하수관 결정 시 고려 사항으로 올바르지 않은 것은?

① 관거의 내면이 매끈하고 조도계수가 작아야 한다.
② 유량변동에 따라 유속변동이 큰 수리특성을 가진 단면이어야 한다.
③ 이음 및 시공성이 좋아야 한다.
④ 수밀성 및 압축성이 좋아야 한다.

| 해설 | 하수관 결정시 고려 사항
• 관거의 내면이 매끈하고 조도 계수가 작아야 한다.
• 유량변동에 따라 유속변동이 적은 수리특성을 가진 단면이어야 한다.
• 이음 및 시공성, 수밀성과 압축성이 좋아야 한다. |

정답 78. ④ 79. ③ 80. ②

문제 81

다음은 하수도의 수질 조건에 대한 표이다 ㉠과 ㉡에 해당하는 것은?

구분	BOD(ppm)	COD(ppm)	SS(ppm)
하수종말처리시설	㉠		20이하
폐수종말처리시설	30이하	40이하	㉡

	㉠	㉡
①	20이하	40이하
②	30이하	20이하
③	20이하	10이하
④	20이하	30이하

문제 82

방류 수질 기준 중 하수 종말 처리 시설의 BOD 기준(ppm)은?

① 10 이하   ② 20 이하   ③ 30 이하   ④ 40 이하

해설
하수종말 처리장의 방류수질 기준
- BOD 20ppm 이하
- SS(Suspended Solids) 부유현탁물질 30ppm 이하

문제 83

부영양화 현상의 특징으로 옳지 않은 것은?

① 사멸된 조류의 분해작용으로 심층수로부터의 용존산소가 줄어든다.
② 부영양화 현상이 심화되면 수역의 생태계 보존에 도움이 된다.
③ 물의 투명도가 저하된다.
④ 적조 현상의 원인이 된다.

해설
부영양화 현상의 발생
- 가정하수, 공장폐수 등이 하천이나 호수에 유입되었을 때 질소나 인과 같은 영양염류 농도가 증가된다. 이로 인해 조류 및 식물성 플랑크톤의 과도한 증가가 발생하고 이들의 사멸로 저수지 바닥에 침전되면 다른 미생물에 의해서 분해되고 그 결과 생기는 물질은 다시 다른 조류의 번식을 초래하는 영양소가 된다. 이러한 순환을 거듭하면 저수지 수질은 점점 악화되어 나중에는 쓸모없는 늪 모양으로 변하게 된다.

문제 84

배수관망의 방식 중 격자식의 특징으로 옳지 않은 것은?

① 관경이 커야 하므로 비경제적이다.
② 단수 발생 시 그 대상 지역이 좁아진다.

정답   81. ④   82. ②   83. ②   84. ①

③ 물이 정체하지 않는다.
④ 관망의 수리 계산이 복잡하다.

해 설	수지상식의 특징 • 관경이 커야 하므로 비경제적이다.

문제 85

분류식 방식의 특징으로 옳지 않은 것은?

① 일정량의 오수가 항상 관을 통해 흐르므로 오물의 침전 부패가 없다.
② 노면배수가 우수관거를 통해 직접 공공수역으로 방류된다.
③ 우수에 의한 오수의 희석 비율이 높다.
④ 관거의 부설비가 많이 든다.

해 설	합류식의 특징 • 우수에 의한 오수의 희석 배율이 크다. • 강우 시에 물질이 공공 수역으로 일시에 유출된다. • 미처리 방류로 수역을 오염시킬 염려가 있다.

문제 86

하수도의 배수 계통에 관한 설명으로 옳은 것은?

① 방사식 : 배수구역을 나누어 중앙으로부터 방사형으로 배관하여 각 분할별로 배수와 하수를 처리한다.
② 직각식 : 유량이 풍부할 때 배제 불가
③ 차집식 : 나뭇가지 형으로 배치된 배수 계통을 통해 분리형식으로 처리한다.
④ 선형식 : 방류할 하천 유량이 하수량을 배출하기에 부족하여 오염이 심할것으로 예상되는 경우에 사용

해 설	하수도의 배수 계통 • 직각식 : 하천 유량이 풍부할 때 신속히 배제할 수 있는 경제적 방법으로 많은 수의 토출구가 필요하며 역류에 대비해야 하는 결점이 있음 • 차집식 : 하수를 방류할 하천 유량이 하수량을 배출하기에는 부족하여 하천 오염이 심할 것으로 예상되는 경우에 설치. 간선 하수거로 흐르는 하수를 차집거에 모아 하수종말처리장으로 보내는 방법 • 선형식 : 전 지역의 하수를 나뭇가지 형으로 배치된 배수 계통을 통하여 한정된 장소로 집수한 후 처리하는 방법 • 방사식 : 여러 배수구역으로 나누어 중앙으로부터 방사형으로 배관하여 각 분할 구역별로 배수와 하수를 처리하는 방법 • 다단식 : 높이가 다른 층을 이루는 도시에서 층별 하수를 모아서 처리하는 방법 • 집중식 : 펌프양수식을 말한다

문제 87

개수로식 송수관로의 특징으로 옳지 않은 것은?

① 자연수면이 있다.
② 수압에 의한 누수가 있다.
③ 오수 침입우려가 있다.
④ 중력에 의해 흐른다.

정답 85. ③ 86. ① 87. ②

해설	수압과의 관계에 따른 송수관로방식의 구분	
	개수로식	관수로식
	• 자연 수면이 있다. • 중력에 의해 흐른다. • 수량이 많을 때 사용한다. • 오수 침입 우려가 있다. • 유지 관리가 쉽다. • 관리비가 적게 든다.	• 만류로 흐른다. • 압력에 의해 흐른다. • 주철관, 강철관 사용한다. • 수압에 의한 누수가 있다. • 유지 관리가 어렵다. • 관리비가 많이 든다.

문제 88

상하수도 기본계획 수립절차 순서로 알맞은 것은?

① 기초조사 → 기본 방침 수립 → 정비 내용의 결정 → 기본 사항 결정
② 기본 방침 수립 → 기초조사 → 기본 사항 결정 → 정비 내용의 결정
③ 기본 방침 수립 → 기본 사항 결정 → 기초조사 → 정비 내용의 결정
④ 기초 조사 → 기본 사항 결정 → 기본 방침 수립 → 정비 내용의 결정

해설	상하수도 기본 계획 수립 절차 • 기본 방침 수립(계획 목표 설정), 기초 조사, 기본 사항 결정, 정비 내용의 결정 등의 순서로 한다

문제 89

다음 설명에 해당하는 송수관로 부대설비는?

> 송수관로의 시점과 종점에 설치하여 송수량을 측정, 이 두 곳의 유량을 비교하여 관로의 고장이나 누수 등을 발견할 수 있다.

① 침사지　　　② 연결정　　　③ 양수정　　　④ 맨홀

해설	양수정(guaging well)

문제 90

송수관로 부대 설비에 관한 설명으로 옳은 것은?

① 침사지 : 원수와 같이 유입하는 흙과 모래 알갱이를 제거하기 위해 약품을 투입하여 섞는 곳이다.
② 양수정 : 송수관로의 시점과 종점에 설치하여 송수량을 측정하여, 관로의 고장이나 누수 등을 발견한다
③ 접합정 : 암거 내부의 점검, 보수 및 청소를 위해 10~50m 간격으로 설치한다.
④ 맨홀 : 도수 및 송수관로에서 관로의 수압을 경감시키기 위해 설치한다.

정답　88. ②　89. ③　90. ②

해설	송수관로 부대설비 • 침사지 : 하천수를 취입할 경우에 가급적 취입구의 부근에 설치하여 원수와 같이 유입하는 토사·사리 등을 침전시켜서 제거하기 위해 설치 • 양수정(guaging well) : 송수관로의 시점과 종점에 설치하여 송수량을 측정, 이 두 곳의 유량을 비교하여 관로의 고장이나 누수 등을 발견할 수 있다. • 접합정(junction well, 연결정) : 도수 및 송수관로에서 관로의 수압을 경감시키기 위해 설치한다. • 맨홀 : 암거 내부의 점검 및 보수, 청소를 하기 위한 목적으로 100~500m 간격으로 설치

문제 91

송수관로의 매설깊이에 대한 올바른 것은?

① 내경 600mm 관로 – 흙덮기 100cm 이상
② 내경 900mm 관로 – 흙덮기 120cm 이하
③ 내경 1000mm 관로 – 흙덮기 150cm 이상
④ 한랭지 – 동결깊이보다 깊게 매설

해설	관의 매설 깊이와 위치 • 내경 900mm 이하 : 흙덮기 120cm 이상 • 내경 1,000mm 이상 : 흙덮기 150cm 이상 • 한랭지 : 동결깊이보다 20cm 이상 깊게 매설

문제 92

화학적 검사에 대한 설명으로 옳지 않은 것은?

① 염소이온: 하수나 시뇨 또는 공장폐수에 다량 함유하므로 오염의 지표가 된다.
② 황산이온: 분뇨, 화학비료, 광산폐수, 공장폐수의 혼입에 의해 증가하고, 권석을 만들고 콘크리트나 철관을 부식시킨다.
③ 경도: 물속의 칼슘, 마그네슘의 이온량을 이에 대응하는 탄산칼슘의 농도로 환산하여 표시한 값이다.
④ COD: 수중의 유기물을 생물학적으로 산화하는 데 필요한 산소량이다.

해설	COD • 수중의 유기물을 화학적으로 산화하는 데 필요로 하는 산소량으로 폐수의 오염도를 나타내는 지표가 됨 • 중크롬산염이 황산용액과 반응하여 산소를 감소시키는 폐수 중의 유기물량을 측정 • 오염원으로 되는 물질이 산화하여 유기성산화물과 가스로 되며, 소비되는 산화제에 대응하는 산소량을 ppm으로 나타낸 것

문제 93

관수로 유송에 대한 설명으로 올바르지 않은 것은?

① 관수로 단면을 가득 채워져서 압력차에 의해 유송하는 수로를 말한다
② 마찰손실은 관 마찰에 의한 주 손실이다

정답 91. ③ 92. ④ 93. ④

③ 미소손실에는 흐름단면의 급확대, 급축소, 유입에 의한 입구손실 등이 있다
④ 미소손실은 에너지 손실로서 속도수두에 반비례한다

해설 미소손실
• 감속 또는 가속에서 발생하는 에너지 손실로써 속도수두에 비례한다

문제 94

관로의 연장이 매우 커서 시설의 계획 설계를 신중히 고려해야 하는 공사는?

① 급수시설　　　② 배수시설　　　③ 송수공사　　　④ 정수공사

해설 배수공사
• 배수관의 연장이 매우 크므로 수도 시설 중에서 60~70%의 건설 비용을 차지하기 때문에 배수 시설의 계획 및 설계는 신중히 고려하여야 한다

문제 95

다음 중 수도직결식과 고가탱크식의 설명으로 옳지 않은 것은?

① 수도직결식은 단수시에 급수가 되지 않는다.
② 고가탱크식은 압력이 거의 일정하다.
③ 수도직결식은 설비비가 비싸다.
④ 고가탱크식은 유지관리비가 보통이다.

해설 수도직결식
• 수도직결식은 설비비가 저렴하여 일반적으로 많이 사용하고 있다.

문제 96

도수 및 송수관로의 선정시 유의사항으로 옳지 않은 것은?

① 노선은 가능한 한 공공도로 또는 수도용지를 이용한다
② 수평 및 종단방향 모두 45도 이상의 급격한 굴곡을 피한다.
③ 관수로의 경우, 관내면에 작용하는 최대 정수두가 관의 최대 사용 정수두 이상이 되도록 한다.
④ 사고를 대비하여 관을 2조로 매설하고 중요한 장소에 연결관을 설치한다.

해설 관수로의 경우, 관 내면에 작용하는 최대 정수두(수압)이 관의 최대 사용 정수두(수압) 이하가 되도록 한다.

문제 97

하수관거의 단면형상은 원형, 직사각형, 말굽형, 계란형 등이 있다. 다음 중 말굽형의 특징으로 올바르지 않은 것은?

① 소구경 관거에 유리하며 경제적이다.

정답 94. ② 95. ③ 96. ③ 97. ①

② 수리학상 유리하다.
③ 상부의 아치작용에 의해 역학적으로 유리하다.
④ 현장타설시 공사시간이 길어진다.

해 설	말굽형 • 수리학적으로 유리한 단면 • 상부 아치작용으로 역학적으로 유리한 단면 • 대구경 관거에서 경제적임 • 단면형상이 복잡하여 시공이 어려움 • 현장 타설의 경우 공기가 길어짐

문제 98

일반적인 정수처리의 과정으로 올바른 것은?

댐 - 취수장 - 침사지 - 약품투입실 - ㉠ - ㉡ - ㉢ - ㉣ - 염소투입실 - 정수지 - 가정

① 혼화지 - 침전지 - 응집지 - 여과지　　② 혼화지 - 응집지 - 침전지 - 여과지
③ 침전지 - 혼화지 - 여과지 - 응집지　　④ 침전지 - 응집지 - 여과지 - 혼화지

해 설	정수처리 과정 댐 - 취수장 - 침사지 - 약품투입실 - 혼화지 - 응집지 - 침전지 - 여과지 - 염소투입실 - 정수지 - 가정

문제 99

수원에 대한 설명으로 옳지 않은 것을 고르시오

① 천수는 지상에 떨어지는 동안 SO_2, CO_2, 먼지, 부유, 분진, 세균 등을 함유하게 되어 오염되고 수량이 적어 상수원으로 부적합하다.
② 지표수는 수원 중에서 가장 쉽게 얻을 수 있다.
③ 수원의 위치는 가능한 한 가압식으로 이용할 수 있는 곳에 계획한다.
④ 복류수는 지표수에 비해 수질이 양호하고 보통, 침전지를 생략한다.

해 설	수원의 위치 • 수원의 위치는 가능한 한 자연유하식으로 계획 가능한 곳이어야 한다.

문제 100

상수도에 대한 설명으로 옳지 않은 것을 고르시오

① 상수도의 기본계획을 수립할 때에는 15~20년의 기간을 고려한다.
② 수원을 급수구역과 가까운 곳에 위치하여야 한다.
③ 상수도 수질이 3등급일 때, 일반 정수처리를 거쳐 수돗물로 사용한다.

정답　98. ②　99. ③　100. ③

④ 상수도의 구성은 수원→취수→도수→정수→송수→배수→급수 이다.

해설	상수도 수질 • 1급수 : 소독하지 않고 간단한 여과 장치만으로 식수로 사용 • 2급수 : 침전 여과 및 염소 소독 등 일반 정수 처리를 거쳐 수돗물로 사용 • 3급수 : 일반 정수 후 오존 처리 등 고도의 정수 과정을 거쳐야 식수로 사용 • 4급수, 5급수 : 공업 용수나 농업 용수로 사용

문제 101

배수지에 대한 설명으로 옳지 않은 것을 고르시오

① 배수지의 위치는 가능한 한 급수 구역 내 또는 이와 근접한 곳이 좋다.
② 배수지의 용량은 계획 1일 최대 급수량을 기준으로 한다.
③ 배수지는 최대 1.5kg/㎠의 동수압을 갖도록 높이를 정해야 한다.
④ 배수지의 높이는 배수관망과 관계가 있다.

해설	배수지 높이 • 배수지는 최소 1.5 kg/㎠의 동수압을 갖도록 높이를 정해야 한다. • 배수지가 높으면 배수관의 경사가 급해져 유속이 커지므로 배수 관경을 작게 할 수 있고, 충분한 수압으로 배수가 용이한 반면, 누수가 많아지므로 펌프로써 양수하는 경우 동력비가 많이 드는 결점이 있다. • 배수지가 낮으면 배수관경이 커져 건설비가 많이 든다.

문제 102

배수관의 매설에 대한 설명으로 옳은 것은?

① 보도에 부설하는 배수관의 매설깊이는 흙두께 90cm가 표준이다.
② 오수관과 부득이하게 인접시에는 오수관보다 낮게 매설해야 한다.
③ 다른 지하 매설물과 인접하여 매설할 시에는 최소 10cm 이상의 간격을 유지해야 한다.
④ 관경이 400~900mm 일 때 관 매설 깊이는 1.0m이하 이다.

해설	배수관의 매설 • 보도에 부설하는 배수관의 매설깊이는 흙두께 90cm가 표준 • 오수관과 부득이하게 인접시에는 오수관보다 높게 매설해야 함 • 다른 지하 매설물과의 인접 매설 시 간격 - 최소 20cm • 관의 크기에 따른 매설 깊이 {{TABLE}}

관의 크기	관 매설 깊이
ϕ 350mm이하	1m
ϕ 400mm~900mm	1.2m
ϕ 1000mm이상	1.5m

정답 101. ③ 102. ①

문제 103

호기성과 혐기성의 비교로 옳지 않은 것은?

〈구분〉	〈호기성〉	〈혐기성〉
① BOD	상등액의 BOD 낮다	상등액의 BOD 높다
② 시설비	적게 든다	많이 든다
③ 활용	비료로 사용이 적다	비료로 사용이 가능하다
④ 적용	2차 슬러지에 적용가능	1차 슬러지에 적용가능

해설

호기성과 혐기성의 비교

구분	호기성	혐기성
BOD	상등액의 BOD가 낮음	상등액의 BOD가 높음
냄새	냄새가 없다	냄새가 많이 남
운전	운전이 용이	운전이 어려움
시설비	적게 든다	많이 든다
비료	비료로 사용 가능	비료 사용이 적다
규모	공장이나 소규모에 적합	대규모 시설에 적합
적용	2차 슬러지에 적용 가능	1차 슬러지에 적합

문제 104

다음 설명에 해당하는 정수시설의 과정은?

> 정수된 물이 배수 도중 세균 등으로 재오염될 우려가 있을 때 이 같은 병원균을 죽여서 무해화하는 조작을 말함

① 탈수건조 ② 살균소독
③ 응집침전 ④ 혼화

문제 105

고도 정수 처리 방법 중 옳지 않은 것은?

① 병원균에 대한 살균 효과가 크다
② 효과의 지속성이 있다
③ 철 망간의 제거 능력이 크다
④ 냄새, 색도 제거에 효과적이다

해설

고도정수 처리
• 고도정수처리에는 염소 대신 오존 등이 사용되는데, 염소에 비해 오존은 효과의 지속성이 떨어진다.

정답 103. ③   104. ②   105. ②

문제 106

다음중 용존산소(DO)가 높은 물을 고르시오

① 온도가 높은 물
② 오염된 물
③ 교란상태가 큰 물
④ 생물학적 산소 요구량(BOD)가 큰 물

해설	DO(Dissolved Oxygen) • 용존 산소량 – 물 속에 용해 되어 있는 산소량을 의미하는 것으로, 물이 깨끗할수록 용존 산소량이 많다 • 온도가 낮을수록, 기압이 클수록 물속에 용해되어 있는 기체의 양은 많아지게 된다.

문제 107

8000cc의 하수를 조사하여 작열 잔유물의 양이 40mg이 나왔을 때, 작열 잔유물의 농도 ppm을 구하시오.

① 0.05
② 0.5
③ 5
④ 50

해설	농도의 계산 • 잔유물의 농도 $\dfrac{40mg}{8000cc} = \dfrac{0.04g}{8000ml} = \dfrac{0.04}{8000} = \dfrac{1}{200,000}$ $= \dfrac{1 \times 5}{200,000 \times 5}$ $= \dfrac{5}{1,000,000}$ $= 5\,ppm$

문제 108

보기를 보고 빈칸을 채우시오

〈보기〉 하수관로는 하류로 갈수록 유속은 [○], 구배는 [□]하게 잡는 것을 원칙으로 한다.

	○	□
①	빠르게	급격
②	느리게	급격
③	빠르게	완만
④	느리게	완만

해설	하수관로의 유속과 구배의 기준 • 하류로 갈수록 유속은 빠르게, 구배는 완만하게 잡는 것을 원칙으로 한다.

정답 106. ③   107. ③   108. ③

문제 109

다음은 ○○고 학생들이 수질오염 및 수질기준에 대한 토론을 하고 있다. 내용에 대해 틀리게 말한 학생은?

> 주희 : BOD는 용존산소량으로 오수의 오염도를 나타내.
> 주아 : 온도가 높을수록 DO가 커져.
> 주원 : 색도는 우리나라 기준 2도야.
> 민성 : 물의 상태가 매우 나쁘면 용존산소가 거의 없어서 물고기가 살수 없어.

① 주희, 주아
② 주희, 주원
③ 주아, 주원
④ 주아, 민성

해설	DO(Dissolved Oxygen) • 용존 산소량 – 물 속에 용해 되어 있는 산소량을 의미하는 것으로, 물이 깨끗할수록 용존 산소량이 많다 • 온도가 낮을수록, 기압이 클수록 물속에 용해되어 있는 기체의 양은 많아지게 된다.

문제 110

개수로 흐름의 특성에 따른 분류에 대한 설명으로 옳은 것은?

① 부등류 : 속도, 압력 방향 따위가 일정하지 아니하고 자주 변하는 흐름
② 등류 : 정상류 중에서 흐름의 상태가 장소에 따라 변하지 않는 흐름
③ 부정류 : 관길이나 물길의 매 단면에서 물 따위의 흐름 속도가 다른 흐름
④ 난류 : 규칙적이고 일정한 흐름

해설	개수로 흐름의 특성에 따른 분류	
	분류	내용
	층류 (laminar flow)	유체가 평행한 층을 이루어 흐르며 이 층 사이가 붕괴되지 않음을 의미
	난류 (turbulent flow)	불규칙하게 움직이면서 서로 섞이는 흐름이다. 난류는 한 점에서 속도의 크기와 방향이 계속해서 변함 흐름이 잔잔하다 할지라도 바람이나 강은 일반적으로 난류이며 전체적인 흐름이 일정한 방향으로 움직이더라도 공기 또는 물은 소용돌이를 침
	등류 (uniform flow)	정상류 중에서 흐름의 상태가 장소에 따라 변하지 않는 흐름을 의미
	부등류 (nonuniform flow)	관길이나 물길의 매 단면에서 물 따위의 흐름 속도가 다른 흐름을 의미
	정류	흐르고 있는 유체 안의 모든 곳에서 유체의 속도가 시간에 상관없이 일정한 크기와 방향을 유지하는 흐름을 의미
	부정류	속도, 압력, 방향 따위가 일정하지 아니하고 자주 변하는 흐름을 의미

정답 109. ① 110. ②

문제 111

맨홀의 설치 장소로 옳지 않은 것은?

① 하수관의 방향이 변화하는 곳
② 도로가 교차되는 곳
③ 단차가 발생하는 곳
④ 하수관이 합쳐지는 곳

해 설	맨홀의 설치 위치 • 하수관의 방향, 경사도 및 안지름이나 안폭이 변화하는 곳, 단층이 생기는 곳, 하수관이 합쳐지는 곳에는 반드시 설치하여야 한다.

문제 112

방류 수질 기준 중 하수 종말 처리 시설의 BOD 기준은?

① 10 이하
② 20 이하
③ 30 이하
④ 40 이하

해 설	하수 종말 처리 시설의 방류 수질 기준 • BOD 기준 : 20 ppm 이하 • SS 기준 : 20 ppm 이하

문제 113

부영양화 현상의 특징으로 옳지 않은 것은?

① 사멸된 조류의 분해작용으로 심층수로부터의 용존산소가 줄어든다.
② 부영양화 현상이 심화되면 수역의 생태계 보존에 도움이 된다.
③ 물의 투명도가 저하된다.
④ 적조 현상의 원인이 된다.

해 설	부영양화 현상 • 부영양화 현상이 발생하게 되면, 저수지 수질은 점점 악화되어 나중에는 쓸모없는 늪 모양으로 변하게 되며, 한번 발생되면 회복이 어렵다

문제 114

호기성 소화에 비해 혐기성 소화의 특징에 해당하는 것은?

① 상등액의 BOD가 낮다.
② 1차 슬러지에 적합하다.
③ 운전이 쉽다.
④ 비료로 사용이 가능하다.

정답 111. ② 112. ② 113. ② 114. ②

해설	호기성 소화 vs 혐기성 소화		
	구분	호기성	혐기성
	BOD	상등액의 BOD가 낮음	상등액의 BOD가 높음
	냄새	냄새가 없다	냄새가 많이 남
	운전	운전이 용이	운전이 어려움
	시설비	적게 든다	많이 든다
	비료	비료로 사용 가능	비료로 사용이 적다
	규모	공장이나 소규모에 적합	대규모 시설에 적합
	적용	2차 슬러지에 적용 가능	1차 슬러지에 적합

문제 115

분류식 방식의 특징으로 옳지 않은 것은?

① 일정량의 오수가 항상 관을 통해 흐르므로 오물의 침전 부패가 없다.
② 노면배수가 우수관거를 통해 직접 공공수역으로 방류된다.
③ 우수에 의한 오수의 희석 비율이 높다.
④ 관거의 부설비가 많이 든다.

해설 합류식 하수도
- 우수와 오수가 함께 하나의 관으로 흐르므로 우수에 의한 오수의 희석배율이 크다.

문제 116

하수관의 관경이 22.5cm일 때 적당한 경사 토지의 하수관 경사로 옳은 것은?

① 1/225
② 1/475
③ 1/125
④ 1/150

해설 하수관의 경사
- 평탄지 경사 : 관경(mm)의 역수로 한다
- 적당한 경사 : 평탄지의 1.5배
- 급경사의 토지 : 평탄지의 2.0배

- $\dfrac{1}{225} \times 1.5 = \dfrac{1}{150}$

문제 117

하수관의 접합 방법을 선택하는데 고려하지 않아도 되는 것은?

① 배수구역내의 종단구배
② 관거의 매설 깊이
③ 방류하천의 수위
④ 하수의 수질

정답 115. ③ 116. ④ 117. ④

해설	관의 접합 방법 선정시 고려 사항 • 배수 구역 내의 노면의 종단구배를 고려 • 다른 관거나 매설물 고려 • 방류하천의 수위를 고려 • 관거의 매설 깊이를 고려

문제 118

급경사의 토지에서 하수관 관경 30cm의 하수관의 경사로 옳은 것은?

① 1/150 ② 1/15 ③ 1/300 ④ 1/30

해설	하수관의 경사 • 평탄지 경사 : 관경(mm)의 역수로 한다 • 적당한 경사 : 평탄지의 1.5배 • 급경사의 토지 : 평탄지의 2.0배 • $\dfrac{1}{300} \times 2 = \dfrac{1}{150}$

문제 119

관로 노선의 선정으로 옳지 않은 것은?

① 원칙적으로 공공도로 또는 수도용지로 해야 한다.
② 관로가 최소동수 구배선 위에 있을 경우에는 상류측 관경을 크게 하거나 하류측 관경을 작게 해야 한다.
③ 동수구배선을 인위적으로 상승시킬 경우 관내 압력 경감을 목적으로 접합정이나 감압밸브를 설치한다.
④ 수평이나 수직의 급격한 굴곡을 피하고 어느 경우라도 최소 동수구배선 이상이 되도록 한다.

해설	관로노선의 원칙 • 수평이나 수직의 급격한 굴곡을 피하고 어느 경우라도 최소 동수구배선 이하가 되도록 하여, 관내 압력이 유지될 수 있도록 하여야 한다.

문제 120

취수 지점의 구비 조건 중 적절하지 않은 것은?

① 수질이 깨끗하고, 수량이 충분해야 한다.
② 최대 홍수 시에도 최대 갈수 시에도 취수를 할 수 있는 취수구의 높이를 가져야 한다.
③ 수량 변동폭이 크고, 앞으로 오염될 우려가 적어야 한다.
④ 결빙에 대한 우려가 없어야 한다.

정답 118. ①   119. ④   120. ③

해 설	취수지점의 구비조건 • 수질이 깨끗하고, 수량이 충분해야 한다. • 수량 변동폭이 적고 앞으로 오염될 우려가 적어야 한다. • 해수의 혼입이 없고 안전하며 취수와 관리가 쉬워야 한다. • 취수할 때 모래가 혼입되지 않아야 한다. • 결빙 우려가 없어야 한다. • 최대 홍수 시와 최대 갈수 시에도 취수를 할 수 있는 취수구의 높이를 가져야 한다.

문제 121

다음 설명의 빈칸에 들어갈 내용을 순서대로 나열한 것은?

> 우수관거 및 합류관거는 계획 하수량에 대하여 침전물의 퇴적을 방지하기 위하여 (㉠)m/sec, 관 내면의 마모와 하류 유송 침전물의 집적을 방지하기 위하여 (㉡)m/sec의 평균유속의 한도를 두고 있다.

① 최대유속 3.0   최소유속 0.8
② 최소유속 0.8   최대유속 3.0
③ 최대유속 3.0   최소유속 0.3
④ 최소유속 0.3   최대유속 3.0

해 설	우수관거 및 합류식 관거의 유속 • 우수 관거 및 합류 관거는 계획 하수량에 대하여 최소 0.8m/sec, 최대 3.0m/sec로 한다. • 침전물 중에서 비중이 큰 토사의 유송을 위한 최소 유속으로 하며, 유속이 크면 하류 유송 침전물의 집적을 증가시킨다.

문제 122

최대 하수량에 대한 오수관거의 최소유속과 최대유속의 제한은?

① 최소유속 0.3m/sec, 최대유속 3.0m/sec
② 최소유속 0.6m/sec, 최대유속 3.0m/sec
③ 최소유속 0.8m/sec, 최대유속 3.0m/sec
④ 최소유속 1.0m/sec, 최대유속 1.8m/sec

해 설	오수관거의 최소유속과 최대유속 • 오수 관거는 최대 하수량에 대하여 유속을 최소 0.6m/sec, 최대 3.0m/sec로 정한다.

문제 123

물 상태별 생물학적 특성에 대한 설명으로 틀린 것은?

① 매우 좋음~좋음: 유속이 빠르며 산천어, 열목어 등이 산다.
② 좋음~보통: 바닥이 주로 자갈과 모래이며 쉬리, 은어 등이 산다.
③ 보통~약간 나쁨: 부착조류가 갈색을 띠며 피라미, 끄리가 산다.
④ 약간 나쁨~매우 나쁨: 유속이 느린 편이고 메기, 붕어 등이 산다.

정답 121. ②   122. ②   123. ③

해설

물 상태별 생물학적 특성
- 물 상태가 보통~약간 인 등급에서의 서식지 및 생물의 특성은 다음과 같다.
  - 물이 약간 혼탁하며, 유속은 약간 느린 편임
  - 바닥은 주로 잔자갈과 모래로 구성되어 부착 조류가 녹색을 띠며 많음

〈물상태별 생물학적 특성 이해표〉

생물 등급	생물 지표종		서식지 및 생물 특성
	저서 생물	어류	
매우 좋음~ 좋음	옆새우, 가재, 뿔하루살이, 민하루살이, 강도래, 물날도래, 광택날도래, 띠무늬우묵날도래, 바수염날도래 등	산천어, 금강모치, 열목어, 버들치 등 서식	• 물이 매우 맑으며, 유속은 빠른 편임 • 바닥이 주로 바위와 자갈로 구성 • 부착 조류가 매우 적음
좋음~보통	다슬기, 넓적거머리, 강하루살이, 동양하루살이, 등줄하루살이, 등딱지하루살이, 물삿갓벌레, 큰줄날도래 등	쉬리, 갈겨니, 은어, 쏘가리 등 서식	• 물이 맑으며, 유속은 약간 빠르거나 보통임 • 바닥이 주로 자갈과 모래로 구성 • 부착 조류가 약간 있음
보통~ 약간 나쁨	물달팽이, 턱거머리, 물벌레, 밀잠자리 등	피라미, 끄리, 모래무지, 참붕어 등 서식	• 물이 약간 혼탁하며, 유속은 약간 느린 편임 • 바닥은 주로 잔자갈과 모래로 구성 부착 조류가 녹색을 띠며 많음
약간 나쁨~ 매우 나쁨	왼돌이물달팽이, 실지렁이, 붉은깔다구, 나방파리, 꽃등에 등	붕어, 잉어, 미꾸라지, 메기 등 서식	• 물이 매우 혼탁하며, 유속은 느린 편임 • 바닥은 주로 모래와 실트로 구성되며, 대체로 검은색을 띰 • 부착 조류가 갈색 혹은 회색을 띠며 매우 많음

출처: 물 환경 정보 시스템 참고

문제 124

다음 중 배수지에 대한 내용으로 옳지 않은 것은?

① 배수지의 높이는 최소 1.5kg/㎠의 동수압을 갖도록 정하여야 한다.
② 배수지가 높으면 관경을 작게 할 수 있다.
③ 배수지가 높으면 누수가 많아 진다.
④ 배수지가 낮으면 건설비가 적게 든다.

해설

배수지의 높이
- 배수지가 높으면 배수관의 경사가 급해져 유속이 커지므로 배수 관경을 작게 할 수 있고, 충분한 수압으로 배수가 용이한 반면, 누수가 많아지므로 펌프로써 양수하는 경우 동력비가 많이 드는 결점이 있다.
- 배수지가 낮으면 배수관경이 커져 건설비가 많이 든다.

정답 124. ④

문제 125

【기출06.기】 다음 지형도의 상수계통도에 관한 사항 중 옳은 것은?

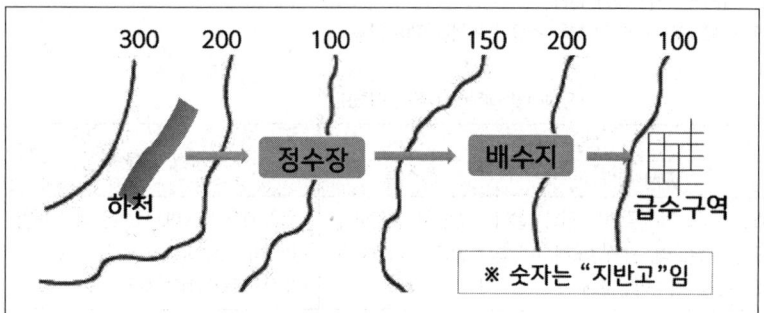

① 도수는 펌프 가압식을 해야 한다.
② 수질을 고려하여 도수로는 개수로를 택하여야 한다.
③ 지형을 고려하여 펌프가압식으로 송수하여야 한다.
④ 도수와 송수를 자연유하식으로 하여 동력비를 절감한다.

해설	정수장의 표고는 100m이고, 배수지의 표고는 약 200m에 위치하므로, 정수장에서 배수지에 이르는 송수과정은 펌프가압식으로 계획하는 것이 바람직하다. • 표고를 고려하였을 때, 도수(하천취수→정수장)는 자연유하식이 가능하며 이로 인한 동력비 절감이 가능하다. • 도수로의 수질을 고려한다면 개수로보다는 오염의 가능성이 적은 관수로를 적용하는 것이 바람직하다.

문제 126

관거의 내경이 120cm일 때 오수관거의 적절한 맨홀 간격은?

① 75cm ② 100cm
③ 150cm ④ 200cm

해설	맨홀의 설치 간격				
	관의 내경	60cm 이하	60~100cm	100~150cm	165cm 초과
	오수관거	75m	100m	150m	200m

문제 127

다음 수질에 대한 용어 중, '떠 다니는 부유물질'에 대한 영문 약어로 옳은 것은?

① BOD ② COD
③ SS ④ DO

해설	SS • Suspended Solids - 부유물질

정답 125. ③ 126. ③ 127. ③

문제 128

개수로 흐름의 분류 중, 다음 내용에 해당하는 것은?

> 불규칙하게 움직이면서 서로 섞이는 흐름으로, 한 점에서 속도의 크기와 방향이 계속해서 변하는 흐름을 의미

① 부정류　　　　　　　　② 난류
③ 정상류　　　　　　　　④ 부등류

해 설	난류 • 불규칙하게 움직이면서 서로 섞이는 흐름이다. • 난류는 한 점에서 속도의 크기와 방향이 계속해서 변하므로 흐름이 잔잔하다 할지라도 바람이나 강은 일반적으로 난류이다. • 전체적인 흐름이 일정한 방향으로 움직이더라도 공기 또는 물은 소용돌이를 친다.

문제 129

같은 유속으로 가득 차서 흐르는 배수관 A, B의 관지름비는 $D_A : D_B = 1 : 2$ 이다. 이 때, 관 B의 유량은 관 A 유량의 몇 배인가?

① 2배　　　　　　　　② 4배
③ 8배　　　　　　　　④ 16배

해 설	유량(Q) = 단면적(A) × 유속(V) • 두 관의 지름비가 1:2 이므로, 단면적비는 1:4가 된다. • 두 관의 유속이 서로 같으므로, • 두 관의 유량비는 1:4가 된다.

문제 130

【기출15.기】 하수관거 내에 황화수소(H_2S)가 존재하는 이유에 대한 설명으로 옳은 것은?

① 용존산소로 인해 유황이 산화하기 때문이다.
② 용존산소 결핍으로 박테리아가 메탄가스를 환원시키기 때문이다.
③ 용존산소 결핍으로 박테리아가 황산염을 환원시키기 때문이다.
④ 용존산소로 인해 박테리아가 메탄가스를 환원시키기 때문이다.

해 설	관정부식 및 과정 • 오수에 포함된 여러 가지 오물이 관의 내부에 침전 • 부패하여 악취(H_2S)를 발생 1. 하수 내 유기물, 단백질 기타 황화합물이 혐기성 상태에서 분해 됨 2. 생성되는 황화수소(H_2S)가 하수관 내의 공기 중으로 솟아올라 호기성 미생물에 의해 SO_2 나 SO_3 가 된다. 3. 이들이 관정부의 물방울에 녹아서 황산(H_2SO_4)이 된다. 4. 이 황산이 콘크리트 관을 부식시킴

정답　128. ②　129. ②　130. ③

문제 131

하수관거의 관정부식을 일으키는 주된 물질은 무엇인가?

① 질소(N) 화합물　　　　② 염소(Cl) 화합물
③ 황(S) 화합물　　　　　④ 철(Fe) 화합물

해 설	관정부식 • 하수내 유기물, 단백질 기타 황 화합물이 혐기성 상태에서 분해되어 발생하는 황화수소기체가 주 원인이 된다.

문제 132

하수도의 시공에 관한 내용으로 올바르지 않은 것은?

① 관거내에 토사나 오물이 퇴적할 경우에 유지관리가 어려우므로, 오수관거의 최소관경은 200mm이다.
② 합류식 하수도의 배관설계의 기본이 되는 것은 우수량이다.
③ 하수관의 관저 접합 방식은 유수는 원활하게 되지만 굴착깊이를 증가시킴으로 공사비가 증대된다.
④ 하수관의 이상적인 유속(m/s)은 1.0~1.8 정도이다.

해 설	관의 접합 방법 및 특징	
	수면 접합	계획 수위를 일치시켜 접합시키는 방식이다.
	관정 접합	**유수는 원활하게 되지만 굴착 깊이를 증가시킴으로 공사비가 증대된다**
	관 중심 접합	수면 접합과 관정 접합의 중간적인 방법이며, 계획 하수량에 대응하는 수위의 산출을 필요로 하지 않으므로 수면 접합에 준용되는 일이 있다.
	관저 접합	굴착 깊이를 줄여 공사비를 경감하며 수위 상승을 방지하고 양정고를 줄일 수 있어 펌프 배수의 경우가 유리하나 상류부에 있어서는 동수구배선이 관정부터 상승할 우려가 있다.

문제 133

하수관의 접합방법에 대한 설명으로 올바르지 않은 것은?

① 관정접합은 토공량을 줄이기 위하여 평탄한 지형에 많이 이용되는 방법이다.
② 관저접합은 굴착깊이를 줄일 수 있고, 펌프배수의 경우가 유리하다.
③ 관중심 접합은 수면접합과 관정접합의 중간적 방법이다.
④ 수면접합은 우수의 계획수면에 맞추어서 접합하는 방법이다.

해 설	관정접합 • 유수는 원활하게 되지만, 굴착깊이가 증가함으로 공사비가 증대된다.

정답　131. ③　132. ③　133. ①

문제 134

다음 특징에 해당하는 관의 접합 방식은?

> 굴착 깊이를 줄여 공사비를 경감하며 수위 상승을 방지하고 양정고를 줄일 수 있어 펌프 배수의 경우가 유리하나 상류부에 있어서는 동수구배선이 관정부터 상승할 우려가 있다.

① 관정접합 ② 수면접합
③ 관중심접합 ④ 관저접합

해설	관저접합 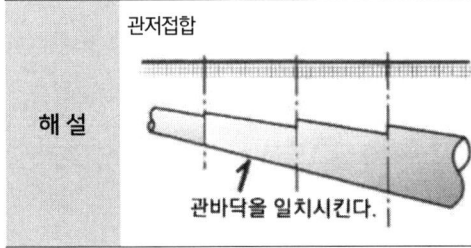 관바닥을 일치시킨다.

정답 134. ④

05

하천·해안

Ⅰ. 하천·해안 이해하기
Ⅱ. 하천·해안의 이용 및 관리
예상문제 및 기출문제

Ⅰ. 하천·해안 이해하기
하천·해안 형성 과정
우리나라 하천·해안 특징 및 현황

Ⅱ. 하천·해안의 이용 및 관리
하천·해안의 기능
하천·해안의 이용
하천·해안의 관리

하천·해안 이해하기

하천·해안 형성 과정
우리나라 하천·해안 특징 및 현황

05 하천·해안

학습요점
- 하천의 유역과 하계망
- 하천 지형의 형성
- 하천의 요소
- 하천의 구분
- 해안지형의 형성

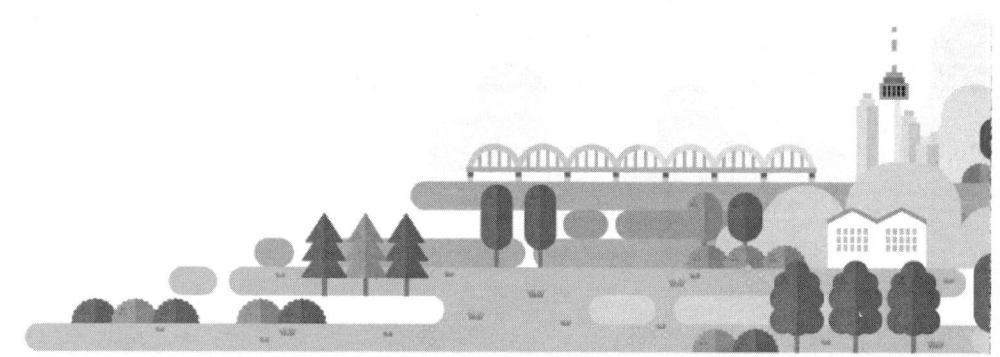

1 하천·해안 형성 과정

(1) 하천의 형성

① 하천의 유역과 하계망
- 하천 유역 : 하천으로 빗물이 모여드는 모든 범위. 분수계로 나뉨
- 하계망 : 하나의 본류와 이에 합류하는 수많은 지류로 이루어진 전체적인 수계
- 분수계 : 서로 다른 두 하천의 유역을 나누는 경계로, 산의 능선이나 고개가 분수계의 역할을 함

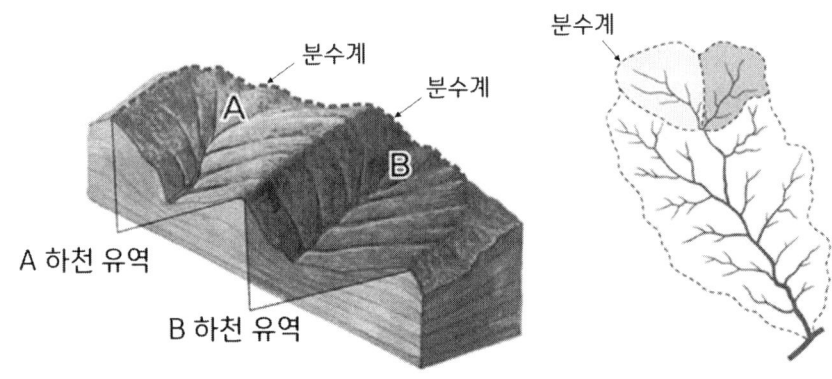

〈 하천유역과 분수계 〉

② 하천 상·하류 간의 상대적 특성 비교

구분	상류	하류
경사	급하다	완만하다
하폭	좁다	넓다
유량	적다	많다
퇴적물의 평균 입자 크기	크다	작다
퇴적물의 원마도	낮다	높다

- 원마도 - 하천 퇴적물의 둥근 정도
  (자갈 등이 하천에 의해 운반될 때 서로 부딪치면서 모서리 부분이 마모되어 둥글게 변함)

③ 하천의 유로와 특색
- 경동 지형의 영향으로 두만강을 제외한 대부분의 큰 하천은 서·남해로 흐름

05 하천·해안

● 경동성 지형
- 경동성 지형 : 산지를 이루는 지형이 한쪽은 높고 급한 면을 이루고, 다른 한쪽은 낮고 경사가 완만한 면을 이루는 지형
- 경동성 요곡 운동 : 경동성 지형을 형성하는 요곡 운동을 말하며 이렇게 형성된 산지나 지형은 결과적으로 좌·우 비대칭을 이룸

• 하천의 상대적 특성 비교

서·남해로 유입하는 하천	• 하천의 유로가 길고 경사가 완만함 • 유역 면적이 넓고 유량이 많음 • 하구 퇴적물의 입자 크기가 작음
동해로 유입하는 하천	• 하천의 유로가 짧고 경사가 급함 • 유역 면적이 좁고 유량이 적음 • 하구 퇴적물의 입자 크기가 큼

④ 유량 변화가 큰 하천
• 강수량의 계절 차가 커서 하천의 유량 변동이 심함 → 하상계수가 큼
 - 하상계수 : 연중 최소 유량에 대한 최대 유량의 비율로, 1 : x로 나타냄
  1년 가운데 하천의 어느 한 지점에서 측정하는 최대 유량과 최소 유량과의 비율이다. 이것이 1에 가까우면 유량 변화가 작은 하천이고, 수치가 클수록 유량 변화가 큰 하천이다
• 여름철에는 홍수가 자주 발생하고 그 외의 계절에는 용수가 부족함 → 수력 발전, 하천 교통 등에 불리
• 대책 : 저수지·댐 등의 수리 시설 건설, 삼림 녹화(녹색 댐)

개념 Check

❶ (　　)는 서로 다른 두 하천의 유역을 나누는 경계로 주로 산의 능선이나 고개가 그 역할을 한다.
❷ (　　)은 하나의 본류와 이에 합류하는 수많은 지류로 이루어진 전체적인 수계를 말한다.

[정답] ❶ 분수계
　　　 ❷ 하계망

자료 Plus　하상계수

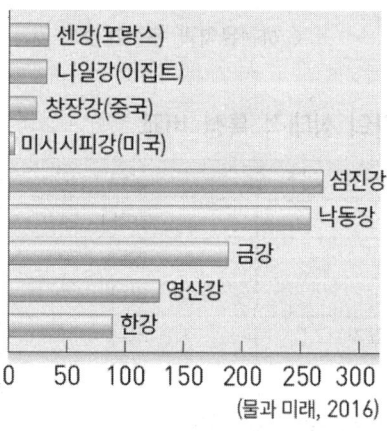

- 하천의 최소 유량을 1로 했을 때의 최대 유량 비율
- 1에 가까우면 유량 변화가 작은 하천이고, 수치가 클수록 유량 변화가 큰 하천이다.
- 우리나라의 경우, 하상계수가 커서 홍수와 가뭄의 발생 가능성이 높고 수운 발달과 수력 발전에 불리하며, 물 자원의 안정적 공급이 어렵다.

※ 우리나라 대부분의 지역은 연 강수량의 50% 이상이 여름철에 집중되기 때문에 다른 계절에 비해 여름철에 유량이 많으며, 하천의 하상계수가 큰 편이다. 우리나라 하천은 과거에 비해 하상계수가 줄어들었는데, 이는 댐, 저수지 등 수리 시설 건설과 삼림 녹화 등으로 인해 유량을 조절할 수 있게 되었기 때문이다.

개념 Check

❶ 하천 상류에서 하류로 갈수록 퇴적물의 평균 입자 크기는 (커진다 / 작아진다).
❷ 연중 최소 유량에 대한 최대 유량의 비율을 (　　)라고 한다.

[정답] ❶ 작아진다
　　　 ❷ 하상계수

⑤ 하천의 유형
- 감입 곡류 하천
  - 산지 사이를 곡류하는 하천
  - 신생대 지각 운동(경동성 요곡운동)의 영향으로 지반의 융기량이 많았던 대하천 중·상류의 산지 지역에 주로 발달함
  - 하천 주변 경관이 빼어나 레포츠 등 관광 자원으로 이용됨
    · 하안 단구 : 지반의 융기 과정에서 과거 하천의 하상이나 범람원이었던 지역이 계단 모양으로 남은 지형

자료 Plus 하안단구의 형성과 이용

- 형성 : 하안 단구는 신생대에 발생한 경동성 요곡 운동의 영향으로 과거의 하천 바닥이나 범람원이 지반 융기 또는 해수면 하강에 따른 하천 침식에 의해 형성된다.
- 이용 : 하안 단구의 단구면은 현재의 하상보다 고도가 높아 침수 위험이 적고 평탄하여 농경지, 취락, 도로 등으로 이용된다.

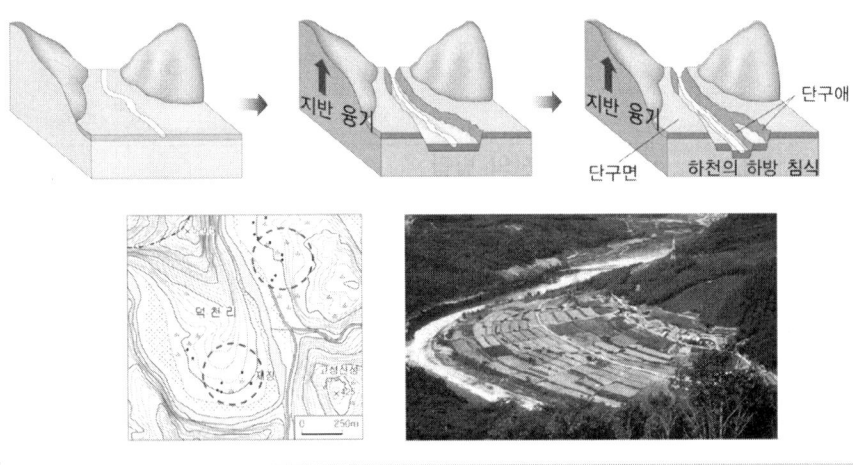

〈하안단구의 형성과정〉

- 자유 곡류 하천
  - 평야 위를 곡류하는 하천으로 측방 침식이 활발하여 유로 변경이 자유로움
  - 대하천 중·하류의 범람원 위를 흐르는 작은 지류 하천에서 잘 형성됨
  - 하천의 유로 변경에 따라 우각호, 구하도 등이 형성됨
  - 최근에는 직강화 공사를 실시한 곳이 많아 자연적인 곡류 하천은 많이 사라짐
    · 범람원 : 하천의 범람으로 운반 물질이 퇴적되어 형성 → 자연 제방과 배후 습지로 구성
    · 하중도 : 하천 가운데 나타나는 섬, 퇴적 물질이 쌓여 형성되기도 하고 측방 침식에 의한 유로 단절 과정에서 형성되기도 함
    · 우각호 : 곡류 하천의 일부가 분리되어 생긴 소뿔 모양의 호수

● 측방침식
- 하천의 측면을 깎는 작용으로 하곡의 폭을 넓게 만들기도 한다. 하천 중·하류의 평야 지대에서 활발하다.

● 직강화 공사
- 곡류하는 하천의 흐름을 직선 형태로 만드는 것이다.

05 하천·해안

· 구하도 : 과거에 하천이 흘렀으나, 유로의 변동으로 새로운 유로가 형성되면서 더는 물이 흐르지 않는 옛 물길

감입곡류하천(영월 동강)	자유곡류하천 (영산강)

하천의 하방 침식으로 깊은 골짜기가 형성	하천의 측방 침식으로 유로 변경이 자유로움

자료 Plus   자유곡류 하천의 발달

〈자유곡류 하천의 발달 과정〉

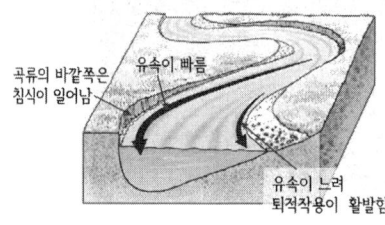 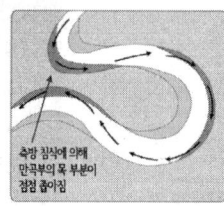 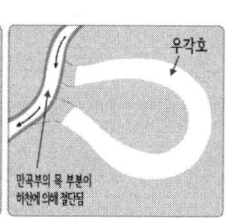

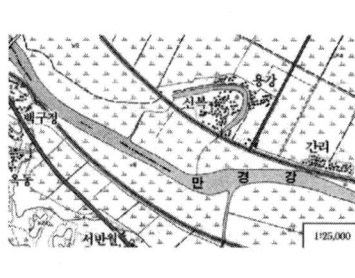 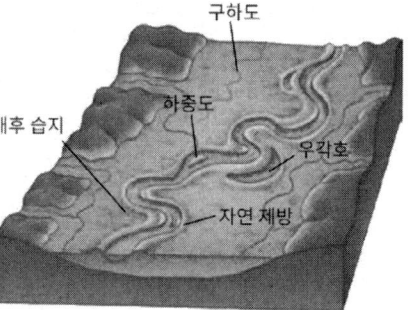

- 하천이 구불거리면서 흐르는 곡류 하천에서는 공격 사면과 퇴적 사면이 번갈아 나타난다.
- 공격 사면은 유속이 빠르고 침식 작용이 활발하여 수심이 깊고, 퇴적 사면은 유속이 느리고 퇴적 작용이 활발하여 수심이 얕다.
- 곡류 하천은 측방 침식 작용으로 인해 더 구불거리게 되고 목 부분이 절단되어 우각호가 형성되기도 한다. 시간이 흘러 우각호의 물이 마르면 구하도가 되는데, 구하도는 주로 농경지로 이용된다.

- 감조하천
    - 하천 하류에서 밀물과 썰물의 영향으로 수위가 주기적으로 오르내리는 하천
      → 주로 서·남해로 유입되는 하천에서 잘 나타남
    - 밀물 때 바닷물이 유입되어 주변 농경지에 염해가 발생하기도 함
    - 여름철 집중 호우와 만조가 겹칠 때에는 홍수 피해 범위가 확대되기도 함
    - 염해 방지, 용수 확보 등을 위해 하굿둑 건설 → 금강, 영산강, 낙동강 하구에 건설됨(연안 환경, 생태계에 영향을 끼침)

자료 Plus 우리나라 하천 지형의 비교

하천 중·상류에 발달하는 지형	하천 중·하류에 발달하는 지형
▶ <u>감입 곡류</u> 하천 : 산지 사이를 곡류하는 하천으로 지반의 융기 이후 **하방 침식**이 진행되면서 형성 ▶ 대표적인 지형 ① <u>하안 단구</u> : 지반의 융기 과정에서 과거 하천의 하상이나 범람원이었던 지역이 계단 모양으로 남은 지형 ② 침식 분지 : 하천이 합류하거나 화강암이 관입한 지역에서 암석의 차별 침식으로 형성된 분지 ③ <u>선상지</u> : 골짜기 입구에서 하천 유속의 감소로 하천 운반 물질이 퇴적되어 형성된 부채 모양의 지형	▶ <u>자유 곡류</u> 하천 : 넓은 평야 위를 흐르는 하천으로 **측방 침식**이 활발하여 유로 변경이 쉬움. → 유로 변경 과정에서 <u>하중도, 우각호, 구하도</u> 등의 지형 발달 ▶ 대표적인 지형 ① **범람원** : 하천의 범람으로 운반 물질이 퇴적되어 형성 → 자연 제방과 배후 습지로 구성 ② **삼각주** : 하천 하구에 유속의 감소로 하천 운반 물질이 퇴적되어 형성 → 조차가 큰 하구에서는 발달이 미약함

⑥ 하천 요소
- 유역 평균 폭 : 유역 면적을 유역 출구점부터 유역 분수계까지의 거리(본류 하천)로 나눈 값으로, 유역의 특성 중 일반적으로 유역 형상과 관련된 특성임
- 하상 계수 : 1년 가운데 하천의 어느 한 지점에서 유량을 측정하고, 측정된 최대 유량을 최소 유량으로 나눈 값으로, 값이 1에 가까우면 하천의 유량 변화가 작고, 값이 클수록 하천의 유량 변화가 크다는 것을 의미
- 형상 계수 : 유역 면적을 하천 본류 길이의 제곱으로 나눈 값으로, 유역의 형상을 나타냄
- 하천 밀도 : 하천(본류+지류)의 총연장을 유역면적으로 나눈 값으로, 단위면적당 하천 길이를 나타냄
- 수계 빈도 : 유역 내 총 하천 수를 유역 면적으로 나눈 값으로, 단위면적당 하천 수를 의미

개념 Check

❶ ( )은 평야 위를 곡류하는 하천으로, 측방 침식이 활발하여 유로 변경이 자유로우며, 대하천의 중·상류에서 산지 사이를 곡류 하는 하천을 ( )이라고 한다.

❷ 하천 하류에서 밀물과 썰물의 영향으로 수위가 주기적으로 오르내리는 하천을 ( )라고 하며, 하구에 ( )을 건설하여 염해방지나 용수확보등을 한다.

[정답] ❶ 자유 곡류 하천, 감입 곡류 하천
❷ 감조 하천, 하굿둑

05 하천·해안

자료 Plus — 하천요소 쉽게 이해하기

※ 평균 유역 폭 vs 형상 계수

평균 유역 폭	형상 계수
$= \dfrac{\text{유역 면적}}{\text{하천 본류 길이}}$	$= \dfrac{\text{유역 면적}}{\text{하천 본류 길이}^2}$
- "유역 형상"과 관련된 특성	- "유역의 형상" - 작을수록 가늘고 긴 하천이 된다.
(이해) "유역"이란 것은 "면"의 개념이 들어가 있다. "면적 = 길이 × 길이"의 개념이므로, 유역의 평균 폭을 구하기 위해서는 "$\dfrac{\text{유역 면적}}{\text{유역의 길이}}$"의 개념으로 이해하면 좋겠다.	(이해) "계수"란 것은 단위가 없다. 유역(면적단위)에 대해서 계수를 없앨려면 "길이^2"으로 나눠 주어야만 한다.

※ 하천 밀도 vs 수계 빈도

하천 밀도	수계 빈도
$= \dfrac{\text{유역 내 하천 총연장}}{\text{유역 면적}}$	$= \dfrac{\text{유역 내 하천 수}}{\text{유역 면적}}$
- 유역 내의 단위면적 당 하천 길이	- 유역 내의 단위면적 당 하천 수
(이해) "밀도"란 것은 빽빽한 정도를 의미한다. 밀도가 크다란 것은 주어진 공간 안에 빽빽하게(길게) 들어가 있다고 볼 수 있겠다.	(이해) "빈도"는 얼마나 자주 발생하는지를 나타내는 일종의 횟수를 의미한다.

⑦ **하천의 구분**
- 국가하천
 국토보전상 또는 국민경제상 중요한 하천으로서 국토교통부장관이 그 명칭과 구간을 지정하는 하천(하천법)
  - 유역 면적 합계가 200㎢ 이상인 하천
  - 다목적 댐의 하류 및 댐 저수지로 인한 배수 영향이 미치는 상류의 하천
  - 유역 면적 합계가 50㎢ 이상이면서 200㎢ 미만인 하천으로서 다음 각 목의 어느 하나에 해당하는 하천
    · 인구 20만 명 이상의 도시를 관류하거나 범람구역 안의 인구가 1만 명 이상인 지역을 지나는 하천
    · 다목적댐, 하구둑 등 저수량 500만㎥ 이상의 저류지를 갖추고 국가적 물 이용이 이루어지는 하천
    · 상수원 보호 구역, 국립공원, 유네스코생물권보전 지역, 문화재보호구역, 생태습지보호 지역을 관류하는 하천
    · 그 밖에 범람으로 피해가 일어나는 지역으로서 대통령령으로 정하는 하천

개념 Check

❶ 본류와 지류를 모두 포함한 하천의 총연장을 유역면적으로 나눈 값으로, 단위면적당 하천 길이를 의미하는 것은 (하천밀도 / 수계빈도)이다.

❷ 하천법에 따르면 (　　)은 국토보전상 또는 국민경제상 중요한 하천으로서 (국토교통부장관 / 시도지사)이(가) 그 명칭과 구간을 지정하는 하천이다.

[정답] ❶ 하천밀도
❷ 국가하천, 국토교통부장관

- 지방하천

    지방의 공공이해와 밀접한 관계가 있는 하천으로서 시·도지사가 그 명칭과 구간을 지정하는 하천(하천법)

    현재 국가 하천과 지방 하천의 비율은 국가 하천 9.2%, 지방 하천은 90. 8%로 지방 하천이 월등히 많음

- 소하천
    - 국가 하전과 지방 하천 둘 다 속하지 않는 하천
    - 소하천정비법(국민안전처)의 적용 및 지침을 따름

(2) 해안지형의 형성

① 해안 지형의 형성 요인

- 파랑
    - 바다 쪽으로 돌출한 곶에서는 파랑의 영향으로 침식 작용이 활발하여 암석 해안이 발달
    - 바다가 육지 쪽으로 들어간 만에서는 퇴적 작용이 활발하여 모래 해안이나 갯벌 해안이 발달

자료 Plus 만과 곶에서의 지형 형성 작용

구분	만	곶
형태	바다가 육지 쪽으로 들어간 해안	육지가 바다 쪽으로 돌출한 해안
특징	파랑 에너지가 분산되어 퇴적 작용 활발	파랑 에너지가 집중되어 침식 작용 활발
주요지형	사빈, 해안 사구, 석호 등	해식애, 파식대, 시 스택, 해안 단구 등

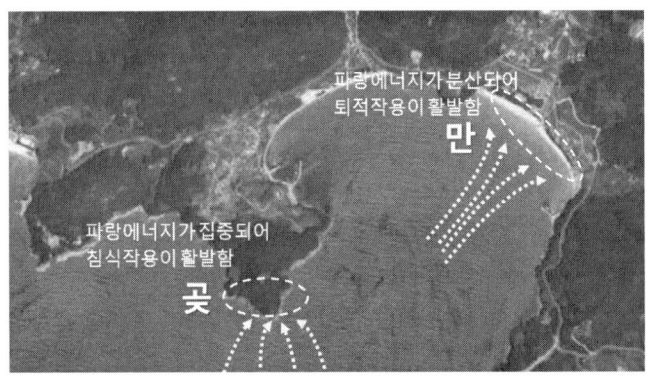

- 연안류
  - 해안을 따라 평행하게 이동하는 바닷물의 흐름
  - 곶에서 침식된 물질이나 하천에서 공급된 모래와 자갈을 운반하여 퇴적 지형을 형성

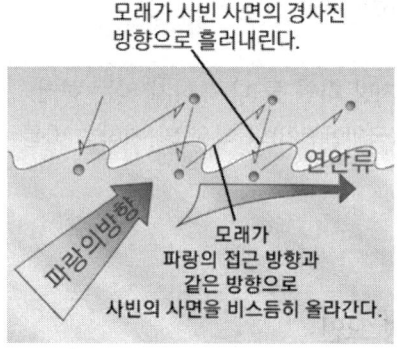

- 조류
  - 조석 : 달과 태양의 인력으로 생기는 해수면의 상승과 하강, 즉 수직적 흐름을 말함. 달, 태양의 인력에 의하여 해면이 주기적으로 높아졌다가 낮아지는 현상을 말함
  - 조류 : 조류는 조석에 의한 바닷물의 수평적 흐름을 의미
  - 조차 : 조석에 의해 발생하는 해수면의 높이의 차이
  - 조차가 큰 해안에서는 조류에 의해 운반된 물질들이 연안에 퇴적되어 갯벌이 형성

② 해안 침식 지형
- 해식애와 해식동
  - 해식애 : 파랑의 침식으로 형성된 해안 절벽
  - 해식동굴 : 해식애의 약한 부분이 침식되어 형성된 동굴
- 파식대
  - 파식대 : 해식애 전면에 파랑의 침식으로 형성된 평탄한 침식면
- 시 스택과 시 아치
  - 시 스택 : 파랑의 침식 작용으로 파식대에서 분리된 지형으로, 돌기둥이나 바위섬을 이룸
  - 시 아치 : 파랑의 침식 작용으로, 바위가 뚫려 아치 형태를 이루는 지형
- 해안 단구
  - 해안 단구 : 과거 파식대 혹은 해안 퇴적 지형이 지반의 융기나 해수면 변동에 의해 육지로 드러난 계단 모양의 지형
  - 마을이 형성되거나 농경지, 도로 등으로 이용

개념 Check

❶ 해안가로 밀려 들어오던 파랑이 육지와 가까워지면 더 앞으로 진행하지 못하고 옆으로 방향을 틀어, 바닷물이 해안선과 평행하게 이동하게 되는데 이처럼 해안선과 평행하게 이동하는 바닷물의 흐름을 (　　　)라 한다.
❷ (　　　)는 조석에 의한 바닷물의 수평적 흐름이다. (　　　)는 조석에 의해 발생하는 해수면의 높이의 차이이다.

[정답] ❶ 연안류
　　　 ❷ 조류, 조차

> **자료 Plus**　　　해안 단구의 형성 과정
>
> <간빙기>　<빙기>　<현재>
>
> - 해안 단구는 서해안보다 융기량이 많았던 동해안에 잘 발달해 있다.
> - 해안 단구는 파랑의 침식 작용으로 형성된 파식대나 해안 퇴적 지형이 지반 융기 또는 해수면 변동으로 형성된다.

③ 해안 퇴적 지형
- 사빈
  - 사빈 : 하천에 의해 공급된 모래가 해안을 따라 퇴적된 지형
  - 여름철에 주로 해수욕장으로 이용됨
- 해안 사구
  - 해안 사구 : 사빈의 모래가 바람에 날려 배후에 퇴적된 모래 언덕
  - 모래 언덕으로 방풍림이 조성되어 있는 경우가 많음 → 배후 농경지와 마을 보호
  - 퇴적되어 있는 모래의 평균 입자 크기가 사빈보다 작은 편임
  - 다양한 동식물의 서식지가 되며, 파도나 해일 피해를 완화해 주는 자연 방파제 역할, 사구 밑에는 모래에 의해 정수된 지하수가 고여 있음
- 사취, 사주, 육계도
  - 사취 : 파랑과 연안류에 의해 모래가 만의 입구(만입부)에 퇴적되어 형성된 모래 둑으로 한쪽 끝이 육지에 닿아 있음
  - 사주 : 사빈의 모래가 연안류를 따라 길게 퇴적된 지형으로 사취가 점점 자라나 만의 입구를 막음
  - 육계도 : 사주로 인해 육지와 연결된 섬을 육계도라고 함
  - 육계사주 : 육계도와 연결된 사주
  - 연안사주 : 파랑과 연안류에 의해 해안선과 거의 평행을 이루며 형성되는 퇴적 지형
- 석호
  - 석호 : 후빙기 해수면 상승으로 골짜기에 바닷물이 들어와 만이 형성되고, 이 만의 입구를 사주가 막으면서 형성
  - 주로 동해안에 발달해 있는데, 청초호, 영랑호, 송지호, 경포호 등이 대표적임
  - 석호는 시간이 지남에 따라 하천에 의한 토사 유입 등으로 수심이 얕아지고 규모가 축소
  - 최근에는 개발과 매립으로 농경지나 시가지로 변한 경우도 많음

05 하천·해안

자료 Plus — 석호의 형성 과정

빙하기 - 해수면 하강으로 골짜기 형성 → 후빙기 - 해수면 상승으로 골짜기 침수 → 연안류와 파랑에 의해 사주가 성장하여 석호 형성

(경포호: 1918년, 1960년대, 1970년대 / 동해)

- 석호는 후빙기 해수면 상승으로 만이 형성되고, 파랑과 연안류의 퇴적 작용으로 만의 입구에 사주가 발달하여 형성된 호수이다.
- 석호는 주로 동해안에 발달해 있다.
- 석호는 시간이 지남에 따라 하천에 의한 토사 유입 등으로 수심이 얕아지고 규모가 축소된다.

자료 Plus — 주요 해안 지형

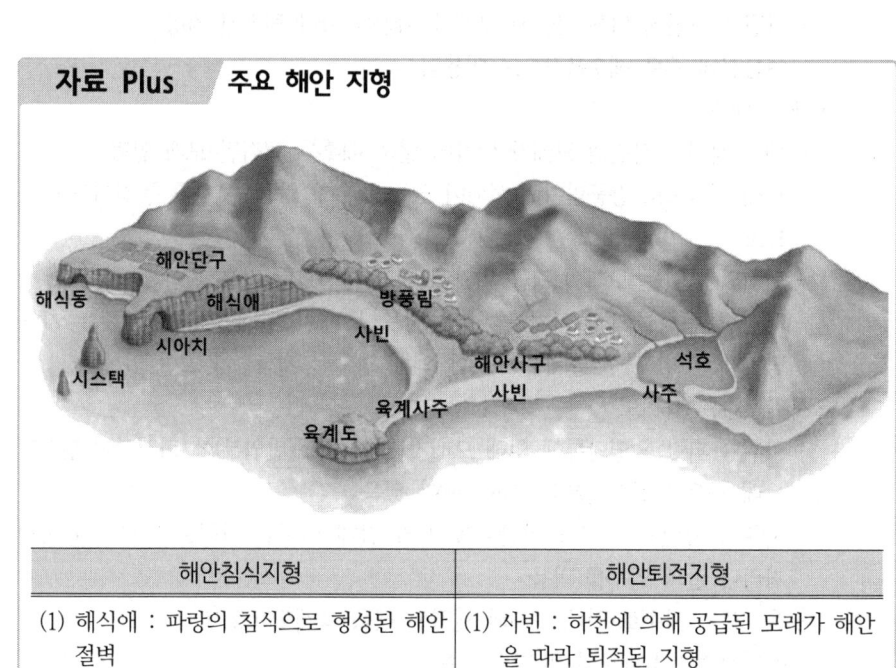

해안단구, 해식애, 방풍림, 해식동, 시아치, 사빈, 시스택, 해안사구, 사빈, 석호, 육계사주, 사주, 육계도

해안침식지형	해안퇴적지형
(1) 해식애 : 파랑의 침식으로 형성된 해안 절벽	(1) 사빈 : 하천에 의해 공급된 모래가 해안을 따라 퇴적된 지형
(2) 파식대 : 해식애 전면에 파랑의 침식으로 형성된 평탄한 침식면	(2) 사주 : 사빈의 모래가 연안류를 따라 길게 퇴적된 지형 → 사주로 인해 육지와 연결된 섬을 육계도라고 함.
(3) 시 스택 : 파랑의 침식으로 파식대에서 분리된 지형	
(4) 해식동굴 : 해식애의 약한 부분이 침식되어 형성된 동굴	(3) 해안 사구 : 사빈의 모래가 바람에 날려 배후에 퇴적된 모래 언덕
(5) 해안 단구 : 과거 파식대 혹은 해안 퇴적 지형이 지반의 융기나 해수면 변동에 의해 육지로 드러난 계단 모양의 지형 → 마을이 형성되거나 농경지, 도로 등으로 이용	(4) 석호 : 후빙기 해수면 상승으로 골짜기에 바닷물이 들어와 만이 형성되고, 이 만의 입구를 사주가 막으면서 형성

- 갯벌(간석지)
  - 형성 : 조류에 의해 모래나 점토가 퇴적되어 형성됨
  - 분포 : 수심이 얕고 조차가 큰 해안, 하천에 의한 토사 공급량이 많은 곳
  - 기능
    · 생태계의 보고로 다양한 생물 종의 서식처 → 자연 생태 학습장, 양식장 등으로 이용되어 경제적 가치가 높음
    · 오염 물질을 정화해 줌

개념 Check

❶ (   )은 파랑의 침식 작용으로 주변부가 제거되고 남은 돌기둥 혹은 작은 바위섬으로 우리나라에서는 촛대바위라고도 부른다.

❷ (   )는 과거의 파식대나 해안 퇴적 지형이 지반 융기나 해수면 변동으로 형성된 계단 모양의 지형이다.

❸ 사빈의 모래가 바람에 날려 배후에 퇴적된 모래 언덕을 (   )라고 한다.

[정답] ❶ 시 스택
      ❷ 해안 단구
      ❸ 해안 사구

개념 Check

❶ (   )는 후빙기 해수면 상승으로 형성된 만의 입구에 사주가 발달하여 형성된 호수이다.

❷ (사빈 / 갯벌)은 파랑과 연안류의 퇴적 작용, (사빈 / 갯벌)은 조류의 퇴적 작용으로 형성된다.

[정답] ❶ 석호
      ❷ 사빈, 갯벌

2 우리나라 하천·해안 특징 및 현황

(1) 우리나라 하천의 특징과 현황

① 하천의 특징
- 우리나라는 동고서저의 구조로 이루어진 지형적 특성으로 인하여 하천의 대부분이 서해 또는 남해로 흐름
- 깊은 계곡이 발달하여 유역 면적 대비 하천의 길이가 길고 하천의 밀도도 높은 것이 특징
- 우리나라는 여름철에 강수량의 2/3가 집중되어 짧은 하천 길이와 급한 하상 경사 등의 지형적 특성으로 홍수발생 가능성이 매우 높음

② 권역과 수계
- 권역 - 편의상 여러 수계를 묶어서 만든 임의의 지역
- 수계 - 동일 유역에 속하고 공통의 하구로 흘러 들어오는 모든 유로를 총칭하며, 권역보다 작은 단위 지역

③ 하천의 현황
- 한강 - 가장 큰 유역 면적과 연평균 유출량
- 낙동강 - 가장 긴 유로연장
- 섬진강 - 10대 하천 중 유역 내 강수량이 가장 많음(연평균 1,457mm 정도)
- 낙동강 - 가장 많은 유역별 하천의 수(781개)

(2) 우리나라 해안의 특징 및 현황

① 규모
- 국토 면적의 3배가 넘는 넓은 대륙붕(남한)
- 총연장 11,542km의 긴 해안선(남한), 북한은 남한의 1/4에 불과
- 관할 바다 면적 447,000km²로 남한 육지 면적의 4.5배
- 약 2,393km²의 갯벌 분포(서해안 약 83%, 남해안 약 17%로 분포), 국토 면적의 2.4%에 해당

② 동해안
- 해안선이 단조로움 ← 산맥과 해안선의 방향이 대체로 평행함
- 지반 융기의 영향을 많이 받음
- 파랑의 침식 작용이 활발하여 암석 해안 발달
- 하천으로부터 모래가 많이 공급되어 모래 해안 발달

학습요점
» 우리나라 하천의 특징
» 우리나라 해안의 특징

● 권역
편의상 여러 수계(동일유역에 속하고 공통의 하구로 흘러들어오는 모든 유로를 총칭)를 묶어서 만든 임의의 지역을 말한다.

개념 Check
❶ (　　)은 편의상 여러 수계를 묶어서 만든 임의의 지역을 의미한다.
❷ (　　)는 동일 유역에 속하고 공통의 하구로 흘러 들어오는 모든 유로를 총칭하며, 권역보다 작은 단위 지역를 의미한다.

[정답] ❶ 권역
　　　　❷ 수계

③ 서·남해안
- 해안선이 복잡하고 섬이 많음 ← 산맥과 해안선의 방향이 대체로 교차함
- 하천 침식을 받아 형성된 골짜기가 후빙기 해수면 상승으로 침수된 리아스 해안 발달
- 큰 하천으로부터 토사가 많이 유입되며, 조차가 커서 조류의 작용이 활발함 → 갯벌 발달
- 육지가 바다로 돌출되어 외해로부터 파랑의 영향을 많이 받는 일부 해안과 섬에는 암석 해안과 모래 해안 발달
- 큰 조차를 극복하기 위한 항만 시설 발달 → 갑문, 뜬다리 부두 등

● 리아스 해안
해수면의 상승이나 지반 침강으로 침수되어 해안선의 드나듦이 복잡한 해안이다.

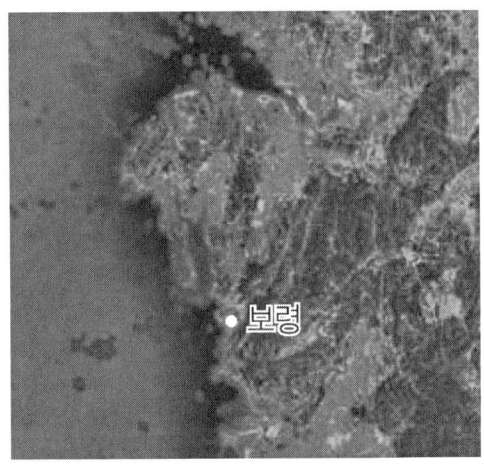
⬆ 서해안(충청남도 일대)

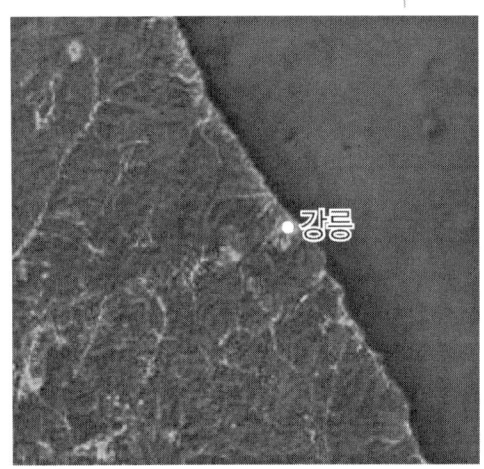
⬆ 동해안(강원도 일대)

하천·해안의 이용 및 관리

II.

하천·해안의 기능
하천·해안의 이용
하천·해안의 관리

05 하천·해안

학습요점

» 하천의 기능
» 해안의 기능

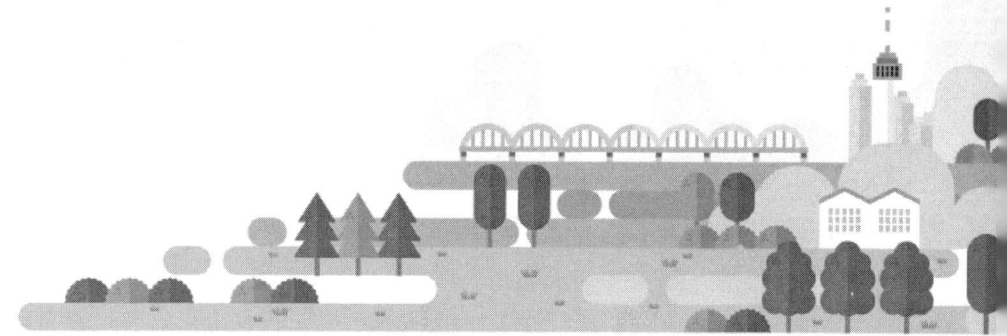

1 하천·해안의 기능

(1) 하천의 기능
① 치수 기능 – 수해로 인한 피해로부터 인명과 재산을 보호하는 전통적인 의미와 더불어 도시화와 산업화에 따른 오·폐수 수질관리의 관점을 포함한 기능
② 이수 기능 – 각종 용수의 공급 등, 인간 생활에 물을 이용하는 기능
③ 친수 기능 – 인간이 자유롭게 물에 가까이 접근하여 휴식, 관광, 여가 등을 즐길 수 있도록 하는 기능
④ 수질정화 기능 – 유입된 유기물은 호기성 세균에 의해 분해되며, 하천에 침전 분쇄됨으로써 자정작용을 함
⑤ 생물의 서식지 – 수생 식물의 서식 공간이 되며, 이들 주위의 습지 및 식생은 생물 서식 공간이자 생물이 이동하는 생태 통로임

(2) 해안의 기능
① 해안은 항만, 어항, 수산 동식물의 산란, 서식지로서 뿐만 아니라 간척·매립을 통한 산업 공간으로의 활용도가 매우 높은 지역
② 공간적인 개념 – 해안은 육지와 바다가 만나는 곳으로 상호공생의 영향을 미치며, 상호 의존도가 매우 높은 지역
③ 사회적 관점 – 바다를 필요로 하는 활동이 활발하거나 하구를 비롯한 자연적·지리적 이점에서 인간 활동에 유리한 지역, 다양하고 복잡한 공간 이용 형태를 지님
④ 해안 공간 – 오랜 세월 동안 인간 활동의 근거지가 되었고, 현재에도 이용 집약도가 높은 지역
⑤ 간척을 통한 농산물 생산의 공간
⑥ 임해 산업 단지를 통한 산업 기지로서의 공간
⑦ 해안 레저 및 문화의 공간으로 기능이 확대, 이용 형태가 점차 다양화
⑧ 수산 자원의 산란·서식을 위한 중요한 터전으로서의 기능(갯벌, 간석지 등)
⑨ 기수역을 비롯한 해안 해역에서는 근해 및 원양에 비해 훨씬 더 풍부한 수산 및 생태자원을 보유
⑩ 바다로부터의 해일 등 해안 재해에 취약
⑪ 육지로부터의 생활하수, 폐기물, 농약 등 오염원 유입으로 환경오염에 취약

- 간석지 – 강을 타고 운반된 미립 물질이 해안에 퇴적되어 생기는 갯벌
- 기수역 – 강물이 바다로 들어가 바닷물과 서로 섞이는 곳

개념 Check
❶ 하천의 기능 중, ( ) 기능은 수해로 인한 피해로부터 인명과 재산을 보호하는 기능을 의미한다.
❷ (간석지 / 간척지)는 강을 타고 운반된 미립 물질이 해안에 퇴적되어 생기는 갯벌을 의미한다.

[정답] ❶ 치수
❷ 간석지

2 하천·해안의 이용

(1) 하천의 이용

① 댐

댐 – 하천의 흐름을 막아 그 저수를 생활 및 공업 용수, 농업 용수, 발전, 홍수 조절, 기타의 용도(특정용도)로 이용하기 위한 높이 15미터 이상의 공작물을 말하며, 여수로·보조댐 기타 당해 댐과 일체가 되어 그 효용을 다하게 하는 시설 또는 공작물을 포함한다(댐건설 및 주변 지역 지원 등에 관한 법률)

- 댐의 용도
  - 홍수 조절
    유역에서 강우에 의한 큰 홍수가 발생하면 대체로 댐의 홍수 조절 용량을 적절히 조절하여 유입되는 홍수량의 일부를 저류함과 동시에 하류에서의 홍수 피해가 최소가 되도록 서서히 방류하는 것
  - 물의 공급
    평상시 물을 저류하였다가 생활용수, 공업용수, 농업용수, 환경 개선 용수 등의 생활에 필요한 물을 공급하는 기능을 함
    상수도 보급률 증가 등 안정적 용수공급에 크게 기여
  - 수력발전
    댐의 방류로 인한 수력을 이용하여 전력을 생산
    수력전기는 현재 널리 쓰이는 재생 가능한 에너지임
    해외 선진국과 비교할 때 국내 수력 발전 의존율은 매우 낮음
  - 지역 경제 활성화 및 지역 발전 기여
    댐 및 주변지역은 수몰 이주민 발생 및 안개 등 댐의 부정적 영향도 있음
    주변 지역에 대한 정비사업 및 지속적 지원으로, 지역 특성을 살린 다양한 부대시설 및 이벤트 제공으로 관광객 증가 및 지역 경제 활성화에 도움
- 우리나라 댐 현황
  - 우리나라의 댐 및 저수지 총 개수는 17,656개소(2010년 기준)
  - 유효 저수량을 기준으로 보면 20개 다목적댐이 68.3%을 차지, 다목적 댐을 제외한 나머지 타 댐(생공용수댐, 수력발전댐, 농업용수댐 등)의 저수용량의 2배에 달함

② 보

- 보
  - 각종 용수의 취수, 주운 등을 위하여 수위를 높이거나 조수의 역류를 방지

하기 위하여 하천의 횡단 방향으로 설치된 시설
- 하천의 수위를 조절하는 경우는 많지만 유량을 조절하는 경우는 적음
- 최근에는 유량을 조절하여 유수의 정상적인 기능을 유지하기 위한 보가 설치되어 댐과의 구별은 명확하지 않으나, 보통 댐보다 작은 수리 구조물을 의미

- 보 현황
  - 농업용 보가 대부분을 차지(18,140개소)
  - 다목적 보(16개소)
    2008년 4대강 살리기 사업에 의해 건설
    홍수 소통에 지장을 초래하지 않아야 하므로 수문을 설치하는 가동보와 평상시에는 되도록 수문 조작 없이 계획된 상시 수위를 유지하도록 고정보를 배치하는 복합형 보로 설계

〈 보 〉

③ 기타
- 제방 - 하천 흐름의 원활한 소통을 유지시키고 제내지를 보호하기 위하여 하천을 따라 흙으로 축조한 공작물
- 호안 - 제방 또는 하안(하천 측면)을 하천 흐름에 의한 파괴와 침식으로부터 직접 보호하기 위해 제방 앞 비탈면에 설치하는 구조물
- 수제 - 제방 보호 뿐만 아니라 하천의 경관과 생태 환경의 보전 측면을 고려한 호안 또는 하안 전면부에 설치하는 구조물
- 어도 - 하천을 가로막는 수리구조물에 의하여 이동이 차단 또는 억제된 경우에 물고기를 포함한 동물의 이동을 목적으로 만들어진 인공 수로
- 수문 - 내수 배제, 역류 방지 및 각종 용수의 취수를 위해 하천 또는 제방에 설치하는 구조물

개념 Check

❶ ( )은 하천의 흐름을 막아 그 저수를 생활 및 공업 용수, 농업 용수, 발전, 홍수 조절, 기타의 용도(특정용도)로 이용하기 위한 높이 ( )미터 이상의 공작물을 의미한다.

❷ ( )는 제방 보호 뿐만 아니라 하천의 경관과 생태 환경의 보전 측면을 고려한 호안 또는 하안 전면부에 설치하는 구조물을 말한다.

[정답] ❶ 댐, 15
 ❷ 수제

<어도>

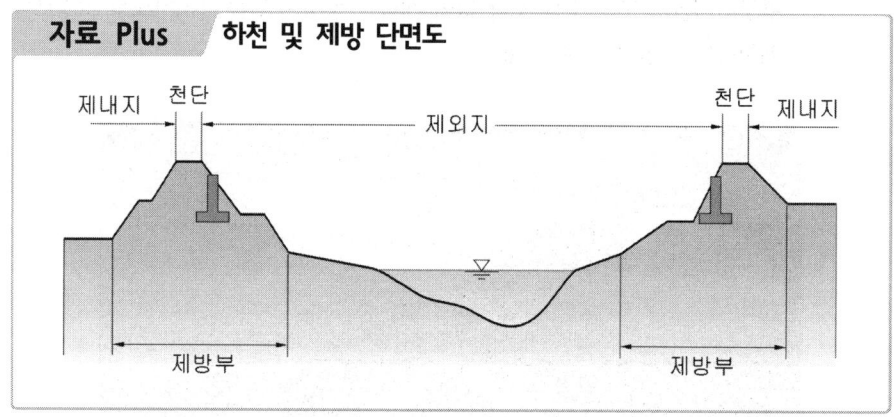

(2) 해안의 이용

① 수산업과 공업
- 우리나라는 삼면이 바다로 둘러싸여 있어 수산 자원이 매우 풍부
- 해안 지역에서는 어업과 양식업으로 대표되는 수산업이 크게 발달
- 오랜 시간 많은 어업으로 인해 어족자원이 고갈, 기르는 어업인 양식업이 증가
- 원료의 수입과 제품 수출이 유리한 곳에 위치한 일부 해안 지역에는 대규모의 임해 공업 단지 형성
- 해안이 육상 및 해상 교통의 이점을 이용한 무역항의 역할을 함(인천, 포항, 울산, 여수 등에 입지한 대규모 임해공업 단지가 대표적)

② 수역시설
　수역시설 - 항만에 들어온 선박이 안전하게 항행과 정박을 하고 하역을 할 수 있는 시설

- 정박지
  - 선박이 정박하여 하역을 하고 대기할수 있는 수역
  - 정박지는 항상 안전하게 정박 또는 하역할 수 있도록 바람 등의 외력을 방파제에 의해 차단함
- 항로
  - 항내에서 선박이 안전하게 항행할 수 있는 통로
  - 항로의 너비는 적어도 선박 길이의 너비가 요구
  - 선박의 안전한 운항을 위하여 바람과 파랑 방향에 대하여 30~60° 이내의 각을 가지는 것이 좋음
  - 조류 방향과의 각이 작아야 좋음
- 선회장
  - 접안 선박이 출입할 때 방향을 바꿀 수 있는 수역
  - 선회장은 넓을수록 좋고, 최소한 선박 길이의 2배 정도 지름을 가진 수역을 확보

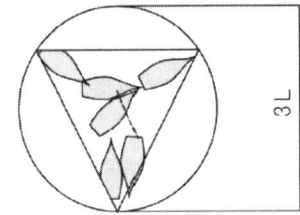

L : 배의 길이
배 스스로 회전할 경우 : 지름이 3L인 원
예인선에 의해 회전하는 경우 : 지름이 2L인 원

- 선유장
  - 소형선이 안전하게 정박할 수 있는 조용한 해수면
  - 선유장은 방파제 등으로 둘러싸인 조용한 수면을 만들고 충분한 넓이의 잔잔한 수면과 수심을 확보

③ 관광자원
- 해안 지형은 자연 경관을 즐길 수 있는 여가 활동 장소
- 사빈은 해수욕장, 석호는 휴양지, 갯벌은 자연을 직접 체험하는 공간으로 이용

개념 Check

❶ 접안 선박이 출입할 때 방향을 바꿀 수 있는 수역인 (　　)은 넓을수록 좋고, 최소한 선박 길이의 (　　)배 정도 지름을 가진 수역을 확보하여야 한다.
❷ (　　)은 소형선이 안전하게 정박할 수 있는 조용한 해수면을 의미한다.

[정답] ❶ 선회장, 2
　　　❷ 선유장

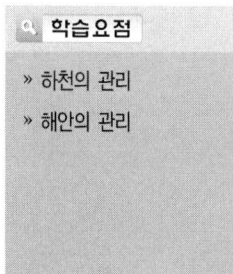

3 하천·해안의 관리

(1) 하천의 관리

① 하천 관리의 문제점
- 우리나라의 연평균 강수량은 약 1,200mm로 세계 평균 강수량보다 많은 편이지만, 연 강수량의 50~60%가 6~9월 사이에 집중되기에 물 자원을 효율적으로 이용하기가 어려움
- 다목적 댐의 건설
  - 하천을 관리하기 위하여 하천 중·상류에 건설
  - 상류의 물을 막아서 용수를 확보하고 홍수 시 하류로 물을 흘려보내는 속도를 조절해 홍수 피해를 줄이는 효과
  - 상류 지역의 토사물이 하류로 내려가지 못하고 댐에 막혀 그대로 쌓이는 문제가 발생, 댐 본래의 기능을 다하지 못하는 경우도 있음
  - 댐에 고여 있는 물 때문에 안개가 자주 발생하여 농작물의 성장을 저해하고, 주변 지역에 교통 장애를 일으키기도 하는 문제 발생함
- 하굿둑과 방조제 건설
  - 하천의 하류에 홍수를 예방하고 용수를 확보하고자 하구에 건설
  - 물의 흐름이 막히고 하천의 물이 고이면서 썩고, 하천이 싣고 온 퇴적물들이 바다로 나가지 못하고 퇴적되어 하천 바닥이 높아져 수심이 얕아지는 문제가 발생
  - 하굿둑
    강물이 바다로 흘러들어 가는 강어귀에 바닷물이 침입하는 것을 막기 위하여 쌓은 댐
  - 방조제
    해안에 밀려드는 조수를 막아 간석지를 이용하거나 하구나 만 부근의 용수 공급을 위하여 인공으로 만든 제방
- 인공제방 설치
  - 하류 지역의 범람원에는 홍수 예방과 농지 확보를 위해 인공제방이 설치
  - 인공제방은 하천의 유속을 빨라지게 하고 하천이 흐르는 폭이 좁아지게 하여 제방의 능력 이상의 홍수가 발생 시, 그 피해를 더 크게 만들 위험성이 있음
  - 콘크리트 제방은 하천의 정화 기능을 약화시키고 생태계를 파괴하는 등의 문제점
- 도시 지역 하천
  - 도시지역은 빗물을 흡수해 도시의 스펀지 역할을 하는 녹지 대신 콘크리트

건물이나 아스팔트로 뒤덮여 있고, 도시를 흐르는 대부분의 하천이 직강화함
- 비가 내리면 직선화된 유로를 통해 많은 양의 물이 토양으로 흡수되지 않고 빠르게 본류로 흘러들게 되어 홍수의 위험이 증가됨

② 바람직한 하천 관리 방안
- 하천을 생태 공간으로 인식하여야 함
- 하천은 하계망을 통해 유기적으로 연결되어 있어 어느 한 지점의 오염은 전체 하계망의 오염으로 이어짐
- 무분별한 하천 개발은 생태계를 훼손
- 홍수에 안전하고 자연과 인간이 공존하는 터전으로 하천 유역을 복원
- 중요 생물 보호와 친수 기능 등 하천 기능의 강화와 융합을 추구하는 하천 복원 및 관리 필요
- 하천 복원
  - 인간의 과도한 개발보다는 환경 측면에서 보호하고 복원시키고자 자연과의 조화를 찾는 일
  - 건강한 하천을 유지하는 생태 진화 과정을 다시 찾아 만들거나 스스로 만들도록 유도해 주는 것을 의미
  - 과학기술 측면
    · 인간의 하천유역 개발로 교란되기 이전의 수생태의 기능과 구조, 그와 관련된 물리, 화학, 그리고 생물학적 특성의 회복
    · 간단한 돌무더기와 같은 생물 서식처의 창조, 재생, 창출에서부터 하천이 갖는 대규모 물리적 형태의 다양성과 생물 서식 등 개개 요소를 통합하여 복원하는 시스템적 과정
- 하천 관리
  - 하천과 그 유역의 치수와 이수 기능에다 자연 보전과 복원, 친수, 공간 기능 등 하천의 환경 기능을 최대화시키고, 그 역기능을 최소화하여 자연과 사회 환경 기능을 보전하거나 창출하는 조직적인 제반 활동으로 정의
  - 지속 가능한 하천 관리 : 자연친화적 하천 관리를 의미. 하천 복원을 목표로 하나 하전의 치수 및 이수 능력을 고려함과 동시에 풍요로운 하천 환경의 보전, 재생 및 복원을 위한 다양한 노력으로 정의
  - 자연친화적 하천 관리는 하천기본계획 및 기타 하천 관련 계획에 따르거나 필요한 사항을 보완, 개선하여 시행하고, 기본적으로 대상 설정, 조사, 정비 주제 및 방향 설정 · 계획 및 설계, 시공, 유지관리, 모니터링 등 일련의 표준 절차에 따라 시행하는 것이 바람직함
  - 하천(환경) 관리 사업 시 이수, 치수, 환경, 문화, 역사, 경관 등 다양한 기능을 종합적으로 고려하여야 함

(2) 해안의 관리

① 인간 활동에 의한 해안 지형의 변화
- 간척 사업으로 인한 갯벌의 변화
  - 갯벌의 기능
    생태계 유지 기능 - 희귀 생물을 포함한 다양한 생물들의 서식처가 됨
    자연 정화 기능 - 부영양화로 인한 적조 현상을 방지(갯벌에 사는 수많은 미생물들의 먹이로 인한 적조 완화)
    완충지대의 역할 - 해일이나 파도로 인한 피해를 완화함
    생태 체험의 장
  - 갯벌이 간척 사업으로 파괴
  - 해양 오염이 심화
  - 조류의 흐름이 달라져 생태계가 파괴
  - 수산 자원의 감소
  - 태풍 등으로 인한 해일 피해가 확대
- 인간에 의한 해안 침식
  - 해안 침식 - 해안 지역에서 모래, 자갈의 공급량보다 유실량이 많아져 해안이 육지 쪽으로 후퇴하는 현상
  - 해안 침식은 파랑, 연안류, 조류 등으로 인해 자연적으로 발생하기도 함
  - 인간 활동으로 침식의 정도가 가속화되어 해안 지형을 빠르게 변화시키기 때문에 문제가 됨
  - 댐과 방조제, 하굿둑의 건설로 인해 하천이 상류로부터 운반해 온 퇴적물이 댐에 가로막혀 하류로 내려가지 못함에 따라 해안으로 유입되는 모래의 양도 줄어들어, 사빈의 규모를 축소 시킴
  - 해안 퇴적 지형의 규모가 작아지면서 해안선이 육지 쪽으로 후퇴하게 됨
  - 모래 해안에 건설한 각종 인공 시설 또한 해안 침식의 원인이 됨

② 해안 지형의 관리 방안
- 해안은 그 가치를 충분히 활용하기 위해 개발할 필요가 있으나 우선 해안에 입지하고 있는 다양한 해안 지형을 하나의 자연자원으로 인식하여 훼손을 최소화하여야 함
- 인간활동에 의한 해안 지형 변화 영향 감소대책
  - 해안 시설물의 배치와 구조 등에 대해 계획 단계부터 해당 지역 해안의 생태계나 자연 경관등 주변의 자연환경을 고려
  - 정확한 영향 예측에 근거한 저감 방안을 수립
  - 합리적인 검토와 모니터링을 통해 개발과 관리가 이루어져야 함
  - 해안 지형의 보전을 위한 다양한 공법을 적용하여 해안 지형의 변화를 예방하는 자연 친화적인 해안 관리가 필요

개념 Check

❶ (   )은 밀물 때 바닷물이 하천을 따라 유입되지 못하도록 하구에 쌓은 댐을 말한다.
❷ (   )는 밀려드는 바닷물을 막기 위해 해안에 만든 인공 제방을 말한다.

[정답] ❶ 하굿둑
　　　❷ 방조제

자료 Plus — 물 자원의 개발 및 관리

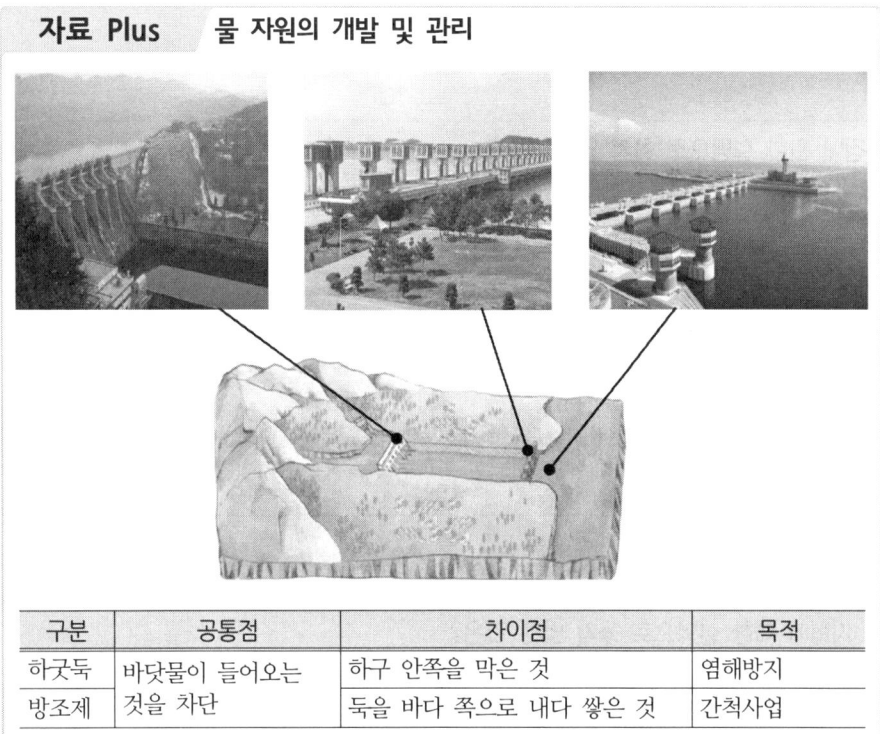

구분	공통점	차이점	목적
하굿둑	바닷물이 들어오는 것을 차단	하구 안쪽을 막은 것	염해방지
방조제		둑을 바다 쪽으로 내다 쌓은 것	간척사업

자료 Plus — 하천의 이용과 해안 지형의 이용

하천의 이용	해안 지형의 이용
(1) 개발과 문제점 ① 댐 건설: 물 자원 확보, 전력 생산 등 → 환경 문제 발생 ② 범람원 개간: 농지 확보 → 습지 파괴 및 생태계 변화 ③ 하굿둑 건설: 용수 확보와 염해 방지 → 하천 오염 ④ 도시 하천 복개 및 직선화 사업: 도시 면적 증가, 교통로 이용 → 홍수 위험 증가, 하천 지형 및 생태계 파괴 (2) 문제 해결을 위한 노력 : 생태 하천으로 복원하거나 하천 주변의 습지를 보호하기 위해 노력함	(1) 개발과 문제점 ① 간척 사업: 국토 면적의 확대 → 갯벌 감소, 해양 생태계 변화, 어족 자원 감소 ② 각종 시설물 건설: 해안 침식, 해안 지형의 변화 ③ 사빈, 해안 사구, 석호들이 교통로와 관광지 개발을 목적으로 훼손됨 (2) 문제 해결을 위한 노력: 갯벌 복원 사업, 모래 포집기나 그로인 설치, 주기적인 환경 영향 평가

토목일반 단원별 문제

문제 1

우리나라 하천의 특징에 관한 설명으로 옳지 않은 것은?

① 동고서저의 지형적 특징으로 인하여 하천의 대부분이 서해 또는 남해로 흐르고 있다.
② 유역면적 대비 하천의 길이가 길고 하천의 밀도가 높다.
③ 하상계수가 작아서 수운 발달과 물 자원의 안정적인 공급에 유리하다.
④ 여름철의 강수량이 집중되어 급한 하상 경사 등으로 인한 홍수발생 가능성이 높다.

해 설	하상계수 • 하천의 최소 유량을 1로 했을 때의 최대 유량의 비율 • 1에 가까우면 하천의 유량 변화가 작고, 값이 클수록 하천의 유량 변화가 크다는 것을 의미 • 우리나라의 경우, 하상계수가 커서 홍수와 가뭄의 발생 가능성이 높고 수운 발달과 수력발전에 불리하며, 물 자원의 안정적 공급이 어렵다.

문제 2

사진에 나타난 하천 지형에 대한 설명으로 옳지 않은 것은?

① 하천 주변에 하안 단구가 발달한다.
② 지반의 융기가 활발한 곳에서 잘 나타난다.
③ 큰 하천의 중·상류 지역에서 잘 나타난다.
④ 측방 침식이 자유로워 유로변경이 자주 일어난다.

해 설	감입곡류 하천 • 산지 사이를 곡류하는 하천으로 지반의 융기 이후 하방 침식이 진행되면서 형성 • 감입곡류 하천의 형성에는 지반의 융기가 영향을 미쳤다. • 자유곡류 하천보다 평균 유량이 적다.

정답 1. ③   2. ④

문제 3

자유곡류하천의 특징으로 올바르지 않은 것은?

① 하천의 유로 변경과정에서 우각호, 구하도 등이 형성된다.
② 감입곡류 하천보다 하상의 해발 고도가 낮다.
③ 하천의 중·하류 지역에서 잘 나타난다.
④ 측방침식도 함께 이루어져 주변에 계단 모양의 하안 단구가 발달하게 된다.

해설	감입곡류 하천 • 하천 중 상류에 발달하는 지형 • 산지 사이를 곡류하는 하천으로 지반의 융기 이후 하방 침식이 진행되면서 형성 • 측방침식도 함께 이루어져 주변에 계단모양의 하안 단구가 발달하게 된다. • 하안단구는 주변 산지에 비해 평탄하고 고도가 높아 침수의 위험이 적기 때문에 취락, 농경지 혹은 교통로로 이용된다.

문제 4

다음 위성 사진에 해당하는 우리나라 해안의 특징에 대한 설명으로 옳지 않은 것은?

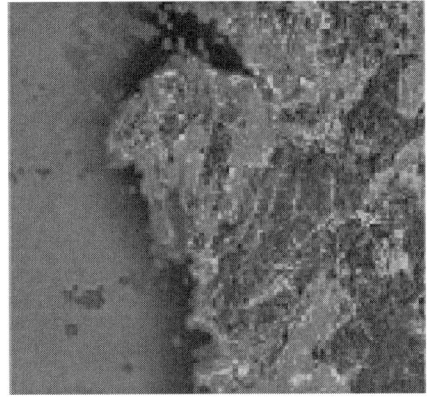

① 해안과 산맥이 수직으로 만나서 해안선을 형성했다.
② 조류에 의한 퇴적 작용이 잘 나타난다.
③ 지반의 융기로 인한 해안 단구가 잘 나타난다.
④ 후빙기 해수면 상승의 영향을 받았다.

해설	동해안과 서·남해안의 특징	
	동해안	• 비교적 단조로운 해안선이 나타난다. • 서해안보다 신생대 지반 융기의 영향을 크게 받았다.
	서·남해안	• 해안선이 복잡하고 섬이 많이 분포한다. • 동해안보다 조차가 크고 조류의 작용이 활발하다. • 동해안보다 해안 퇴적물의 평균 입자 크기가 작다.
	• 지반의 융기로 인한 해안단구는 동해안에서 잘 나타난다.	

정답 3. ④ 4. ③

토목일반 단원별 문제

문제 5

다음 위성 사진에 해당하는 우리나라 해안의 일반적 특징에 대한 설명으로 옳지 않은 것은?

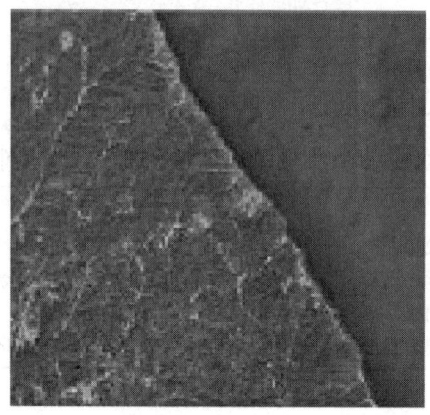

① 해안과 산맥이 수직으로 만나서 해안선을 형성했다.
② 조차가 작기 때문에 파랑과 연안류가 많이 받아 사빈과 석호가 잘 발달한다.
③ 지반의 융기로 인한 해안 단구가 잘 나타난다.
④ 후빙기 해수면 상승의 영향을 받았다.

해 설	동해안
	• 동해안에 형성된 산맥은 태백산맥, 함경산맥 등의 1차 산맥으로, 동쪽으로 치우쳐 융기하여 해안선과 평행하게 발달하였다.

문제 6

우리나라 지도의 (가), (나) 해안에 대한 설명으로 옳은 것은?

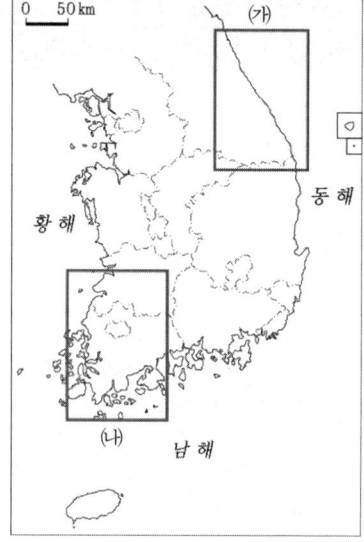

정답 5. ①   6. ③

① (나)에는 현재 석호가 많이 발달했다.
② (가)는 (나)보다 조차가 크고 조류의 작용이 활발하다.
③ (나)는 (가)보다 해안 퇴적물의 평균입자 크기가 작다.
④ (가)에는 리아스 해안이 발달해 있다.

해설	서해안에 발달한 주요해안 지형	
	갯벌	• 후빙기 해수면 상승 이후 조류의 퇴적작용으로 형성 • 매일 주기적으로(만조시에만)바닷물에 잠기는 곳 • 오염 물질의 정화 기능
	해안사구	• 사빈의 모래가 바람에 의해 운반, 퇴적되어 형성된 모래언덕 • 사빈보다 퇴적물의 평균입자 크기가 작음 • 최종 빙기에 해수면 하강 시 형성

문제 7

다음 해안사진의 A, B 지역에 대한 옳은 설명을 〈보기〉에서 고른 것은?

〈보 기〉
ㄱ. A에는 파랑의 에너지가 집중된다.
ㄴ. A에서 이동한 물질이 B에 퇴적되기도 한다.
ㄷ. A에는 사빈, B에는 갯벌이 형성된다.
ㄹ. A, B의 해안선은 점점 바다 쪽으로 전진할 것이다.

① ㄱ, ㄴ ② ㄱ, ㄷ
③ ㄴ, ㄷ ④ ㄴ, ㄹ

정답 7. ①

해설	곶과 만의 특징	
	곶 (돌출부)	• 만보다 지형 형성시 파랑 에너지의 세기가 강하다. • 만보다 기반암의 노출 정도가 크다. • 시스택, 시아치 등의 침식지형이 나타난다. • 침식이 진행됨에 따라 해안선은 육지쪽으로 점점 후퇴한다.
	만 (만입부)	• 곶보다 평균경사도가 작다. • 사빈등의 퇴적 지형이 나타난다.

문제 8

다음 해안 지형을 나타낸 그림에서 각 지형의 특징에 대한 설명으로 옳지 않은 것은?

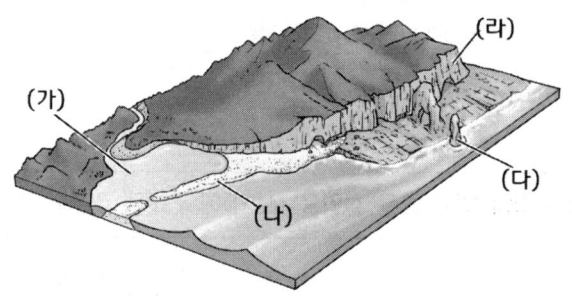

① (가)는 (나)의 성장으로 형성된 호수이다.
② (나)는 연안류에 의한 침식작용으로 형성된다.
③ (다)는 침식에 강한 부분이 남아 형성되었다.
④ (라)는 침식으로 인해 육지 쪽으로 점점 후퇴한다.

해설	사취 • 파랑과 연안류에 의해 모래가 만의 입구(만입부)에 퇴적되어 형성된 모래 둑으로 한쪽 끝이 육지에 닿아 있다. • 사취가 점점 자라나 만의 입구를 막은 퇴적지형을 사주라고 한다.

문제 9

지도의 (가)~(다) 지형의 명칭을 옳게 연결한 것은?

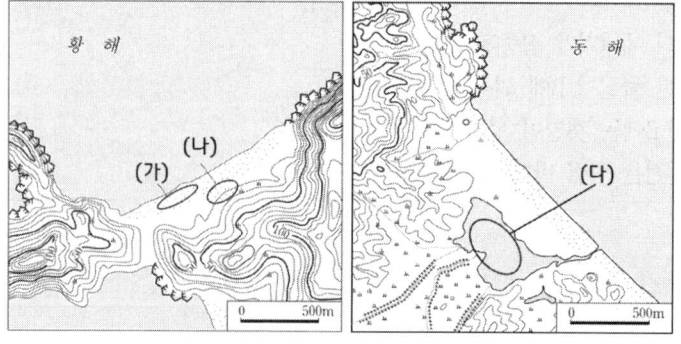

정답 8. ② 9. ②

	(가)	(나)	(다)
①	사빈	사주	해안 사구
②	사빈	해안 사구	석호
③	사주	사빈	해안 사구
④	사주	해안 사구	사빈

해설	주요 해안 지형	
	석호	• 사주의 성장으로 형성된 호수다. • 파랑의 작용 및 하천의 퇴적으로 규모가 축소되고 있다. • 호수의 수심은 시간이 지날수록 얕아진다.
	사빈	• 곶보다 만에 넓게 발달 • 주로 파랑과 연안류의 퇴적 작용으로 형성 • 갯벌보다 퇴적물의 평균 입자 크기가 크다. • 주로 해수욕장으로 이용
	사주	• 파랑과 연안류에 의해 모래가 만의 입구에 퇴적 형성된 사취가 점점 자라나 만의 입구를 막은 퇴적 지형
	해안 사구	• 사빈의 모래가 바람에 의해 운반, 퇴적되어 형성된 모래언덕이다. • 사빈보다 퇴적물의 평균 입자 크기가 작다.

문제 10

다음은 해안 지역을 나타낸 모식도이다. A, B에서 주로 형성되는 지형을 옳게 연결한 것은?

	A	B
①	사빈	파식대
②	시 스택	해식애
③	해식애	사빈
④	갯벌	해안 사구

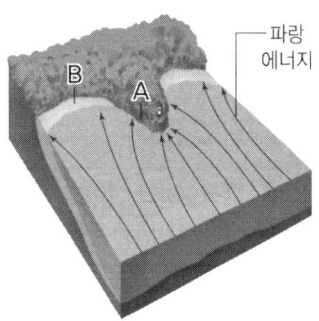

해설	해안의 침식 및 퇴적지형
	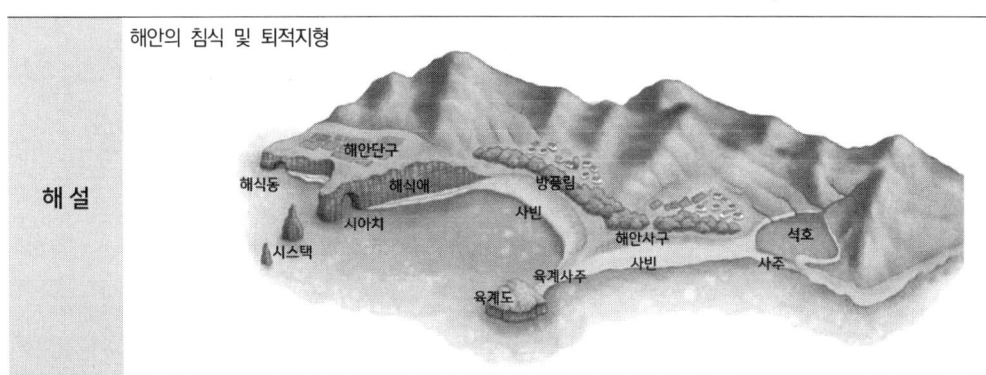

정답 10. ③

토목일반 단원별 문제

문제 11

하천의 이용에 따른 환경변화의 영향에 대한 설명으로 옳은 것은?

① 방조제 건설로 인한 해수면이 상승하였다.
② 하굿둑 건설로 인한 하천 오염이 심화되었다.
③ 범람원의 개간으로 인한 안개 발생 일수가 증가하였다.
④ 하천의 댐 건설로 인한 홍수의 횟수가 증가하였다.

해설	하천관리의 문제점 • 다목적 댐에 고여 있는 물 때문에 안개가 자주 발생하여 농작물 피해, 교통장애 발생 • 범람원 개간에 따른 인공제방의 설치로 유속이 빨라지게 하고 하천의 흐름폭을 좁게 하여 제방의 능력이상의 홍수 발생시 그 피해를 더 크게 만들 위험성 존재. 콘크리트 제방은 하천의 정화 기능 약화와 생태계 파괴의 문제점 발생 • 하굿둑과 방조제 – 물의 흐름이 막히고 하천의 물이 고이면서 썩고 하천이 싣고 온 토사를 퇴적시켜 하천바닥 상승, 수심 얕아짐

문제 12

감입곡류하천에 비해 자유곡류하천이 가지는 특징에 대한 올바른 설명은?

① 하방 침식이 우세하다.
② 하천 바닥의 평균 경사가 급하다.
③ 평균유량이 많다.
④ 퇴적물의 평균 입자 크기가 크다.

해설	자유 곡류 하천 • 하천의 중, 하류 일대에 나타남 • 하천의 유로변경 과정에서 우각호, 구하도 등이 형성 • 감입 곡류 하천보다 하상의 해발고도가 낮으므로 하방침식보다는 측방침식이 우세

문제 13

다음은 하계망 모식도이다. (가), (나) 지점에 대한 옳은 설명을 〈보기〉에서 고른 것은?

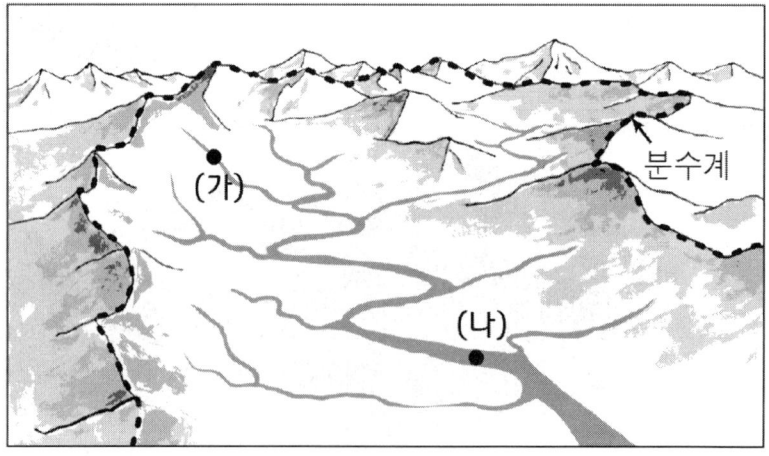

정답 11. ② 12. ③ 13. ③

〈보 기〉
ㄱ. (가)는 (나)보다 평균 유량이 많다.
ㄴ. (가)는 (나)보다 평균 하폭이 좁다.
ㄷ. (나)는 (가)보다 하천의 평균 경사가 완만하다.
ㄹ. (나)는 (가)보다 퇴적 물질의 평균 입자 크기가 크다.

① ㄱ, ㄴ ② ㄱ, ㄷ ③ ㄴ, ㄷ ④ ㄴ, ㄹ

해설

하천 상, 하류의 일반적인 특징

구분	상류	중·하류
유량	적다	많다
하천 폭	좁다	넓다
하천 경사	급하다	완만하다
퇴적물의 입자 크기	크다	작다
자갈의 매끄러운 정도	작다	크다

문제 14

하천에 관련된 용어에 대한 설명으로 올바르지 않은 것은?

① 유역 – 하늘에서 내린 비가 하나의 하천으로 모아지는 영역
② 본류 – 지류로 흘러 들어가는 소규모 하천
③ 분수계 – 유역과 유역의 경계
④ 하계망 – 본류와 지류들이 만나서 이루는 그물 구조

해설
본류와 지류
- 본류 : 작은 하천들이 모인 하류의 큰 하천
- 지류 : 본류로 흘러들어가는 상류의 작은 하천

문제 15

세계의 주요 하천에 비해 우리나라의 하천은 하상계수가 큰 편에 속한다. 이 특징과 관련한 설명으로 올바른 것은?

① 우리나라의 하천은 수력발전에 유리한 편이다.
② 우리나라 하천은 내륙 수운 발달이 유리하다.
③ 우리나라의 하천은 계절별 유량 변동이 클 것이다.
④ 하상계수가 작은 강은 홍수 빈도가 매우 높을 것이다.

정답 14. ② 15. ③

해설	하상계수 • 하천의 최소 유량을 1로 했을 때의 최대 유량의 비율 • 1에 가까우면 하천의 유량 변화가 작고, 값이 클수록 하천의 유량 변화가 크다는 것을 의미 • 우리나라의 경우, 하상계수가 커서 홍수와 가뭄의 발생 가능성이 높고 수운 발달과 수력발전에 불리하며, 물 자원의 안정적 공급이 어렵다.

문제 16

다음 설명에 해당하는 하천 유역특성인자는?

- 하천의 최소 유량을 1로 했을 때의 최대 유량의 비율
- 1에 가까우면 하천의 유량 변화가 작고, 값이 클수록 하천의 유량 변화가 크다는 것을 의미

① 하상 계수
② 형상 계수
③ 하천 밀도
④ 수계 빈도

해설	하상계수 • 1년 가운데 하천의 어느 한 지점에서 유량을 측정하고, 측정된 최대 유량을 최소 유량으로 나눈 값 • 값이 1에 가까우면 하천의 유량 변화가 작고, 값이 클수록 하천의 유량 변화가 크다는 것을 의미

문제 17

다음은 하천에 의해 형성된 지형에 대한 설명에서, 빈 칸에 들어갈 말로 옳게 연결한 것은?

하천 중·하류에는 자연 제방과 배후 습지로 이루어진 ____㉠____ 이(가) 발달한다. 하천이 바다와 만나는 하구에는 유속의 급격한 감소로 퇴적물이 쌓여 ____㉡____ 이(가) 형성된다.

	㉠	㉡
①	범람원	삼각주
②	삼각주	범람원
③	선상지	삼각주
④	삼각주	선상지

해설	범람원 • 자유 곡류 하천은 경사가 완만하며 유속이 느리므로 유량이 증가하면 주변 지역으로 물이 쉽게 범람 • 하천이 범람하면서 하천 가까이에 모래, 점토 등을 쌓아 자연제방과 배후습지로 구성된 충적 지형인 범람원을 형성 삼각주 • 바다나 호수로 흘러드는 하천의 하구에 토사가 집중적으로 쌓여 형성되는 충적지형

정답 16. ① 17. ①

문제 18

다음 글의 밑줄 친 ㉠~㉢ 옳지 않은 것은?

> 우리나라는 ㉠ 홍수와 가뭄 피해를 줄이기 위해 하천 상류에 댐을 건설하고, ㉡ 하구에 방조제와 하굿둑을 설치하여 수자원을 관리하고 있다. ㉢ 하안에 인공 제방이 건설되면서 하천의 자연 조절 능력이 강화되었으나, ㉣ 각종 오·폐수의 하천 유입은 하천 생태계를 심각하게 파괴하기도 하였다. 오늘날 하천은 사람들의 휴식공간으로서 가치가 높고, 많은 생물들의 중요한 서식지이기 때문에 소중하게 관리하고 보전해야 한다.

① ㉠　　　　　② ㉡　　　　　③ ㉢　　　　　④ ㉣

해설 인공제방
- 하천 양안으로 물이 범람하는 것을 막아 주고, 직강화공사는 물이 모여서 넘치지 않고 빨리 빠져나가게 한다.
- 하천의 직선화는 하천의 유속을 빨라지게 만들어 지류하천과 만나는 대하천의 본류에서는 오히려 유량이 급증하게 되어 홍수의 위험성을 증가시키는 경우도 발생하게 한다.

문제 19

그림은 어느 지형의 형성 과정을 간략하게 나타낸 것이다. 이에 대한 올바른 설명은?

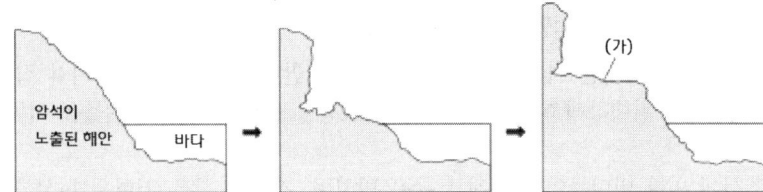

① 해수면 상승과 관계가 깊다
② (가)는 농경지나 도로로 이용된다
③ 파랑에 의한 퇴적작용으로 생긴 지형이다
④ (가)지형은 서해안에서 많이 볼 수 있다.

해설 해안단구
- 과거의 파식대나 해안 퇴적 지형이 지반의 융기 혹은 해수면의 하강으로 인해 현재 해수면 보다 높은 곳에 위치하게 된 계단모양의 지형
- 특히, 동해안의 강릉~울산에 이르는 지역에서 많이 발견(동해안의 지반 융기량이 많기 때문)
- 주거지나 농경지 혹은 도로로 이용

문제 20

다음 설명에 해당하는 것은?

> 하천의 유속이 느려지면서 퇴적물이 쌓여 강 가운데에 만들어진 섬 지형

① 육계도　　　② 하안단구　　　③ 하중도　　　④ 우각호

정답 18. ③　19. ②　20. ③

해 설	하중도 • 하천의 유속이 느려지면서 퇴적물이 쌓여 강 가운데에 만들어진 섬을 말함 • 주로 큰 강의 하류에 많이 생기는데, 압록강, 한강, 대동강, 두만강, 낙동강에 주로 분포하며, 특히 압록강 하류에 큰 섬들이 많다. 한강의 여의도, 밤섬 등이며, 하중도를 모랫똥, 안섬이라고도 함 • 삼각주는 이러한 하중도가 여러 개 모여 있는 지형이다.

문제 21

다음 하천지형과 관련한 설명으로 옳지 않은 것은?

① 하방침식 – 대하천의 상류에서 주로 발생하며 유량이 풍부하기 때문에 발생한다.
② 하중도 – 퇴적물의 양이 많고 유속이 느려지는 곳에 잘 형성된다.
③ 우각호 – 유로변경으로 형성되었으며, 시간이 지날수록 축소된다.
④ 하안단구 – 평탄하고 고도가 높아 침수의 위험이 적어 취락, 농경지, 교통로로 이용된다.

해 설	하방침식 • 큰 하천의 중, 상류에서 나타나는 감입곡류하천에서 보이는 현상 • 경동성 요곡운동에 따른 융기로 인해 고도가 높아짐으로써 하천의 바닥과 침식기준면인 해수면과의 고도 차이가 커져 밑으로 파고 드는 침식현상이 커짐

문제 22

해안 지형 형성의 요인에 관한 설명으로 올바른 것은?

① 파랑 – 해수면에 나타나는 바다의 물결을 의미하며, 만입부에서 파랑에너지가 집중된다.
② 연안류 – 해안선과 평행하게 이동하는 바닷물의 흐름을 말하며, 해안 퇴적물을 이동시켜 사주를 형성시킨다.
③ 조류 – 조석에 의한 바닷물의 수직적 흐름을 말하며, 갯벌과 같은 지형을 형성한다.
④ 바람 – 해안가의 모래를 이동시켜 해안에 사빈 지형을 형성한다.

해 설	해안지형 형성요인 • 육지 쪽으로 움푹 들어간 해안가의 만입부는 파랑 에너지가 분산 • 조석은 해수면 수직적 흐름을 의미하며, 조류는 조석에 의한 바닷물의 수평적 흐름을 말함 • 해안가의 모래를 이동시켜 해안에 모래언덕(해안사구)를 형성하는 바람 • 지반운동과 기후변화로 인해 발생하는 해수면 변동 등

문제 23

다음 지도에 나타난 호수들과 관련된 설명으로 적절하지 않은 것은?

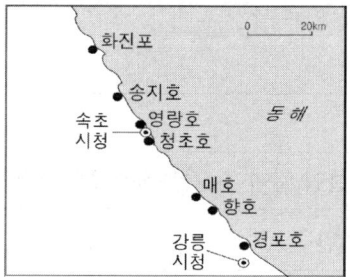

정답 21. ① 22. ② 23. ①

① 호수의 면적과 수심은 점차적으로 증가하는 방향으로 변화하고 있다.
② 후빙기 해수면의 상승이 호수의 형성에 영향을 미쳤다.
③ 호수가 형성된 후에는 해안선이 더욱 더 단조로워졌다.
④ 대부분의 호수 염도가 바닷물과 비슷하다.

해설	석호 • 후빙기 해수면 상승 시 소규모로 있던 만의 입구를, 사주가 발달하며 형성된 호수이다. • 바닷물보다는 염도가 조금 낮으나, 해안사구 습지보다는 염도가 높다. • 파랑의 작용 및 하천의 퇴적으로 규모가 축소되고 있다. • 호수의 수심은 시간이 지날수록 얕아진다.

문제 24

다음 글의 ㉠, ㉡에 들어갈 말로 가장 적절한 것은?

> 조차가 큰 서·남해안으로 흐르는 하천은 만조 때 바닷물이 역류하기도 하는데 이러한 하천을
> (㉠)이라고 한다. 이에 해당하였던 영산강, 낙동강, 금강의 하구에는 하굿둑을 건설하여 (㉡)
> 의 효과가 나타나고 있다.

	㉠	㉡
①	건천	용수 확보
②	감조 하천	수질 개선
③	감조 하천	염해 방지
④	감입 곡류 하천	전력 확보

해설	감조 하천 • 밀물과 썰물의 영향을 받는 하천이다. • 큰 조차로 밀물시 바닷물이 역류하는 하천(주기적으로 수위와 유속이 변하는 하천) • 한반도에서 황해와 남해로 흘러드는 하천에 많다. • 영향 : 염해피해, 만조와 집중호우가 겹치면 홍수 피해

문제 25

다음 중 해안침식지형이 아닌 것은?

① 해식애
② 해안단구
③ 시스텍
④ 석호

해설	석호 • 해안 퇴적 지형 • 후빙기 해수면의 상승으로 골짜기에 바닷물이 들어와 만이 형성되고, 이 만의 입구를 파랑과 연안류의 영향으로 사주가 발달하며 막으면서 형성.

정답 24. ③ 25. ④

문제 26

다음 중 해안에 대하여 옳지 않은 것은?

① 해안 지형 형성 요인에는 파랑, 조류, 연안류 등이 있다.
② 리아스식 해안은 우리나라 서남해안에서 발달했다.
③ 간척사업을 통해 갯벌의 면적이 점점 넓어지고 있다.
④ 동해안은 파랑과 연안류의 영향을 많이 받고, 서해안은 조류의 영향을 많이 받는다.

해설	갯벌
	• 갯벌은 수심이 얕아 조차가 크고 해안선이 복잡하며, 섬이 많은 서·남해안에 특히 발달하였다. • 갯벌은 양식장 혹은 염전으로 이용되며, 간척사업을 통해 점차 육지화되고 있다. 육지로 변한 갯벌은 농경지나 공업 단지 등으로 이용되기도 한다.

문제 27

하천에 대한 설명으로 옳지 않은 것은?

① 국가하천, 지방하천, 소하천으로 분류된다.
② 지방하천은 국토교통부 장관이 관리책임진다.
③ 국가하천에 비해 지방하천의 수가 월등히 많다.
④ 소하천은 소하천 정비법의 적용을 받는다.

해설	지방하천(하천법 제7조)
	• 지방하천은 지방의 공공이해와 밀접한 관계가 있는 하천으로서 시·도지사가 그 명칭과 구간을 지정하는 하천을 말한다.

문제 28

바닷물의 수직적 흐름을 나타내는 말은?

① 조석　　　　　　　　　　② 조류
③ 조차　　　　　　　　　　④ 파도

해설	조석, 조류, 조차	
	조석	• 달과 태양의 인력으로 생기는 해수면의 상승과 하강, 즉 수직적 흐름을 조석이라 한다.
	조류	• 조류는 조석에 의한 바닷물의 수평적 흐름이다. 밀물 때에는 육지 쪽으로, 썰물 때는 바다 쪽으로 천천히 흐르면서 갯벌과 같은 해안 지형을 형성
	조차	• 조석에 의해 발생하는 해수면의 높이의 차이이다. • 조차가 크면 조류의 영향을 받는 범위가 넓게 나타나게 되며, 조차가 큰 해안은 지형 형성 과정에서 파랑보다는 조류의 영향을 많이 받는다.

정답　26. ③　27. ②　28. ①

문제 29

하천의 기능 중 하나로 치수 기능을 뜻하는 것은?

① 각종 용수의 취수나 주운을 이용한 교통 발전등과 같이 인간이 물을 이용하는 측면의 기능
② 관광, 수변경관과 정서 함양, 문화와 민속 등 물 문화창조의 기능
③ 풍부한 생태적 자원과 수산자원의 중요한 터전 기능
④ 수해로 인한 피해로부터 인명과 재산을 보호하는 기능

해 설	하천의 기능	
	치수기능	• 수해로 인한 피해로부터 인명과 재산을 보호하는 기능
	이수기능	• 각종 용수의 공급 등이 인간 생활에 물을 이용하는 기능
	친수기능	• 인간이 자유롭게 물에 가까이 접근하여 휴식, 관광, 여가 등을 즐길 수 있도록 하는 기능

문제 30

하천 및 해안에 대한 올바른 설명은?

① 연안류는 해안선에 수직으로 이동하는 바닷물의 흐름을 뜻하며 사주형성의 원인이다.
② 조차가 큰 해안의 지형 형성 과정에는 파도의 영향이 가장 크다.
③ 소하천은 하천법의 적용을 받지 않는다.
④ 자유곡류하천의 직선화는 유속이 빨라져 배수가 더 원활하게 이루어짐으로 홍수로부터 안전해진다.

해 설	소하천(소하천 정비법 제2조) • "소하천"이란「하천법」의 적용 또는 준용을 받지 아니하는 하천으로서 제3조에 따라 그 명칭과 구간이 지정·고시된 하천을 말한다

문제 31

'바닷가의 넓은 지형'이란 뜻을 가지고 있으며 조석의 영향을 받아 평평한 평지로 만들어진 지형의 특징으로 올바르지 않은 것은?

① 많은 양의 물을 저장할 수 있기 때문에 물의 흐름과 유속을 빠르게 한다.
② 태풍이나 해일이 발생하였을 때 육지에 대한 피해를 감소시킨다.
③ 아름다운 경치, 해수욕, 휴식 등 여가의 장소를 제공해 준다.
④ 대기온도와 습도에 영향을 주는 등 기후 조절의 기능을한다.

해 설	갯벌의 역할 • 많은 양의 물을 저장할 수 있기 때문에 물의 흐름을 완화시키거나, 홍수 때에 순간적으로 일어나는 물의 수위를 낮추어, 태풍이나 해일이 발생하면 일차적으로 에너지를 흡수하여 육지에 대한 피해를 감소 • 대기온도와 습도에도 영향을 미치는 등 기후 조절 기능 • 영양염류가 풍부하고 산소 공급이 활발하게 일어나서 미생물의 증식에 알맞은 장소 • 아름다운 경치, 해수욕 등 휴식과 여가의 장소를 제공

정답 29. ④ 30. ③ 31. ①

문제 32

다음 중 하천 이용 시설물에 대한 설명으로 틀린 것은?

① 댐 – 홍수조절, 용수공급, 수력발전, 지역사회 발전 용도로 이용된다.
② 보 – 수위를 높이거나 조수의 역류를 방지하기 위해 하천의 종단 방향으로 설치한 구조물이다.
③ 제방 – 하천흐름의 원활한 소통을 유지시키고 재내지를 보호하기 위해 하천을 따라 흙으로 축조한 공작물이다.
④ 어도 – 하천을 가로막는 수리구조물에 의하여 이동이 차단 또는 억제된 물고기를 포함한 동물의 이동목적으로 만들어진 인공수로를 말한다.

해 설	보
	• 각종 용수의 취수, 주운 등을 위하여 수위를 높이거나 조수의 역류를 방지하기 위하여 하천의 횡단 방향으로 설치된 시설을 말한다

문제 33

범람원이 발달하는 하천의 특징으로 옳지 않은 것은?

① 하천의 경사가 완만하며, 유속이 느리다.
② 비가 내려 유량이 증가하면 주변 지역으로 물이 쉽게 범람한다.
③ 자연제방과 배후습지로 구성된 충적지형이 나타난다.
④ 측방침식형태 보다는 하방침식이 우세하게 나타난다.

해 설	자유곡류하천
	• 경사가 완만한 곳을 흐르기 때문에 측방침식이 자유로워 유로변경이 자주 일어나게 된다.

문제 34

국가하천의 지정에 대한 요건으로 옳지 않은 것은?

① 유역면적합계가 200제곱킬로미터 이상인 하천
② 다목적댐의 하류 및 댐 저수지로 인한 배수영향이 미치는 상류의 하천
③ 유역면적 합계가 50제곱킬로미터 이상이면서 200제곱킬로미터 미만인 하천으로 상수원보호구역을 관류하는 하천
④ 지방의 공공이해와 밀접한 관계가 있는 하천

해 설	국가하천과 지방하천	

	국가하천	국가하천은 국토보전상 또는 국민경제상 중요한 하천으로서 다음 각 호의 어느 하나에 해당하여 국토교통부장관이 그 명칭과 구간을 지정하는 하천을 말한다.
		1. 유역면적 합계가 200제곱킬로미터 이상인 하천
		2. 다목적댐의 하류 및 댐 저수지로 인한 배수영향이 미치는 상류의 하천
		3. 유역면적 합계가 50제곱킬로미터 이상이면서 200제곱킬로미터 미만인 하천으로서 다음 각 목의 어느 하나에 해당하는 하천
		  가. 인구 20만명 이상의 도시를 관류(貫流)하거나 범람구역 안의 인구가 1만명 이상인 지역을 지나는 하천
		  나. 다목적댐, 하구둑 등 저수량 500만세제곱미터 이상의 저류지를 갖추고 국가적 물 이용이 이루어지는 하천
		  다. 상수원보호구역, 국립공원, 유네스코생물권보전지역, 문화재보호구역, 생태·습지보호지역을 관류하는 하천
		4. 범람으로 인한 피해, 하천시설 또는 하천공작물의 안전도 등을 고려하여 대통령령으로 정하는 하천

정답 32. ②   33. ④   34. ④

| 해설 | 지방하천 | 지방하천은 지방의 공공이해와 밀접한 관계가 있는 하천으로서 시·도지사가 그 명칭과 구간을 지정하는 하천을 말한다. |

문제 35

하천 구조물에 대한 설명으로 옳은 것은?

① 댐 – 하천의 흐름을 막아 그 저수를 생활 및 공업용수, 홍수조절, 발전 등을 하기 위한 높이 10m 이상의 구조물
② 보 – 각종 용수의 취수, 주운 등을 위하여 수위를 높이거나 조수의 역류를 방지하기 위하여 하천에 설치한 하종단 구조물
③ 호안 – 제방보호 및 하천의 경관과 생태환경의 보전 측면을 고려한 하안 전면부에 설치하는 구조물
④ 수문 – 내수배제, 역류방지 및 각종 용수의 취수를 위하여 하천 또는 제방에 설치하는 구조물

해설	하천 구조물	
	댐	하천의 흐름을 막아 그 저수를 생활 및 공업 용수, 농업 용수, 발전, 홍수 조절, 기타의 용도(특정 용도)로 이용하기 위한 높이 15m 이상의 구조물
	보	각종 용수의 취수, 주운 등을 위하여 수위를 높이거나 조수의 역류를 방지하기 위하여 하천의 횡단 방향으로 설치된 구조물
	제방	하천 흐름의 원활한 소통을 유지시키고 제내지를 보호하기 위하여 하천을 따라 흙으로 축조한 구조물
	호안	제방 또는 하안(하천 측면)을 하천 흐름에 의한 파괴와 침식으로부터 직접 보호하기 위해 제방 앞 비탈면에 설치하는 구조물
	수제	제방 보호뿐만 아니라 하천의 경관과 생태 환경의 보전 측면을 고려한 호안 또는 하안 전면부에 설치하는 구조물
	어도	하천을 가로막는 수리 구조물에 의하여 이동이 차단 또는 억제된 경우에 물고기를 포함한 동물의 이동을 목적으로 만들어진 인공 수로
	수문	내수 배제 역류 방지 및 각종 용수의 취수를 위해 하천 또는 제방에 설치하는 구조물

문제 36

해안지형에 대한 올바른 설명은?

① 곶 – 파랑에너지가 분산되어 퇴적작용을 한다.
② 해식애 – 파랑의 퇴적으로 인해 형성된 절벽
③ 해안단구 – 지반의 융기 또는 해수면의 하강으로 해수면보다 높아져 생긴 계단모양의 지형
④ 해안사구 – 연안류에 의해 퇴적된 모래언덕 지형

해설	해안 지형 • 곶 – 파랑에너지가 집중되어 침식작용이 활발 • 해식애 – 파랑의 침식으로 형성된 해안 절벽 • 해안 사구 – 사빈의 모래가 바람에 날려 배후에 퇴적된 모래언덕

정답 35. ④ 36. ③

토목일반 단원별 문제

문제 37

보기에 해당하는 하천요소는?

〈보기〉 본류와 지류를 모두 포함한 하천의 총연장을 유역면적으로 나눈 값으로, 단위 면적당 하천 길이를 나타낸다.

① 수계빈도 ② 하천밀도
③ 형상계수 ④ 하상계수

해설 | 하천밀도
• 하천(본류+지류)의 총연장을 유역면적으로 나눈 값으로, 단위면적당 하천 길이를 나타낸다.

문제 38

하천, 해안의 이용시설의 목적과 용도 중 바르게 연결되지 않은 것은?

① 댐 - 홍수 조절, 용수 공급, 수력 발전과 지역사회 발전의 용도로 이용된다.
② 보 - 각종 용수의 취수, 주운 등을 위해 수위를 높이거나 조수의 역류방지를 위해 하천의 횡단 방향으로 설치된 시설
③ 수문 - 제내지에 물을 채워주고, 각종 용수의 배수를 위해 하천 또는 제방에 설치하는 구조물
④ 수제 - 제방 보호 뿐 아니라 하천의 생태환경 보전을 위해 호안 또는 하안의 전면부에 설치하는 구조물

해설 | 수문
• 제내지(하천 제방에 의해 보호되고 있는 지역, 사람이 생활하거나 농경지 등으로 이용하는 쪽) 측의 내수 배제, 역류 방지 및 각종 용수의 취수를 위해 하천 또는 제방에 설치하는 구조물을 말한다.

하천의 단면도

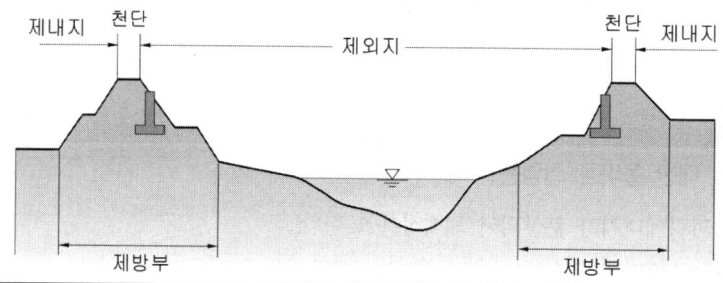

문제 39

우리나라의 하천 해안의 이용에 관한 설명으로 옳지 않은 것은?

① 댐에 의한 용수공급은 점차 증가하여 상수도 보급률 증가 등 안정적 용수공급에 크게 기여하고 있다.
② 댐에 의한 전력 생산은 널리 쓰이는 재생가능한 에너지이다.

정답 37. ② 38. ③ 39. ③

③ 해외선진국과 비교할 때, 국내 수력발전 의존율은 매우 높다.
④ 수역시설의 종류로는 정박지, 항로, 선회장, 선유장 등이 있다.

해설 수력발전
- 현재 가장 널리 쓰이는 재생 가능한 에너지이며, 점점 의존도가 증가하고 있으나,
- 해외 선진국과 비교할 때 국내 수력발전 의존율은 매우 낮다.

문제 40

수역시설의 설명으로 옳지 않은 것은?

① 정박지 - 선박이 정박하여 하역을 하고 대기할 수 있는 수역
② 항로 - 선박의 안전한 운항을 위하여 바람과 파랑에 대하여 30~60도 이내의 각을 가지는 것이 좋다.
③ 선유장 - 소형선이 안전하게 정박할 수 있는 조용한 해수면을 말한다.
④ 선회장 - 접안 선박이 출입할 때 방향을 바꿀수 있는 수역을 말하며, 넓을수록 좋고 최소한 선박길이의 ½배 정도의 지름을 지닌 수역을 확보해야 한다.

해설 선회장
- 접안 선박이 출입할 때 방향을 바꿀 수 있는 수역
- 선회장은 넓을수록 좋고, 최소한 선박 길이의 2배 정도 지름을 가진 수역을 확보해야 함

문제 41

우리나라 하천의 일반적 특징이 아닌 것은?

① 하상계수가 커서 수력발전 의존율이 낮다.
② 잦은 직강하 공사로 자유곡류하천이 거의 없다.
③ 국가하천의 비율이 지방하천에 비해 월등히 낮다.
④ 다목적 댐을 건설해 생태계 및 환경에 대한 피해를 줄여왔다.

해설 다목적 댐
- 댐 및 주변 지역은 수몰 이주민 발생 및 잦은 안개 발생으로 인한 주변 농작물 피해 등 부정적 영향이 있다.

문제 42

하천관리의 문제점으로 옳지 않은 것은?

① 하천 중, 상류에 건설된 댐으로 인하여 상류지역의 토사물들이 내려가지 못하고 댐에 그대로 쌓여 댐의 기능을 하지 못하는 경우가 발생하게 된다.
② 댐에 고여있는 물 때문에 안개가 발생하여 농작물 피해, 교통장애가 되기도 한다.
③ 하류에는 하굿둑과 방조제로 인하여 하천이 싣고 온 퇴적물들이 퇴적되어 수심이 얕아지는 문제가 생긴다.
④ 도시를 흐르는 하천의 직강하 공사에 따른 본류를 통한 빠른 유출효과로 홍수의 위험이 줄어들었다.

정답 40. ④ 41. ④ 42. ④

	도시 지역 하천의 문제점
해설	• 도시 지역은 빗물을 흡수해 도시의 스펀지 역할을 하는 녹지 대신 콘크리트 건물이나 아스팔트로 뒤덮여 있고, 도시를 흐르는 대부분의 하천이 직강화 되었음 • 비가 내리면 직선화된 유로를 통해 많은 양의 물이 토양으로 흡수되지 않고 빠르게 본류로 흘러들게 되어 홍수의 위험이 증가하게 됨

문제 43

댐의 용도로 옳지 않은 것은?

① 홍수 조절　　　　　　　　② 용수 공급
③ 수로 주운　　　　　　　　④ 수력 발전

	주운
해설	• 하천이나 수로에서 선박을 이용한 화물운송 • 댐 건설로 인한 댐의 상, 하류 수로가 차단됨으로 인하여 수로 주운 교통의 역할은 미흡함.

문제 44

해안 퇴적지형에 대한 설명으로 옳지 않은 것은?

① 사빈 – 하천에 의해 공급된 모래나 연안의 침식물질이 파랑과 연안류에 의해 해안을 따라 퇴적된 지형
② 사구 – 파랑과 연안류에 의해 모래가 만 입구에 퇴적되어 형성된 모래둑
③ 갯벌 – 조류의 퇴적 작용으로 형성된 퇴적지형
④ 석호 – 후빙기 해수면 상승으로 골짜기에 바닷물이 들어와 만과 곶이 형성되고, 곶의 입구를 사주가 막으면서 형성된다.

	사구
해설	• 해안 사구는 사빈의 모래가 바람에 날려 배후에 퇴적된 모래 언덕을 말한다. • 파랑과 연안류가 아닌 바람에 의해 퇴적된 지형

문제 45

다음 하천 조사표에 대한 내용으로 옳은 것은?

구분	감입곡류 하천	자유곡류 하천
(가) 유량	적다	많다
(나) 하천폭	넓다	좁다
(다) 자갈의 매끄러운 정도	작다	크다
(라) 퇴적물의 입자크기	작다	크다

정답　43. ③　　44. ②　　45. ③

① 가, 나   ② 나, 다
③ 가, 다   ④ 다, 라

해설

하천 상하류의 일반적인 특징
- 감입곡류하천은 하천의 상류, 자유곡류하천은 하천의 중하류의 특징에 해당한다.

구분	상류	중·하류
유량	적다	많다
하천 폭	좁다	넓다
하천 경사	급하다	완만하다
퇴적물의 입자 크기	크다	작다
자갈의 매끄러운 정도	작다	크다

문제 46

우리나라 하천의 특징으로 올바르지 않은 것은?

① 6개의 여러 유역을 편의상 묶어서 만든 임의의 지역인 권역으로 구분한다.
② 유역면적과 연평균 유출량을 기준으로 보면 한강이 가장 크다.
③ 유역 면적 대비 하천의 길이가 길고 하천의 밀도는 작은 것이 특징이다.
④ 유역별 하천의 수는 낙동강이 가장 많다.

해설

우리나라 하천의 특징
- 유역면적 대비 하천의 길이가 길고 하천의 밀도도 높다.
- 하천밀도 : 하천(본류+지류)의 총연장을 유역면적으로 나눈 값으로, 단위면적당 하천 길이를 나타낸다.

문제 47

다음은 우리나라 하천관리에 대한 설명 자료이다. 빈칸에 알맞은 말을 순서대로 나열하면?

현재 우리나라는 여러 유역을 편의상 묶어서 만든 임의의 지역인 총 6개의 ___㉠___ (으)로 구분하고 있으며, 그보다 작은 단위 지역인 ___㉡___ 로 구분하여 하천을 관리하고 있다.

	㉠	㉡
①	권역	유로
②	권역	수계
③	수계	유로
④	수계	권역

정답   46. ③   47. ②

해설	유역, 권역과 수계	
	유역	하계망을 통해 물이 모여드는 전체적인 공간범위 "집수구역"이라고도 함
	권역	여러 유역을 편의상 묶어서 만든 임의의 지역 우리나라는 6개(한강권역, 낙동강권역, 섬진강권역, 금강권역, 영산강권역, 제주도권역)로 구분
	수계	동일 유역에 속하고 공통의 하구로 흘러들어오는 모든 유로를 총칭

문제 48

다음 설명에 해당하는 하천 관련 용어는?

동일 유역에 속하고 공통의 하구로 흘러들어오는 모든 유로를 총칭

① 권역　　　　　② 수계　　　　　③ 하계망　　　　　④ 분수계

해설	수계 • 동일 유역에 속하고 공통의 하구로 흘러들어오는 모든 유로를 총칭 • 권역보다 작은 단위 지역임

문제 49

자유 곡류 하천과 감입 곡류 하천의 설명 중 올바른 것은?

① 자유 곡류 하천은 하방침식이 우세하다.
② 자유 곡류 하천은 자연제방과 배후 습지로 구성되는 범람원이 발달한다.
③ 감입 곡류 하천은 유속의 감소로 삼각주가 생긴다.
④ 감입 곡류 하천은 직강화 공사를 하여 홍수의 위험성을 증가시킨다.

해설	자유곡류 하천과 감입곡류 하천 • 자유곡류 하천은 측방침식이 자유로워 유로변경이 자주 일어난다. • 자유곡류 하천은 유속의 감소로 큰 강 하류에 여러개의 하중도가 모여 삼각주를 형성하기도 한다. • 자유곡류 하천은 하천 직강하 공사를 하여 유속이 빨라져 대하천 본류에서 유량급증으로 홍수의 위험성이 증가시키는 경우도 발생한다.

문제 50

다음 중 하천 요소의 특징으로 옳지 않은 것은?

① 하상계수는 최대유량을 최소 유량으로 나눈 값이다.
② 형상계수는 유역면적을 하천의 본류길이의 제곱으로 나눈 값이다.
③ 하천밀도는 하천의 총연장을 유역면적으로 나눈 값이다.
④ 수계빈도는 유역면적을 유역 내 하천 수로 나눈 값이다.

정답　48. ②　49. ②　50. ④

05 하천·해안

해설

수계 빈도
- 유역 내 하천수 / 유역면적
- 유역 내의 단위면적당 하천수를 의미

하천요소(유역특성인자) 쉽게 이해하고 기억하기

※ 평균 유역 폭 vs 형상 계수

평균 유역 폭	형상 계수
; = 유역면적 / 본류하천 길이 - "유역 형상"과 관련된 특성 (이해) "**유역**"이란 것은 "**면**"의 개념이 들어가 있다. "면적 = 길이 × 길이"의 개념이므로, 유역의 평균 폭을 구하기 위해서는 "유역면적 / 유역의 총길이"의 개념으로 이해하면 좋겠다.	; = 유역면적 / (본류하천 길이)^2 - "유역의 형상" - 작을수록 가늘고 긴 하천이 된다. (이해) "**계수**"란 것은 단위가 **없다**. 유역(면적단위)에 대해서 계수를 없애려면 길이^2 으로 나눠 주어야만 한다.

※ 하천 밀도 vs 수계 빈도

하천 밀도	수계 빈도
; = 유역 내 하천 총연장 / 유역면적 - 유역 내의 단위면적 당 하천 길이 (이해) "**밀도**"란 것은 **빽빽한 정도**를 의미한다. 밀도가 크다란 것은 주어진 공간 안에 빽빽하게(길게) 들어가 있다고 볼 수 있겠다.	; = 유역 내 하천 수 / 유역 면적 - 유역 내의 단위면적 당 하천 수 (이해) "**빈도**"는 얼마나 **자주 나타나는 지**를 나타내는 일종의 **횟수**를 의미한다.

문제 51

우리나라 하천 중상류에 발달하는 지형의 설명으로 옳지 않은 것은?

① 경동성 요곡 운동에 의해 융기하면서 감입 곡류 하천이 형성되었다.
② 곡류 주변에 하안 단구가 형성되며 평탄하고 고도가 높아 침수의 위험이 적다.
③ 하방 침식이 진행된다.
④ 선상지란 하천 유속의 증가로 하천이 침식되어 형성된 부채 모양의 지형이다.

해설

선상지
골짜기 입구에서 하천 유속의 감소로 하천 운반 물질이 퇴적되어 형성된 부채 모양의 지형

우리나라 하천 지형의 비교

하천 중·상류에 발달하는 지형	하천 중·하류에 발달하는 지형
▶ **감입 곡류**하천 : 산지 사이를 곡류하는 하천으로 지반의 융기 이후 **하방 침식**이 진행되면서 형성 ▶ 대표적인 지형 ① **하안 단구** : 지반의 융기 과정에서 과거 하천의 하상이나 범람원이었던 지역이 계단 모양으로 남은 지형 ② **침식 분지** : 하천이 합류하거나 화강암이 관입한 지역에서 암석의 차별 침식으로 형성된 분지 ③ **선상지** : 골짜기 입구에서 하천 유속의 감소로 하천 운반 물질이 퇴적되어 형성된 부채 모양의 지형	▶ **자유 곡류**하천 : 넓은 평야 위를 흐르는 하천으로 **측방 침식**이 활발하여 유로 변경이 쉬움. → 유로 변경 과정에서 하중도, 우각호, 구하도 등의 지형 발달 ▶ 대표적인 지형 ① **범람원** : 하천의 범람으로 운반 물질이 퇴적되어 형성 → 자연 제방과 배후 습지로 구성 ② **삼각주** : 하천 하구에 유속의 감소로 하천 운반 물질이 퇴적되어 형성 → 조차가 큰 하구에서는 발달이 미약함

정답 51. ④

문제 52

수역 시설에 해당하지 않은 것은?

① 정박지　　　　　　　　② 선유장
③ 하역장　　　　　　　　④ 항로

해 설	수역시설의 구분 • 정박지, 항로, 선회장, 선유장

문제 53

다음 설명에 해당하는 수역시설은 무엇인가?

> 선박이 정박하여 하역을 하고 대기할 수 있는 수역으로 바람 등의 외력을 방파제의 의하여 차단하는 경우가 많다.

① 정박지　　　　　　　　② 선유장
③ 선회장　　　　　　　　④ 항로

문제 54

항로에 대한 설명으로 올바르지 않은 것은?

① 항내에서 선박이 안전하게 항행할 수 있는 통로를 말한다.
② 넓을수록 좋고, 최소한 선박길이의 2배 정도의 지름을 가진 수역을 확보해야 한다.
③ 바람과 파랑 방향에 대하여 30~60° 이내의 각을 가지는 것이 좋다.
④ 선박의 안전한 운항을 위하여, 조류 방향과의 각이 작은 것이 좋다.

해 설	선회장 • 접안 선박이 출입할 때 방향을 바꿀 수 있는 수역을 말함 • 선회장은 넓을수록 좋고, 최소한 선박 길이의 2배 정도 지름을 가진 수역을 확보해야 함 항로의 방향 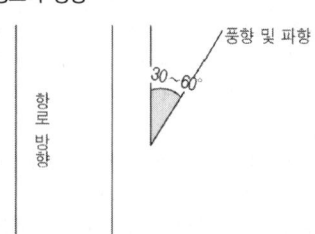

정답　52. ③　53. ①　54. ②

문제 55

다음 설명에 해당하는 수역시설은 무엇인가?

• 접안 선박이 출입할 때 방향을 바꿀 수 있는 수역

① 항로
② 선유장
③ 선회장
④ 방파제

해 설

선회장

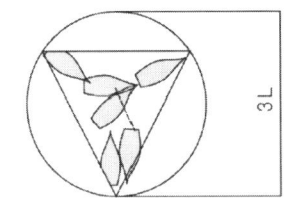

L : 배의 길이
배 스스로 회전할 경우 : 지름이 3L인 원
예인선에 의해 회전하는 경우 : 지름이 2L인 원

문제 56

다음 설명에 해당하는 수역시설은 무엇인가?

• 소형선이 안전하게 정박할 수 있는 조용한 해수면을 말함
• 방파제 등으로 둘러싸인 조용한 수면을 만들고 충분한 넓이의 잔잔한 수면과 수심을 확보해야 함

① 정박지
② 선유장
③ 선회장
④ 항로

해 설   선유장

문제 57

양호한 정박지의 조건으로 볼 수 없는 것은?

① 수면은 항상 정온해야 한다.
② 수심은 얕아서 이용객의 안전을 도모해야 한다.
③ 충분한 수면적이 있어야 한다.
④ 해저 지질은 선박의 닻이 걸리는 데 적합해야 한다.

해 설
정박지
• 수심이 충분히 깊어야 한다

정답 55. ③ 56. ② 57. ②

문제 58

다음 설명에 해당하는 하천의 기능은?

- 생활용수, 농업용수, 공업용수 등의 취수
- 주운을 이용한 교통, 수력 발전 등
- 인간이 물을 이용하는 측면의 기능

① 수질 정화 기능
② 친수기능
③ 치수기능
④ 이수기능

해 설
이수기능
- 각종 용수의 공급 등 인간 생활에 물을 이용하는 기능을 말한다

문제 59

다음 설명에 해당하는 하천의 구조물은?

하천의 흐름을 막아 그 저수를 생활 및 공업용수, 농업용수, 발전, 홍수 조절, 기타의 용도로 이용하기 위한 높이 15m 이상의 구조물

① 댐
② 보
③ 제방
④ 호안

해 설
댐(댐 건설 및 주변 지역 지원 등에 관한 법률 제2조)
- "댐"이란 하천의 흐름을 막아 그 저수(貯水)를 생활용수, 공업용수, 농업용수, 환경개선용수, 발전(發電), 홍수 조절, 주운(舟運), 그 밖의 용도(이하 "특정용도"라 한다)로 이용하기 위한 높이 15미터 이상의 공작물을 말하며, 여수로(餘水路)·보조댐과 그 밖에 해당 댐과 일체가 되어 그 효용을 다하게 하는 시설이나 공작물을 포함한다.

문제 60

다음 설명에 해당하는 해안 지형은?

- 조류의 퇴적작용으로 형성되는 해안 퇴적지형
- 점토와 같이 입자가 작은 물질이 파랑이 약한 만이나, 섬으로 가로막힌 해안에 쌓여 형성
- 수심이 얕아 조차가 크고, 해안선이 복잡하며, 섬이 많은 서·남해안에 특히 발달

① 갯벌
② 사구
③ 사취
④ 사빈

해 설
갯벌
- 바닷가의 넓은 지형

정답 58. ④ 59. ① 60. ①

문제 61

다음 설명에 해당하는 하천의 구조물은?

> 각종 용수의 취수, 주운 등을 위하여 수위를 높이거나 조수의 역류를 방지하기 위하여 하천의 횡단 방향으로 설치된 구조물

① 댐
② 보
③ 제방
④ 수제

해설	보 

문제 62

하천 구조물에 대한 설명으로 틀리게 연결된 것은?

① 수문 - 내수 배제 역류 방지 및 각종 용수의 취수를 위해 하천 또는 제방에 설치하는 구조물
② 안벽 - 제방 또는 하안(하천 측면)을 하천 흐름에 의한 파괴와 침식으로부터 직접 보호하기 위해 제방 앞 비탈면에 설치하는 구조물
③ 제방 - 하천 흐름의 원활한 소통을 유지시키고 제내지를 보호하기 위하여 하천을 따라 흙으로 축조한 구조물
④ 수제 - 제방 보호 뿐만 아니라 하천의 경관과 생태 환경의 보전 측면을 고려한 호안 또는 하안 전면부에 설치하는 구조물

해설	호안 • 제방 또는 하안(하천 측면)을 하천 흐름에 의한 파괴와 침식으로부터 직접 보호하기 위해 제방 앞 비탈면에 설치하는 구조물

정답 61. ② 62. ②

문제 63

다음 설명에 해당하는 하천의 구조물은?

> 하천을 가로막는 수리 구조물에 의하여 이동이 차단 또는 억제된 경우에 물고기를 포함한 동물의 이동을 목적으로 만들어진 인공 수로

① 호안 ② 수제
③ 제방 ④ 어도

해설

어도

문제 64

다음 중 하천의 기능으로 볼 수 없는 것은?

① 도시화와 산업화에 따른 오·폐수 수질 관리의 기능
② 호우 시 홍수 범람의 위험과 토사 유입의 피해를 다스린다.
③ 간척을 통한 농산물 생산의 공간, 임해 산업 단지를 통한 산업기지의 기능을 한다.
④ 생활 용수, 농업용수, 공업 용수 등의 취수를 한다.

해설

해안의 기능
- 생활 공간
- 수산 및 해운의 중심지로서의 역할
- 간척을 통한 농산물 생산의 공간
- 임해 산업 단지를 통한 산업 기지로서의 공간
- 국민들의 해안 레저 및 문화의 공간 등 이용 형태가 점차 다양화 되고 있음

정답 63. ④ 64. ③

문제 65

다음 중 해안의 기능으로 볼 수 없는 것은?

① 생활 공간, 수산 및 해운의 중심지이다.
② 간척을 통한 농산물 생산의 공간, 임해 산업 단지를 통한산업 기지이다.
③ 생활 용수, 농업용수, 공업 용수 등의 취수를 한다.
④ 해안 레저 및 문화의 공간이다.

해 설	하천의 기능 • 치수기능 - 호우 시 홍수 범람의 위험 등 인명과 재산보호의 기능. 오폐수 수질관리 기능 • 이수기능 - 생활용수, 농업용수, 공업용수 등의 취수 • 친수기능 - 관광, 수변경관 정서함양, 여가 등의 공간기능 • 수질정화기능 - 자정작용을 통한 유기물 분해

문제 66

다음은 우리나라 해안의 특징에 대해 설명하는 자료이다. ㉠~㉣에 대한 설명으로 올바르지 않은 것은?

> 우리나라의 동해안과 서·남해안은 서로 다른 특징을 보인다.
> 동해안은 비교적 ㉠단조로운 해안선이 나타나는 반면, 서·남해안은 해안선이 복잡하고 섬이 많이 분포한다. 파랑의 작용이 활발한 동해안은 ㉡암석 해안과 ㉢사빈 해안이 번갈아 나타난다. 서해안은 조수 간만의 차가 크고, 세계적인 규모의 ㉣갯벌이 발달해 있다.

① ㉠의 이유는 산맥과 해안선의 방향이 평행하기 때문이다.
② ㉡에서는 파랑에너지가 집중되어 침식작용이 활발히 일어난다.
③ ㉢은 파랑과 연안류에 의한 퇴적작용으로 형성된다.
④ ㉣은 조류보다 파랑에 의한 의한 영향을 많이 받아 형성되었다.

해 설	갯벌 • 조차가 크면 조류의 영향을 받는 범위가 넓게 나타나게 되며, 조차가 큰 해안은 지형 형성 과정에서 파랑보다는 조류의 영향을 많이 받는다. • 우리나라의 서남해안은 조차가 크기 때문에 주로 파랑에 의해 만들어지는 지형보다는 조류에 의해 만들어지는 갯벌과 같은 지형이 더 잘 나타나게 된다

문제 67

다음 해안과 관련한 설명에 해당하는 용어는?

> 강물이 바다로 들어가 바닷물과 서로 섞이는 곳을 말한다

① 근해　　　② 원양　　　③ 기수역　　　④ 갯벌

해 설	기수역 • 담수와 해수가 혼합되어 형성되는 지역으로 일반적으로 염분의 농도가 0.5% 이하인 물은 담수(淡水), 30% 이상은 해수(海水), 그 중간을 기수(汽水)라 한다. 따라서 기수역에는 이러한 광범위한 염분농도에 적응할 수 있는 생물들이 분포한다

정답　65. ③　66. ④　67. ③

부 록

2025년 토목일반 실전문제(총 15회)
2020년 토목일반 기출문제(총 1회)
2021년 토목일반 기출문제(총 2회)
2022년 토목일반 기출문제(총 1회)
2023년 토목일반 기출문제(총 1회)
2024년 토목일반 기출문제(총 1회)

2025년 토목일반 실전문제 (총15회분)

실전문제 - 1

1. 수요 응답형 교통체계에 관한 설명으로 올바르지 않은 것은?
   ① 고령층의 의료·문화·복지 접근성을 개선하며, 교통 사각 지역 해소를 위함이다.
   ② 과소화·공동화가 심한 지역의 이동권 보장이 가능하다.
   ③ 수요가 거의 없지만, 반드시 운행되어야 하는 벽지의 버스 노선 등에 적합하다.
   ④ 대중교통의 노선을 미리 정하여, 운행구간과 정류장 등을 고정적으로 운영한다.

2. 다음의 주요목표와 과제로 추진된 국토 종합 계획에 해당하는 것은?

   - 개발과 보전의 조화, 복지향상을 목표
   - 지방 분산형 국토 골격 형성
   - 지방도시 특화, 서해안 신산업지대 육성

   ① 제2차 국토종합개발계획
   ② 제3차 국토종합개발계획
   ③ 제4차 국토종합계획
   ④ 제5차 국토종합계획

3. 국토의 영역에 대한 설명으로 옳은 것은?
   ① 국가는 기선으로부터 200해리 바깥 해역에서 자원탐사에 대한 배타적 권리를 가진다.
   ② 타국의 자원탐사선은 영역국의 200해리 내에서 영역국의 허가없이 자원 탐사 활동을 할 수 있다.
   ③ 타국의 어선은 영역국의 영해를 항해할 수는 있지만 어로 활동은 할 수 없다.
   ④ 인공위성 기술의 발달로 영공의 범위가 우주공간으로 확대되었다.

4. 현대 도시 계획 변화의 특징으로 옳지 않은 것은?
   ① 건축물, 도로, 상하수도 등 물적 기반 시설을 갖추는 것에서 인구·경제·사회·문화 등 비물적 분야를 포함하는 종합계획으로의 전환
   ② 편리성 위주에서 쾌적성 위주로의 전환
   ③ 광역적 도시계획에서 개별적 도시계획으로의 전개
   ④ 획일성을 탈피하고 개성을 강조하며, 이상적 도시계획으로의 전환

5. 국토에 관한 계획 및 정책의 수립·시행에 관한 기본적인 사항을 정함으로써 국토의 건전한 발전과 국민의 복리향상에 이바지함을 목적으로 하며, 국토계획의 정의 및 구분을 규정하고 있는 현행법령은?
   ① 헌법
   ② 국토기본법
   ③ 국토의 계획 및 이용에 관한 법률
   ④ 도시개발법

6. 기반시설 중, 공간시설에 해당하는 것은?
   ① 공원   ② 하천
   ③ 공동구   ④ 하수도

7. 국토교통부 장관이 도시개발구역을 지정할 수 있는 요건이 아닌 것은?
   ① 해당구역이 둘 이상의 시·도 또는 대도시 행정구역에 걸치는 경우
   ② 관계 중앙 행정기관의 장이 요청하는 경우
   ③ 국가가 도시개발 사업을 실시할 필요가 있는 경우
   ④ 천재지변이나 그 밖의 사유로 인하여 도시

개발사업을 긴급하게 할 필요가 있는 경우

8. 우리나라의 도시화의 특징으로 옳지 않은 것은?
   ① 도시화가 경제 발전과 밀접하게 진행되었다.
   ② 도시화가 빠르게 진행되었다.
   ③ 도시인구의 증가가 초기에는 지방을 중심으로 진행되었다.
   ④ 정부의 경제 및 지역 개발 정책의 영향으로 도시 정주 체계 및 도시의 순위에 영향을 주었다.

9. 터널 굴착방법 중, NATM 공법의 특징으로 옳지 않은 것은?
   ① 토질 및 지반 변화에 대한 적응성이, TBM 공법에 비해 불리하다.
   ② 원형단면이 아니더라도, 용이한 굴착이 가능하다.
   ③ 단면이 큰 터널도 쉽게 만들 수 있고, 곡선 방향 굴착이 가능하다.
   ④ 화약 발파로 인한, 낙반 사고의 가능성이 있다.

10. 다음 도로 유지관리 공법에 대한 빈칸에 해당하는 내용을 올바르게 연결한 것은?

    - 아스팔트 콘크리트 포장의 보수공법 중, ___㉠___(은)는 파손 부분과 주위 불량 부분을 절삭기를 이용하여 직사각형으로 절삭한 후 걷어내고 저면에 택코트를 실시한 후에 혼합물을 포설하는 것을 말한다.
    - ___㉡___은 균열이 생긴 곳에 컷팅작업을 실시한 다음, 채움재를 주입하여 균열을 보수하는 방법이다.

	㉠	㉡
①	패칭	실링
②	포그 실	패칭
③	포그 실	그라인딩
④	패칭	충전

11. 철도교통의 특징에 대한 설명으로 옳지 않은 것은?
    ① 사람과 물류의 대량 수송이 가능하여 운송비가 싸다.
    ② 공해 발생 정도가 타 교통수단에 비해 상대적으로 적다.
    ③ 도로교통수단에 비해 시간적, 공간적 제약이 적다.
    ④ 타 교통수단에 비해 기상의 영향을 거의 받지 않고, 정상적인 운행이 가능하여 정시성이 높다.

12. 다음 중 도로에 대한 설명으로 옳지 않은 것은?
    ① 아스팔트 콘크리트 포장은, 연성포장으로 내구성이 적어 유지관리비가 많이 든다.
    ② 시멘트 콘크리트 포장은, 국부적인 파손에 대한 보수가 어렵다.
    ③ 아스팔트 콘크리트 포장의 횡방향 줄눈에는 다웰 바(Dowel-Bar)를 설치하여, 포장 층간 하중 전달을 원활히 한다.
    ④ 시멘트 콘크리트 포장은, 콘크리트 슬래브가 교통하중에 대하여 휨 응력으로 지지하는 구조이다.

13. 상수도는 생활기반시설로 안정적이고 효율적으로 운영되어야 하며, 계획당시의 자금사정, 건설비, 유지관리비, 시설의 수명 등에 의해 결정되어야 한다. 보통 상수도의 기본계획시 계획목표년도는 얼마인가?
    ① 3년~5년   ② 5년~10년
    ③ 15년~20년 ④ 25년~50년

14. 상수도의 계통을 순서대로 올바르게 나타낸 것은?
    ① 취수 - 도수 - 정수 - 송수 - 배수 - 급수
    ② 취수 - 도수 - 정수 - 배수 - 송수 -

③ 취수 – 송수 – 배수 – 정수 – 도수 – 급수

④ 취수 – 송수 – 정수 – 배수 – 도수 – 급수

15. 우리나라의 상수원수 2급에 해당하는 수질의 생물화학적 산소요구량 기준은 얼마인가?
① 1ppm 이하
② 2ppm 이하
③ 3ppm 이하
④ 6ppm 이하

16. 상수도 시설 계획시 계획취수량의 기준이 되는 수량은?
① 계획 1일 최대 급수량
② 계획 1일 평균 급수량
③ 계획 시간 최대 급수량
④ 계획 시간 평균 급수량

17. 정수 처리 시설에 관한 설명으로 올바른 것은?
① 고속 응집 침전지는 혼화, 플록형성, 침전이 하나의 반응조 내에서 이루어진다.
② 응집제는 전하를 띤 콜로이드와 같은 전하를 가진 이온으로 만드는 가교능력과, 고분자 물질과 작용하는 중화능력으로 응집시킨다.
③ 살균소독은 잔류효과가 좋은 오존이 주로 쓰이며, 그 외 염소, 자외선, 은이온 등도 쓰인다.
④ 급속여과는 두께 60~90cm의 모래층을 3~5m/day의 속도로 통수시키며 소규모 용량에 적합하다.

18. 다음은 A하천의 유역에 대한 조사 자료이다. 이에 대한 분석으로 올바른 것은?

조사항목	값
하천 유역 면적(km^2)	1,000
년중 최대유량(m^3)	500
년중 최소유량(m^3)	2
하천 본류의 길이(km)	50
하천 지류의 길이(km)	450
하천 개수(개)	80

① 하상계수는 0.004이다.
② 유역의 평균폭은 2km이다.
③ 하천의 형상계수는 0.4이다.
④ 하천밀도는 0.08km^{-1}이다.

19. 다음은 해안 지형의 형성 요인들이다. 빈칸에 들어갈 내용으로 올바르게 연결된 것은?

> ㉠ (은)는 해수면에 나타나는 바다의 물결을 말한다. 해안선과 평행하게 이동하는 바닷물의 흐름을 ㉡ 라 한다. 달과 태양의 인력으로 생기는 해수면의 상승과 하강, 즉 수직적 흐름을 ㉢ (이)라 한다. ㉢ 에 의한 바닷물의 수평적 흐름을 ㉣ (이)라 한다.

	㉠	㉡	㉢	㉣
①	파랑	조류	조석	연안류
②	조류	연안류	조차	조석
③	파도	연안류	조차	조류
④	파랑	연안류	조석	조류

20. 우리나라의 동해안과 서해안의 특징에 대한 비교로 올바르지 않은 것은?
① 서해안은 산맥과 해안이 교차하는 형태로 만난다.
② 조류에 의한 퇴적작용은 동해안에서 잘 나타난다.
③ 동해안에서는 지반의 융기로 인한 해안 단구가 잘 나타난다.
④ 동해안과 서해안 모두 후빙기 해수면 상승의 영향을 받았다.

[실전문제 - 1] 정답 및 해설

번호	1	2	3	4	5	6	7	8	9	10
정답	④	②	③	③	②	①	①	③	①	①
번호	11	12	13	14	15	16	17	18	19	20
정답	③	③	③	①	③	①	①	③	④	②

1. **수요 응답형 교통체계**는 대중교통의 노선을 미리 정하지 않고 여객의 수요에 따라 운행구간, 정류장 등을 <u>탄력적으로</u> 운행하는 여객 운송 서비스이다.

2. **제3차 국토종합개발계획**(1992~2000년)
   - <u>지방 분산형 국토골격형성</u>
   - 국민 복지 향상과 국토 환경보전
   - <u>서해안 신산업 지대 조성과 산업구조의 고도화</u>
   - 지방의 육성과 수도권 집중억제

3. ①, ② 배타적 경제수역(자국 해안으로부터 200해리 내)
   ④ 영공의 범위는 일반적으로 <u>대기권 내로 한정</u>된다고 본다.

4. 현대의 도시 계획 변화의 특징은 개별적 도시계획에서 <u>광역적 도시 계획으로의</u> 전개이다.

5. **국토기본법**

6. 기반시설(총 7개 분류, 53개 시설)
   광장 - 공간시설
   하천 - 방재 시설
   공동구 - 유통·공급 시설
   하수도 - 환경 기초 시설

7. 도시개발사업이 필요하다고 인정되는 지역이 둘 이상의 특별시·광역시·도·특별자치도 또는 인구 50만 이상의 대도시의 행정구역에 걸치는 경우에는 관계 시·도지사 또는 대도시 시장이 협의하여 도시개발구역을 지정할 자를 정하는데, 이때 협의가 성립되지 아니하는 경우에 **국토교통부 장관이 도시개발구역을 지정**할 수 있다.

8. 도시인구의 증가가 초기에는 <u>서울을 중심으로</u> 진행되었다.

9. **NATM 공법**은 범용성이 높고, 보조적 공법과 조합하여 <u>토질과 지반의 영향에 관계 없이 굴착가능한 공법</u>이다.

10. **패칭** - 파손 부분을 절삭기로 사각형 모양으로 절삭한 후 혼합물을 포설하여 정리, 보수
    실링 - 균열 틈을 <u>컷팅을 실시한 다음</u>, 채움재 주입
    충전 - 컷팅없이 균열틈에 채움재 주입

11. 철도교통은 여러 철도차량이 레일을 공유하므로 <u>시간적으로 정확하게 운행(제약)</u>되어야 하며, 정해진 레일로만 운행할 수 있으므로, <u>공간적 제약도 크다</u>.

12. **아스팔트 콘크리트 포장**은 연성포장으로 <u>줄눈이 설치되지 않는다</u>.

13. **상수도의 계획목표년도**는 일반적으로 15~20년이다.
    (참고) 하수도의 계획 목표연도는 원칙적으로 20년이다.

14. 상수도는 수원 → 취수 → 도수 → 정수 → 송수 → 배수 → 급수의 계통순서로 구성된다.

15. **하천수 수질기준**

등급	이용대상	BOD(ppm)
I	상수원수 1급, 자연환경보전	1이하
II	상수원수 2급, 수산용수1급, 수영용수	3이하
III	상수원수 3급, 수산용수2급, 공업용수 1급	6이하
IV	공업용수 2급, 농업용수	8이하
V	공업용수 3급, 생활환경보전	10이하

16. **계획취수량**
    - 계획 1일 최대 급수량을 기준으로 한다
    - 도수 및 송수, 배수시설에서의 손실과 정수장에서의 세척수, 유지 관리수를 고려하여 계획 1일 최대급수량에 5~10% 정도 여유 있게 취수한다.

17. ② 응집제는 중화능력(전하를 띤 콜로이드와 반대 전하를 가진 이온으로 작용함)과 가교능력(고분자 물질과 작용함)으로 응집시킨다.
    ③ 살균소독에는 잔류효과가 좋은 염소가 주로 쓰인다.
    ④ 완속 여과에 대한 설명임

18. - 하상계수 = 최대유량/최소유량 = 500/2 = 250
    - 유역의 평균폭 = 유역면적/본류하천길이
      = 1000/50 = 20km
    - 형상계수 = 유역면적/본류하천길이^2
      = 1000/50^2 = 0.4
    - 하천밀도 = 하천(본류+지류)의 총연장/유역면적 = 500/1000 = 0.5km

19. - 파랑(파도) - 해수면에 나타나는 바다의 물결, 바닷물이 위아래로 출렁이는 것
    - 연안류 - 해안선과 평행한 바닷물의 흐름
    - 조석 - 해수면의 상승과 하강, 즉 수직적 흐름
    - 조류 - 조석에 의한 바닷물의 수평적 흐름

20. 조류에 의한 퇴적작용은 서·남해안에서 잘 나타난다.

실전문제 - 2

21. 국토종합계획이 포함하고 있는 기본적이고 장기적인 정책방향에 해당하지 않는 것은?
① 수해·풍해 그 밖의 재해의 방지
② 유한적 국토자원의 효율적 이용 및 관리
③ 국토 관련 행정의 중앙집중 및 규제력 강화
④ 지속가능한 발전을 위한 국토환경의 보전 및 개선

22. 제5차 국토종합 계획의 비전과 목표에 해당하는 것이 아닌 것은?
① 어디서나 살기 좋은 균형 국토
② 건강하고 활력있는 혁신 국토
③ 모두를 위한 국토, 함께 누리는 삶터
④ 안전하고 지속가능한 친환경 국토

23. 다음은 국토기본법에서 정하고 있는 국토종합계획의 수립절차에 관한 설명이다. 빈칸에 들어갈 내용을 순서대로 나열하면?

> 중앙행정기관 및 광역자치단체의 장 등이 작성·제출한 소관별 계획안을 ㉠ 이(가) 조정 총괄하여 국토종합계획안을 마련한다. 이 계획안을 토대로 ㉡ 를 통하여 국민 및 관계 전문가 등으로부터 의견을 수렴한 후, ㉢ 의 심의를 거쳐 ㉣ 의 승인을 받은 후 공고한다.

① ㉠ 시도지사, ㉡ 공청회, ㉢ 국토교통부장관, ㉣ 대통령
② ㉠ 시도지사, ㉡ 청문회, ㉢ 국회의원, ㉣ 국토교통부장관
③ ㉠ 국토교통부장관, ㉡ 공청회, ㉢ 국무회의, ㉣ 대통령
④ ㉠ 국토교통부장관, ㉡ 청문회, ㉢ 국회의원, ㉣ 대통령

24. 산업의 분류에서 4차 산업에 해당하는 것은?
① 전기·수도 생산업
② 운송업·상업·금융 서비스업
③ 농업·목축업·임업·어업
④ 정보, 의료, 교육 서비스업

25. 다음 그림과 같은 계획 대지에서 건폐율 50%, 용적률 400%를 적용할 때 건축물의 최고 층수는?

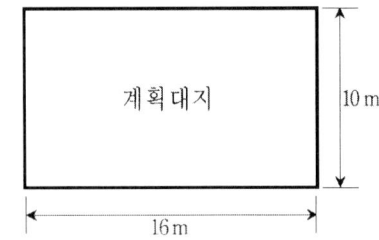

① 5층
② 6층
③ 7층
④ 8층

26. 종전 준도시 지역과 준농림 지역을 통합한 것으로, 도시지역의 인구와 산업을 수용하기 위하여 도시 지역에 준하여 체계적으로 관리가 필요한 지역은?
① 준주거지역
② 관리지역
③ 자연녹지지역
④ 자연환경보전지역

27. 다음 중 개발도상국의 도시화 현상으로 옳지 않은 것은?
① 과승 도시화
② 가도시화
③ 종주도시의 도시화
④ 집중적 도시화

28. 공동주택 중심의 양호한 주거 환경을 보호하기 위하여 세분하여 지정하는 용도지역은?
   ① 제1종 전용주거지역
   ② 제2종 전용주거지역
   ③ 제1종 일반주거지역
   ④ 제2종 일반주거지역

29. 다음 중 도로법상의 도로에 포함되는 시설이 아닌 것은?
   ① 터널
   ② 육교
   ③ 수로
   ④ 도선장

30. 다음 설명에 해당하는 도로부대시설은?

   • 주·야간에 직선 및 곡선부에서 운전자에게 전방의 도로 선형이나 기하구조 조건이 변화하는 상황을 반사체를 사용해 안내하여 안전하고 원활한 차량 주행을 유도하는 역할을 한다.

   ① 시선유도표지
   ② 갈매기 표지
   ③ 도로 표지병
   ④ 방호 울타리

31. 터널의 공법 중, 침매터널공법의 특징으로 볼 수 없는 것은?
   ① 사각형 단면도 가능하며, 단면형상이 비교적 자유롭다.
   ② 지상에서 제작하므로, 터널의 본체의 품질이 좋고 공사기간이 짧다.
   ③ 수중에 설치하므로, 해저나 하저 지반이 연약할 때는 시공이 어렵다.
   ④ 협소한 장소의 수로나 항행선박이 많을 때에는 공사에 장애가 발생하기 쉽다.

32. 노면전차(트램)에 대한 설명으로 올바르지 않은 것은?
   ① 궤도가 존재하지 않아 시가지 내에서 자유롭게 운행할 수 있다.
   ② 급곡선, 급구배 주행이 가능하다.
   ③ 도시 도로가 정체되면 지연시간이 생기므로 정시성이 떨어진다.
   ④ 고가화, 지하화하여 효율적으로 운행할 수 있다.

33. 상수도 시설 중, 큰 댐이나 대구경 관로의 계획 기간은 얼마인가?
   ① 10년~15년
   ② 15년~20년
   ③ 20년~25년
   ④ 25년~50년

34. 상수도의 일반적인 정수처리 과정을 올바르게 나타낸 것은?
   ① 침사지 – 침전지 – 여과지 – 응집지 – 정수지 – 살균소독
   ② 침사지 – 응집지 – 침전지 – 여과지 – 살균소독 – 정수지
   ③ 침전지 – 응집지 – 침사지 – 여과지 – 정수지 – 살균소독
   ④ 침전지 – 응집지 – 침사지 – 여과지 – 살균소독 – 정수지

35. 하천의 부영양화에 대한 설명으로 올바르지 않은 것은?
   ① BOD, COD가 모두 증가한다.
   ② 식물성 플랑크톤인 조류가 대량으로 번식한다.
   ③ 질소나 인 등 영양 염류의 급작스런 감소로 발생한다.
   ④ 용존산소량의 감소로 수질이 악화된다.

36. 수원의 취수지점을 선정하기 위하여 고려해야 하는 조건으로 볼 수 없는 것은?
   ① 수질이 깨끗하고, 수량이 충분해야 한다.
   ② 계절에 따른 수량의 변동폭이 크고, 오염 가능성이 적어야 한다.
   ③ 결빙에 대한 우려가 없어야 한다.
   ④ 최대 홍수시와 최대 갈수시에도 안전하게 취수를 할 수 있는 취수구의 높이를 확보해야 한다.

37. 정수처리과정의 살균소독에 관한 설명으로 틀린 것은?
   ① 오존 살균은 염소살균에 비해 잔류효과가 떨어진다.
   ② 오존의 살균력은 염소보다 우수하다.
   ③ 오존살균은 염소살균에 비해 경제적이다.
   ④ 오존살균은 염소살균에 비해 냄새, 맛을 제거하는 효과가 좋다.

38. 하천의 기능 중, 치수 기능에 해당하는 것은?
   ① 각종 용수의 취수나 주운을 이용한 교통 발전 등과 같이 인간이 물을 이용하는 측면의 기능
   ② 관광, 수변경관과 정서 함양, 문화와 민속 등 물문화의 창조기능
   ③ 풍부한 생태적 자원과 수산자원의 중요한 터전 기능
   ④ 도시화와 산업화에 따른 오·폐수의 수질 관리 기능

39. 하천의 상류에서 중하류로 진행해 가면서 점점 작아지는 경향을 보이는 것은?
   ① 하천의 폭
   ② 하천의 평균유량
   ③ 하천의 퇴적작용
   ④ 평균 퇴적물질의 크기

40. 인간의 직접적 개입과 간섭에 의한 지형변화의 영향으로 가장 올바르게 연결된 것은?

인간의 개입과 간섭	영향
① 방조제 건설	갯벌의 면적 증가
② 하굿둑 건설	하천 오염 심화
③ 다목적 댐 건설	홍수의 위험 증가
④ 범람원의 개간	해안 침식 심화

[실전문제 - 2] 정답 및 해설

번호	21	22	23	24	25	26	27	28	29	30
정답	③	④	③	④	④	②	④	②	③	①
번호	31	32	33	34	35	36	37	38	39	40
정답	③	①	④	②	③	②	③	④	④	②

21. ③ 국토계획은 국토 관련 행정의 중앙 집중 및 규제적인 면에 초점을 맞추는 것이 아니라, 국토의 바람직한 미래상을 정립하기 위한 국토의 <u>기본적이고 장기적인 정책방향을 제시하는 것</u>이다.

22. **제5차 국토종합계획**
    - 비전 - 모두를 위한 국토, 함께 누리는 삶터
    - 목표 - 어디서나 살기 좋은 균형 국토
      안전하고 지속 가능한 스마트 국토
      건강하고 활력있는 혁신 국토

23. **국토종합계획의 수립절차**
    국토종합계획(안)마련(<u>국토교통부장관</u>) → 국민 및 전문가 의견수렴 실시(<u>공청회</u>) → 심의(<u>국무회의</u>) → 승인(<u>대통령</u>) → 공고(<u>국토교통부장관</u>)

24. **산업의 분류(콜린클라크)**
    1차 산업 - 농업, 목축업, 어업, 임업
    2차 산업 - 1차 산업을 제외한 모든 생산업, 전기나 수도 생산
    3차 산업 - 운송업, 상업, 금융업 등 서비스업
    4차 산업 - 정보, 의료, 교육 서비스 등 지식산업

25. 층수 = 용적률 / 건폐율 = 400/50 = 8(층)

26. **관리지역**
    - 도시 지역의 인구와 산업을 수용하기 위하여 도시지역에 준하여 체계적으로 관리하거나 농림업의 진흥, 자연환경 또는 산림의 보전을 위하여 농림지역 또는 자연환경 보전지역에 준하여 관리가 필요한 지역
    - 보전관리지역, 생산관리지역, 계획관리지역으로 구분

27. <u>집중적 도시화</u>는 선진국의 도시화 현상에 해당한다.

28. **제2종 전용주거지역** - <u>공동주택</u> 중심의 <u>양호한 주거환경을 보호</u>

29. 도로는 터널, 교량, 도선장 등 도로와 일체가 되어 이용되는 시설물을 하며, 법률적으로 차도, 보도, 자전거도로, 측도, 터널, 교량, 육교 등 대통령령으로 정하는 시설로 구성된 것을 말한다.

30. **시선유도표지**

31. **침매터널공법**은 수중에 설치하므로, 부력에 의한 자중감소효과로 인하여, <u>연약지반 상에서도 시공이 가능</u>하다.

32. **노면전차(트램)**은 시가지내의 일반도로 노면에 함께 궤도를 부설하고, 자동차와 함께 도로를

이용하는 것이다. 하지만, 자동차와 달리 궤도 위에서만 주행을 해야 하므로 자유롭게 운행한다고 볼 수는 없다.

33. 상수도 시설별 계획기간
큰 댐, 대구경 관로 - 25~50년

34. 정수처리과정
댐 → 취수장 → 침사지 → 약품투입실 → 혼화지 → 응집지 → 침전지 → 여과지 → 염소투입실 → 정수지 → 가정

35. 부영양화(富營養化, Eutrophication)
; 화학 비료나 오수의 유입 등으로 물에 인(P)과 질소(N)와 같은 영양분이 과잉 공급되어 식물의 급속한 성장 또는 소멸을 유발하고 조류가 과도하게 번식하게 하여 하천이나 호소 심층수의 산소를 빼앗아 용존산소량(DO)를 감소시켜 생물을 죽게 하는 현상

36.
계절에 따른 수량의 변동폭이 적어야 안정적인 취수가 가능하다.

37.
염소살균은 오존살균에 비해 저렴하고 잔류효과가 있어 경제적이다.

38. 치수기능
호우 시 홍수 범람의 위험과 토사 유입의 피해를 다스리기 위한 전통적 의미 이외에도 도시화와 산업화에 따른 오·폐수 수질 관리의 관점을 포함한 기능을 의미한다.

39.
하천의 중하류로 가면 갈수록 유속이 느려지므로, 퇴적물질의 크기가 작아진다.

40.
방조제 건설 - 갯벌의 면적 감소
하굿둑 건설 - 물의 흐름이 막히고 하천 수질 악화, 하천의 수심이 낮아지는 문제 발생
다목적 댐 건설 - 홍수의 위험 감소
범람원 개간과 해안침식과는 상관이 없다고 볼 수 있음

실전문제 - 3

41. 인프라의 효율적 이용과 국토지능화를 위한 방안에 대한 내용으로 부적절한 것은?
① 대륙간 철도 인프라 연결에 대비하기 위해, 항만 내 철도시설 확충 등 인터모달 기능을 강화한다.
② 스마트 시티를 조성하고, 디지털 트윈 가상국토 플랫폼 기술을 개발하고 시스템을 구축한다.
③ 차량 중심에서 보행자 중심으로 도로 교통환경을 전환한다.
④ 권역간 네트워크 구축 및 국토균형발전을 위한 7×9 + 6R형 국가 철도망을 지속적으로 추진한다.

42. 다음 국토계획 구상도에 나타난 국토발전 전략으로 가장 적절한 것은?

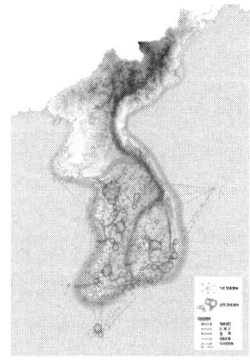

① 개성 있는 지역발전과 연대 협력 촉진
② 품격있고 환경친화적인 공간 창출
③ 인프라의 효율적 운영과 국토 지능화
④ 대륙과 해양을 잇는 평화국토 조성

43. 제5차 국토종합계획에 나타난, 인구 감소에 대응한 유연한 도시개발 관리 방안으로 볼 수 없는 것은?
① 도시 계획 수립시 인구 예측을 현실화하고, 계획인구와 인구구조를 함께 고려한다.
② 도심의 복합적 입체적 개발을 지양하고, 주요 교통축을 중심으로 확장적 도시정비를 추진한다.
③ 인구가 감소하는 농어촌은 기존 기반 시설을 효율적으로 활용하고, 수요응답형 교통체계 등을 통해 접근성을 개선한다.
④ 도시 재생 뉴딜 로드맵에 따라, 도심 및 주거지 도시 재생을 추진한다.

44. 우리나라 "지방자치법"에 근거하였을 때, 인구 규모에 따른 도시의 구분으로 가장 적절한 것은?
① 시 : 5만 이상   읍: 3만 이상
② 시 : 5만 이상   읍: 2만 이상
③ 시 : 10만 이상   읍: 5만 이상
④ 시 : 10만 이상   읍: 3만 이상

45. 다음 사례에 해당하는 새로운 도시계획의 흐름은?

> 영국 런던의 도크랜드 개발은 기존의 퇴락한 지역을 집중적으로 개발하여 신도시로서의 변모를 꾀했으며, 새로운 업무 지역으로서의 새롭게 바뀌고 있는 산업 구조에 대응한 도시 구조의 개편을 도모하는 한편 도시 환경의 질적 수준도 정비해 가고 있다고 할 수 있다.

① 복합 도시 개발
② 압축 도시 개발
③ 도시 재생
④ 뉴 어버니즘

46. 국토의 계획 및 이용에 관한 법률 시행령 상, 용도 지역의 세분과 그 지정 목적에 대한 설명으로 옳지 않은 것은?
① 전용주거지역 – 편리한 주거환경을 조성하기 위하여 필요한 지역

② 중심상업지역 – 도심·부도심의 상업기능 및 업무기능의 확충을 위하여 필요한 지역
③ 전용공업지역 – 주로 중화학 공업, 공해성 공업 등을 수용하기 위하여 필요한 지역
④ 보전녹지지역 – 도시의 자연환경·경관·산림 및 녹지공간을 보전할 필요가 있는 지역

47. 다음은 수도권 정비계획에 관한 내용이다. 올바르지 않은 부분은?

> 수도권 정비계획의 대상이 되는 수도권이란 ㉠서울특별시와 인천광역시만을 말한다. 수도권정비계획은 수도권의 도시군계획, 그밖에 다른 법령에 따른 ㉡토지이용계획 또는 개발계획 등에 우선하며, 그 계획의 기본이 된다. 다만, 수도권의 ㉢군사에 관한 사항에 대하여는 그러하지 아니하다.
> 중앙 행정기관의 장과 서울특별시장 광역시장은 수도권정비계획을 입안한다.
> 국토교통부 장관은 수도권정비계획안을 ㉣수도권정비위원회의 심의를 거친 후, 국무회의의 심의와 대통령의 승인을 받아 결정한다.

① ㉠
② ㉡
③ ㉢
④ ㉣

48. 다음이 배경이 되어 등장한 도시 계획의 흐름은 무엇인가?

> - 교외 지역의 스프롤 현상, 무질서한 시가지의 확산, 공적인 공간의 축소에 따른 토지 이용 상에서의 토지 낭비에서 비롯되었다.
> - 이동 거리의 증가에 의해 교통 수요가 발생하였고 이로 인해 생태계 파괴 등의 환경적인 문제점이 대두되었다.

① 혁신 도시
② 뉴 어버니즘
③ 워터 프론트
④ 에코 시티

49. 시거에 관한 아래 설명에서, ㉠과 ㉡에 들어갈 알맞은 값은?

> 정지시거는 차로 중심선 위의 (㉠)m 높이에서 그 차로의 중심선에 있는 높이 (㉡)cm의 물체의 맨 윗부분을 볼 수 있는 거리를 그 차로의 중심선에 따라 측정한 길이를 말한다.

① ㉠ 1.0, ㉡ 12
② ㉠ 2.0, ㉡ 12
③ ㉠ 1.0, ㉡ 15
④ ㉠ 2.0, ㉡ 15

50. 운전자의 시선을 유도하고 옆 부분의 여유를 확보하기 위하여 중앙분리대 또는 길어깨에 차도와 동일한 횡단경사와 구조로 차도에 접속하여 설치하는 부분은?

① 측대
② 환경시설대
③ 교통섬
④ 연석

51. 시멘트 콘크리트 포장에서 줄눈을 횡단하여 콘크리트 슬래브에 삽입한 이형 봉강으로, 줄눈이 벌어지거나 층이 지는 것을 막는 역할을 하는 것은?

① 타이 바(Tie-Bar)
② 택 코트(tack coat)
③ 다웰 바(Dowel-Bar)
④ 포그 실(fog seal)

52. 도로 횡단면 구성 및 시공시 유의해야 할 사항으로 올바르지 않은 것은?
   ① 계획된 도로의 기능에 적합한 횡단면을 구성하고, 통일된 횡단면보다는 다양하게 횡단면을 구성하여 도시의 경관 및 미관을 살리도록 한다.
   ② 설계 속도가 높고 계획 교통량이 많은 노선일수록 규격이 높은 횡단면의 구성 요소를 갖추도록 하여야 한다.
   ③ 계획 목표 연도의 교통 수요와 요구되는 계획 수준에 적응할 수 있는 교통처리 능력을 갖도록 하여야 한다.
   ④ 교통의 안전성과 효율성에 대하여 검토하고, 필요에 따라 자전거 및 보행자 도로를 분리한다.

53. 상수도 계획에서 계획기간의 결정에 있어서 고려할 사항이 아닌 것은?
   ① 계획 당시의 예산 확보 및 자금 사정
   ② 도시의 발전 상황 및 인구 증감 전망
   ③ 해당 급수지역의 전염병 발생 현황
   ④ 시설 유지관리비 및 시설의 내용 년수

54. 하천수를 수원으로 하는 경우의 상수도 시설배치를 순서대로 가장 적절하게 나타낸 것은?
   ① 취수탑 – 침사지 – 응집침전지 – 정수지 – 배수지
   ② 취수문 – 응집침전지 – 침사지 – 배수지 – 정수지
   ③ 취수관 – 약품침전지 – 혼화지 – 배수지 – 정수지
   ④ 취수틀 – 여과지 – 침사지 – 정수지 – 배수지

55. 수질과 관련한 사항으로 옳지 않은 것은?
   ① BOD는 유기물에 의해서 호기성 상태에서 분해 안정화시키는데 요구되는 산소량이다.
   ② BOD는 보통 20℃에서 5일간 시료를 배양했을 때, 소비되는 산소량으로 표시된다.
   ③ BOD와 COD는 하수 중의 용존산소량을 나타내며, 오염정도의 지표가 된다.
   ④ 하수종말처리 시설의 방류수 수질 기준은 BOD 20ppm 이하, SS 20ppm 이하이다.

56. 하천수의 취수설비 중, 취수탑에 대한 설명으로 적절하지 않은 것은?
   ① 년중 수위변화의 폭이 큰 지점에는 부적합하다.
   ② 취수구에는 부유물의 혼입을 방지하기 위해 걸음망을 설치한다.
   ③ 여러개의 취수구를 설치하여 물을 받을 수 있는 구조물이다.
   ④ 토사유입의 가능성이 큰 하천보다, 호소나 저수지에서의 유입속도를 빠르게 할 수 있다.

57. 배수시설 공사 시, 배수관의 평상시 계획 배수량은 무엇을 기준으로 하는 가?
   ① 계획 1일 최대 급수량
   ② 계획 1일 평균 급수량
   ③ 계획 시간 최대 급수량
   ④ 계획 시간 평균 급수량

58. 해안 지형에 관한 설명으로 옳지 않은 것은?
   ① 해안 지형의 형성 요인으로는 파랑, 조류, 연안류 등이 있다.
   ② 리아스식 해안은 우리나라 서·남해안에서 발달했다.
   ③ 조류의 퇴적 작용으로 형성되는 갯벌은 수심이 깊고 조차가 작은 동해안에 발달하였다.
   ④ 동해안은 파랑과 연안류의 영향을 많이 받고, 서해안은 조류의 영향을 많이 받는다.

59. 하천의 기능과 그에 대한 설명으로 올바른 것은?
   ① 친수기능 - 수해로 인한 피해로부터 인명과 재산을 보호하는 기능
   ② 치수기능 - 인간이 자유롭게 물에 가까이 접근하여 휴식, 관광, 여가 등을 즐길 수 있도록 하는 기능
   ③ 이수기능 - 각종 용수의 공급, 수력발전 등과 같이 인간 생활에 물을 이용하는 기능
   ④ 정화기능 - 다양한 수생 생물의 서식지로서의 기능

60. 해안의 "만입부"에 비해, "곶"에서 잘 형성되는 지형을 다음에서 고른 것은?

   ┌─────────────────────────┐
   │ ㉠ 해식애   ㉡ 갯벌   │
   │ ㉢ 시 스택   ㉣ 사빈   │
   └─────────────────────────┘

   ① ㉠, ㉡
   ② ㉠, ㉢
   ③ ㉡, ㉢
   ④ ㉡, ㉣

[실전문제-3] 정답 및 해설

번호	41	42	43	44	45	46	47	48	49	50
정답	④	②	②	②	③	①	①	②	③	①
번호	51	52	53	54	55	56	57	58	59	60
정답	①	①	③	①	③	①	③	③	③	②

41. **국가 기간 교통망**
   7×9 + 6R형 : 기존 국가 간선 도로망
   X자형 : 국가 철도망

42. 그림은 국토생태축과 연계된 국토환경계획 통합관리구상에 대한 것이다. 즉, 깨끗하고 환경 친화적인 국토조성을 통한 품격있고 환경 친화적 공간창출에 해당한다.

43. 도심은 확장적 개발을 지양하고 복합적 입체적 개발을 유도하고, 주요 교통축을 중심으로 압축적인 도시 정비를 추진한다.

46. **주거지역의 구분**
   전용주거 - 양호한 주거환경 보호
   일반주거 - 편리한 주거환경 보호
   준주거 - 주거기능 위주 + 일부 상업·업무기능의 보완

47. **수도권의 범위**
   서울특별시, 인천광역시, 경기도

49. **시거**
   정지 시거 - 차로중심선 1m 높이에서 15cm 물체를 볼수 있는 거리
   앞지르기 시거 - 차로중심선 1m 높이에서 반대쪽 차선 높이 1.2m 차량을 보고, 앞차를 안전하게 앞지를 수 있는 거리

51. **타이바** - 도로의 종방향 줄눈부에 설치하여 차량하중 전달과 콘크리트 슬래브의 단차 및 종방향 줄눈이 벌어짐을 방지하

기 위해 설치되는 이형봉강(철근)

다웰바 - 콘크리트 슬래브의 이음을 설치할 때 온도신축을 흡수하고 슬래브간 하중 전달을 목적으로 원형환봉 사용

52. 도로의 횡단 구성 표준화를 도모하여 도로의 유지관리, 도시또는 지역의 경관 확보, 유연한 도로 기능을 확보하여야 한다.

53. 상수도의 기본 계획을 수립할 때에는 해당 도시에서 상수도가 기능을 발휘할 수 있도록 15~20년의 기간을 고려하여 계획 당시의 자금 사정, 건설비, 유지관리비, 시설의 수명 등에 의하여 결정한다.

54. • 침사지 - 무거운 물질(모래 등)을 가라 앉힘
 • 응집침전지 - 침사지에서 가라앉지 않은 현탁 물질을 응집제 등 약품을 투입하여 침전시킴
 • 정수지 - 여과 및 소독이 끝난 깨끗한 물을 일시적으로 저장
 • 배수지 - 소비자에게 안정적으로 급수하기 위해 적당한 수압과 필요한 수량을 저장 및 조절

55. **용존산소량** - DO(Dissolved Oxygen)

56. **취수탑** - 하천, 저수지, 호수에서의 수위 변화에 따라 취수가 가능하도록 여러 개의 취수구를 설치하여 물을 받는 구조물

57. **배수관로, 배수펌프 용량산정** - 계획 시간 최대 급수량이 기준

58. **갯벌**은 수심이 얕고 조차가 큰 서·남해안에 발달하였다.

59. ① - 치수기능
 ② - 이수기능
 ④ - 서식지 기능

60. **곶** - 파랑에 의한 침식작용으로 해식애, 파식대, 시스택, 시아치 등의 지형이 주로 형성됨

실전문제 - 4

61. 지속가능한 발전의 개념에 대한 설명으로 올바르지 않은 것은?
① 환경보호에 관한 규제만을 강화하는 개발 방법
② 지구의 환경 용량 내에서 삶의 질을 향상시키는 개발
③ 미래 세대의 필요에 대한 충족 가능성을 저해하지 않으면서 현세대의 필요를 충족 시키는 발전
④ 인류의 보편적 문제와 경제 사회문제, 지구 환경 문제를 동시에 만족하고자 하는 목표 이행

62. 국토계획에 대한 설명으로 올바르지 않은 것은?
① 전 국토를 대상으로 국토를 균형있게 발전시키고 국민의 삶의 질을 개선시키고자 하는 공간계획이다.
② 국토교통부 장관의 요청에 따라 각 지방자치단체의 장이 소관별 계획을 작성 제출하고, 국토교통부장관이 조정·총괄하여 국토종합계획(안)을 마련한다.
③ 국토의 공간 구성과 관련 있는 모든 분야가 포함되는 계획이다.
④ 하위계획과 구체적인 집행계획에 지침을 제시하는 지침 제시적 성격의 계획이다.

63. 제5차 국토 종합 계획을 수립하기 위한 국토 정책과 국토 공간 인식변화의 기본 방향에 해당하는 것은?
① 성장의 지속을 전제로 한 국토개발
② 중앙 정부 주도의 국토 정책 패러다임
③ 인구 감소와 저성장 기조에 부합하는 국토 관리
④ 경제적 가치 우선과 효율성 중시 사회로의 전환

64. 도시의 인구 규모에 따른 분류 중, 국토의 균형 개발을 위한 최소의 개발단위 지역은?
① 소도시
② 중도시
③ 대도시
④ 연담도시

65. 국토의 계획 및 이용에 관한 법률에 따른 "자연환경보전지역"에 해당하는 것이 아닌 것은?
① 자연공원법에 의한 공원 구역
② 수도법에 의한 상수원 보호 구역
③ 문화재보호법에 의한 천연기념물 보호 구역
④ 산지관리법에 의한 보전산지 지역

66. "국토의 계획 및 이용에 관한 법률 시행령" 상, 다음에서 설명하는 용도 지역은?

주거 기능을 위주로 이를 지원하는 일부 상업기능 및 업무기능을 보완하기 위하여 필요한 지역

① 근린 상업 지역
② 전용 주거 지역
③ 일반 주거 지역
④ 준주거 지역

67. 다음의 내용에 해당하는 것은?

시행자가 도시개발사업을 원활히 시행하기 위하여 특히 필요한 경우에는 토지 또는 건축물 소유자의 신청을 받아 건축물의 일부와 그 건축물이 있는 토지의 공유지분을 부여하는 것을 말한다.

① 평가식 환지
② 절충식 환지
③ 환지 처분

④ 입체 환지

68. 지방 이전 공공 기관 및 산학연관이 서로 긴밀히 협력할 수 있는 최적의 혁신 여건과 수준 높은 주거, 교육, 문화 등 정주 환경을 갖춘 새로운 차원의 미래형 도시는 무엇인가?
① 기업도시
② 혁신도시
③ 자유도시
④ 거점도시

69. 다음 설명에 해당하는 것이 아닌 것은?

> 열차의 안전 운행과 수송 능률 향상을 목적으로 시설한 종합적인 설비를 말하여, 운행 조건을 제시하여 열차의 진입, 진행 여부 및 위험의 유무 등을 알려주어 수송 능률의 향상을 도모하기 위한 것

① 신호 장치
② 자동 열차 정치 장치
③ 폐색 장치
④ 선로 표지

70. 비상시를 대비한 터널 내부의 구성 요소에 해당하는 것이 아닌 것은?
① 터널 조명 및 비상 조명
② 피난 연결 통로
③ 옥내 소화전 함
④ 볼라드

71. 다음은 아스팔트 콘크리트 도로 포장의 시공 순서이다. ( )안에 들어갈 용어가 순서대로 나열된 것은?

> 아스팔트 혼합물 생산 ⇒ 아스팔트 운반 ⇒ ( ) ⇒ ( ) ⇒ ( ) ⇒ 아스팔트 다짐

① 프라임코트, 택코트, 아스팔트 혼합물 포설
② 택코트, 프라임코트, 아스팔트 혼합물 포설
③ 아스팔트 혼합물 포설, 프라임코트, 택코트
④ 아스팔트 혼합물 포설, 택코트, 프라임코트

72. 다음 도로의 기능별 분류에 해당하는 도로는?

> - 주 간선 도로와 집산 도로 사이의 교통을 처리하며, 군 간의 주요 지점을 연결하는 도로이다.
> - 일반국도의 일부분과 지방도의 대부분이 해당된다.

① 고속 국도
② 보조 간선 도로
③ 특별시도·광역시도
④ 국지 도로

73. 어느 도시의 2000년의 인구가 65,000명, 2020년의 인구가 87,000명이었다. 이 도시의 2040년의 인구를 등차급수법으로 추정하면?
① 99,000명
② 104,000명
③ 109,000명
④ 114,000명

74. 다음은 상수도의 계통에 대한 설명이다. 빈칸에 들어갈 말로 순서대로 나열한 것은?

> 수원에서 취수한 물을 정수장까지 운반하는 것을 (ⓐ)라고 하며, 정수장에서 정수처리된 물을 배수지로 운반하는 것을 (ⓑ)라고 한다. 또한, (ⓒ)는 정화처리된 물을 급수관 등을 통해 소비자까지 운반하는 것을 말한다.

	ⓐ	ⓑ	ⓒ
①	송수	배수	급수
②	송수	도수	배수
③	도수	배수	급수
④	도수	송수	급수

75. COD에 대한 설명으로 가장 올바른 것은?
   ① 물 속의 유기물을 호기성 상태 하에서 미생물에 의해 분해시키는데 요구되는 산소량이다.
   ② 물 속에 녹아있는 산소량이다.
   ③ 물 속의 유기물을 화학적으로 산화시킬 때 요구되는 산소량이다.
   ④ 하수 중의 유기물이 박테리아에 의하여 분리되어 발생하는 암모니아의 질소량이다.

76. 다음 설명에 해당하는 취수설비는?

   하천의 하안이나 제방에 직접 취수구를 설치하여 취수하는 방법으로 취수지점의 표고가 높아 자연 유하식으로 도수할 수 있는 곳에 설치하며, 유입속도는 1m/sec 이하가 되도록 크기를 정한다.

   ① 취수관
   ② 취수틀
   ③ 취수문
   ④ 취수보

77. 배수 시설 공사와 관련한 설명으로 올바르지 않은 것은?
   ① 배수관의 연장이 매우 길어, 전체 수도 시설 공사비의 60~70%의 건설 비용을 차지한다.
   ② 화재시의 계획 배수량은 계획 1일 최대 급수량의 1시간당 수량에 소화수량을 더한 것으로 한다.
   ③ 배수지의 위치는 급수구역의 중앙에 있는 것이 바람직하다.
   ④ 배수관로 설계시 요구되는 최소 동수압 기준은 3.0kg/㎠ 이다.

78. 하천에 대한 내용으로 올바르지 않은 것은?
   ① 하계망을 통해 물이 모여드는 전체적인 공간범위를 유역이라 한다.
   ② 유역과 유역의 경계를 분수계라 한다.
   ③ 본류와 지류들이 만나서 이루는 그물구조를 하계망이라 한다.
   ④ 한 유역에서 본류는 상류, 지류는 하류에 해당한다.

79. 밑줄친 ㉠~㉣에 대한 설명으로 옳지 않은 것은?

   각종 하천 개발 사업으로 인해 ㉠자연스럽게 구불구불 흐르던 하천은 곧바로 흐르게 되고 여러 개의 ㉡보(洑)가 설치되면서 바다와 강을 오가던 ㉢물고기들의 이동도 어렵게 되었다. ㉣밀물 때 하천을 거슬러 올라오던 바닷물의 흐름도 막혀버렸다.

   ① ㉠은 직강 공사와 제방건설이 주요 원인이다.
   ② ㉡은 내수 배제 시설에 해당한다.
   ③ ㉢의 문제를 해결하기 위하여 어도를 설치한다.
   ④ ㉣로 인해 염해가 발생되기도 한다.

80. 수역시설 중, 항로에 대한 설명으로 옳은 것은?
   ① 접안 선박이 출입할 때 방향을 바꿀 수 있는 수역을 말한다.
   ② 넓을수록 좋으나, 최소한 선박길이의 2배 정도의 너비가 요구된다.
   ③ 바람과 파랑 방향에 대하여 30~60° 이내의 각을 가지는 것이 좋다.
   ④ 선박의 안전한 운항을 위하여, 조류 방향과의 각도는 클수록 좋다.

부 록

[실전문제 - 4] 정답 및 해설

번호	61	62	63	64	65	66	67	68	69	70
정답	①	②	③	①	④	④	④	②	④	④
번호	71	72	73	74	75	76	77	78	79	80
정답	①	②	③	④	③	③	④	④	②	③

61. **지속가능한 발전**
    ; 미래 세대가 그들의 필요를 충족시킬수 있는 가능성을 손상시키지 않는 범위에서 현재 세대의 필요를 충족시키는 발전
    ① 현재 세대의 필요를 충족시켜야 하므로, 규제만을 강화하는 개발을 의미하는 것은 적절하지 않음

62. **국토 종합 계획**
    ② 소관별 계획안 작성 - 중앙행정기관 및 광역자치단체의 장

63. **제5차 국토종합계획(2020~2040년)** - 중앙정부 주도의 국토정책 패러다임에서, 인구감소와 저성장 기조에 부합하는 패러다임으로의 전환에 대응

64. **소도시**
    ; 농촌의 중심지역으로 도시적 성격을 띄는 취락을 말함
    • 우리나라 지방자치법 - 인구 2만 이상 "읍" 설치
    • 기존의 도시처럼 생활 환경 시설이나 생산 기반 시설이 충분히 갖추어지지는 못하였으나, 주변지역에 대해 중심상권을 형성하고 있음.
    • 국토의 균형개발을 위한 최소의 개발 단위 지역

65. ④ 산지관리법에 의한 보전산지는 농림지역에 해당함

66. **주거지역의 구분**
    전용주거 - 양호한 주거환경 보호
    일반주거 - 편리한 주거환경 보호
    준주거 - 주거기능 위주 + 일부 상업·업무기능의 보완

69. "**철도신호보안**"에 해당하는 설명임.
    ; 신호장치, 전철장치, 궤도회로, 폐색장치, 연동장치, 자동열차정지장치(ATS), 자동열차제어장치(ATO), 자동열차운행장치 등
    ④ 선로표지 - 열차승무원, 선로보선원 및 일반통행인들에게 필요한 사항을 알려주기 위하여 철도 선로에 세운 표지

70. ④ 볼라드 - 자동차가 인도에 진입하는 것을 막기 위해 차도와 인도 경계면에 세워 둔 구조물

71. **프라임 코트** - 보조기층(자갈과 모래의 혼합물)과 기층(아스팔트 혼합물층)사이의 이질재료 간의 사용, 보조기층과 아스콘의 부착력을 향상시켜 하부에서 올라오는 수분의 상승도 차단
    택코트 - 역청재료 또는 시멘트 등을 사용한 하층과 아스팔트 혼합물로 된 상층의 동질재료 간의 두 층을 접착시켜 이탈방지를 하는 역할

72. **도로의 기능별 분류**
 ; 고속도로, 주간선도로, 보조간선도로, 집산도로, 국지도로

73. **등차급수법에 의한 인구추정**

 • 년평균 인구증가수 (a) = $\dfrac{(P_0 - P_t)}{t}$

 a = $\dfrac{(87,000 - 65,000)}{20} = 1,100$

 계획년도의 인구(추정) $P_n = P_0 + n \times a$

 $P_n = 87,000 + 1,100 \times 20$
 $= 109,000$

 이므로, 추정인구는 109,000 명 이다.

 (빠른 풀이)
 과거 20년 동안의 인구증가수가
  87,000 - 65,000 = 22,000(명)이므로,
 앞으로, 20년 동안의 인구증가수도 이와 동일하다.
 (등차급수법)
 즉, 20년 후의 인구는 다음과 같이 계산 가능하다.
  87,000 + 22,000 = 109,000(명)

 ※ 단, 이 방법은 반드시 과거의 분석기간과 미래의 추정기간이 동일할 때만 사용할 수 있다.

74. • 도수 - 취수한 물을 정수장까지 끌어오는 과정
 • 송수 - 정수장에서 정수처리된 물을 배수지로 보내는 과정
 • 급수 - 배수지에 저장되었던 깨끗한 물을 소비자에게 공급하는 과정

75. **COD(Chemical Oxygen Demand) 화학적 산소 요구량**
 수중의 유기물을 화학적으로 산화시키는 데 필요로 하는 산소량으로, 오염원 물질을 산화시키는데 소비되는 산화제에 대응하는 산소량을 ppm으로 나타낸 것

77. 배수관의 최소동수압의 기준은 1.5kg/㎠ (150kPa)이며, 최대동수압은 4.0kg/㎠ (400kPa)이므로, 경제성과 유지관리의 안정성 면에서 볼 때, 급수구역과의 고저차는 30~40m 정도가 적당하다.

78. ④ 지류는 상류, 본류는 하류에 해당한다.

79. **보** - 각종 용수의 취수, 주운 등을 위하여 수위를 높이거나 조수의 역류를 방지하기 위하여 하천의 횡단 방향으로 설치된 시설

 ② 내수배제시설 - 제내지의 물을 하천으로 흘러들어가게 하는 시설로, 역류방지 등의 기능이 필요하며 배수펌프나 수문 등의 구조물이 해당됨

80. ①, ②는 "선회장"에 관한 내용임
 ④ 조류방향과의 각이 작은 것이 좋다

실전문제 - 5

81. 제5차 국토종합계획의 특징 및 성격이 아닌 것은?
   ① 국토정책 방향과 전략을 선도하는 방향 제시자 역할 강화
   ② 부문별·지역별 내용을 종합적으로 반영하되, 국가차원의 전략적인 정책과제를 중심으로 수립함
   ③ 국토계획 모니터링과 평가를 통한 부문 및 하위계획간 정합성을 확보하는 계획
   ④ 일반 국민의 참여를 배제하고, 중앙부처·지방자치단체·전문가의 의견을 수렴한 계획

82. 행정중심복합도시, 새만금, 기업도시 등의 균형발전 거점을 지속적으로 육성하기 위한, 제5차 국토 종합계획의 추진계획에 해당하는 것은?
   ① 인프라의 효율적 운영과 국토 지능화
   ② 수도권의 글로벌 경쟁력 강화와 상생 발전
   ③ 일자리와 정주여건을 갖춘 중, 소도시권 육성
   ④ 농어촌의 경쟁력 강화와 새로운 위기 지역에 대응

83. 국토계획의 체계에 관한 설명으로 부적절한 것은?
   ① 국토종합계획은 도종합계획, 시군종합계획의 기본이 된다.
   ② 도종합계획은 당해 도의 관할구역 내에서 수립되는 시군종합계획의 기본이 된다.
   ③ 국토종합계획은 군사에 관한 계획을 포함하여 다른 법령에 의하여 수립되는 국토에 관한 계획에 최우선한다.
   ④ 지역계획과 부문별계획은 국토종합계획과 조화를 이루어야 한다.

84. 거대도시형태로 알맞지 않은 것은?
   ① 초기에는 원형으로 확대 발전
   ② 주택·상공업 확산의 성운상 구조형태
   ③ 위성도시가 성장·발달하는 도시형태
   ④ 도시 부도심이 성장·발달하는 도시형태

85. 용도지구의 종류와 그 내용으로 옳지 않은 것은?
   ① 방재지구 : 풍수해, 산사태, 지반의 붕괴, 그 밖의 재해를 예방하기 위하여 필요한 지구
   ② 고도지구 : 쾌적한 환경 조성 및 토지의 효율적 이용을 위하여 건축물의 높이의 최저 한도 또는 최고 한도를 규제할 필요가 있는 지구
   ③ 보호지구 : 주거 기능 보호나 청소년 보호 등을 목적으로 청소년 유해 시설 등 특정 시설의 입지를 제한할 필요가 있는 지구
   ④ 복합용도지구 : 지역의 토지이용 상황, 개발 수요 및 주변 여건 등을 고려하여 효율적이고 복합적인 토지이용을 도모하기 위하여 특정 시설의 입지를 완화할 필요가 있는 지구

86. 다음 공공주차장 시설의 용적률을 구하시오.

   <보기>
   대지면적 2,000㎡, 지하 1층 주차장 1,500㎡
   지상 1, 2, 3, 4층 주차장 각 층마다 1,000㎡

   ① 0 %
   ② 50 %
   ③ 200 %
   ④ 275 %

87. 도시개발 사업의 토지취득방식으로서 "수용 또는 사용방식"의 특징에 관한 다음의 설명 중 적절하지 않은 것은?
   ① 사업투자비용이 많이 소요된다.
   ② 토지 매수 후 사업기간이 환지방식보다 장

기화된다.
③ 환지방식보다 기반시설의 확보가 용이하다.
④ 토지 취득과정에서 민원이 많이 발생한다.

88. 인구의 감소, 산업구조의 변화, 도시의 무분별한 확장, 주거환경의 노후화 등으로 쇠퇴하는 도시를 지역역량의 강화, 새로운 기능의 도입 창출 및 지역자원의 활용을 통하여 경제적 사회적 물리적 환경적으로 활성화시키는 것을 의미하는 것은?
① 도시개발
② 도시재생
③ 도시공동화
④ 도시전략계획

89. 다음 설명에 해당하는 차량 방호 안전시설의 종류는?

> 주행 중 정상적인 주행 경로를 벗어난 차량이 대항 차도 또는 보도, 도로 외측 등으로 이탈하는 것을 방지하는 동시에 탑승자의 상해 및 차량의 파손을 최소로 줄이고, 차량을 정상 진행 방향으로 복원시키는 역할을 함

① 방호 울타리
② 중앙 분리대
③ 과속 방지 시설
④ 충격 흡수 시설

90. 터널의 굴착방법인 TBM 공법의 특징이 아닌 것은?
① 굴착기의 진동 및 소음으로 인한 민원 발생 가능성이 크다.
② 장비에 대한 초기 시설투자가 크다.
③ 적용 가능한 단면 및 단면의 크기가 제한적이다.
④ 지반의 굴착 단면이 급작스럽게 변화 시 적용이 힘들다.

91. 법률에 따른 도로의 분류에 해당하는 것이 아닌 것은?
① 고속 국도
② 일반 국도
③ 국지 도로
④ 시도

92. 철도의 도상에 관한 내용이 아닌 것은?
① 레일 및 침목으로부터 받은 하중을 노반에 넓게 전달해야 한다.
② 도상은 배수가 양호하고 잡초 발생이 없으며 충격에 견딜 수 있는 좋은 체가름 흙을 사용한다.
③ 노상의 상태가 좋지 않아 배수가 원활하지 않을 때는 도상을 2층 구조로 시공하도록 한다.
④ 침목을 탄성적으로 지지하여 승차감을 좋게 하여야 한다.

93. 상수도 시설 계획시 급수인구의 추정에서 연평균 증가율이 일정한 것으로 보고, 장래 발전가능성이 있는 도시에 적용하는 인구추정의 방법은?
① 등차급수법
② 등비급수법
③ 감소증가율법
④ 최소 자승법

94. 수원으로서 갖추어야 할 구비조건이 아닌 것은?
① 풍부한 수량과 양질의 물을 얻을 수 있어야 한다.
② 충분한 수위와 해수의 영향을 받지 않아야 한다.
③ 급수 구역과 가까운 곳에 수원지가 위치하여야 한다.
④ 계절적으로 수량 및 수질의 변동이 큰 곳이

어야 한다.

95. 다음 표는 하수종말처리시설과 폐수종말처리시설의 방류 수질 기준을 나타낸 것이다. 빈칸에 들어갈 내용으로 적절한 것은?

구분	하수종말처리시설	폐수종말처리시설
BOD(ppm)	20 이하	㉠
COD(ppm)	-	㉡
SS(ppm)	20 이하	30 이하

  ㉠ ㉡
① 40 이하, 30 이하
② 40 이하, 40 이하
③ 30 이하, 30 이하
④ 30 이하, 40 이하

96. 다음 중 하천의 유량과 취수량과의 관계가 가장 바람직한 경우는?
① 하천의 연평균 유량이 계획 취수량보다 더 작아야 한다.
② 하천의 연평균 유량이 계획 취수량보다 더 커야 한다.
③ 하천의 최대 갈수량이 계획 취수량보다 더 작아야 한다.
④ 하천의 최대 갈수량이 계획 취수량보다 더 커야 한다.

97. 격자식 배수관망과 수지상식 배수관망에 대한 비교설명으로 올바른 것은?
① 격자식은 관의 말단에 물이 정체하여 수질을 악화시키다.
② 격자식은 화재시 물 사용량의 변화에 대처하기 어렵다.
③ 수지상식은 수량을 서로 보충할 수 없어 수압의 저하가 현저하다.
④ 수지상식은 나뭇가지 모양으로 관망의 수리계산이 복잡하다.

98. 범람원이 발달하는 하천의 특징으로 옳지 않은 것은?
① 측방침식이 자유로워 유로 변경이 쉽다.
② 큰 하천의 중상류지역에서 자주 일어난다.
③ 하천 가까이에 모래와 점토 등이 쌓여 자연제방과 배후습지로 구성된 충적 지형이 있다.
④ 평야 위를 자유롭게 곡류하면서 흐르며 유속이 느리다.

99. 국가하천으로 지정할 수 있는 경우가 아닌 것은?
① 유역 면적 합계가 200㎢ 이상인 하천
② 다목적 댐의 하류
③ 유역 면적 합계가 100㎢이며, 상수원 보호 구역을 관류하는 하천
④ 유역 면적 합계가 150㎢이며, 인구 15만 명인 도시를 관류하는 하천

100. 다음 중 해안의 기능으로 볼 수 없는 것은?
① 수산 및 해안의 중심지 역할이다.
② 간척을 통한 농산물 생산의 공간 기능이다.
③ 임해 산업 단지를 통한 산업의 기지 역할이다.
④ 생활용수, 농업용수, 공업용수 등의 취수기능이다.

[실전문제 - 5] 정답 및 해설

번호	81	82	83	84	85	86	87	88	89	90
정답	④	③	③	②	③	①	②	②	①	①
번호	91	92	93	94	95	96	97	98	99	100
정답	③	②	②	④	④	④	④	③	②	④	④

81. ④ 계획 수립 과정에서 중앙부처·지방자치단체·전문가 뿐만 아니라, 미래 세대인 어린이·청소년·대학생(청년)과 일반 국민의 직접 참여를 통해 의견을 수렴한 계획이다.

82. **개성 있는 지역발전과 연대·협력 촉진**
    - 지역특성을 살린 상생형 국가 균형발전
    • **수도권**의 글로벌 경쟁력 강화와 상생 발전
    • **지방 대도시권**의 중추 거점 및 연계기능 강화
    • 일자리와 정주 여건을 고루 갖춘 **중·소 도시권** 육성 ; 행복도시/혁신도시/새만금/기업도시

83. ③ 국토종합계획은 다른 법령에 따라 수립되는 국토에 관한 계획에 우선하며 그 기본이 된다. 다만, 군사에 관한 계획에 대하여는 그러하지 아니하다.(국토기본법 제8조)

84. ② 초거대 도시
    • 여러개의 거대 도시가 연속한 도시 형태
    • 다양한 복합적 도시 지대의 도시 형태
    • 주택·상공업 확산의 성운상 구조형태

85. ③은 특정 용도 제한 지구에 해당한다.

86. 용적율 = 건축물의 연면적/대지 면적
    단, 주차장으로 사용되는 면적은 연면적 계산에서 제외한다.
    모두 주차장으로 사용되므로, 연면적은 0㎡이다. 그러므로, 용적율은 0이다.

87. ② 환지방식 - 개발사업의 진행에 따른 여러 토지 소유자들의 권리관계가 복잡하기에, 사업 기간이 장기화될 우려가 있다.

90. ① TBM 공법은 무진동, 무발파의 기계화 굴착 이므로, 소음 진동에 의한 환경피해를 최소화하여 안전하고 청결한 갱내 작업 환경을 유지할 수 있는 친환경적 공법임.

91. ③ 국지도로 - 도로의 기능별 분류에 해당함

92. ② 도상은 자갈도상과 콘크리트 도상으로 나뉜다. 흙을 사용하지 않음.

93. **등비급수법** - 증가율이 일정함
    등차급수법 - 증가수가 일정함

94. ④ 계절적으로 유량 변동이 적어 안정적으로 취수할 수 있어야 한다.

96. ④ 하천의 물이 가장 적을 때인, 최대 갈수시에도 취수가 가능하도록 최대 갈수량 ≥ 계획 취수량 이어야 한다.

97. ① 수지상식 - 관의 말단에 물이 정체함
    ② 수지상식 - 수량을 서로 보충할 수 없어, 화재시 대처가 어려움
    ④ 수지상식 - 관망의 수리계산이 간단

98. ② 범람원은 하천의 중·하류지역의 자유곡류하천에서 많이 발달함

99. **국가하천**
국토보전상 또는 국민경제상 중요한 하천으로서 국토교통부장관이 그 명칭과 구간을 지정하는 하천(하천법)

(가) 유역 면적 합계가 200㎢ 이상인 하천
(나) 다목적 댐의 하류 및 댐 저수지로 인한 배수 영향이 미치는 상류의 하천
(다) 유역 면적 합계가 50㎢ 이상이면서 200㎢ 미만인 하천으로서 다음 각 목의 어느 하나에 해당하는 하천

- 인구 20만 명 이상의 도시를 관류하거나 범람구역 안의 인구가 1만 명 이상인 지역을 지나는 하천
- 다목적댐, 하구둑 등 저수량 500만㎥ 이상의 저류지를 갖추고 국가적 물 이용이 이루어지는 하천
- 상수원 보호 구역, 국립공원, 유네스코생물권보전 지역, 문화재보호구역, 생태습지보호 지역을 관류하는 하천
- 그 밖에 범람으로 피해가 일어나는 지역으로서 대통령령으로 정하는 하천

100. ④ 하천의 기능에 해당함.

실전문제 - 6

101. 우리 국토의 특징으로 적절하지 않은 것은?
① 동해안은 해안선이 단조로운 리아스식 해안을 이루고 있다.
② 우리나라는 전체 면적의 3/4이 산지로서 동쪽이 높고 서쪽이 낮은 지형을 이루고 있다.
③ 우리나라의 평야는 낮고 평평한 구릉성 침식평야가 넓게 펼쳐져 있어 도시가 발달하고 있다.
④ 서해는 연안의 해저지형이 비교적 평탄하고 조차(朝差)가 매우 커서 곳곳에 넓은 간석지가 형성되어 있다.

102. 한반도 신경제 구상과 가장 관련이 먼 것은?
① π형 개방 국토축
② 접경지역 평화 벨트
③ 하나의 시장 협력
④ 환서해 물류 산업 벨트

103. 국토관리의 기본이념과 국토의 균형있는 발전, 경쟁력 있는 국토 여건의 조성, 환경 친화적 국토관리에 관한 사항을 명기한 법령은?
① 헌법
② 국토기본법
③ 도시개발법
④ 국토의 계획 및 이용에 관한 법률

104. 공간구조이론에 대한 바른 설명은?
① 동심원 이론은 중심부로 갈수록 좋은 주거환경을 이룬다.
② 부채꼴 이론은 유사 주택군이 모인다는 이론으로 울만(E.L. Ullman)이 주장했다.
③ 다핵심 이론은 좋은 일자리를 찾아 대도시로 몰려든 사람들이 일단 도심부에 정착한 후, 경제적 수준이 향상되면 좋은 주거환경을 찾아 외곽으로 뻗어나가면서 지대화 되어간다는 이론이다.
④ 중심적 축적 성장이론은 도심과 교통로를 중심으로 성장한다는 이론이다.

105. 도시 기본 계획에 대한 설명 중 잘못된 것은?
① 도시관리전략을 제시하는 계획이다.
② 행정적인 구속력을 가진다.
③ 시민 개개인에 대한 법적 구속력을 가진다.
④ 광역도시계획 내용을 수용 및 반영하여야 한다.

106. 도시 개발 구역을 지정할 때 개발 구역으로 지정되는 경우 중 옳지 않은 것은?
① 둘 이상의 특별시, 광역시 또는 인구 50만 이상의 대도시 행정구역에 걸치게 되어, 관계 시장의 협의가 이뤄진 경우
② 특별시장, 광역시장 또는 인구 30만 이상의 대도시 시장이 필요하다고 인정하는 경우
③ 국토교통부장관이 지정해주는 경우
④ 관계 중앙 행정 기관의 장이 국토교통부장관에게 요청하여, 국토교통부장관이 지정한 경우

107. 도시개발관련법과 이에 따른 개발사업의 연결로 올바르지 않은 것은?
① 도시개발법 – 도시개발사업
② 택지개발촉진법 – 주택재건축사업
③ 도시 및 주거환경 정비법 – 주거환경개선사업
④ 국토의 계획 및 이용에 관한 법률 – 도시계획시설사업

108. 다음 내용과 같은 현상을 보이는 도시화 종류는 무엇인가?

도시화율이 70~90%에 이르면 도시화는 정체를 보이거나 하강하게 되며, 교외화 말기 현상과 역도시화 현상의 혼합이다.

① 과승 도시화
② 고도 도시화
③ 간접 도시화
④ 분산적 도시화

109. 주탑과 경사로 배치되어 있는 인장케이블 및 바닥판으로 구성되어 있으며, 바닥판은 주탑에 연결되어있는 와이어 케이블로 지지되어 있는 형태의 교량은?

① 아치교
② 라멘교
③ 사장교
④ 현수교

110. 터널 굴착 방법 중, 쉴드공법에 관한 설명으로 틀린 것은?

① 터널 단면의 외경보다 약간 큰 강제의 터널 굴착기를 사용한다.
② 지하철, 상하수도, 공동구 등의 도시터널의 시공에 활용된다.
③ 수직갱구를 제외하면, 대부분 지하작업으로 소음 및 진동에 의한 피해가 적다.
④ 연약지반을 제외한 거의 모든 지반에 적용할 수 있는 공법으로 특히, 암반 지반에 유리한 공법이다.

111. 다음 〈보기〉 중, 시멘트 콘크리트 도로 포장에 대한 올바른 설명을 고르면?

〈 보기 〉
ㄱ. 파손에 대한 보수가 용이하다.
ㄴ. 내구성이 커서 유지 관리비가 저렴하다.
ㄷ. 골재 맞물림, 다웰 바를 통해 슬래브 간 하중을 전달한다.
ㄹ. 포장 일체가 교통 하중을 지지하고 노상으로 윤하중을 분산시킨다.
ㅁ. 슬래브가 교통하중을 휨응력으로 지지한다.

① ㄱ, ㄷ, ㅁ
② ㄱ, ㄹ
③ ㄴ, ㄷ, ㅁ
④ ㄷ, ㄹ

112. 도로 포장의 보수 방법이 올바르게 연결되지 않은 것은?

① 충전 – 채움재 주입 전 컷팅 작업 없이 채움재를 채워 넣는다.
② 패칭 – 파손 부분을 절삭기를 이용하여 직사각형으로 절삭한 후 걷어내고 측면과 저면에 택 코트를 실시한 후 혼합물을 포설한다.
③ 포그 실 – 완속 경화형 유화 아스팔트를 얇게 살포하여 미세균열이나 표면의 공극을 채운다.
④ 프라임 코트 – 역청재료 또는 시멘트 등을 사용한 하층과 아스팔트 혼합물로 된 상층을 결합시키기 위해 하층의 표면에 역청재료를 소량 살포한다.

113. 신흥공업도시 A는 현재 인구가 약 100,000명으로 향후 급속한 인구 증가가 예상되며, 연평균 인구증가율이 5%일 것으로 보인다. 이 도시의 20년 후의 예상인구는 대략 얼마인가?

① 116,400명
② 165,300명
③ 200,000명
④ 265,300명

114. 다음 지형도에 표시된 상수계통계획에 관한 사항으로 가장 적절한 것은?

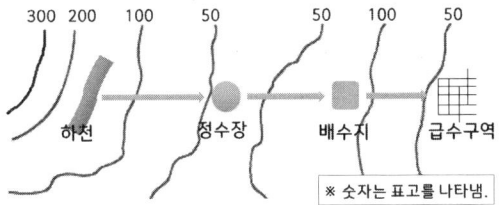

① 도수는 펌프가압식으로 할 필요가 있다.
② 수질을 고려하여 도수로는 개수로를 택하여야 한다.
③ 송수는 펌프가압식으로 하여야 한다.
④ 도수와 송수를 자연유하식으로 하여 동력비를 절감하도록 한다.

115. 합류식 하수도에 대한 설명으로 틀린 것은?
① 맑은 날에는 수위가 낮고 유속이 적어 오물이 침전하기 쉽다.
② 우천시에는 처리장에 부하를 가중시킨다.
③ 소규모 강우시 강우 초기에 노면 배수가 그대로 강으로 월류할 수 있다.
④ 우수에 의한 오수의 희석배율이 크다.

116. 도수 및 송수에 대한 내용으로 올바르지 않은 것은?
① 도수는 수원에서 취수한 원수를 정수장까지 수송하는 것이다.
② 송수는 정수를 정수장부터 배수지까지 수송하는 것이다.
③ 가압식은 수원이 급수 구역에서 장거리에 있고, 특히 지하수를 수원으로 하는 경우에 적당하다.
④ 송수관로는 수압과의 관계에 따라, 개수로식과 관수로식으로 구분할 수 있다.

117. 다음과 같은 조건으로 급수인구 2만명의 지역에 배수지 시공을 계획하고 있다. 배수지의 유효 용량을 구하면?

• 계획 1인 1일 최대 급수량 240 ℓ
• 배수지 저류시간 9시간

① 1,200㎥
② 1,600㎥
③ 1,800㎥
④ 2,000㎥

118. 해안 지형의 이용에 대한 설명으로 옳지 않은 것은?
① 간척 사업은 국토면적의 증가로 갯벌 면적 또한 증가하는 효과가 있다.
② 모래 해안에 건설한 인공시설은 해안 침식, 해안 지형의 변화를 수반한다.
③ 댐, 하굿둑의 건설은 하천의 운반 퇴적물을 하류로 내려가지 못하게 하여 해안으로 유입되는 모래의 양도 줄어든다.
④ 사빈, 해안, 사구, 석호 등이 교통로와 관광지로 이용되어 백사장의 면적이 빠르게 줄어드는 원인이 되기도 한다.

119. 하천의 기능 중 다음 설명에 해당하는 기능으로 옳은 것은?

생활용수, 농업용수, 공업용수 등의 취수, 배로 화물과 사람을 이동하는 교통, 수력 발전 등과 같이 인간이 물을 이용하는 측면의 기능이다.

① 치수 기능
② 친수 기능
③ 이수 기능
④ 수질 정화 기능

120. 우리나라 「하천법」에 따르면 하천은 크게 국가 하천, 지방 하천으로 분류된다. 다음 중 국가 하천에 대한 설명으로 옳지 않은 것은?
① 유역 면적 합계가 200 ㎢ 이상인 하천
② 다목적댐의 하류 및 댐 저수지로 인한 배수

영향이 미치는 상류의 하천
③ 유역 면적 합계가 100 ㎢ 이며, 생태습지보호 지역을 관류하는 하천

④ 지방의 공공 이해와 밀접한 관계가 있는 하천으로서 시·도지사가 그 명칭과 구간을 지정하는 하천

[실전문제-6] 정답 및 해설

번호	101	102	103	104	105	106	107	108	109	110
정답	①	①	②	④	③	②	②	②	③	④
번호	111	112	113	114	115	116	117	118	119	120
정답	③	④	④	③	③	③	③	①	③	④

101. ① 남해안은 해안선이 매우 복잡한 리아스식 해안이 발달

102. **한반도 신경제 구상**
  • 한반도 3대 경제벨트 구축
    - 환동해 에너지 자원 벨트
    - 환서해 물류 산업벨트
    - 접경지역 평화벨트
  • 하나의 시장 협력

103. **국토기본법**의 구성 및 골격
   제1조 목적
   제2조 국토관리의 기본이념
   제3조 국토의 균형있는 발전
   제4조 경쟁력 있는 국토 여건의 조성
   제5조 환경친화적 국토관리

104. ①, ③ 동심원 이론 - 도심부의 저급주택지에서 경제적 수준이 향상되면 그보다 좋은 주거 환경을 찾아 외각으로 뻗어나가면서 지대화 됨
   ② 부채꼴 이론 - 호이트(H. Hoyt)가 주장

105. ③ 도시 관리 계획에 해당하는 내용임

106. ② 인구 50만 이상의 대도시 시장

107. **정비사업**
   ; '도시 및 주거환경 정비법'에서 정한 절차에 따라 도시기능의 회복이 필요하거나 주거 환경이 불량한 지역을 계획적으로 정비.
   • 주거 환경 개선 사업
   • 주택 재개발 사업
   • 주택 재건축 사업
   • 도시 환경 정비 사업

109.
현수교

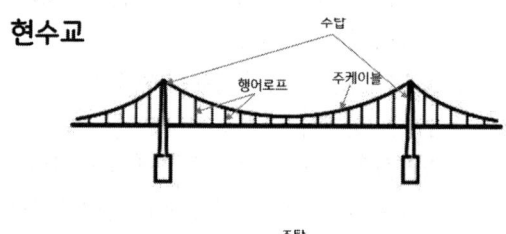

사장교

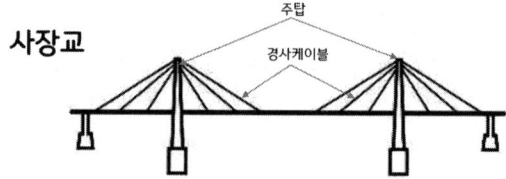

아치교(상로교)

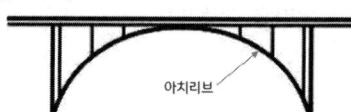

110. **쉴드공법**
    ; 암반을 제외한 거의 모든 지반에 적용할 수 있는 공법으로 특히, 연약한 지반에 유리한 공법이다.

111. **아스팔트 콘크리트 포장**
    • 파손에 대한 보수가 용이
    • 포장층(표층, 중간층, 기층) 일체가 교통하중을 지지하며 노상으로 윤하중을 분산시킴

112. ④ "택코트"에 대한 설명임
    택코트는 동질재료간, 프라임코트는 이질재료 간에 시공

113. 신흥공업도시에 인구증가가 급속할 것으로 예상한다고 문제에서 제시되었으므로, 등비급수법에 의한 추정방법으로 계산하도록 한다.

    등비급수법에 의한 인구추정
    • $P_n = P_0(1+r)^n$ 이므로,
    인구(추정) $= 10만 \times (1+0.05)^{20}$
    $= 10만 \times 2.653$
    $= 265,300$
    이므로, 추정인구는 약 265,300명이다.

114. ① 도수(취수 → 정수장)는 하천의 표고가 높고 정수장의 표고가 낮으므로, 자연유하식으로 하는 것이 바람직하다.

② 개수로를 할 경우 외부로부터 오염의 우려가 크므로, 수질을 고려하면 관수로로 하는 것이 바람직하다.
④ 송수(정수장 → 배수지)는 정수장보다 배수지의 표고가 높으므로 펌프 가압식으로 해야 한다.

115. ③ **분류식 하수도**의 경우, 강우 초기의 오염도가 높은 노면 배수가 우수관거를 통하여 그대로 하천으로 유출된다.

116. ③ 가압식의 경우, 펌프설비 가동으로 인한 유지관리비가 크므로 수원이 급수구역과 가까운 곳에 위치함이 바람직하며, 지하수가 수원인 경우에 적당하다.

117. **배수지 유효용량 산정**
    24시간 : 240ℓ = 9시간 : x
    x = 90 (ℓ)
    그러므로, 배수지의 유효용량은 90 × 2만 ÷ 1000 = 1800 (㎥)이 된다
    (여기서, 물 1ℓ = 1 kg = 0.001 ton = 0.001 ㎥ 이므로 ÷1000을 한 것임.)

118. ① 간척사업을 할 경우, 갯벌면적은 줄어든다.

120. ④ 지방하천에 해당(하천법 제7조)

실전문제 - 7

121. 국토종합계획의 특징으로 올바르지 않은 것은?
① 국토발전의 기본 이념 및 바람직한 국토 미래상의 정립
② 토지 수자원 산림자원 해양자원 등 국토자원의 효율적 이용 및 관리
③ 지하공간의 합리적 이용 및 관리
④ 국토 공간 구조의 정비 및 단기간 정책적 목적 달성을 위한 지역 산업 육성

122. 다음은 제4차 국토 종합 계획 수정계획과 제5차 국토종합계획을 비교한 내용이다. ( )에 들어갈 내용으로 가장 적절한 것은?

구분	제4차 국토 종합 계획 수정 계획 (2011~2020)	제5차 국토 종합 계획 (2020~2040)
비전	글로벌 녹색국토의 실현	모두를 위한 국토, 함께 누리는 삶터
목표	• 경쟁력있는 통합국토 • 지속 가능한 친환경 국토 • 품격있는 매력국토 • 세계로 향한 열린국토	• 어디서나 살기좋은 균형국토 • 안전하고 지속가능한 스마트국토 • 건강하고 활력있는 혁신국토
공간전략	개방형 국토 발전축 5+2 광역경제권 중심 거점도시권	( )

① 민족이 화합하는 통일국토
② 지방 분산형 국토 골격 형성
③ 국민 복지 향상과 국토 환경 보전
④ 연대와 협력을 통한 유연한 스마트 국토 구현

123. 다음 그림에 제시된 제로 에너지 건축물에 적용되는 기술로 볼 수 없는 것은?

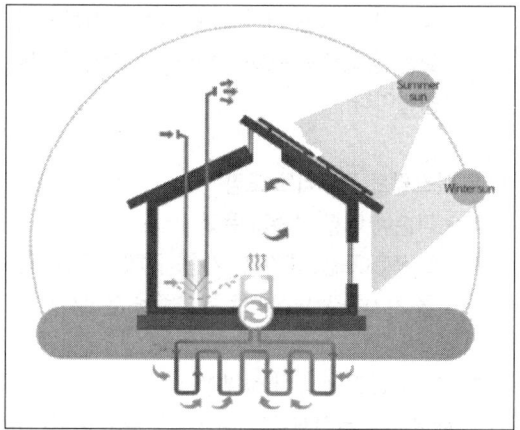

① 바람길과 수직한 방향으로 판상형 건물 배치
② 고기밀 창호 및 고단열 벽체로 단열 성능 강화
③ 태양 집열에 의한 온수 공급으로 에너지 소비 절감
④ 열 교환기의 사용으로 폐열에 의해 데워진 신선한 공기 유입

124. 도시를 구성하는 시민이나 사회집단의 성격으로 알맞지 않은 것은?
① 이질성
② 익명성
③ 개별성
④ 동질성

125. 2015년도에 500,000명이었던 어느 도시의 인구가 2020년도에 560,000명으로 증가되었다. 이 기간 동안의 연평균 인구증가율과 2025년의 추정인구를 등차급수방법에 의해 계산하면?
① 2.4%, 60만 명
② 2.4%, 62만 명
③ 3.2%, 64만 명
④ 3.2%, 68만 명

126. 용도지구에 관한 설명으로 옳은 것은?
   ① 토지의 이용 및 건축물의 용도, 건폐율, 용적률, 높이 등에 대한 용도구역의 제한을 강화하거나 완화하여 적용한다.
   ② 방재지구는 화재의 위험을 예방하기 위하여 필요한 곳을 말한다.
   ③ 국토부장관, 시도지사, 대도시 시장이 결정한다.
   ④ 특정용도제한지구는 학교나 항공기의 안전 운항 등을 위하여 필요한 곳을 말한다.

127. 다음의 내용에 해당하는 것은?

   > 상업·공업 지역 등에서 토지의 효율적 이용과 도심 또는 부도심 등 도시 기능의 회복이나 상권 활성화 등이 필요한 지역에서 건축물 및 그 부지의 정비와 공공 시설의 정비를 통하여 도시 환경을 개선하기 위하여 시행하는 사업

   ① 재정비 촉진 사업
   ② 도시 환경 정비 사업
   ③ 주거 환경 개선 사업
   ④ 택지 개발 사업

128. 우리나라의 도시화의 특징으로 알맞지 않은 것은?
   ① 정부의 경제, 지역개발 정책의 영향으로 도시 정주체계 및 도시의 순위에 영향을 주었다.
   ② 도시화에 따른 사회계층의 이동이 있었다.
   ③ 도시 행정의 서비스 공급체계는 도시환경에 대해 잘 대응하고 있다.
   ④ 도시화가 빠르게 진행되었다.

129. 아스팔트 도로포장에 대한 설명으로 옳지 않은 것은?
   ① 교통하중을 표층 → 기층 → 보조기층 → 노상으로 분산시켜 하중을 경감시켜 나가는 형식이다.
   ② 아스팔트 혼합물을 사용하는 포장층은 표층, 중간층, 기층에 해당한다.
   ③ 노반 또는 기층에서 수분의 모관상승을 차단하여 표면을 안정시키는 프라임코트를 실시한다.
   ④ 성토구간에는 지하수의 침범이 발생할 수 있기 때문에 동상방지층을 추가하여 지하수의 영향을 예방한다.

130. 도로의 길어깨(갓길)의 기능으로 볼 수 없는 것은?
   ① 도로의 주요 구조부 보호
   ② 자전거 통행기능
   ③ 고장차 대피용
   ④ 도로배수 역할

131. 어느 도로 구간의 교통량이 시간당 3000대, 평균 속도가 60km/h이며 2차로일 경우, 교통밀도는?
   ① 20대/km
   ② 25대/km
   ③ 40대/km
   ④ 50대/km

132. 다음 중 옹벽의 안정 조건이 아닌 것은?
   ① 전도에 대한 안정
   ② 활동에 대한 안정
   ③ 건조수축에 대한 안정
   ④ 침하에 대한 안정

133. 상수도의 급수량의 변화에 대한 올바른 내용이 아닌 것은?
   ① 생활정도와 생활양식이 나아질수록 증가한다.
   ② 시간별로는 아침과 저녁시간에 최대이다.
   ③ 도시의 규모가 커질수록 증가한다.

④ 계절별로는 겨울철이 여름철보다 증가한다.

134. 사용한 수돗물을 생활용수나 공업용수 등으로 활용할 수 있도록 다시 처리하는 시설은 무엇인가?
① 광역상수도
② 전용수도
③ 중수도
④ 하수도

135. 합류식과 분류식 하수배제 방식에 대한 설명으로 맞지 않는 것은?
① 분류식은 합류식에 비해 관거의 부설비가 많이 든다.
② 분류식의 경우, 강우 유량이 많아지면 하천을 오염시킬 우려가 있다.
③ 합류식은 갈수기에 고형 물질이 하수관거에 많이 퇴적되어 부패할 우려가 있다.
④ 합류식은 처리 용량이 일정하지 않아 처리 수질의 변동이 크다.

136. 상수의 도수 및 송수 방식 중, 가압식에 관한 설명으로 틀린 것은?
① 경사에 관계없이 수로를 짧게 할 수 있어, 건설비를 절감할 수 있다.
② 관수로를 이용하므로, 외부로부터 오염의 우려가 없다.
③ 펌프를 가동하기 위한 전력 등의 유지 관리비가 많이 든다.
④ 도수 및 송수에 대한 안전성과 확실성이 크다.

137. 다음 설명에 해당하는 급수 방식은?

- 물을 저장해놓기 때문에 물이 오염될 수 있음
- 물을 저장해놓기 때문에 단수 시에도 급수할 수 있음
- 건물 위에서 밑으로 하향 급수이므로 급수압력은 항상 일정

① 압력 탱크식
② 부스터 방식
③ 수도 직결식
④ 고가 탱크식

138. 다음은 우리나라 하천의 특징에 대해 조사 과제를 수행한 것이다. 그 내용을 잘못 조사한 학생은?

갑 : 우리나라는 동고서저의 지형적 특성으로 인하여 하천의 대부분이 서해 또는 남해로 흘러갑니다.
을 : 계절별 강수량의 차이가 커서 유량 변동이 큰 편입니다.
병 : 하상계수가 작아서 수운발달과 물 자원의 안정적인 공급에 불리합니다.
정 : 깊은 계곡이 발달하여 유역 면적 대비 하천의 길이가 길고 하천의 밀도도 높습니다.

① 갑
② 을
③ 병
④ 정

139. 다음 해안에 설치된 A의 목적으로 가장 적절한 것은?

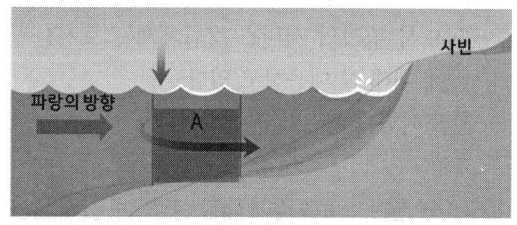

① 조류에 의한 염해 방지
② 침식되는 모래의 양 감소
③ 간척사업에 따른 갯벌 파괴 감소

④ 수역시설의 선박 안전 확보

140. 하천관리의 문제점으로 옳지 않은 것은?
① 하천 중·상류에는 댐으로 인하여 상류지역의 토사물들이 내려가지 못하고 댐에 그대로 쌓여 댐의 기능을 하지 못하는 경우가 발생하게 된다.
② 댐에 고여있는 물로 인해 안개가 발생하여 농작물 피해, 교통장애가 되기도 한다.
③ 하류에는 하굿둑과 방조제로 인하여 하천이 싣고 온 퇴적물들이 퇴적되어 수심이 얕아지는 문제가 생긴다.
④ 하류지역에서는 간조시에 바닷물이 역류하여 홍수가 발생할 가능성이 커진다.

[실전문제 - 7] 정답 및 해설

번호	121	122	123	124	125	126	127	128	129	130
정답	④	④	①	④	②	③	②	③	④	②
번호	131	132	133	134	135	136	137	138	139	140
정답	②	③	④	③	②	④	④	③	②	④

121. ④ 국토의 <u>장기적인 발전 방향</u>을 제시

122. ① 제4차 국토종합계획 수정계획(2006~2020년)
② 제3차 국토종합개발계획
③ 제3차 국토종합개발계획

123. ① 바람길과 수직 방향으로 판상형 건물 배치의 결과로 미세먼지의 정체현상이 있음

124. ④ 시민들이나 사회 집단들이 강한 이질성, 개별성, 익명성을 띤다.

125. **등차급수법에 의한 인구추정**
- 년평균 인구증가율 (r) = $\dfrac{(P_0 - P_t)}{t \cdot P_t}$

$r = \dfrac{(560,000 - 500,000)}{5 \times 500,000}$

$= \dfrac{12,000}{500,000} = 0.024 = 2.4\%$

계획년도의 인구(추정) $P_n = P_t(1 + n \times r)$

$P_n = 500,000(1 + 10 \times 0.024)$
$= 620,000$

이므로, 추정인구는 620,000 명 이다.

(빠른 풀이)
과거 5년 동안의 인구증가수가
560,000 - 500,000 = 60,000(명)이므로, 앞으로, 5년 동안의 인구증가수도 이와 동일하다.(등차급수법)
즉, 5년 후의 인구는 다음과 같이 계산 가능하다.
560,000 + 60,000 = 620,000(명)

※ 단, 이 방법은 반드시 과거의 분석기간과 미래의 추정기간이 동일할 때만 사용할 수 있다.

126. ① 토지의 이용 및 건축물의 용도, 건폐율, 용적률, 높이 등에 대한 <u>용도지역의 제한을 강화하거나 완화하여 적용</u> 한다

② 방화지구
④ 시설보호지구

128. ③ 도시 행정의 서비스 공급 체계는 변화하는 도시 환경에 대응하지 못하고 있다.

129. ④ 절토구간에는 기존 지하수위가 높기 때문에, 지하수의 침범이 발생할 우려가 있음

131. **교통밀도**
    - 단위거리 안에 몇 대의 자동차가 주행하고 있는지를 나타내는 것
    - V = S·D (V:교통량, S:교통속도, D:교통밀도)
    - $D = \dfrac{V}{S} = \dfrac{3000}{60 \times 2} = 25\,(대/km)$

132. **옹벽의 안정조건 검토**
    - 전도에 대한 안정
    - 활동에 대한 안정
    - 침하에 대한 안정

133. ④ 기온이 높은 여름철이 겨울철보다 물사용량이 증가한다.

135. ② 합류식은 강우량이 많아지면, 오수와 우수가 함께 하천으로 직접 월류한다(우수토실)

136. ④ 가압식은 펌프를 사용하므로 기계 고장이나 정전에 대해 안정성이 떨어진다.

137. **고가탱크식**
    ; 건물 옥상에 설치한 급수탱크에 물을 저장하는 방식, 단수시에도 저장량 만큼의 물은 계속 급수할 수 있으며, 급수압력도 거의 일정하다(물의 위치에너지).

138. ③ 우리나라의 하천은 하상계수가 커서, 수운이나 물자원의 안정적인 공급에 불리하다.

139. **수중방파제(잠제)**
    ; 미관은 해치지 않으면서, 파도에 의해 해안의 침식되는 사빈의 모래를 막아주는 역할을 한다.

140. ④ 하류지역에서는 만조시에 바닷물의 수위가 높아지므로 하천수위가 상승하여 홍수가 발생할 가능성이 높아진다.

실전문제 - 8

141. 다음 설명에 해당하는 것은?

- 공공 주도 매립, 재생 에너지 클러스트 조성 등을 통해 일자리를 창출하고 지역 경제 활성화를 촉진하여 환황해권의 경제 중심 지역으로 육성한다.

① 행정중심 복합 도시
② 기업 도시
③ 혁신 도시
④ 새만금

142. 다음 설명에 해당하는 교통수단은?

- 수도권 외곽에서 서울 도심의 주요 거점을 연결하는 수도권 광역 급행철도
- 지하 40~50m의 공간을 활용, 노선을 직선화하고 시속 100km이상(최고시속 200km)으로 운행하는 신개념 광역 교통수단

① BRT
② GTX
③ 하이퍼루프
④ C-ITS

143. 제5차 국토 종합 계획(2020~2040)의 내용으로 올바른 것은?

① 보행자 중심에서 차량 중심으로 도로 교통 환경을 전환하여 교통정체를 해소하도록 한다.
② 대도시 지역은 수요 응답형 교통 체계 등을 활용하여 접근성을 개선한다.
③ 도시 재생 뉴딜 로드맵에 따라 도심 및 주거지 도시 재생을 실효적으로 추진한다.
④ 생활 SOC를 소규모 개별 마을 단위 시설에까지 차별없이 배치하여 주민의 복지를 향상시킨다.

144. 중심성과 미관이 양호하고 주택지대와 상업지대 조성이 유리하나 도심 교통 혼잡이 발생할 수 있는 가로망의 형태는?

① 직교형 가로망
② 방사형 가로망
③ 직교방사형 가로망
④ 미로형 가로망

145. 도시관리계획에서 용도구역에 해당하지 않는 것은?

① 개발 제한 구역
② 도시 자연 녹지 구역
③ 시가화 조정 구역
④ 수산 자원 보호 구역

146. 도시·군 관리 계획에 포함되지 않는 내용은?

① 용도지역·용도지구의 지정 또는 변경에 관한 계획
② 기반시설의 설치·정비 또는 개량에 관한 계획
③ 광역계획권의 장기발전 방향에 관한 계획
④ 도시개발 사업이나 정비사업에 관한 계획

147. 다음 중 근거 법령이 다른 하나는?

① 주택재건축사업
② 주거환경개선사업
③ 택지개발사업
④ 주택재개발사업

148. 도시화 현상을 일으키는 흡입 요인으로 볼 수 있는 것은?

① 도시지역 인구의 높은 자연증가율
② 농업기술의 발달로 인한 노동력 수요의 감소
③ 농촌의 상대적 빈곤
④ 사회 심리적 측면의 도시에 대한 매력과 교육적 동기

149. 도로설계시 공사비 산출에 대한 설명으로 옳지 않은 것은?
    ① 공사원가는 직접공사비와 간접공사비를 더한 것이다.
    ② 총원가는 공사원가에 일반관리비를 더한 것이다.
    ③ 간접공사비는 재료비, 노무비, 경비, 외주비를 더한 것이다.
    ④ 총공사비는 총원가에 이윤을 더한 것이다.

150. 시멘트 콘크리트 포장과 아스팔트 콘크리트 포장을 비교한 내용으로 옳은 것은?
    ① 시멘트 콘크리트 포장은 차량 주행시 소음이 작다.
    ② 시멘트 콘크리트 포장은 차량의 타이어 마모도 비교적 작다.
    ③ 아스팔트 콘크리트 포장은 내구성이 좋으며, 시공기간이 짧다.
    ④ 아스팔트 콘크리트 포장은 시멘트 콘크리트 포장에 비해 물 흡수력이 좋아 우천이나 결빙에 좀더 안전한 주행이 가능하다.

151. 도로를 고속 국도, 일반 국도, 특별시·광역시도, 지방도, 시도, 군도, 구도 등 7개의 등급으로 분류하는 방법은?
    ① 도로법에 의한 분류
    ② 도로 구조 및 시설 기준에 의한 분류
    ③ 사용 목적에 의한 분류
    ④ 도로의 기능에 의한 분류

152. 앞차의 앞머리에서 뒤차의 앞머리까지의 거리를 무엇이라고 하는가?
    ① 차간 거리
    ② 차두 간격
    ③ 차두 시간
    ④ 구간 거리

153. 총인구 10만명의 도시에 다음과 같이 상수도 급수계획을 하고자 한다. 계획 1일 평균급수량을 구하면?

    - 계획 1인 1일 최대 급수량 : 300 ℓ
    - 급수보급율 : 90%
    - 평균급수량 산출계수 : 0.7

    ① 18,900㎥
    ② 21,000㎥
    ③ 27,000㎥
    ④ 38,570㎥

154. 하천이나 호수의 저부 또는 측부의 자갈, 모래층에 포함되어 있는 지하수는?
    ① 복류수
    ② 용천수
    ③ 천층수
    ④ 지표수

155. 하수의 배제 방식에 대한 설명으로 틀린 것은?
    ① 합류식은 오수와 우수를 동일한 관거로 배제하는 방식이다.
    ② 분류식은 오수와 우수를 분리하여 별개의 관로로 배제하는 방식이다.
    ③ 분류식은 오수관과 우수관을 분리하여 시공하므로, 관거의 부설비가 적게 든다.
    ④ 합류식은 단면적이 커서 관거의 검사 보수가 쉬우며 환기가 잘되는 이점이 있다.

156. 송수관로의 관수로 식의 특징으로 볼 수 없는 것은?
    ① 자유수면이 있다.
    ② 압력에 의해 흐른다.
    ③ 수압에 의한 누수가 있다.
    ④ 유지관리비가 많이 든다.

157. 하수관거 내의 유속이 너무 느리지 않도록 최저한계를 규정하는 이유가 아닌 것은?
① 침전물의 퇴적방지
② 퇴적물의 부패방지
③ 황화수소의 발생으로 인한 관정부식방지
④ 관거내부의 마모방지

158. 하천과 해안의 이용에 관한 설명으로 옳지 않은 것은?
① 댐에 의한 용수공급은 점차 증가하여 상수도 등 안정적 용수공급에 크게 기여하고 있다.
② 다목적 보는 고정보와 가동보를 함께 배치하는 복합형 보로 설치된다.
③ 우리나라의 수력발전 현황을 해외선진국과 비교할 때 국내 수력발전 의존율은 매우 낮다.
④ 수역시설의 종류로는 정박지, 항로, 선회장, 어도 등이 있다.

159. 큰 하천의 중상류지역에서 잘 나타나는 감입곡류하천에 대한 설명으로 옳지 않은 것은?
① 하천 주변에 하안 단구가 발달한다.
② 지반의 융기가 활발했던 곳에서 잘 나타난다.
③ 하천의 측방침식력이 강하여 유로가 절단된 구하도가 나타나기도 한다.
④ 산지를 휘감아 흐르다 보니 경관이 아름다워 관광자원으로 많이 이용된다.

160. 해양 영토에 관한 설명으로 옳지 않은 것은?
① 기선은 통상기선과 직선기선으로 구분된다.
② 통상기선은 해안선이 단조로운 곳에 적용되며 만조선이 기준이다.
③ 기선부터 24해리까지 영해의 바깥쪽 바다는 접속수역에 해당한다.
④ 주권이 미치는 해양공간은 크게 영해, 접속수역, 배타적 경제수역, 대륙붕으로 구분된다.

[실전문제 - 8] 정답 및 해설

번호	141	142	143	144	145	146	147	148	149	150
정답	④	②	③	②	②	③	③	④	③	④
번호	151	152	153	154	155	156	157	158	159	160
정답	①	②	①	①	③	①	④	④	③	②

143. ① 차량 중심에서 보행자 중심으로 도로교통 환경을 전환한다(사람 중심의 교통안전 체계 구축으로 교통사고 사망자 제로화)
② 교통시설이 부족한 지역은 행복택시 등 수요 응답형 교통체계를 적극적으로 활용한다(생활 SOC 접근성 제고로 편안한 생활공간 조성)
④ 불편없는 농촌3·6·5생활권 구축, 농·산·어촌 내 지역거점과 집단 거주 마을, 한계마을 등 정주 계층별 관리를 강화한다(농촌을 매력있고 가치 있는 공간으로 육성)

145. **용도구역**
- 개발 제한 구역
- 도시 자연 공원 구역
- 시가화 조정 구역
- 수산 자원 보호 구역
- 입지 규제 최소 구역

146. ③ 광역 도시 계획의 내용에 해당함

도시군관리계획의 내용
가. 용도지역·용도지구의 지정 또는 변경에 관한 계획
나. 개발제한구역, 도시자연공원구역, 시가화조정구역(市街化調整區域), 수산자원보호구역의 지정 또는 변경에 관한 계획
다. 기반시설의 설치·정비 또는 개량에 관한 계획
라. 도시개발사업이나 정비사업에 관한 계획
마. 지구단위계획구역의 지정 또는 변경에 관한 계획과 지구단위계획
바. 입지규제최소구역의 지정 또는 변경에 관한 계획과 입지규제최소구역계획

147. ①, ②, ④ 도시 및 주거환경 정비법
③ 택지개발 촉진법

148. **도시화 현상의 요인**
- 도시 지역 인구의 자연 증가율 높음
- 흡입요인 - 도시에 대한 매력, 교육적 동기 등
- 압출요인 - 노동력 수요의 감소, 상대적 빈곤 등

149. ③ 직접공사비 ; 재료비 + 직접노무비 + 경비 + (외주비)

150. ①, ② 아스팔트 콘크리트 포장이 소음이 더 적고, 타이어 마모도 덜함
③ 아스팔트 콘크리트 포장은 시멘트 콘크리트 포장에 비해 내구성은 부족하나, 시공기간을 짧음

151.
- 도로의 구조 및 시설기준에 의한 분류 : 고속도로, 일반도로
- 사용목적에 의한 분류 : 군용도로, 임도, 자동차전용도로, 산업도로 등
- 도로의 기능에 의한 분류 : 주간선도로, 보조간선도로, 집산도로, 국지도로

152.

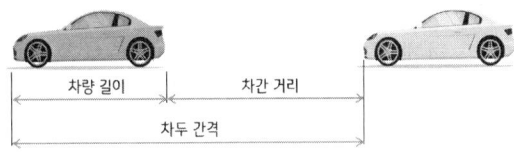

153. 계획 1일 최대급수량

(계획)1일 최대급수량
= (계획)1인 1일 최대급수량 × 계획급수인구
= (계획)1인 1일 최대급수량 × 급수구역내 총인구 × 급수보급율
= $300(L) \times 100,000 \times 0.90$
= $27,000,000(L)$
= $27,000(m^3)$

(계획)1일 평균급수량
= (계획)1일 최대급수량 × 급수량 산출계수
= $27,000 \times 0.7$
= $18,900(m^3)$

155. ③ 분류식은 오수와 우수의 관거를 분리하여 시공하므로, 공사비가 많이 든다.

156. ① 개수로 - 자유수면이 있다.
　　　관수로 - 만류로 흐르며, 압력에 의해 흐른다.

157. ④ 관거내부의 마모방지를 위해서 최대유속 (3.0m/s)을 규정하는 이유이다.

158. ④ 수역시설 ; 정박지, 선회장, 선유장, 항로 등
※ 어도 : 하천에서 물고기를 포함한 동물의 이동을 목적으로 만들어진 인공수로

159. ③ 구하도 - 자유곡류하천에서 많이 나타나는 지형

160. ② 통상기선 - 해안선이 단조로운 곳에서 적용되며 최저간조선이 기준이다.

실전문제 - 9

161. 제5차 국토 종합 계획에서 추진하고 있는 6대 추진 전략으로 옳지 않은 것은?
① 세대와 계층을 아우르는 안심 생활 공간 조성
② 대륙과 해양을 잇는 평화 국토 조성
③ 인프라의 효율적 운영과 국토 지능화
④ 지역별 경쟁력 고도화를 통한 개성 있는 지역발전

162. 지속적으로 추진 중인 권역간 네트워크 구축 및 국토 균형 발전을 위한 국가 철도망의 형태는?
① U형
② X형
③ π형
④ 7×9 + 6R형

163. 한반도 신경제 구상에 의한 환동해안벨트의 주요 특화구현 방안은 무엇인가?
① 복합 물류 산업 시설 및 교통
② 물리적·제도적 하나의 공간 형성
③ 생태 환경적 특성 활용 안보관광
④ 에너지 자원 공동개발 및 협력

164. 근린주구에 관한 설명으로 옳지 않은 것은?
① 주민생활에 필요한 공공시설의 기준을 마련하고자, 초등학교 도보권을 기준으로 설정된 단위 주거 구역
② 주민생활의 안전성, 쾌적성 확보는 물론 주민들 상호간의 사회적 교류를 촉진시키기 위한 목적
③ 1920년대 미국의 허드(R.M. Hurd)에 의해 제시됨
④ 어린이들이 도로를 가로지르지 않고 안전하게 통학할 수 있는 초등학교 도보권 기준으로 공공시설을 적절히 배치

165. 다음 중 도시 관리 계획의 내용이 아닌 것은?
① 기반 시설의 설치, 정비, 개량에 관한 계획
② 지구 단위 계획 구역의 지정, 변경과 지구 단위 계획
③ 용도 지역, 용도 지구, 용도 구역의 지정 및 변경에 관한 계획
④ 안전하고 친환경적인 교통체계 구축에 대한 계획

166. 도시 관리 계획에 대한 설명으로 올바르지 않은 것은?
① 도시 관리 계획은 도시 기본 계획의 지침을 받아 구체적으로 수립하는 계획이다.
② 도시 관리 계획은 중기계획이며 구속력을 가진다.
③ 도시 관리 계획은 공청회를 통하여 14일간 공고하여 일반인이 확인할 수 있다.
④ 도시 관리 계획은 장래 10년을 기준으로 한다.

167. 도시의 외연적 확산이 도시개발에 주는 영향으로 가장 거리가 먼 것은?
① 통근비용의 증대
② 기반시설 투자비용의 확대
③ 도심 공동화 유발
④ 도시재생의 촉진

168. 뉴어버니즘의 기본 원칙으로 옳지 않은 것은?
① 공공기관과의 커뮤니티 중시
② 교외 확산을 추구
③ 특색을 살린 건축
④ 근린지구 용도 및 인구의 다양성

169. 다음 민간투자사업의 설명에 가장 적절한 추진 방식은?

- 사회기반시설의 준공과 동시에, 당해 시설의 소유권이 국가 또는 지방자치단체에 귀속되며, 사업시행자에게 일정 기간의 시설관리 운영권을 인정하는 방식

① BTL 방식
② BTO 방식
③ BOT 방식
④ BOO 방식

170. 도로법에 의한 분류 중, 도청 소재지에서 군청 소재지에 이르는 도로는?
① 일반 국도
② 군도
③ 지방도
④ 시도

171. 교통량은 사용하고자 하는 목적에 따라 기간의 크기와 측정 시각을 결정하는 데, 도로 계획에 필요한 교통량은?
① 연평균 월 교통량
② 연평균 주 교통량
③ 연평균 일 교통량
④ 연평균 시 교통량

172. 다음 설명의 터널 시공방법에 해당하는 것은?

- 암석터널 주변의 암반 자체를 지보재로 활용하기 위해 굴착면과 원 지반에 앵커를 걸어 터널 안의 공간을 유지시키는 공법으로, 기계화 시공이 가능하다

① 숏크리트
② 록 볼트
③ 인버트
④ 강지보재

173. 상수도 시설 중, 배수본관이나 급수탱크의 용량을 정하는 기준이 되는 급수량은?
① 계획 1일 최대급수량
② 계획 1일 평균 급수량
③ 계획 시간 최대 급수량
④ 계획 시간 평균 급수량

174. 지하수에 대한 설명으로 올바르지 않은 것은?
① 천층수는 지하로 침투한 물이 제1불투수층 위에 고인 자유면 지하수이다.
② 심층수는 제1불투수층과 제2불투수층 사이의 비피압 지하수이다.
③ 복류수는 하천이나 호수의 바닥, 변두리의 자갈, 모래층에 포함되어 있는 물이다.
④ 용천수는 피압지하수면이 지표면 상부에 있을 경우, 지하수가 자연적으로 지표로 용출하는 물이다.

175. 하천 유량이 풍부할 때 신속히 하수를 배제할 수 있는 경제적인 방법으로, 많은 수의 토출구가 필요하며 역류에 대비해야 하는 결점이 있는 배수계통 방식은?
① 집중식
② 차집식
③ 직각식
④ 방사식

176. 개수로 흐름의 특성에 따른 분류로 옳게 연결되지 않은 것은?
① 등류 - 정상류 중에서 흐름의 상태가 장소에 따라 변하지 않는 흐름
② 부등류 - 관길이나 물길의 매 단면에서 물 따위의 흐름의 속도가 다른 흐름
③ 정류 - 흐르고 있는 유체 안의 모든 곳에서 유체의 속도가 시간에 상관없이 일정한 크기와 방향을 유지하는 흐름
④ 난류 - 속도, 압력, 방향이 일정하지 않고

자주 변하는 흐름

177. 하수관거의 시공에 관한 설명으로 올바르지 않은 것은?
① 우수관거 및 합류관거의 유속의 범위는 0.8~3.0 m/sec 이어야 한다.
② 평탄지 경사에 매설하는 하수관의 경사는 관경(mm)의 역수로 한다.
③ 우수관거 및 합류관거의 최소 관경은 250 mm이다.
④ 관거의 동수경사선은 지반보다 0.5m 이상 높아야 한다.

178. 하천에 대한 설명으로 옳지 않는 것은?
① 국가하천, 지방하천, 소하천으로 분류된다.
② 지방하천은 환경부 장관이 관리·책임 진다.
③ 국가하천이 9.2%, 지방하천이 90.8%로 지방하천이 월등히 많다.
④ 소하천은 행정안전부 소관의 '소하천정비법'의 적용을 받는다.

179. 하천 및 해안에 대한 올바른 설명은?
① 연안류는 해안선에 수직으로 이동하는 바닷물의 흐름을 뜻하며 사주형성의 원인이다.
② 조차가 큰 해안의 지형 형성 과정에는 파랑의 영향이 가장 크다.
③ 하천의 직강화는 유속이 빨라져 배수가 더 원활하게 이루어짐으로 대하천의 본류에서 홍수로부터 더 안전해진다.
④ 하천의 콘크리트 제방은 하천의 정화기능을 약화시키고 생태계를 파괴하는 등의 문제점이 있다.

180. 다음 글의 ㉠~㉣에 대한 설명으로 옳은 것은?

> 동해안은 비교적 ㉠ 단조로운 해안선이 나타나는 반면, 서·남해안은 해안선이 복잡하고 섬이 많이 분포한다. 파랑의 작용이 활발한 동해안은 ㉡ 암석 해안과 ㉢ 사빈 해안이 번갈아 나타난다. 서해안은 조수 간만의 차가 크고, 세계적인 규모의 ㉣ 갯벌이 발달해 있다.

① ㉠의 이유는 산맥과 해안선의 방향이 교차하기 때문이다.
② ㉡에서는 파랑 에너지가 분산되어 퇴적 작용이 활발히 일어난다.
③ ㉢은 파랑과 연안류의 퇴적 작용으로 형성된다.
④ ㉣은 ㉢보다 퇴적물의 평균 입자 크기가 크다.

[실전문제 - 9] 정답 및 해설

번호	161	162	163	164	165	166	167	168	169	170
정답	④	②	④	③	④	③	④	②	②	③
번호	171	172	173	174	175	176	177	178	179	180
정답	③	②	③	②	③	④	④	②	④	③

161. ④ 지역별 경쟁력 고도화 - 제4차 국토종합계획(2000~2020)의 5대 추진 전략 중의 하나이다.

   ※ **제5차 국토종합계획**에서는 "경쟁성" 이런 말은 배제되고, "형평성" "협력적" 등의 용어가 사용되어야 한다.

162. **국가 기간 교통망**

   7×9 + 6R형 : 기존 국가 간선 도로망
   X자형 : 국가 철도망

163. • 환동해 에너지 자원벨트
   • 환서해 산업 물류 교통벨트
   • 접경지역 환경 관광 벨트

164. **근린주구**

   ; 주구 내 도보 통학이 가능한 초등학교를 중심으로 공공시설을 적절히 배치함으로써, 주민 생활의 안전성과 편리성, 쾌적성을 확보함은 물론 주민들 상호 간 사회적 교류를 촉진시키기 위한 목적으로 1920년대 미국의 페리(C. A. Perry)에 의해 제시

   ※ 허드(R.M. Hurd) - 도시공간구조의 이론 중, 중심적 축적 성장이론을 제시

165. **도시군관리계획**의 내용
   가. 용도지역 · 용도지구의 지정 또는 변경에 관한 계획
   나. 개발제한구역, 도시자연공원구역, 시가화조정구역(市街化調整區域), 수산자원보호구역의 지정 또는 변경에 관한 계획
   다. 기반시설의 설치 · 정비 또는 개량에 관한 계획
   라. 도시개발사업이나 정비사업에 관한 계획
   마. 지구단위계획구역의 지정 또는 변경에 관한 계획과 지구단위계획
   바. 입지규제최소구역의 지정 또는 변경에 관한 계획과 입지규제최소구역계획

166. **도시군관리계획**은 공청회를 개최하는 대신 14일간 공고하여 일반인이 열람하게 된다.

167. **도시재생**

   ; 대도시 지역의 무분별한 외부 확산을 억제하고 도심부 쇠퇴 현상을 개선함으로써 도심 지역에서의 인구 및 산업의 회귀를 촉진하고 재활성화를 모색하기 위함

168. 뉴어버니즘의 등장배경 - 교외지역의 스프롤 현상, 무질서한 시가지의 확산, 공적인 공간의 축소에 따른 토지 이용 상에서의 토지 낭비에서 비롯됨

169. **민간 투자로 공공 시설을 짓는 방식의 이해**
   1. 건설
       B : build 건설(민간이 건설)

2. 소유권
　　T : transfer 전달
　　　(국가로 소유권 이전)
3. 직영, 임대
　　O : operate 운영
　　　(민간이 운영)

171. **계획 교통량**
; 계획·설계할 도로가 통과하는 지역의 발전과 장래의 자동차 교통 상황 따위를 참작하여, 계획 목표 연도에 당해 도로를 통과할 것으로 예상한 자동차의 **연평균 일일 교통량(AADT, Annual Average Daily Traffic)**. 즉, 한구간을 통과한 교통량을 365일로 나눈값

174. ② **심층수** - 제1불투수층과 제2불투수층 사이의 피압지하수

176. ④ 부정류 - 속도, 압력, 방향 따위가 일정하지 않고 자주 변하는 흐름

177. ④ 관거의 동수경사선은 지반보다 0.5m 이상 낮아야 한다.

178. ② 지방하천은 각 시·도지사가 관리한다.

179. ① 연안류 - 해안선과 평행하게 이동하는 바닷물의 흐름
② 조차가 큰 해안의 지형 형성은 조류에 의한 영향이 큼
③ 대하천의 본류에서는 오히려 유량이 급증하게 되어 홍수의 위험성을 증가시키는 경우도 발생시킴

180. ① 산맥과 해안선의 방향이 평행하기 때문
② 곶 - 파랑 에너지가 집중됨으로 침식 작용이 활발
④ 갯벌은 사빈보다 퇴적물질의 입자가 훨씬 작다.

실전문제 - 10

181. 우리나라 국토종합계획의 특징으로 올바른 것은?
① 제1차 국토종합개발계획의 목표는 고도 경제성장을 위한 기반 시설 조성이었다.
② 제2차 국토종합개발계획은 서해안 신산업 지대 육성 및 분산형 국토 개발에 중점을 두었다.
③ 제3차 국토종합개발계획은 한반도가 세계로 도약하기 위한 21세기 통합국토실현을 기본이념으로 하였다.
④ 제4차 국토종합계획은 개발의 보전과 조화, 복지향상을 목표로 하여 추진되어 왔다.

182. 다음은 농어촌의 경쟁력 강화와 위기지역 대응을 위한 공간 전략의 예이다. 그 내용과 가장 관계가 깊은 것은?

> • 기초 인프라 제공을 위한 개발전략 → 학교, 소방, 관공서 등 공공서비스와 고용의 기회가 제공되는 지역
> • 정주환경개선을 위한 재생전략 → 기초생활서비스가 유지 가능한 집단 마을
> • 유휴지 관리 전략 → 기초 서비스 제공이 어려운 한계 마을

① 마이크로 그리드
② 정주 계층별 관리
③ 접근성 기반 생활 SOC
④ 지역 연계·협력 네트워크

183. 〈사례〉의 내용에 해당하는 제5차 국토 발전 추진계획은?

> 〈 사례 〉
> 도심 내 교통사고의 대폭 감축을 위해 하향된 주행 제한 속도(60km/h→도심 50km/h, 주택가 30km/h) 정착으로 안전한 교통환경을 조성한다.

① 사람 중심의 교통안전 체계 구축
② 교통 취약 지역의 맞춤 환경 조성
③ 품격 있고 환경 친화적인 공간 창출
④ 미래형 교통수단에 대응한 교통 체계 개편

184. 다음 중 계획인구 추정방식에 대한 설명으로 옳은 것은?
① 등비급수법은 인구가 기하급수적으로 증가하는 곳에 적합하고 신흥공업도시 등에 사용한다.
② 등차급수법은 인구 증가가 처음에는 완만하다 급증가하고 점차 증가율이 감소한다.
③ 로지스틱 곡선법을 사용하면 추정인구가 과대평가될 우려가 있다.
④ 유입인구와 유출인구의 차이가 현저한 도시의 인구추정 방법은 로지스틱 곡선법을 사용하는 것이 적절하다.

185. 도시계획에 대한 설명으로 옳지 않은 것은?
① 도시기본계획은 도시의 개발방향 및 하위 도시계획수립의 지침을 제시한다.
② 도시기본계획은 광역도시계획 및 도시관리계획에서 제시된 도시의 장기발전 방향을 공간에 구체화하고 실현하는 계획이다.
③ 도시기본계획은 20년 단위의 장기발전 방향이며 5년마다 재검토 한다.
④ 도시관리계획의 목표연도는 계획수립기준년도로부터 장래 10년을 기준으로 하며 년도의 끝자리는 0년 또는 5년으로 한다.

186. 다음 내용에 해당하는 도시계획은 무엇인가?

> 도시계획 수립대상 지역 안의 일부에 대하여 토지이용을 합리화하고, 그 기능을 증진시키며 미관을 개선하고, 양호한 환경을 확보하며, 당해 지역을 체계적, 계획적으로 관리하기 위하여 수립하는 도시관리계획

① 도시 관리 계획
② 지구 단위 계획
③ 도시 기본 계획
④ 광역 도시 계획

187. 수도권에 집중되어 있는 공공기관의 지방 이전을 계기로 이들 기관과 지역의 대학, 연구소, 지방자치단체가 협력하여 지역의 새로운 성장 동력을 창출하는 것을 목표로 하는 것은?
① 혁신도시 개발사업
② 기업도시 개발사업
③ 도시환경재정비 사업
④ 행정중심복합도시 사업

188. 도시개발사업에 포함되어야 하는 각 부문별 계획 내용으로 볼 수 없는 것은?
① 인구수용 계획
② 토지이용 계획
③ 기반시설 설치 계획
④ 건축물 계획

189. 철도에 관한 설명으로 옳은 것은?
① 고속철도는 둘 이상의 시·도에 걸쳐 운행되는 도시철도 또는 철도로서 대통령령으로 정하는 요건에 해당하는 도시 철도 또는 철도를 말한다.
② 궤간이란 양쪽 레일의 중심간 간격을 말하며, 표준궤간은 1,435mm이다.
③ 철도의 수송능력은 항공기의 4.5배이며, 단위당 수송비는 도로보다 14배 많이 들어 수송효율이 도로보다 낮다.
④ 철도는 도로에 비하여 환경비용이 2.5%에 불과하여, 친환경교통수단이라고 할 수 있다.

190. 도로 및 교통과 관련한 설명으로 옳지 않은 것은?
① 시설한계 내에서는 도로표지판을 제외한 어떠한 구조물도 설치되어서는 안된다.
② 확폭은 차량의 뒷바퀴가 앞바퀴보다 안쪽으로 지나가게 되어 차로의 안쪽으로 폭을 넓히는 것이다.
③ 시거의 종류에는 정지시거와 앞지르기 시거가 있다.
④ 교통량은 단위 시간 동안 한 지점을 통과하는 차량 대수를 말한다.

191. 토공 설계 및 시공시 고려 사항으로 옳지 않은 것은?
① 공사에 어려움이 발생하여도 반드시 최초 설계한 조건대로 시공이 되어야만 한다.
② 지형 토질 및 지질 기상 조건 등을 사전에 충분히 파악한다.
③ 소규모 시험 시공 등을 실시하여 불합리한 설계 및 시공이 되지 않도록 한다.
④ 토공 공사 진행 중 또는 공사후 국부적으로 손상이 발생될 수 있으므로 유지보수 등을 고려한다.

192. 도로의 구조 및 설계 기준에 따른 분류에서, 고속도로에 해당하지 않는 요소는?
① 중앙분리대가 있어야 한다.
② 주행속도가 빨라야 한다.
③ 입체교차를 원칙으로 해야 한다.
④ 완화곡선 반지름이 작아야 한다.

193. 대도시 및 공업도시에서의 계획 시간 최대 급수량을 정하는 식은?
① $\dfrac{\text{계획 1일 평균급수량}}{24} \times 1.3$
② $\dfrac{\text{계획 1일 최대급수량}}{24} \times 1.3$
③ $\dfrac{\text{계획 1일 평균급수량}}{24} \times 2.0$
④ $\dfrac{\text{계획 1일 최대급수량}}{24} \times 2.0$

194. 수원(水源)에 관한 설명으로 올바르지 않은 것은?
   ① 천수는 빗물, 눈 등을 총칭한 강수로 지상으로 떨어지는 동안 오염되고 수량도 일정하지 않아 상수원으로 부적당하다.
   ② 지표수는 지표, 지중, 대기를 통하여 모아지는 물로, 오염될 가능성이 거의 없으며 상수원수로 가장 많이 사용된다.
   ③ 용천수와 심층수는 피압 지하수이며, 복류수와 천층수는 비피압 지하수이다.
   ④ 수원은 수질이 깨끗하고 장래 오염의 우려가 적고 계획취수량을 확보할 수 있는 곳이어야 한다.

195. 하수도의 배수 계통 중, 선형식의 특징으로 올바르지 않은 것은?
   ① 전지역의 하수를 나뭇가지 형으로 배치한다.
   ② 한 방향으로 경사진 지역에 적합하다.
   ③ 대도시보다 소도시에 적합하다.
   ④ 하수를 여러 지점으로 분산시킬 수 있을 때 적합하다.

196. 다음의 괄호 안에 공통으로 들어갈 말은?

   ( )는 불규칙하게 움직이면서 서로 섞이는 흐름을 말하며, 한 점에서 속도의 크기와 방향이 계속해서 변하므로 흐름이 잔잔하다 할지라도 바람이나 강은 일반적으로 ( )이며, 전체적인 흐름이 일정한 방향으로 움직이더라도 공기 또는 물은 소용돌이를 친다.

   ① 층류
   ② 난류
   ③ 부등류
   ④ 부정류

197. 하수관거의 설계와 시공에 관한 설명으로 옳은 것은?
   ① 오수관거의 관의 최소 직경은 300mm이다.
   ② 하수관의 이상적인 유속은 1.0~1.8m/sec 이다.
   ③ 하수관의 유속은 하류로 갈수록 느리게 해야 하며 구배는 급하게 하여야 한다.
   ④ 합류식 하수도의 배관설계의 기본은 오수량이 기준이다.

198. 사주와 석호에 관한 설명으로 올바르지 않은 것은?
   ① 석호는 사주가 만의 입구를 가로막으면서 형성된 호수이다.
   ② 동해안은 조차가 작아 상대적으로 파랑과 연안류의 영향을 크게 받아 사주와 석호가 잘 발달한다.
   ③ 사주와 석호로 인하여 동해안의 해안선이 점점 더 복잡해지고 있다.
   ④ 석호의 수심은 시간이 흐름에 따라 하천 퇴적물로 인해 완전히 매립되어 육지로 변화한다.

199. 우리나라 하천의 현황에 대한 설명으로 틀린 것은?
   ① 여러 유역을 편의상 묶어서 만든 임의의 지역인 6개의 권역으로 구분하여 관리한다.
   ② 수계는 동일 유역에 속하고 공통의 하구로 흘러들어오는 모든 유로를 총칭한다.
   ③ 유역 면적 대비 하천의 길이가 길고 하천의 밀도는 작은 것이 특징이다.
   ④ 유역면적과 연평균 유출량이 가장 큰 하천은 한강이다.

200. 다음 하천의 지형도에 대한 설명으로 옳지 않은 것은?

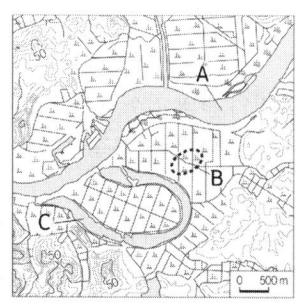

① A는 자유곡류 하천이다.
② B는 모래나 점토 등의 충적지형인 범람원이다.
③ C는 과거에 A하천이 흘렀던 곳이다.
④ 하천의 상류지역에서 많이 볼 수 있다.

[실전문제 - 10] 정답 및 해설

번호	181	182	183	184	185	186	187	188	189	190
정답	①	②	①	①	②	②	①	④	④	①
번호	191	192	193	194	195	196	197	198	199	200
정답	①	④	②	②	④	②	②	③	③	④

181. ② 제3차 국토종합개발계획의 내용
   ③ 제4차 국토종합계획의 내용
   ④ 제3차 국토종합개발계획의 내용

182. **정주계층별 관리**
   ; 농·산·어촌 내 지역거점과 집단 거주 마을, 한계마을 등 정주 계층별 관리를 강화한다 (영국 사우스 캠브리지 셔의 정주 계층별 마을 관리 사례)

183. **사람 중심의 교통안전 체계 구축으로 교통사고 사망자 제로화**
   - 차량중심에서 보행자 중심으로 도로 교통 환경을 전환
   • 도심 내 주행속도 하향
   • 주택가 차로 폭 축소, 굴절 차선 도입 등 교통정온화 설계기준 마련
   • 보행환경 개선

184. ② 로지스틱 곡선법에 관한 내용임
   ③ 등비급수법 - 추정인구의 과대 평가 우려가 있음
   ④ 자연증가와 사회증가로 구분하여 계산하는 방법이 적당

185. ② **도시기본계획**은 국토종합계획, 광역도시계획 등 상위 계획의 내용을 수용하여 도시가 지향하여야 할 바람직한 미래상을 제시하고 장기적인 발전 방향을 제시하는 정책 계획임

188. **도시개발사업의 개발계획의 내용**(도시개발법, 제5조)
   - 도시개발을 위한 각종 절차, 인구수용계획, 토지이용계획, 교통처리계획, 환경보전계획, 기반시설 설치 계획, 재원조달계획 등

189. ① "광역철도"에 관한 설명
　　② 궤간 - 양쪽 레일 안쪽 간의 거리 중 가장 짧은 거리
　　③ 단위당 수송비는 도로의 1/14에 해당하여 저렴하며 수송효율이 높음

190. ① 시설한계 내에서는 도로표지판을 포함하여 어떠한 구조물이나 시설물도 설치되어서는 안된다.

191. ① 더 안전하고 효율적인 시공방법을 적용하여 시공중 설계 변경 등의 절차를 거칠수 있다.

192. ④ 곡선 반지름이 커야 한다.

193. (계획)시간최대 급수량
$= \dfrac{(계획)1일\ 최대급수량}{24} \times 증가계수$
여기서, 증가계수는 다음과 같다.
- 대도시 및 공업도시 : **1.3**
- 중소도시 : 1.5
- 농촌 주택단지, 소도시 : 1.8

194. ② 주위의 오염원에서 나오는 오염된 물로 인해 오염될 가능성이 크다.

195. ④ 방사식의 특징

197. ① 오수관거의 최소관경은 200mm
　　③ 하류로 갈수록 유속은 빠르게, 구배는 완만하게 하여야 한다.
　　④ 합류식 하수도는 우수량이 배관설계의 기본이 된다.

198. ③ 사주의 발달로 석호가 생기며, 해안선이 점점 더 단조로워지고 있다.

199. ③ 유역면적대비 하천의 길이가 길고, 하천의 밀도도 큰 것이 특징이다.

200. 그림에서 **자유곡류하천과 구하도** 등이 나타나 있다.
이런 지형은 하천의 중·하류에 많이 나타난다.

실전문제 - 11

201. 다음 설명에 해당하는 것은?

> • 동네를 완전히 철거하는 대신, 기존 모습을 유지하며 노후 주거지와 쇠퇴한 구도심을 지역주도로 활성화해 도시 경쟁력을 높이고 일자리를 만드는 국가적 도시 혁신 사업

① 서비스 레지던스
② 주택 재개발 사업
③ 도시환경 정비 사업
④ 도시재생 뉴딜 로드맵

202. 국토계획의 정의 및 구분에 대한 연결로 옳지 않은 것은?

① 국토종합계획 – 국토 전역을 대상으로 하여 국토의 장기적인 발전 방향을 제시하는 종합계획
② 도종합계획 – 도 또는 특별자치도의 관할 구역을 대상으로 하여 해당 지역의 장기적인 발전 방향을 제시하는 종합계획
③ 지역계획 – 특정 지역을 대상으로 특별한 정책목적을 달성하기 위하여 수립하는 계획
④ 부문별계획 – 특정 지역을 대상으로 하여 특정 부문에 대한 장기적인 발전 방향을 제시하는 계획

203. 영토와 관련한 설명으로 옳은 것은?

① 영토는 국제법상 매매·교환·증여의 대상이 될 수 없다.
② 국제지역은 국가 간의 합의에 의하여 영토의 특정부분에 대한 영역국의 주권이 제한되어, 외국군의 통과 및 주류를 인정하지 않는다.
③ 조차는 국가 간의 합의에 의하여 일국이 타국 영토의 일부를 차용하는 것을 말한다.
④ 할양은 일정한 기간이 지나면 영역국에 반환해야 하며, 해당지를 임의로 처분할 수 없다.

204. 다음과 같이 도시를 정의하는 관점은?

> 도시는 이질적인 가치를 가진 많은 수의 인구가 높은 인구 밀도를 유지하며, 2·3차 산업에 종사하는 인구의 비율이 높은 지역으로서 이들의 활동을 담고 지탱할 수 있는 건물군과 도로, 상하수도 등 도시 시설이 집적된 잘 정비된 공간으로 정의할 수 있다.

① 기능적 측면
② 경제적 측면
③ 인구·물리적 측면
④ 사회적 측면

205. 기존 시가지 내 낙후지역의 주거환경을 개선하고, 도로 공원 학교 등 기반시설을 확충하여 도시기능회복을 위해 광역적으로 시행하는 사업은?

① 주거환경개선사업
② 재정비촉진사업
③ 주택재개발사업
④ 광역도시개발사업

206. 도시 저소득 주민들이 집단으로 거주하는 지역으로서 정비기반 시설이 극히 열악하고 노후, 불량건축물이 과도하게 밀집한 지역에서 주거환경 개선을 위하여 시행하는 사업은?

① 주택 재개발 사업
② 주택 재건축 사업
③ 주거환경 개선 사업
④ 재정비 촉진 사업

207. 다음 설명의 밑줄 친 부분에 해당하는 것은?

문화, 정보, 미디어 분야 등을 중심으로 관·산·학·연 간의 효과적인 융합이 시너지 효과를 일으킬 수 있는, 새로운 산업 기반을 갖춘 미래형 도시를 말한다. 이러한 도시는 도시의 내부 및 외부 지역과 개방적인 네트워킹이 일어날 수 있도록 정보 통신의 하부 구조가 구축되어 있고, 이를 통해 내·외부 지역 간교통, 정보, 인력, 지식이 자유로이 소통되는 지능형 네트워크가 갖추어져 있다.

① 유비쿼터스 도시
② 압축도시
③ 창조적 혁신 도시
④ 친환경생태 도시

208. 개발도상국의 도시화 종류를 설명한 내용 중 옳지 않은 것은?
① 과승도시화 – 도시화 수준이 산업화 수준보다 높은 도시, 즉 인구 수준보다 경제 발전 수준이 더 낮다.
② 가도시화 – 도시 부양 능력이 도시 인구 집중보다 높은 도시
③ 종주도시의 도시화 – 수위도시 성장이 타 도시보다 큰 도시
④ 무허가 주택 지역 – 불법 건물 지구의 도시화 현상

209. 도로가 갖는 기능에 대한 설명으로 틀린 것은?
① 자동차, 보행자 등이 안전하고 원활하며 쾌적하게 통행할 수 있는 이동 기능이 있다.
② 교통수단 중에서 교통사고 발생율과 부상 빈도가 가장 낮아 안전성이 뛰어나다.
③ 주변 도로와 시설에 편리하고 안전하게 출입할 수 있는 접근 기능이 있다.
④ 자동차의 주차나 자전거 이용자, 보행자 보도나 광장부 등에 안전하게 머무를 수 있는 체류 기능이 있다.

210. 시멘트 콘크리트 포장에 대한 설명으로 옳은 것은?
① 포장 일체가 교통 하중을 지지하고 노상으로 윤하중을 분산한다.
② 양생기간이 짧아 시공 후 즉시 교통을 개방할 수 있다.
③ 국부적 파손에 대한 보수가 용이하다.
④ 내구성이 커서 유지 관리비가 저렴하다.

211. 법규에 의해 철도를 분류할 때 다음이 설명하는 것은 무엇인가?

열차가 주요 구간을 시속 200km 이상으로 주행하는 철도로서, 국토교통부장관이 그 노선을 지정·고시하는 철도

① 고속 철도
② 광역 철도
③ 일반 철도
④ 도시 철도

212. 다음은 침매터널의 시공 순서를 나열한 것이다. ( )를 채우시오.

침매함제작 – (㉠) – (㉡) – (㉢) – 되메우기

	㉠	㉡	㉢
①	예인	기초, 준설	침설
②	예인	침설	기초, 준설
③	기초, 준설	예인	침설
④	침설	예인	기초, 준설

213. 상수도 시설의 취수, 도수, 정수시설의 용량을 정하는 기준이 되는 급수량은?
① 계획 1일 최대급수량
② 계획 1일 평균 급수량

③ 계획 시간 최대 급수량
④ 계획 시간 평균 급수량

214. 우리나라의 상수원수 1급에 해당하는 수질의 생물 화학적 산소 요구량 기준은 얼마인가?
① 1ppm 이하
② 2ppm 이하
③ 3ppm 이하
④ 6ppm 이하

215. 배수계통의 특징이 잘못 설명된 것은?
① 직각식 : 도시 내를 흐르는 하천 양안에 직각 방향으로 부설된 하수거에 의하여 하수를 배출한다.
② 차집식 : 하천 유량이 하수량을 배출하기에 충분하여 많은 수의 토출구를 필요로 하며 역류에 대비해야 하는 결점이 있다.
③ 다단식 : 높이가 다른 층을 이루는 도시에서 층별 하수를 모아서 처리하는 방식이다.
④ 방사식 : 중앙이 고지대인 지역에 적합하며, 여러 배수구역으로 나누어 각 분할 구역별로 배수와 하수를 처리하는 방식이다.

216. 관수로 흐름의 수두손실에 대한 설명으로 올바르지 않은 것은?
① 관흐름 단면의 급확대, 급축소로 인한 손실은 미소손실이다.
② 유입에 의한 입구 손실은 미소손실이다.
③ 미소손실은 에너지 손실이며 속도수두에 반비례한다.
④ 관마찰에 의한 손실은 주손실이다.

217. 하수관의 접합방법에 대한 설명으로 올바르지 않은 것은?
① 관정 접합은 유수는 원활히 되지만 굴착깊이가 증가하여 공사비가 증대된다.
② 관저 접합은 관의 내면 하부를 일치시키는 방법으로, 굴착깊이를 줄여 수위상승을 방지하고 양정고를 줄일 수 있다.
③ 관중심 접합은 관의 중심을 일치시키는 방법으로, 계획 하수량에 대응하는 수위의 산출이 반드시 필요하다.
④ 수면접합은 하수량에 대응하는 계획 수위를 일치시키는 방법이다.

218. 하천의 상류와 중·하류의 일반적인 특징을 비교한 표이다. 그 내용으로 옳은 것은?

하천의 구분	① 유량	② 하천 폭	③ 하천경사	④ 퇴적물의 입자크기
상류	많다	넓다	완만하다	크다
중·하류	적다	좁다	급하다	작다

219. 다음의 하천 지형도에 대한 설명으로 옳은 것은?

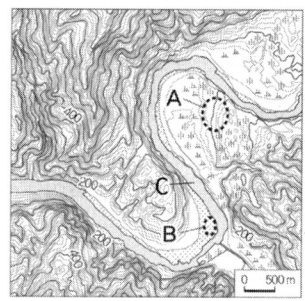

① A는 침수 가능성이 높다.
② B는 방어사면으로 유속이 느려 퇴적작용이 활발하다.
③ C는 자유 곡류 하천이다.
④ 하천의 중·하류지역에서 많이 볼 수 있다.

220. 해안지형과 관련한 용어의 설명으로 틀린 것은?
① 해안 사구 – 사빈의 모래가 바람에 날려 배후에 퇴적된 모래 언덕
② 석호 – 파랑과 연안류에 의해 퇴적되어 점점 자라난 사주가 만의 입구를 가로막으면

서 형성된 호수
③ 사빈 – 하천이 운반한 물질 또는 연안의 침식물질이 파랑과 연안류에 의해 해안에 퇴적된 지형
④ 간석지 – 강물이 바다로 들어가 바닷물과 서로 섞이는 곳

[실전문제 - 11] 정답 및 해설

번호	201	202	203	204	205	206	207	208	209	210
정답	④	④	③	③	②	③	③	②	②	④
번호	211	212	213	214	215	216	217	218	219	220
정답	①	③	①	①	②	③	③	④	②	④

202. ④ **부문별 계획** - 국토 전역을 대상으로 하여 특정 부문에 대한 장기적인 발전 방향을 제시하는 계획

203. ① 매매·교환·증여의 대상이 될 수 있다.
② 외국군의 통과 및 주류를 인정한다.
④ "할양"이 아니라, "**조차**"에 관한 설명임

205. **재정비 촉진사업** - 광역적으로 시행

206. **정비사업의 쉬운 암기방법**
 • 주거환경 개선사업 - 극히 열악, 과도하게 밀집
 • 주택 재개발 사업 - 열악, 밀집
 • 주택 재건축 사업 - 양호, 밀집
 • 도시 환경 정비 사업 - 상업, 공업지역의 상권활성화

208. ② **가도시화** - 도시 부양 능력이 도시 인구 집중보다 낮은 도시

209. ② 도로교통은 교통사고 발생율이 높으며 안전성이 적음

210. ①, ②, ③ 아스팔트 콘크리트 포장의 특징이다.

214. **하천수 수질기준**

등급	이용대상	BOD(ppm)
I	상수원수 1급, 자연환경보전	1이하
II	상수원수 2급, 수산용수1급, 수영용수	3이하
III	상수원수 3급, 수산용수2급, 공업용수 1급	6이하
IV	공업용수 2급, 농업용수	8이하
V	공업용수 3급, 생활환경보전	10이하

215. ② 직각식에 대한 특징이다.
 차집식
 ; 하수를 방류할 하천 유량이 하수량을 배출하기에는 부족하여 하천 오염이 심할 것으로 예상되는 경우에 설치하며, 간선 하수거로 흐르는 하수를 차집거에 모아 하수 종말 처리장으로 보내는 방법이다.

216. ③ 미소손실 또한 감속 또는 가속에서 발생하는 에너지 손실이며 속도 수두에 비례한다.
 ※ **미소손실**의 종류
 • 흐름 단면의 급 확대로 인한 손실
 • 흐름단면의 급 축소로 인한 손실

• 유입에 의한 입구 손실 등

217. ③ **관중심 접합**은 물리적으로 관의 중심을 맞추면 되므로, 계획 하수량에 대응하는 수위의 산출이 필요하지 않으며, 수면 접합에 준용되기도 한다.

218. ① 유량은 상류가 적고, 하류가 많다.
② 하천폭은 상류가 좁고, 하류가 넓다.
③ 하천경사는 상류가 급하고, 하류가 완만하다.

219. 그림의 내용은 하천의 중·상류의 감입곡류하천을 나타내는 것으로 볼 수 있다.
① A : **하안단구** - 침수가능성이 낮아 취락이나 교통로로 이용된다.
③ C : **감입곡류하천**이다.
④ 하천의 중 · 상류지역에서 많이 나타난다.

220. ④ "**기수역**"에 관한 설명이다.

실전문제 - 12

221. 다음 설명에 해당하는 것은?

- 산업 입지와 경제 활동을 위하여 민간 기업이 산업·연구·관광·레저·업무 등의 주된 기능과 주거·교육·의료·문화 등의 자족적 복합 기능을 고루 갖추도록 개발하는 도시

① 행정중심 복합 도시
② 기업 도시
③ 혁신 도시
④ 스마트 시티

222. 국토종합계획의 시대별 추진에 관한 설명으로 옳지 않은 것은?

① 제1차 국토종합개발계획은 거점 개발을 중점으로 두었고 SOC 시설을 확충하였다.
② 제2차 국토종합개발계획은 인구의 지방정착과 개발 가능성의 전국적 확대를 목표로 하였다.
③ 제3차 국토종합개발계획은 21세기 통합국토의 실현을 목표로 하였다.
④ 제4차 국토종합계획은 개방형 통합국토축을 형성하고 10대 광역권 개발을 하여 지역 균형 발전을 촉진시켰다.

223. 국토종합계획의 수립 및 승인 절차 중 옳지 않은 것은?

① 소관별 계획안 작성 및 제출
② 대통령 승인
③ 주민 공람 실시
④ 국무회의 심의

224. 다음의 설명에 해당하는 도시 공간 이론을 제안한 사람은?

도시는 도심을 중심으로 평면적 형태로 성장하는 중심적 성장과 철도·도로 등의 교통로의 축을 중심으로 한 축적 성장을 한다는 이론

① 버제스(E. W. Burgess)
② 허드(R. M. Hurd)
③ 호이트(H. Hoyt)
④ 해리스와 울만(C. D. Harris & E. L. Ullman)

225. 광역 도시 계획에 관한 설명으로 옳은 것은?

① 10년 내외를 기준으로 수립된다.
② 광역 계획권의 단기 발전방향을 제시한다.
③ 도시의 범위와 기능이 확산됨에 따라 여러 계획권으로 나누어 효율적으로 분담하여 관리하고자 한다.
④ 도시 계획의 위계상 최상위 계획이다.

226. 다음은 환지계획에 대한 설명이다. ( )안에 들어갈 알맞은 말은?

환지 방식에서는 도시 개발 사업에 필요한 경비에 충당하거나 특정한 목적을 위하여 일정한 토지를 환지로 정하지 않고, ( ) 또는 ( )로 정할 수 있다.

① 증환지, 감환지
② 감환지, 증환지
③ 입체환지, 보류지
④ 체비지, 보류지

227. 도시 교외지역은 정체되고 중심도시에 인구와 산업이 집중되어 급격히 팽창하는 현상은?

① 집중적 도시화
② 스프롤 현상
③ 역도시화
④ 연담도시화

228. 가도시화에 대한 설명으로 옳은 것은?
① 도시 부양능력이 도시 인구 집중보다 낮은 도시
② 도시화 수준이 산업화 수준보다 높은 도시
③ 도시화 구역이 도시 행정구역보다 작은 도시
④ 인구의 분산화에 따라 도시권 전체의 인구가 감소하기 시작하는 단계

229. 도로가 제공하는 2가지 기능의 배분과 도로기능에 따라 도로를 구분한 아래에서 A, B에 들어갈 내용이 모두 옳은 것은?

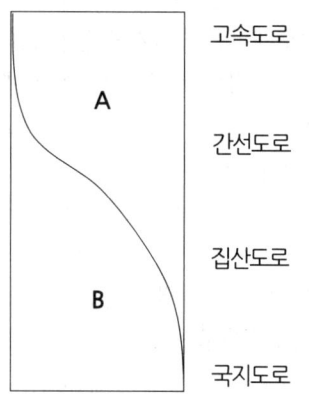

① A - 접근성, B - 이동성
② A - 이동성, B - 접근성
③ A - 효율성, B - 이동성
④ A - 접근성, B - 효율성

230. 장대 터널 철도 공사 시 유의해야 할 사항으로 올바르지 않은 것은?
① 근로 보건 관리 규정, 근로 안전 관리 규정 등 안전위생 대책을 수립하여 실시하고 총포 화약품 단속 법규를 준수한다.
② 지형, 지질, 단면, 공구 연장, 공정, 환경조건을 고려하여 시공법을 선정한다.
③ 공사규모, 시공방식, 환경조건, 지형, 기타 성능 등 조건에 따라 공사용 설비의 검토는 불필요 하다.
④ 환경 조건, 운반 조건, 공사 완료 후의 조치를 고려하여 사토장을 선정하여 운영한다.

231. 철도 구조물 시공 중, 교량공에 대한 설명으로 올바르지 않은 것은?
① 하천, 호수, 도로, 수로, 철도 등을 횡단하는 곳에 가설하는 구조물이다.
② 도로보다 중량물이 고속으로 주행하므로 안정성, 시공성, 내구성과 유지 보수가 경제적이어야 한다.
③ 강교, 철근 콘크리트교, 프리스트레스트 콘크리트교 등이 사용 된다.
④ 일반 철도교의 경우 HL하중, 고속철도교의 설계에는 LS하중을 사용한다.

232. 도로의 선형 설계 요소는 평면선형, 종단선형, 횡단요소로 나눌 수 있다. 다음 중 횡단요소 만으로 구성된 것은?
① 차로폭, 확폭
② 길어깨, 오르막차로
③ 중앙분리대, 측대
④ 편경사, 완화곡선 길이

233. 하수도 시설의 원칙적인 계획목표 연도는?
① 10년
② 20년
③ 30년
④ 50년

234. 물 상태별 생물학적 특성에 대한 설명으로 틀린 것은?
① 매우좋음~좋음 : 유속이 빠르며 산천어, 열목어 등이 산다.
② 좋음~보통 : 바닥이 주로 자갈과 모래이며 쉬리, 은어 등이 산다.
③ 보통~약간나쁨 : 부착조류가 갈색을 띠며 피라미, 끄리가 산다.
④ 약간 나쁨~매우나쁨 : 유속이 느린 편이고

메기, 붕어 등이 산다.

235. 하수도의 구성요소로 볼 수 없는 것은?
① 집배수(관거)시설
② 하수처리시설
③ 방류 시설
④ 정수 시설

236. 도수 및 송수관로의 노선 결정 시에 고려할 사항이 아닌 것은?
① 가급적 최단거리로 결정하여야 한다.
② 급격한 굴곡을 피하여야 한다.
③ 이상수압을 받지 않도록 해야 한다.
④ 마찰 손실 수두가 최대가 되도록 해야 한다.

237. 하수관거의 관정부식을 일으키는 주된 원인 물질은 무엇인가?
① 질소(N) 화합물
② 황(S) 화합물
③ 염소(Cl) 화합물
④ 칼슘(Ca) 화합물

238. 다음 현상이 설명하는 해안 지형의 형성 요인은 무엇인가?

> 달과 태양의 인력으로 생기는 해수면의 상승과 하강으로, 육지 쪽으로 들어오는 밀물과 바다 쪽으로 나가는 썰물은 하루에 두 번씩 반복된다. 이 현상에 의한 바닷물의 수평적 흐름으로 밀물 때에는 육지 쪽으로, 썰물 때에는 바다 쪽으로 천천히 흐르면서 갯벌과 같은 해안 지형이 형성된다.

① 파랑
② 연안류
③ 조석
④ 조류

239. 다음은 하천을 이용하는 방법에 대한 설명이다. ㉠, ㉡이 설명하는 것은 각각 무엇인가?

> ㉠ 하천 흐름의 원활한 소통을 유지시키고 제내지를 보호하기 위하여 하천을 따라 흙으로 축조한 구조물
> ㉡ 제방 보호 및 하천의 경관과 생태 환경의 보전 측면을 고려한 하안 전면부에 설치하는 구조물

	㉠	㉡
①	보	수제
②	보	호안
③	제방	수제
④	제방	호안

240. 우리나라 하천과 해안의 특징으로 옳은 것은?
① 동고서저의 구조로 이루어져 있으며, 유역 면적 대비 하천의 길이가 짧고 하천의 밀도가 낮다.
② 대표적인 우리나라 10대 하천 중 유역 내 강수량이 가장 많은 곳은 낙동강이고, 유역별 하천의 수는 섬진강이 가장 많다.
③ 서·남해안으로 뻗은 산맥은 1차 산맥으로 남-북 방향으로 발달하였다.
④ 동해안은 해안선이 단조롭고 조차가 작으며 사빈과 석호가 잘 발달한다.

[실전문제 - 12] 정답 및 해설

번호	221	222	223	224	225	226	227	228	229	230
정답	②	③	③	②	④	④	①	①	②	③
번호	231	232	233	234	235	236	237	238	239	240
정답	④	③	②	③	④	④	②	④	③	④

222. ③ 제4차 국토종합계획에 해당하는 내용임

223. ③ 공청회를 통하여 국민 및 관계 전문가 등으로부터 의견을 수렴한다.

224. **중심적 축적 성장 이론**에 대한 내용 - 허드(R. M. Hurd)
    - 버제스(E. W. Burgess) - 동심원 이론
    - 호이트(H. Hoyt) - 부채꼴 이론
    - 해리스와 울만(C. D. Harris & E. L. Ullman) - 다핵심 이론

225. ① 20년 내외를 기준으로 수립되는 장기계획
    ② 장기발전 방향을 제시
    ③ 도시의 범위와 기능이 확산됨에 따라 이들 지역을 하나의 계획권으로 묶어 효율적으로 관리함으로써 무질서한 도시 확산을 방지하고자 한다.

227. **집중적 도시화** - 선진국의 도시화 현상
    ② 과승 도시화
    ③ 간접 도시화
    ④ 역도시화

229.

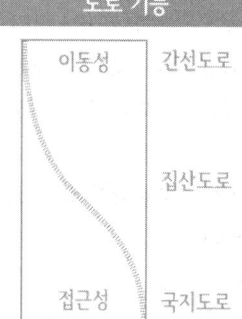

230. ③ 공사 규모, 시공방식, 환경조건, 지형, 가능성에 따라 공사용 설비를 검토하여야 한다.

231. ④ 일반철도교 설계의 경우 LS 하중, 고속철도교 설계의 경우 HL하중을 사용한다.

232. • 도로의 횡단요소
    - 차로폭, 길어깨, 중앙분리대, 측대, 편경사 등
    • 종단선형
    - 종단경사, 종단곡선변화율, 오르막차로, 종단곡선길이 등
    • 평면선형
    - 평면곡선반지름, 평면곡선길이, 완화곡선길이, 확폭 등

234. ③ 부착조류가 녹색을 띰

235. ④ 정수시설은 상수도의 구성요소임

236. **송수노선의 결정**
　　④ 마찰에 대한 손실이 최소가 되도록 하여야 한다.

237. **관정부식의 과정**
　　; 하수의 혐기성 상태(용존산소 결핍)로 인해 황화수소 가스 발생
　　- 가스가 공기 중의 산소와 결합하여 황산이 됨
　　- 황산이 관 상부 콘크리트를 부식시킴

240. ① 유역 면적 대비 하천의 길이가 길고, 하천의 밀도도 높다.
　　② 유역 내 강수량이 가장 많은 곳은 섬진강이고, 유역별 하천의 수가 가장 많은 강은 낙동강이다.
　　③ 서·남해안으로 뻗은 산맥은 2차 산맥으로 지질구조선의 영향을 받아 동-서 방향으로 발달하였다.

실전문제 - 13

241. 국토종합계획의 시대별 목표에 대한 연결로 올바르지 않은 것은?
① 제1차 국토종합개발계획 – 고도경제성장을 위한 기반시설 조성
② 제2차 국토종합개발계획 – 인구의 지방 정착과 생활환경 개선
③ 제3차 국토종합개발계획 – 개발과 보전의 조화, 복지향상
④ 제4차 국토종합계획수정계획(2011~2020) – 연대와 협력을 통한 유연한 스마트 국토 구현

242. 우리 국토의 자연 및 인문사회적 환경에 대한 설명으로 옳은 것은?
① 계절에 따른 강수량의 변화가 커서 수력 발전과 각종 용수 공급에 상당히 유리하다.
② 남해는 해저 지형이 비교적 평탄하고 조차가 매우 커서 곳곳에 넓은 간석지가 형성되어 있다.
③ 고령자 가구 및 1인 가구와 다문화 가구가 계속 증가하는 가운데 생산 가능 인구도 점차 증가하고 있다.
④ 도시화와 산업화에 따른 인구의 도시권 유입으로 공장용지와 대지는 증가하며 전답은 감소 추세에 있다.

243. 다음 설명에 해당하는 것은?

- 1987년 '환경과 개발에 관한 세계 위원회'의 "우리 공동의 미래"라는 보고서에 처음 등장한 용어로, 미래 세대가 그들의 필요를 충족시킬 수 있는 가능성을 손상시키지 않는 범위에서 현재 세대의 필요를 충족시키는 발전이라고 정의한 개념

① 참여와 분권
② 지속가능한 발전
③ 사회발전과 통합
④ 포괄적 경제 동반자

244. 다음 중 "국토의 계획 및 이용에 관한 법률" 상 용도구역의 종류에 해당하지 않는 것은?
① 개발 제한 구역
② 해양 자원 보호 구역
③ 입지 규제 최소 구역
④ 도시 자연 공원 구역

245. 우리나라의 도시계획에 대한 설명으로 옳지 않은 것은?
① 도시관리계획은 중기계획으로, 구체적 계획 및 구속력을 가지고 있다.
② 도시기본계획에서는 매 5년마다 타당성을 검토한다.
③ 도시관리계획은 지형도면을 고시하며 30일간 일반인에게 열람한다.
④ 광역도시계획은 국가계획과 관련된 경우에는 국토교통부장관, 그 밖에는 시도지사, 시장 또는 군수가 수립하게 된다.

246. 도시개발사업의 시행방식에 대한 설명으로 옳은 것은?
① 환지방식은 토지매입을 위한 초기 비용이 과다하고 매수반대로 사업기간이 장기화될 수 있다.
② 환지방식은 사업성을 이유로 기반시설공급이 부족하거나 지가 상승 및 개발이익이 사유화될 수 있다.
③ 수용 및 사용방식과 환지방식은 혼용할 수 없다.
④ 수용 및 사용방식은 사업을 위한 용지매입이 불필요하고 토지소유자의 재정착이 가능하다.

247. 다음 중 개발도상국의 도시화 현상으로 옳지 않은 것은?
① 과승도시화
② 과도시화
③ 종주도시의 도시화
④ 집중적 도시화

248. 뉴어버니즘의 특징 중 틀린 것은?
① 보행자 편의
② 대중교통 발달
③ 교외확산 지향
④ 특색을 살린 건축

249. 도로법에 의한 분류 중 옳은 것은?
① 지방도 : 시청 소재지에서 구청 소재지에 이르는 도로
② 일반국도 : 고속도로와 보조 간선도로를 연결
③ 특별시도, 광역시도 : 인구 백만 이상의 대도시 내의 도로
④ 집산도로 : 간선도로와 국지도로 사이의 교통을 처리하며 인접토지에 직접 접근하지 못하는 도로

250. 굴착전 터널 천단부에 종방향으로 설치하여 굴착 천단부의 안정을 도모하는 것은?
① 라이닝공
② 인버트 시공
③ 훠폴링
④ 선진도갱

251. 도로 시공시 고려해야 할 사항으로 옳지 않은 것은?
① 계획된 도로의 기능에 적합한 횡단면을 구성하여야 한다.
② 인접 지역의 토지 이용 실태 및 계획을 충분히 감안해야 한다.
③ 도로의 횡단 구성 표준화를 도모해야 한다.
④ 도로의 기능 규모 중요도 등에 따라 토공에 적용하는 기준을 일률적으로 적용해야 한다.

252. 철도의 단점으로 옳지 않은 것은?
① 충분한 교통량이 확보되지 않으면 투자 및 운영의 경직성이 커서 운영이 어렵다.
② 시설을 독점적으로 사용하며 거대한 자본을 소요한다.
③ 문전 접근성이 좋으며 최종수요처까지 바로 연결 된다.
④ 진동문제가 발생할 수 있으며, 윤활유나 제초제등의 사용으로 토양오염이 심화될 수 있다.

253. 다음 설명의 밑줄친 ㉠, ㉡에 해당하는 급수량의 종류로 올바르게 연결된 것은?

> 급수량은 사용목적에 따라 가정용수, 영업용수, 공업용수, 공공용수, 소화용수, 불명수량으로 분류한다.
> ㉠화재의 진압에 사용하는 물은 도시의 성격, 소방시설, 인구밀도, 내화성 건축물의 비율, 기상조건 등을 기준으로 한다.
> 배수관이나 급수관의 접합부분 등이 시공 불량, ㉡관내 수압 상승으로 인해 누수가 생긴다.

	㉠	㉡
①	공공용수	소화용수
②	공공용수	불명수량
③	소화용수	공공용수
④	소화용수	불명수량

254. 수질검사에 대한 내용으로 올바르지 않은 것은?
① 물리적 검사는 외관, 탁도, 색도, 맛, 냄새 등으로 판별한다.
② 탁도는 백도토 1mg이 증류수 1L에 포함되

어 있을 때의 탁도를 1도(1ppm)이라고 하며, 우리나라 기준은 3도 이하이다.
③ 색도는 백금 1mg을 포함한 색도 표준액을 증류수 1L에 용해시켰을 때의 색상을 1도라 하며, 우리나라 기준은 5도 이하이다.
④ 경도는 물속의 칼슘(Ca), 마그네슘(Mg)의 이온량을 이에 대응하는 탄산칼슘의 ppm으로 환산하여 표시한 값이다.

255. 하수원수 20L를, 증발 건조시킨 후 열을 가하여 태워서 최종 남은 물질의 질량이 0.4g 이었다. 이때 작열잔유물의 농도는?
① 10ppm
② 20ppm
③ 40ppm
④ 200ppm

256. 송수관로의 시공에 대한 설명으로 올바르지 않은 것은?
① 관의 내경 1,000mm 이상의 관은 흙덮기 150cm 이상이어야 한다.
② 한랭지에서는 동결깊이보다 20cm 이상 깊게 매설한다.
③ 송수관로의 시점과 종점에 양수정을 설치하여, 두 지점의 유량을 비교하여 관로의 고장이나 누수 등을 판단할 수 있다.
④ 관로의 수압을 경감시키기 위해 맨홀을 설치한다.

257. 하수처리 시설공사의 순서를 올바르게 나열한 것은?
① 침사지 → 최초침전지 → 포기조 → 최종침전지 → 방류
② 침사지 → 포기조 → 최조침전지 → 방류 → 최종침전지
③ 최초침전지 → 침사지 → 포기조 → 최종침전지 → 방류
④ 최초침전지 → 침사지 → 포기조 → 방류 → 최종침전지

258. 다음 중 해안 퇴적 지형에 해당하지 않는 것은?
① 사빈
② 해안 사구
③ 사취, 사주, 육계도
④ 파식대

259. 수역시설 중 정박지로 적절하지 않은 것은?
① 수면은 항상 정온해야 한다.
② 안전을 위해 수심이 얕아야 한다.
③ 바람 등의 외력을 방파제로 차단하는 경우가 많다.
④ 해저 지질은 선박의 닻이 걸리는 데 적합해야 한다.

260. 다음 설명에 해당하는 하천 구조물은?

- 하천 흐름의 원활한 소통을 유지시키고 제내지를 보호하기 위하여 하천을 따라 흙으로 축조한 공작물

① 호안
② 수제
③ 제방
④ 보

[실전문제 - 13] 정답 및 해설

번호	241	242	243	244	245	246	247	248	249	250
정답	④	④	②	②	③	②	④	③	③	③
번호	251	252	253	254	255	256	257	258	259	260
정답	④	③	④	②	②	④	①	④	②	③

241. ④ 제5차 국토종합계획의 내용에 해당

242. ① 계절에 따른 강수량의 변화가 크므로, 수력발전과 각종 용수 공급에 불리하다.
② 서해는 연안의 해저 지형이 비교적 평탄하고 조차가 매우 커서 곳곳에 넓은 간석지가 형성되어 있다.
③ 2017년부터 생산 가능 인구(15~64세 인구)는 실질적 감소세로 전환되었다.

244. **용도구역**의 종류
- 개발제한구역
- 도시자연공원구역
- 시가화 조정구역
- 수산자원보호구역
- 입지규제최소구역

245. ③ 도시관리계획은 지형도면고시를 함과 동시에 도시 관리 계획 결정의 효력이 발생하게 된다(고시 기간이 따로 정해져 있는 것이 아님).

246. ① 수용 및 사용방식에 관한 설명임
③ 수용 및 사용방식과 환지방식은 혼용가능함
④ 환지방식에 관한 설명임

247. **집중적 도시화**
; 도시 교외 지역은 정체되고 중심 도시에 인구와 산업이 집중되어 급격히 팽창하는 현상으로 선진국의 도시화 현상임

248. ③ 교외로의 확산을 지양함

249. ① 지방도 - 도청소재지에서 군청소재지에 이르는 도로
② 주간선도로를 의미하며 도로의 기능별 분류에 해당
④ 집산도로는 도로의 기능별 분류에 해당. 인접토지에 직접 접근하게 함

250. **휘폴링**
일시적 지보재로서 굴착 전 터널 천단부에 종방향으로 설치하여 굴착 천단부의 안정을 도모하여 막장 전반의 지반보호 및 느슨함을 방지함

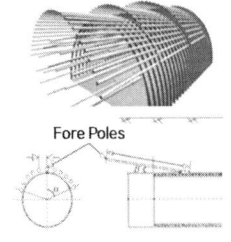

- **천단보강공법**으로는 훠폴링, 파이프루프, 강관 다단 그라우팅, 대구경 강관보강 그라우팅 공법 등이 있다.

251. ④ 도로의 기능, 규모, 중요도 등에 따라 토공에 적용하는 기준을 일률적으로 적용하는 것보다는 도로의 특성에 적합한 기준을 따르며 시공한다.

252. ③ 철도는 정해진 철로와 역에서만 정차가 가능하므로, 문전 접근성이 나쁘며 특히, 화물의 경우 최종 수요처까지 다른 교통수단에 의한 연계가 필수적이다.

254. ② 우리나라 탁도의 기준은 2도 이하이다.

255. **작열 잔유물의 농도**

$$\frac{0.4 \times 1000mg}{20l} = \frac{400mg}{20l} = 20\,ppm$$

256. ④ 관로의 수압을 경감시키기 위해서는 **접합정**을 설치한다.
 - **맨홀**은 관거내부의 점검 및 보수, 청소를 하기 위한 사람의 출입 목적으로 설치

258. ④ **파식대**는 파랑에 의한 해안 침식 지형이다.

259. ② **정박지**는 선박이 정박하여 하역을 하고 대기할 수 있는 수역으로 정박지는 항상 안전하게 정박 또는 하역할 수 있도록 바람 등의 외력을 방파제에 의해 차단하는 경우가 많다. 또한, 선박이 안전하게 정박할 수 있도록 충분한 수심을 유지하여야 한다.

실전문제 - 14

261. 다음 설명에 해당하는 것은?

- 첨단 정보통신기술(ICT)을 활용하여 도시 생활 속에서 유발되는 교통 문제, 환경 문제, 주거 문제, 비효율적인 시설 문제 등을 해결하여 시민들이 편리하고 쾌적한 삶을 누릴 수 있는 도시

① 기업 도시
② 행복 도시
③ 혁신 도시
④ 스마트 시티

262. 품격있고 환경 친화적인 공간 창출을 위한 방안으로 부적절한 것은?

① 바람길과 수직한 방향으로 판상형 건물을 배치하여 신선한 공기의 유입을 유도한다.
② 도시 미기후 분석과 도시녹화 사업 등을 통하여 도심 열섬, 미세먼지 등에 대응한 공간계획을 강화한다.
③ 바람 통로의 확보가 가능한 타워형 건물을 배치하여 미세먼지 확산 배출이 가능하도록 한다.
④ 미세먼지 저감을 위한 배출원 관리를 강화하며, 중국 등 인접국과의 미세먼지 관리를 위한 공조체계를 구축한다.

263. 우리나라 국토계획에 대한 설명으로 적절한 것은?

① 부문별 계획은 국토전역을 대상으로 하여 특정부문에 대한 장기적인 발전 방향을 제시하는 계획으로, 국토종합계획과 서로 상반되기도 한다.
② 최상위 국가 공간 계획인 국토종합계획안은 대통령이 직접 조정 총괄하여 수립한다.
③ 국토종합계획은 사회적 경제적 변화 여건을 고려하여 20년마다 국토종합계획을 전반적으로 재검토하고 필요하면 정비하여야 한다.
④ 수도권 정비계획은 국토종합계획 및 군사적 사항 이외의 모든 도시계획에 우선한다.

264. 현재 연도의 상주인구가 10만명이고 연평균 인구 증가율이 20%일 때, 등비급수법을 활용하여 3년 후의 추정인구는?

① 160,000 명
② 172,800 명
③ 320,000 명
④ 345,600 명

265. "도시 및 주거환경 정비법"에 따른 정비 사업에 해당하지 않는 것은?

① 주택 재건축 사업
② 주거 환경 개선사업
③ 재정비 촉진 사업
④ 주택 재개발 사업

266. 도시개발사업에 대한 설명 중 올바르지 않은 것은?

① 도시개발구역안에서 주거·상업·유통·정보통신·생태·문화·보건 및 복지 등의 기능을 가지는 단지 또는 시가지를 조성하기 위하여 시행하는 사업으로 도시계획법을 따른다.
② 도시개발을 위한 각종 절차와 인구수용계획, 토지이용계획, 교통처리계획, 환경보전계획, 기반시설계획 등 부문별 계획 내용이 포함되어야 한다.
③ 수용 또는 사용방식에서 시행자는 사업토지대상 면적의 3분의 2 이상에 해당하는 토지를 소유하고, 소유자 총수의 2분의 1

이상의 동의를 얻어야 한다.
④ 도시개발사업을 하려는 땅이 주변 땅보다 토지가격이 높은 경우 수용 또는 사용 방식보다 환지방식을 활용하는 것이 적합하다.

267. 미래의 도시 모델로 옳지 않은 것은?
① 생산적인 활동 여건 구비
② 복지 사회 체계 확립
③ 중앙정부의 기능 및 역할이 강화된 도시
④ 건전한 삶의 공간을 창조하는 도시

268. 도시의 주요 기능을 중심부에 밀집한 고밀도 도시 계획 모델은?
① 기업도시
② 중심도시
③ 뉴어버니즘
④ 압축도시

269. 도로의 기능별 분류의 주간선도로에 해당하는 도로의 종류를 다음에서 모두 고르면?

| ㄱ) 일반국도 ㄴ) 특별시도·광역시도 |
| ㄷ) 지방도 ㄹ) 시도 ㅁ) 군도 |

① ㄱ, ㄴ
② ㄴ, ㄷ
③ ㄷ, ㄹ
④ ㄹ, ㅁ

270. 터널 굴착시 변위 과다 발생의 대응 방안으로 적절하지 못한 것은?
① 숏크리트 등 보강 실시
② 상하반 벤치장 조성
③ 강지보재 추가 설치
④ 신속하고 연속적인 추가 발파

271. 시멘트 콘크리트 포장의 보수공법이 아닌 것은?
① 다이아몬드 그라인딩
② 부착형 덧씌우기
③ 그루빙
④ 패칭

272. 다음 중 도로 환경 시설에 해당하는 것이 아닌 것은?
① 도로 조명 시설
② 방음 시설
③ 비점 오염 저감시설
④ 세륜, 세차 시설

273. 하수도 계획에 대한 설명으로 바르지 않은 것은?
① 오수 관거의 계획 하수량은 계획 시간 최대 오수량으로 한다.
② 간선 관거는 1시간 당 유량의 25%를 증가시킨 양을 계획 시간 최대 오수량으로 한다.
③ 오수관거의 최대유속은 3.0m/s를 표준으로 한다.
④ 우수관거 및 합류식 관거의 최소 유속은 0.6m/s를 표준으로 한다.

274. 일반 정수 후 오존 처리 등 고도의 정수 처리 과정을 거쳐야 식수로 사용 가능한 수질은?
① 2급수
② 3급수
③ 4급수
④ 5급수

275. 분류식 하수 배제 방식에 대한 특징으로 가장 옳은 것은?
① 공공하수와 시설하수의 연결이 용이하다.
② 우수에 의한 오수의 희석배율이 크다.
③ 홍수시에 관로용량이 부족할 때 우수토실을 통해 하천으로 직접 방류한다.
④ 강우 발생 초기의 오염도가 높은 노면 배수가 직접 공공수역으로 방류된다.

276. 정수장에서 가장 널리 활용되고 있는 정수방식인 급속여과 시스템의 5단계 과정으로 가장 올바른 것은?

① 혼화 → 플록형성 → 침전 → 살균 → 급속여과
② 플록형성 → 혼화 → 침전 → 살균 → 급속여과
③ 혼화 → 플록형성 → 침전 → 급속여과 → 살균
④ 플록형성 → 혼화 → 침전 → 급속여과 → 살균

277. 슬러지 처리 시설 공사의 순서로 가장 올바른 것은?

① 슬러지 → 농축 → 개량 → 소화 → 탈수 → 소각 → 최종처분
② 슬러지 → 농축 → 소화 → 개량 → 탈수 → 소각 → 최종처분
③ 슬러지 → 소화 → 농축 → 탈수 → 소각 → 개량 → 최종처분
④ 슬러지 → 소화 → 개량 → 탈수 → 개량 → 소각 → 최종처분

278. 하천의 유역 특성인자에 대해 올바르게 설명한 것은?

① 수계빈도는 유역내 총 하천 수를 유역면적으로 나눈 값으로 단위면적당 하천수를 말한다.
② 하천밀도는 하천의 유역면적을 하천의 총 연장으로 나눈값으로 단위면적당 하천길이를 말한다.
③ 형상계수는 유역면적을 하천 본류의 길이로 나눈 값으로 유역의 형상을 나타낸다.
④ 하상계수의 값이 클수록 하천의 유량변화가 작다는 것을 의미한다.

279. 다음 설명의 밑줄에 해당하는 하천의 기능과 동일한 것은?

> 하천의 기능에는 대표적으로 치수기능, 이수기능, 친수기능이 있다. 예를 들어, 하천은 도시화와 산업화에 따른 오·폐수 등 수질관리를 하는 기능을 한다.

① 생활용수, 농업용수, 공업 용수 등의 취수의 기능
② 호우 시 홍수 범람의 위험 등 수해를 줄이는 기능
③ 수변경관과 휴식, 관광, 여가 등 즐길 수 있는 기능
④ 수력발전이나 주운을 이용한 교통로의 기능

280. 다음 설명의 밑줄 부분에 해당하는 것은?

> 해식애가 육지 쪽으로 후퇴하는 과정에서 암석의 특성에 따라 차별침식이 일어난다. 침식에 약한 부분은 힘없이 깎여 나가고 침식에 강한 부분은 남아 형성된 작은 바위섬으로 남게 된다.

① 파식대
② 시 스택
③ 해식애
④ 시아치

[실전문제 - 14] 정답 및 해설

번호	261	262	263	264	265	266	267	268	269	270
정답	④	①	④	②	③	①	③	④	①	④
번호	271	272	273	274	275	276	277	278	279	280
정답	④	①	④	②	④	③	②	①	②	②

262. ① 바람길과 수직 방향으로 판상형 건물의 배치에 따른 결과로 미세먼지의 정체현상이 있음

263. ① 부문별 계획은 국토종합계획과 조화를 이루어야 한다.
② 국토종합계획(안)의 수립은 국토교통부장관이 수행한다.
③ 5년마다 재검토하고, 정비하여야 한다.

264. **등비급수법에 의한 인구추정**
- $P_n = P_0(1+r)^n$ 이므로,

인구(추정) $= 10만 \times (1+0.2)^3$
$= 10만 \times 1.728$
$= 172,800$

이므로, 추정인구는 약 172,800명이다.

265. **재정비 촉진 사업**
- "도시 재정비촉진을 위한 특별법"에 따름

266. ① "**도시개발사업**"이란 도시개발구역에서 주거, 상업, 산업, 유통, 정보통신, 생태, 문화, 보건 및 복지 등의 기능이 있는 단지 또는 시가지를 조성하기 위하여 시행하는 사업을 말한다.(도시개발법 제2조)

267. ③ 중앙정부의 기능과 역할을 강화하기보다는, 민주적인 지방자치단체로서의 기능과 역할을 충실히 수행하는 도시가 바람직할 것임. 지역이 주도하고 중앙정부가 지원하는 형태

268. **압축도시**
; 토지 이용의 집적을 통해 토지의 이용 가치를 높이기 위해 나온 개발 방식이다. 이는 대중교통 중심지를 대상으로 주거, 상업, 업무, 숙박 등 상호 지원하는 여러 가지 용도를 서로의 기능을 해치지 않으면서 물리적, 기능적으로 보완하여 시너지 효과를 이끌어 내도록 하는 것이다.

269. **일반도로의 기능별 분류**

일반도로의 기능별 분류	도로법에 따른 분류
주간선도로	일반국도, 특별시도·광역시도, (고속국도*)
보조간선도로	일반국도, 특별시도·광역시도, 지방도, 시도
집산도로	지방도, 시도, 군도, 구도
국지도로	군도, 구도

※ 단, 고속국도* 는 일반도로에 해당하지 않음

270. ④ 굴착작업 중지 및 신속한 폐합, 상하반 벤치장 조성, 숏크리트 등 보강의 실시

271. ④ **패칭**은 아스팔트 콘크리트의 보수 공법임 - 파손부분과 주위 불량 부분을 절삭기를 이용하여 직사각형으로 절삭한 후 걷어내고 측면과 저면에 택코트를 실시한 후에 혼합물 포설

272. ① 도로 조명시설은 **도로부대시설**에 해당한다.

273. ④ **우수관거 및 합류식 관거**의 최소유속은 0.8m/s를 표준으로 한다.

274. • 1급수 - 소독하지 않고 간단한 여과 장치만으로 식수로 사용
• 2급수 - 침전 여과 및 염소 소독 등 일반 정수 처리를 거쳐 수돗물로 사용
• **3급수** - 일반 정수 후, 오존 처리등 고도의 정수과정을 거쳐야 식수로 사용
• 4급수, 5급수 - 공업 용수나 농업 용수로 사용

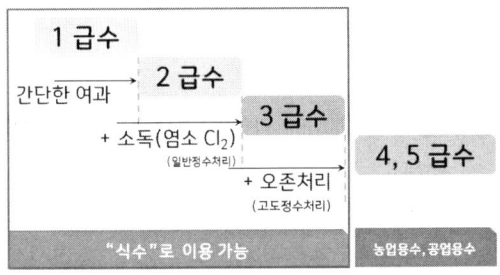

275. ①, ②, ③ 은 합류식 하수도의 특징임

276. • 혼화 - 투입한 약품(응집제)을 잘 섞어줌
• 플록형성 - 응집 및 응결되어 덩어리 형성
• 침전 - 무거워진 덩어리가 침전됨
• 급속여과 - 어느 정도 맑아진 상등수를 여과시킴
• 살균소독 - 병원균 사멸 및 잔류효과 등

278. ② 하천밀도 - 하천의 총연장(본류+지류)을 유역면적으로 나눈 값. 단위면적당 하천길이를 나타냄
③ 형상계수 - 유역면적을 하천본류길이의 제곱으로 나눈 값.
④ 하상계수가 클수록 하천의 유량변화가 크다는 것을 의미

279. 제시된 설명은 치수기능에 해당한다.
① 이수 기능
③ 친수 기능
④ 이수 기능

실전문제 - 15

281. 제5차 국토종합계획에 나타난 지역 산업 혁신 방안으로 올바르지 않은 것은?

① 지역 신산업을 육성하기 위해, 일관성 있는 정부의 규제를 통하여 국가 맞춤형 산업 생태계를 구축한다.
② 중앙이 주도하는 국가 산업단지 정책에서, 지역주도의 혁신형 일자리 창출을 위한 산업단지정책으로 전환한다.
③ 지역 균형 발전을 선도하기 위해, 국가 혁신 클러스터를 성장거점으로 활용한다.
④ 노후산업단지를 재생하고 구조고도화를 추진하기 위해, 부족한 산업지원시설과 주차장 등 기반시설을 고밀도로 복합개발하여 혁신거점으로 조성한다.

282. 우리나라 국토종합계획의 추진 배경에 대한 아래 내용에서 ㉠~㉣에 들어갈 말을 순서대로 나열한 것은?

구분	계획 수립의 배경
(㉠)국토종합(개발)계획	국력의 신장과 공업화 추진
(㉡)국토종합(개발)계획	인구감소와 저성장시대로의 전환에 대비한 혁신적 국토 운영 전략 필요
(㉢)국토종합(개발)계획	국민 생활 환경의 개선과 수도권의 과밀 완화
(㉣)국토종합(개발)계획	21세기 여건 변화에 주도적으로 대응

① ㉠ 제1차 ㉡ 제5차 ㉢ 제2차 ㉣ 제4차
② ㉠ 제1차 ㉡ 제4차 ㉢ 제3차 ㉣ 제5차
③ ㉠ 제1차 ㉡ 제5차 ㉢ 제4차 ㉣ 제3차
④ ㉠ 제2차 ㉡ 제4차 ㉢ 제1차 ㉣ 제3차

283. 다음 설명에 해당하는 것은?

• 사람들의 일상생활에 필요한 필수 인프라로 국민 생활 편익 증진 시설 및 삶의 기본 전제가 되는 안전시설 등을 말한다. 즉 사람들이 먹고, 자고, 자녀를 키우고, 노인을 부양하고, 일하고 쉬는 등 일상생활에 필요한 인프라와 삶의 기본 전제가 되는 안전시설을 뜻한다.

① 사회간접자본
② 생활 SOC
③ 녹색 인프라
④ 서비스 레지던스

284. 도시·군 계획에 관한 설명으로 가장 올바른 것은?

① 도시·군 기본계획의 입안권자는 특별시장, 특별자치시장, 특별자치도지사, 광역시장, 시장 또는 군수가 한다.
② 도시·군 기본 계획은 특별시, 광역시, 시 또는 군만의 제반 기능이 조화를 이루고 당해 시군의 지속가능한 발전을 도모하기 위한 법정 계획이다.
③ 도시·군 기본 계획은 국토종합계획, 도종합계획, 광역도시계획 등 상위 계획의 내용을 수용하고 도시군관리계획의 지침적 계획으로서의 지위를 갖는다.
④ 도시·군 관리 계획의 목표연도는 장래의 5년을 기준으로 하고, 연도의 끝자리는 0년 또는 5년으로 한다.

285. 도시관리계획 수립시, 그 절차에 해당하지 않는 것은?

① 관계 행정기관 협의
② 지방도시계획 위원회 심의
③ 지역주민 및 관계전문가 대상 공청회 개최
④ 지형도면고시

286. 다음은 도시개발 구역의 지정권자가 환지방식의 도시개발 사업에 대한 개발계획을 수립하고자 할 때의 동의 요건 기준이다. 다음 내용의 빈칸에 들어갈 올바른 내용은?

> 적용되는 지역의 토지면적의 (㉠)이상에 해당하는 토지소유자와 그 지역 토지소유자 총수의 (㉡)이상의 동의를 얻어야 한다.

   ㉠ ㉡
① $\frac{1}{2}$, $\frac{1}{2}$
② $\frac{1}{2}$, $\frac{2}{3}$
③ $\frac{2}{3}$, $\frac{1}{2}$
④ $\frac{2}{3}$, $\frac{2}{3}$

287. 우리나라 도시화 특징 중 올바르지 않은 것은?
① 도시화가 경제 발전과 밀접하게 진행되었다.
② 도시화에 따른 사회계층의 이동이 있었으며, 도시행정의 서비스 공급 체계는 변화하는 도시환경에 적절히 대응해 왔다.
③ 도시인구의 증가가 초기에는 서울을 중심으로 진행되었다.
④ 정부의 경제 및 지역개발 정책의 영향으로 도시 정주 체계 및 도시의 순위에 영향을 주었다.

288. 공식적 도시경제에 편입되지 못한채 도시 경제의 잉여나 찌꺼기에 기생하면서 살아가야 하는 상황에 만연한 도시화, 인구적으로 비대화 되는 도시화를 말하는 것은?
① 가 도시화
② 역 도시화
③ 종주도시의 도시화
④ 고도 도시화

289. 철도와 관련된 용어의 내용이 잘못된 것은?
① 궤간 : 레일의 윗면으로부터 14mm아래 지점에서 양쪽 레일 안쪽 간의 가장 짧은 거리
② 수평틀림 : 좌우 레일 높이면의 차이를 말하며, 고저차로 표시
③ 슬랙 : 차량이 곡선구간을 원활하게 운행할 수 있도록 안쪽 레일을 기준으로 바깥쪽 레일을 높게 부설하는 것
④ 시공기면폭 : 노반의 한쪽 비탈머리에서 다른 쪽 비탈머리까지의 수평거리

290. 다음 내용에 해당하는 터널의 굴착 공법은?

> • 단면이 큰 터널을 좌우로 분할하는 공법
> • 하반의 지반 조건이 양호하고 상반 지반 조건이 좋지 않은 경우에 지반이 내려 앉는 것을 최대한 방지하기 위해 사용

① 중벽분할 굴착(CD굴착)
② 선진 도갱 굴착
③ 전단면 굴착
④ 상, 하 반단면 굴착

291. 각 도로의 접근성과 이동성의 관계를 나타낸 아래 그림에서 각 구간 ⓐ~ⓓ에 해당하는 기능별 도로의 종류가 모두 옳은 것은?

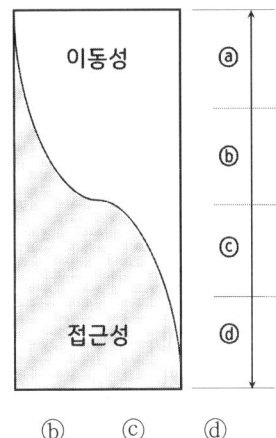

   ⓐ   ⓑ   ⓒ   ⓓ
① 고속도로, 국지도로, 간선도로, 집산도로
② 고속도로, 간선도로, 집산도로, 국지도로

③ 국지도로, 집산도로, 고속도로, 간선도로
④ 국지도로, 집산도로, 간선도로, 고속도로

292. 다음 중 철도시공에 대한 설명으로 옳지 않은 것은?
① 침목은 레일의 간격을 유지시키며, 충격을 노반으로 분산시키는 역할을 한다.
② 노반은 중심부를 높게, 양쪽을 약간 낮게 하는 횡단 기울기로 시공한다.
③ 연약지반 또는 통과하중이 큰 경우 자갈, 모래 석탄재 등을 사용하여 보조도상을 시공한다.
④ 곡선부에서 원심력에 저항하기 위해 바깥쪽 레일을 기준으로 안쪽 레일을 높게 부설한다.

293. 하수도 계획 시, 총 오수량 산정에 포함되지 않는 것은?
① 가정 하수량
② 우수량
③ 관거 내 침투 지하수량
④ 공장 폐수량

294. 수질 검사 항목에 대한 설명으로 올바르지 않은 것은?
① BOD는 수중 유기물이 호기성으로 분해할 때에 소비되는 산소량이다.
② DO는 수중에 용해되어 있는 산소량이다.
③ pH값은 물의 액성의 정도를 나타내는 수치로 수소이온의 농도에 의해 산출되며, pH가 7이면 산성을 나타낸다.
④ SS는 수중에 부유하고 있는 물질로 하천바닥에 퇴적 또는 부착한다.

295. 다음 밑줄에 해당하는 하수 배제 시설은?

> 오수와 우수 합류식 하수 관로 시스템에서 평상시 우수가 없거나 적을 때에는 오수를 관로를 통해 하수처리장으로 보내다가 홍수 시에 관로 용량이 부족할 때는 빗물의 전부 또는 일부를 하수처리장으로 보내지 않고 하천으로 방류하는 <u>장치 또는 시설</u>을 말한다.

① 빗물펌프　　② 우수토실
③ 저류조　　　④ 우수맨홀

296. 상수의 정수과정에 대한 순서로 가장 옳은 것은?
① 여과 → 침전 → 살균
② 침전 → 여과 → 살균
③ 살균 → 침전 → 여과
④ 침전 → 살균 → 여과

297. 하수 처리 방법의 혐기성 소화법과 호기성 소화법의 특징을 비교한 것으로 틀린 것은?
① 호기성 소화법은 상등액의 BOD가 낮다.
② 호기성 소화법은 자원화에 유용한 가스가 발생하지 않는다.
③ 혐기성 소화법은 냄새가 많이 나며 운전이 어렵다.
④ 혐기성 소화법은 2차 슬러지에 적합하다.

298. 다음은 우리나라와 세계 주요 하천의 유량비를 나타낸 것이다. 이에 대한 설명으로 옳지 않은 것은?

우리나라 하천	유량비 (최소:최대)	세계 주요 하천	유량비 (최소:최대)
한강	1:90	미시시피강	1:3
영산강	1:130	라인강	1:18
금강	1:190	나일강	1:30
낙동강	1:260	센강	1:34
섬진강	1:270	도네강	1:115

① 우리나라 하천은 수력 발전에 불리한 편이다.
② 우리나라는 하천의 유량 상황이 불안정하다.
③ 우리나라 하천은 내륙 수운 발달에 불리하다.
④ 우리나라 하천은 하상계수가 크기 때문에 하굿둑을 건설하였다.

299. 갯벌의 특징으로 올바르지 않은 것은?
① 많은 양의 물을 저장할 수 있기 때문에, 물의 흐름을 완화시킨다.
② 대기온도와 습도에 영향을 주어, 기후조절의 기능이 있다.
③ 영양염류가 풍부하고 산소공급이 활발하게 일어나, 미생물 증식에 알맞은 곳이다.
④ 완만한 경사지형으로 에너지를 흡수할 수 없어, 태풍이나 해일이 발생하면 육지의 피해를 줄이지 못한다.

300. 다음 중 파랑에 의해 형성되는 해안 침식 지형을 모두 고르면?

| ㉠ 시 스택 | ㉡ 갯벌 | ㉢ 파식대 |
| ㉣ 석호 | ㉤ 해안사구 | ㉥ 해식애 |

① ㉢, ㉥
② ㉠, ㉣
③ ㉠, ㉢, ㉥
④ ㉡, ㉣, ㉤

[실전문제 - 15] 정답 및 해설

번호	281	282	283	284	285	286	287	288	289	290
정답	①	①	②	③	③	③	②	①	③	①
번호	291	292	293	294	295	296	297	298	299	300
정답	②	④	②	③	②	②	④	④	④	③

281. ① 규제 완화 및 지원을 강화하며, 입지 규제 개선 등 규제의 획기적 개선을 도모한다.

284. ① **도시·군 기본계획** - "수립" / **도시·군 관리계획** - "입안"
② 특별시장·광역시장·특별자치시장·특별자치도지사·시장 또는 군수는 지역여건상 필요하다고 인정되면 인접한 특별시·광역시·특별자치시·특별자치도·시 또는 군의 관할 구역 전부 또는 일부를 포함하여 도시·군 기본계획을 수립할 수 있다

④ **도시·군 관리계획의 목표연도는 10년을 기준**으로 하며, 연도의 끝자리는 0년 또는 5년으로 하게 된다.

285. ③ **도시관리계획**은 공청회 대신, 14일간 공고 및 열람의 과정이 필요하다.

287. ② 도시행정의 서비스 공급체계는 변화하는 도시환경에 대응하지 못하고 있다.

289. ③ "**캔트**"에 관련한 내용임
※ **슬랙** - 300m 미만의 원곡선에서 차량이 이동할 때 레일에 과도한 횡압(가로 압력)이 가해지는 것을 방지하기 위해 곡선부 외측 레일을 기준으로 내측 레일을 직선부의 궤간(1435mm)보다 확대시켜주는 것을 말한다.

291.

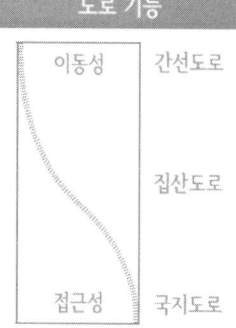

292. ④ **캔트** - 안쪽레일을 기준으로 바깥쪽 레일을 높게 부설한다.

293. **하수량** = 오수량(가정하수량, 침투지하수량, 공장폐수량) + 우수량
이므로, 오수량과 우수량은 별개이다.

294. ③ pH가 7이면 중성을 나타낸다.

297. ④ **혐기성 소화법**은 1차 슬러지에 적합하며, 호기성 소화법은 2차 슬러지에 적합하다.

298. ④ 우리나라는 **하상계수가 크기 때문**에 (다목적)댐을 건설하였다. 하굿둑은 하천의 염해를 방지하기 위하여 설치하였다.

299. ④ **갯벌**은 많은 양의 물을 저장할 수 있기 때문에 물의 흐름을 완화시키거나, 홍수 때에 순간적으로 일어나는 물의 수위를 낮추어, 태풍이나 해일이 발생하면 일차적으로 에너지를 흡수하여 육지에 대한 피해를 감소시킨다.

300. **해안 침식 지형**
; 해식애, 해식동굴, 파식대, 시스택, 시아치 등

2020년도 지방공무원 9급 경력경쟁임용 필기시험 (2020. 10.)

문 1. 우리나라 국토의 지형적 특징으로 옳지 않은 것은?
① 우리나라는 전체 면적에서 산지의 비율이 높으며 동쪽이 높고 서쪽이 낮은 지형을 이루고 있다.
② 남해 쪽으로 유입하는 하천은 길이가 짧은 급류가 많다.
③ 서해는 연안의 해저 지형이 비교적 평탄하고 조차가 매우 커서 곳곳에 넓은 간석지가 형성되어 있다.
④ 남해안은 리아스식 해안으로 해안선이 복잡하다.

문 2. 다음 설명에 해당하는 시멘트 콘크리트 포장 보수 공법은?

> 콘크리트 슬래브의 마모로 인하여 미끄럼 저항이 저하된 구간 및 배수 문제 등이 있는 구간에 시공하여 미끄럼 저항성을 높이고 배수 기능을 증진시키는 공법

① 패칭(patching)
② 다이아몬드 그라인딩(diamond grinding)
③ 부착형 덧씌우기(overlay)
④ 그루빙(grooving)

문 3. 다음 설명에 해당하는 터널 공법은?

> 원 지반 본래의 강도를 유지시켜 원 지반 자체를 주요 지반 보호 자재로 이용하는 공법으로, 굴착된 원 지반에 빠른 시간 내 록 볼트와 숏크리트를 실시하여, 원 지반의 이완을 방지하고 지지력을 증대시켜, 지보공 없이 원 지반이 지보의 역할을 하도록 하는 공법

① TBM(Tunnel Boring Machine) 공법
② 쉴드(Shield) 공법
③ NATM(New Austrian Tunneling Method) 공법
④ 침매 공법

문 4. 국토 및 지역 발전 계획의 내용 중 기업 도시에 대한 설명으로 옳지 않은 것은?
① 태안 기업 도시는 관광 레저형이다.
② 기업이 투자 이전 계획을 가지고 직접 개발한다.
③ 산업 입지와 경제 활동을 위해 민간 기업 주도로 개발되는 도시이다.
④ 지방 이전 공공 기관 및 산·학·연·관이 서로 긴밀히 협력할 수 있는 최적의 혁신 여건과 정주 환경을 갖춘 새로운 차원의 미래형 도시를 지향한다.

문 5. 다음은 아스팔트 콘크리트 포장공의 시공 순서이다. ㉠과 ㉡에 들어갈 시공 내용은?

> 아스팔트 혼합물 생산 → 아스팔트 운반 → (㉠) → (㉡) → 아스팔트 혼합물 포설 → 아스팔트 다짐

	㉠	㉡
①	택 코트	프라임 코트
②	다웰 바	택 코트
③	프라임 코트	택 코트
④	다웰 바	프라임 코트

문 6. 국토 이용 계획에서 도시 지역에 포함되지 않는 것은?
① 주거 지역
② 공업 지역
③ 녹지 지역
④ 관리 지역

문 7. 제4차 국토종합 계획 수정계획(2011~2020) 에서는 초광역 개발권 계획을 제시하고 있다. 새만금권이 속해 있는 벨트는?
① 남해안 선벨트
② 서해안 신산업벨트
③ 동해안 에너지·관광벨트
④ 남북교류·접경벨트

문 8. 대지 면적이 1,000m²이다. 건폐율이 50% 이하이고 용적률이 100% 이하인 건축 허가 조건을 만족하는 건축 면적[m²]과 연면적[m²]은?

	건축 면적[m²]	연면적[m²]
①	400	1,200
②	500	1,000
③	600	1,200
④	1,000	500

문 9. 철도의 종류에 대한 설명으로 옳지 않은 것은?
① 내연 기관 철도는 전기에서 구동력을 얻어 움직인다.
② 모노레일은 레일 수가 하나이며, 관광이나 시내 교통 수단으로 사용된다.
③ 고속 철도란 열차가 주요 구간을 시속 200km 이상으로 주행하는 철도로서, 국토교통부장관이 그 노선을 지정·고시하는 철도이다.
④ 광역 철도는 둘 이상의 시·도에 걸쳐 운행되는 도시 철도 또는 철도로서, 대통령령으로 정하는 요건에 해당하는 도시 철도 또는 철도이다.

문 10. 정비 사업 중 도시 저소득 주민이 집단으로 거주하는 지역으로서, 정비 기반 시설이 극히 열악하고 노후·불량 건축물이 과도하게 밀집한 지역에서 시행하는 것은?
① 주택 재개발 사업
② 주택 재건축 사업
③ 주거 환경 개선 사업
④ 도시 환경 정비 사업

문 11. 기존 도시에서 5년 전의 인구가 80만 명이고 현재 연도의 상주인구가 100만 명이라면, 등차급수법에 의한 4년 후의 추정인구[만 명]는?
① 105
② 110
③ 115
④ 120

문 12. 하수도에 대한 설명으로 옳지 않은 것은?
① 하수량은 가정 하수, 공장 폐수 및 지하수를 포함한다.
② 하수 관거 내 유속이 느리면 관거 바닥에 침전물이 많이 퇴적되어 준설 작업 등으로 유지 관리비가 증가한다.
③ 관거 내에 토사나 오물이 퇴적할 경우에 청소 등 유지 관리에 불편을 주므로 최소 관경을 제한하고 있다.
④ 관의 경사가 작아지면 유속이 증가한다.

문 13. 다음 설명에 해당하는 도시계획은?

> 대도시 지역의 무분별한 외부 확산을 억제하고 도심부 쇠퇴 현상을 개선함으로써 도심 지역에서의 인구 및 산업의 회귀를 촉진하고 재활성화를 모색하기 위한 최근의 도시계획 경향

① 뉴 어버니즘(New Urbanism)
② 친환경 생태 도시(Eco City)
③ 도시 재생(Urban Regeneration)
④ 창조적 혁신 도시(Creative Innovation City)

문 14. 철도 선로에서 레일 및 침목으로부터 전달되는 차량 하중을 노반에 넓게 분산시키고 침목을 일정한 위치에 고정시키는 기능을 하는 자갈 또는 콘크리트 등의 재료로 구성된 구조 부분은?

① 도상
② 궤간
③ 옹벽
④ 라이닝

① 압력 탱크식
② 고가 탱크식
③ 수도 직결식
④ 부스터 방식

문 15. 급수 인구 2만 명의 지역에 배수지 시공을 계획하고 있다. 배수지의 유효 용량[m³]은? (단, 계획 1인 1일 최대 급수량은 240 L, 배수지에 저류하는 시간은 8시간이다)
① 1,000
② 1,200
③ 1,400
④ 1,600

문 18. 항만의 수역 시설에 해당하지 않는 것은?
① 선회장
② 방파제
③ 정박지
④ 항로

문 16. 상수도는 수원부터 급수까지로 구성되는데, 이러한 상수도 구성 순서를 바르게 나열한 것은?
① 수원 → 취수 → 도수 → 정수 → 송수 → 배수 → 급수
② 수원 → 도수 → 취수 → 송수 → 정수 → 배수 → 급수
③ 수원 → 도수 → 정수 → 취수 → 배수 → 송수 → 급수
④ 수원 → 취수 → 정수 → 송수 → 배수 → 도수 → 급수

문 19. 하천 요소와 그에 대한 설명을 바르게 연결한 것은?
① 하상 계수 – 최소 유량을 최대 유량으로 나눈 값
② 형상 계수 – 유역 면적을 하천 본류 길이의 제곱으로 나눈 값
③ 수계 빈도 – 유역 면적을 유역 내 하천 수의 제곱으로 나눈 값
④ 하천 밀도 – 유역 면적을 하천(본류 + 지류)의 총연장으로 나눈 값

문 20. 하천을 유지·관리하고 이용하기 위한 구조물 중 제방 또는 하안(하천 측면)을 하천 흐름에 의한 파괴와 침식으로부터 직접 보호하기 위해 제방 앞 비탈면에 설치하는 구조물은?
① 호안
② 어도
③ 수문
④ 가동보

문 17. 다음 설명에 해당하는 특징을 가진 급수 방식은?

- 수질 오염 가능성이 거의 없다.
- 단수 시 급수가 안 된다.
- 정전 시 급수 변화가 없다.
- 설비비 및 유지 관리비가 저렴하다.

부록

기출문제 정답 및 해설

번호	1	2	3	4	5	6	7	8	9	10
정답	②	④	③	④	③	④	②	②	①	③
번호	11	12	13	14	15	16	17	18	19	20
정답	정답없음	④	③	①	④	①	③	②	②	①

1. 동해 쪽으로 유입하는 하천은 길이가 짧은 급류가 많다.

2. **그루빙**

4. ④ "**혁신도시**"에 관한 내용이다.

5. **프라임 코트** - 보조기층(자갈과 모래의 혼합물)과 기층(아스팔트 혼합물층)사이의 이질재료 간의 사용, 보조기층과 아스콘의 부착력을 향상시켜 하부에서 올라오는 수분의 상승도 차단
   택코트 - 역청재료 또는 시멘트 등을 사용한 하층과 아스팔트 혼합물로 된 상층의 동질재료 간의 두 층을 접착시켜 이탈방지를 하는 역할

6. **용도지역**
   - 도시지역 - 주거지역, 상업지역, 공업지역, 녹지지역
   - 관리지역 - 보전관리지역, 계획관리지역, 생산관리지역
   - 농림지역
   - 자연환경보전지역

7. **새만금개발사업**
   ; 전북 군산시·김제시·부안군 일원에 조성되는 다목적 용지조성 사업으로, 새만금 지역은 지정학적으로 우리나라 서해안 축의 중앙지대에 위치하고 있다.
   - 국가 균형 발전 전략의 하나인 초광역 개발권 계획상 서해안 신산업 벨트에 속해 있다.

8. **건폐율(%)** = $\dfrac{건축 면적}{대지 면적} \times 100$

   용적율(%) = $\dfrac{건축물의 연면적}{대지면적} \times 100$

   - 그러므로, 건축면적은 500㎡ 이며, 연면적은 1000㎡이다

9. ① **내연 기관 철도**는 자동차와 같은 일반적인 엔진 속에서 연료와 산화제의 발열 반응으로 인한 높은 온도와 압력의 기체가 피스톤 및 축차를 움직이는 구동 계통을 이용

10. **정비사업의 쉬운 암기방법**
    - 주거환경 개선사업 - 극히 열악, 과도하게 밀집
    - 주택 재개발 사업 - 열악, 밀집
    - 주택 재건축 사업 - 양호, 밀집
    - 도시 환경 정비 사업 - 상업, 공업지역의 상권 활성화

11. 등차급수법에 의한 인구추정

- 년평균 인구증가수 (a) = $\dfrac{(P_0 - P_t)}{t}$

  a = $\dfrac{(1,000,000 - 800,000)}{5}$ = 40,000

  계획년도의 인구(추정) $P_n = P_0 + n \times a$

  $P_n = 1,000,000 + 40,000 \times 4$
  $\quad\;\; = 1,160,000$

  이므로, 추정인구는 **1,160,000명** 이다.

- 년평균 인구증가율 (r) = $\dfrac{(P_0 - P_t)}{t \cdot P_t}$

  $r = \dfrac{(1,000,000 - 800,000)}{5 \times 800,000}$
  $\;\; = \dfrac{40,000}{800,000} = 0.05 = 5\%$

  계획년도의 인구(추정) $P_n = P_t(1 + n \times r)$

  $P_n = 800,000(1 + 9 \times 0.05)$
  $\quad\;\; = 1,160,000$

  이므로, 추정인구는 **1,160,000명** 이다.

※ <u>실제, 시험에서는 다음과 같이 계산하여 정답이 ④번으로 결정이 되었으나, 필자는 이에 동의를 할 수 없음.</u>

$P_n = 1,000,000(1 + 4 \times 0.05)$
$\quad\;\; = 1,200,000$

만약 120만명이라고 한다면, "등차"라는 의미에서도 지난 5년간 20만명이 증가(100만명-80만명)하였는데, 4년간 20만명이 증가(120만명-100만명)하여 다른 기간에 20만명이 증가하는 것으로 "등차"라고 볼 수 없음. 이것은 모순임.

참고로, 등차급수법의 시간에 따른 인구 변동 그래프는 다음과 같음

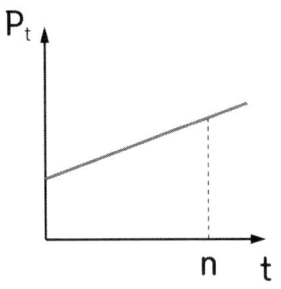

12. ④ 관의 경사가 작아지면 유속이 감소한다.

15. 배수지 유효용량 산정

24시간 : 240ℓ = 8시간 : x

x = 80 (ℓ)

그러므로, 배수지의 유효용량은 80 × 2만 ÷ 1000 = 1600 (㎥)이 된다

(여기서, 물 1ℓ = 1 kg = 0.001 ton = 0.001 ㎥ 이므로 ÷1000을 한 것임.)

18. **수역시설** ; 정박지, 선회장, 선유장, 항로 등

19. ① 하상계수 - 최대유량을 최소유량을 나눈 값
③ 수계빈도 - 유역내 하천수를 유역면적으로 나눈 값.단위면적당 하천수를 의미
④ 하천밀도 - 하천의 총연장(본류+지류)을 유역면적으로 나눈 값. 단위면적당 하천길이를 의미.

2021년도 교육청 지방공무원 9급 경력경쟁임용 필기시험 (2021. 6. 복원)

기출(복원)문제

※ 이 문제는 수험생 기억에 의존하여 복원한 문제입니다.

1. 하안단구에 대한 설명으로 올바르지 않은 것은?
   ① 측방침식으로 발달한 계단식 지형으로, 자유곡류 하천에서 많이 볼 수 있다.
   ② 주변산지에 비해 평탄하며, 침수의 위험이 적다.
   ③ 취락, 농경지 혹은 교통로로 이용된다.
   ④ 과거의 하상 또는 범람원이 지반의 융기와 하천의 침식을 받아 형성되었다.

2. 제5차 국토종합계획의 6대 전략에 해당하는 것이 아닌 것은?
   ① 개성있는 지역발전과 연대와 협력을 촉진
   ② 세대와 계층을 아우르는 안심 생활공간 조성
   ③ 인프라의 효율적 운영과 국토 지능화
   ④ 분권형 국토계획 및 집행 체계 구축

3. 다음과 같은 조건에서의 계획 시간 최대 오수량을 산정하는 올바른 식은?

   | 계획1인 1일 최대오수량 : a |
   | 계획인구 : b |
   | 공장폐수량 : c |
   | 지하수량 : d |
   | 계획시간최대 오수량 증가계수 : 1.3 |

   ① $(a + c + d) \times b \times 1.3$
   ② $(a + c + d) \times b \div 24 \times 1.3$
   ③ $\{(a \times b) + c + d\} \times 1.3$
   ④ $\{(a \times b) + c + d\} \div 24 \times 1.3$

4. 현재인구 50만명인 도시가 있다. 20년 후의 장래 인구를 등비급수법에 의하여 추정하면? (단, 인구 증가율은 2%라 하고, $1.02^{10} \simeq 1.2$로 계산할 것)
   ① 60만명
   ② 66만명
   ③ 72만명
   ④ 78만명

5. 침매터널 공법의 특징에 해당하는 것은?
   ① 발파진동 및 소음으로 인하여, 주변 민원발생 가능성이 있다.
   ② 케이슨을 지상에서 제작하므로, 단면 형상이 비교적 자유롭다.
   ③ 원형단면으로 굴착되므로, 역학적으로 안정적이다.
   ④ 연약한 지반에 유리하며, 지하철 상하수도 등의 건설공사에 활용된다.

6. 터널 세부시공 공정에 대한 설명으로 올바르지 않은 것은?
   ① 강지보재 – 굴착 후 즉시 설치하며, 구조용 H철강, U형강, 격자지보 등이 있다.
   ② 숏크리트 – 지반을 터널의 주 지보재로 활용하는 공법에서 가장 우선적으로 적용하는 지보재이다.
   ③ 인버트 – 터널의 가장 내측에 시공되는 무근 또는 철근콘크리트 터널 부재로, 터널의 기능을 장기간 유지하는 구조물이다.
   ④ 록볼트 – 암반자체를 지보재로 활용하기 위해 굴착면과 원지반에 앵커를 걸어 아치 형성 작용을 한다.

7. 해안 퇴적 지형에 해당하는 것은?
   ① 해식애
   ② 파식대
   ③ 사빈
   ④ 해식동

8. 다음과 같은 건축조건에서의, 건폐율과 용적률을 계산하면?

   | 대지면적 : 1,000 m² |
   | 건축면적 : 400 m² |
   | 건축개요 : 지하 1층, 지상 5층 일반건축물 |

	건폐율(%)	용적률(%)
①	40	200
②	40	240
③	250	200
④	250	240

9. 계획시간 최대 오수량은 계획1일 최대 오수량의 1시간당 유량의 1.3~1.8배를 표준으로 하는데, 간선관거의 경우 증가율 기준값은?
   ① 25 %
   ② 50 %
   ③ 75 %
   ④ 100 %

10. 수원(水源)에 대한 설명으로 옳은 것은?
    ① 급수구역으로부터 가능한 한 멀리 떨어질수록 좋다.
    ② 최대 갈수기에도 계획취수량을 확보할 수 있어야 한다.
    ③ 가능한 한 가압식을 이용할 수 있는 곳이어야 한다.
    ④ 계절적으로 수량의 변동이 큰 곳이 유리하다.

11. 내경 1,000mm 이상인 송수관의 최소 흙덮기 깊이는?
    ① 90cm 이상
    ② 100cm 이상
    ③ 120cm 이상
    ④ 150cm 이상

12. 슬러지 처리 과정에 대한 올바른 설명은?
    ① 농축 - 고형물의 농도를 감소시켜 부피를 증가시키는 방법
    ② 소화 - 찌꺼기를 약 한 달 정도, 적당한 온도 35℃를 유지하며 놓아두어 찌꺼기를 썩게 하며 가스가 발생
    ③ 개량 - 고온에 의해 슬러지 유기물을 산화시켜 가스화는 방법
    ④ 탈수 - 소화효율을 높이기 위한 전처리 과정

13. 도로 포장의 공법에 대한 설명으로 올바르지 않은 것은?
    ① 아스팔트 콘크리트 포장은, 연성포장으로 내구성이 적어 유지관리비가 많이 든다.
    ② 시멘트 콘크리트 포장은, 국부적인 파손에 대한 보수가 어렵다.
    ③ 아스팔트 콘크리트 포장의 횡방향 줄눈에는 다웰 바(Dowel-Bar)를 설치하여, 포장 층간 하중 전달을 원활히 한다.
    ④ 시멘트 콘크리트 포장은, 콘크리트 슬래브가 교통하중에 대하여 휨 응력으로 지지하는 구조이다.

14. 다음의 작업이 모두 가능한 철도 보선 장비의 명칭은?

    • 도상 다지기 작업
    • 줄맞춤 작업
    • 궤도 들기 작업

① 밸러스트 레귤레이터
② 밸러스트 클리너
③ 멀티플 타이탬퍼
④ 밸러스트 콤팩터

15. 직접 공사비에 해당하는 것은?
① 산재보험료
② 재료비
③ 간접노무비
④ 안전보건관리비

16. 다음 설명에 해당하는 도시공간구조는?

도시가 커지면서 도심부 이외에도 사람들이 집중하는 지역이 발생하게 되며 그렇게 새로운 핵이 형성된다는 이론으로, 해리스와 울만(C. D. Harris & E. L. Ulman)이 주장하였다.

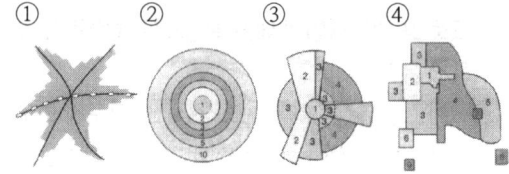

17. 다음 그림에 나타난 하계망에 대한 설명으로 올바른 것은?

① (가)는 (나)보다 평균유량이 많다.
② (가)는 (나)보다 하천의 평균경사가 완만하다.
③ (나)는 (가)보다 퇴적물질의 평균입자 크기가 크다.
④ (가)는 지류이며, (나)는 본류에 해당한다.

18. 다음 설명에 해당하는 것은?

규제로 인해 시험이 불가능한 혁신기술을 제약없이 테스트 할 수 있는 지역을 뜻하며, 2년 동안 규제 제약없이 신기술을 개발 시험할 수 있으며 2년이 지나면 결과 평가를 통해 연장, 확대, 해제 등을 결정한다.

① 혁신클러스트
② 브라운 필드
③ 규제자유특구
④ 혁신도시

19. 새로운 도시계획의 흐름에 대한 설명으로 올바르지 않은 것은?
① 복합도시개발 – 서비스업, 지식산업 등의 도시형 산업으로 전환되어 수평적인 대규모의 입지를 필요로 하게 되었음
② 압축도시개발 – 토지이용의 집적을 통하여 토지의 이용가치를 높이기 위하여 도입된 개발 방식
③ 유비쿼터스 도시 개발 – 첨단정보기술과, 유비쿼터스 기술에 의한 도시개발과 관리 방식을 의미
④ 워터프론트 개발 – 도시에서 큰 강이나 바다, 호수 등과 접해 있는 수변공간의 특성을 도시개발에 접목한 개발방식

20. 터널 발파 공사 시, 진동저감 대책에 해당하는 것이 아닌 것은?
① 심발공법을 개선하도록 한다.
② 발파공 위치별 지발당 장약량을 차등 설계한다.
③ 터널의 갱구부에 갱문을 필수적으로 설치한다.
④ 선진도갱에 의한 분할 굴착을 한다.

[기출문제 - 1] 정답 및 해설

번호	1	2	3	4	5	6	7	8	9	10
정답	①	④	④	③	②	③	③	①	①	②
번호	11	12	13	14	15	16	17	18	19	20
정답	④	②	③	③	②	④	④	③	①	③

1. ① 측방침식으로 발달한 계단식 지형으로, **감입 곡류** 하천에서 많이 볼 수 있다.

2. **제5차 국토종합개발계획의 6대 발전전략**
   - 개성있는 지역발전과 연대·협력촉진
   - 지역산업 혁신과 문화·관광 활성화
   - 세대와 계층을 아우르는 안심 생활공간 조성
   - 품격 있고 환경친화적 공간 창출
   - 인프라의 효율적 운영과 국토 지능화
   - 대륙과 해양을 잇는 평화국토 조성

   ④ 분권형 국토 계획 및 집행 체계 구축은 **제4차 국토종합계획 수정 계획(2006~2020)의 추진전략에 해당**된다.

3. • 계획1일 최대 오수량 = (계획1인 1일 최대오수량 × 계획인구) + 공장폐수 + 지하수량
   • 계획시간 최대 오수량 = 계획1일 최대 오수량 ÷ 24 × (1.3~1.8) 이다.

4. = 50만명 × 1.02^{20}
   = 50만명 × 1.2 × 1.2
   = 72만명

5. ① NATM 공법
   ③ TBM 공법
   ④ 쉴드 공법

6. ③ 터널의 가장 내측에 시공되는 무근 또는 철근 콘크리트 터널 부재로, 터널의 기능을 장기간 유지하는 구조물은 **라이닝**에 해당한다.

7. 해식애, 해식동, 파식대 등은 **해안 침식지형**에 해당한다.

8. **건폐율(%)** = $\dfrac{건축면적}{대지면적} \times 100$

   • 건폐율(%) = $\dfrac{400}{1,000} \times 100 = 40(\%)$

   용적율(%) = $\dfrac{건축물의\ 연면적}{대지면적} \times 100$

   • 건축물의 연면적 계산시, 지하층 전부 및 지상 주차장으로 사용되는 면적은 제외한다.
   • 건축물의 연면적 = 400 × 5 = 2,000

   용적율(%) = $\dfrac{2,000}{1,000} \times 100$

   그러므로, 용적율은 200% 이다.

9. **계획시간 최대 오수량의 결정**은 계획1일 최대 오수량의 1시간당 유량의 1.3~1.8배를 표준으로 한다.
   특히, 작은관거는 1시간당 유량의 100%, 큰관거는 1시간당 유량의 50%, **간선관거는 1시간당 유량의 25%를 증대시킨 양**을 계획시간 최대 오수량으로 결정한다

10. ① 급수구역으로부터 가능한 한 가까이 위치해야 한다.

③ 가능한 한 자연유하식으로 이용하여야 한다.
④ 계절적으로 수량의 변동이 작은 곳이 좋다.

12. ① 농축 – 고형물의 농도를 증가시켜 부피를 감소시키는 방법
    ③ "소각" 과정에 대한 설명임

13. ③ **시멘트 콘크리트 포장**에 대한 설명임

15. 직접 공사비 = 재료비 + 직접노무비 + 경비 + 실적공사비 등이다

16. **"다핵심이론"**에 대한 설명이다.

17. ① (가)는 (나)보다 평균유량이 적다
    ② (가)는 (나)보다 하천의 평균경사가 급하다.
    ③ (나)는 (가)보다 퇴적물질의 평균입자 크기가 작다.

19. ① **복합도시개발** – 도시형 산업은 기존 제조업과는 달리 **수평적으로 큰 공장부지를 필요로 하지 않고** 고밀집적 형태의 건축물이 들어서게 된다.

20. ③ **터널발파 폭음에 대한 대책**으로는 자연적 지형을 활용하거나 전파 경로에 방음벽과 터널의 갱구부에 방음 갱문의 설치가 필수적이다

2021년도 지방공무원 9급 경력경쟁임용 필기시험 (2021. 10.)

토목일반

문 1. 다음에서 설명하는 도시는?

> 공공기관 이전을 계기로 지방의 거점 지역에 조성되는 '작지만 강한' 새로운 차원의 미래형 도시를 말한다. 기업과 대학, 연구소 등 우수한 인력들이 한 곳에 모여 서로 협력하면서 지식 기반 사회를 이끌어 가는 첨단 도시로 구성된다. 동시에 편리한 주거 시설과 높은 교육과 문화수준을 갖춘 쾌적한 친환경 도시의 개념이 포함되어 있다.

① 행정 중심 복합 도시
② 기업 도시
③ 연담 도시
④ 혁신 도시

문 2. 철도 보선 작업 장비 중 도상 다지기 작업, 줄맞춤 작업, 궤도 들기 작업 등을 하기 위해 주로 투입되는 도상 작업용 장비는?

① 멀티플 타이 탬퍼(multiple tie tamper)
② 밸러스트 클리너(ballast cleaner)
③ 밸러스트 레귤레이터(ballast regulator)
④ 궤도 검측차(track inspection car)

문 3. 공업과 인구의 과도한 집중으로 도시의 주택지나 공업지역이 시 외곽으로 무질서하게 확산되면서 농경지나 산림을 잠식하는 현상은?

① 역도시화 현상
② 가도시화 현상
③ 스프롤 현상
④ 간접도시화 현상

문 4. 도로의 기능별 분류에서 간선 도로와 국지 도로 사이의 교통을 처리하며, 인접 토지에 직접 접근하게 하는 도로는?

① 주 간선 도로
② 보조 간선 도로
③ 집산 도로
④ 고속 국도

문 5. 철도 수송의 특성으로 옳지 않은 것은?

① 여러 대의 차량으로 열차를 형성하여 운행하므로 대량수송이 가능하다.
② 배기가스에 의한 대기 오염 및 자연 환경 파괴 등이 적다.
③ 문전 접근성이 좋아 다른 교통수단의 연계 없이 화물 운송이 가능하다.
④ 다른 교통수단에 비해 기상의 영향을 적게 받는다.

문 6. 도가 보유하고 있는 인적·물적 자원을 효율적으로 이용·개발·보전하기 위한 도 종합 계획의 승인권자는?

① 국토교통부장관
② 행정안전부장관
③ 도지사
④ 도의회 의장

문 7. 「도로법」에 따른 분류에서 도청 소재지에서 군청 소재지에 이르는 도로는?

① 3등급 특별시도
② 4등급 지방도
③ 6등급 군도
④ 7등급 구도

문 8. 우리나라 국토의 지리적 여건과 자연환경에 대한 설명으로 옳지 않은 것은?
① 계절에 따른 강수량의 변화가 커서 각종 용수공급에 유리하다.
② 동해안은 해안선이 단조로우며 사구와 석호가 발달되어 있다.
③ 백두대간이 남북으로 길게 뻗어 있어 한반도 지형의 등줄기를 이룬다.
④ 큰 하천의 하구에 생성된 범람원과 넓은 삼각주는 대부분 중요한 농경지로 이용된다.

문 9. 유역 면적의 합계가 50 km² 이상이면서 200 km² 미만인 하천 중 국가 하천으로 지정할 수 있는 경우는?
① 저수량 400만 m³ 이상의 저류지를 갖추고 국가적 물 이용이 이루어지는 하천
② 상수원보호구역, 국립공원, 유네스코생물권보전지역, 문화재보호구역, 생태·습지보호지역을 관류하는 하천
③ 범람으로 피해가 일어나는 지역으로 국토교통부장관이 정하는 하천
④ 인구 15만 명 이상의 도시를 관류하거나 범람구역 안의 인구가 5천 명 이상인 지역을 지나는 하천

문 10. 해안 지형의 형성에 대한 설명으로 옳지 않은 것은?
① 해안가의 돌출부 곶에서는 에너지가 집중됨에 따라 파랑의 침식작용이 활발하다.
② 조차가 큰 해안은 지형 형성과정에서 조류보다 파랑의 영향을 더 받는다.
③ 파식대는 해식애가 육지 쪽으로 후퇴하는 과정에서 확장되기도 한다.
④ 해안 사구는 파랑과 연안류가 아닌 바람에 의해 퇴적된 지형이다.

문 11. 다수의 디스크 커터를 전면에 장착한 커터헤드를 회전시켜 암반을 압쇄, 굴삭하는 전단면 터널 굴착기를 이용하여 공사하는 터널 공법은?
① TBM공법
② NATM공법
③ 쉴드공법
④ 침매공법

문 12. 상수도 취수 시설 공사를 할 때 취수 지점의 구비 조건으로 옳지 않은 것은?
① 수질이 깨끗하고 수량이 충분해야 한다.
② 수량 변동폭이 적고, 앞으로 오염될 우려가 적어야 한다.
③ 해수가 혼입되고 안전하며 취수와 관리가 쉬워야 한다.
④ 취수할 때 모래가 혼입되지 않아야 한다.

문 13. 슬러지 처리 과정 중 공기의 공급이 필요한 소화 공정에 대한 특징으로 옳지 않은 것은?
① 냄새가 없다.
② 시설비가 많이 든다.
③ 상등액의 생물학적 산소요구량(BOD)이 낮다.
④ 공장이나 소규모 시설에 적합하다.

문 14. 일자리를 찾아 대도시로 몰려든 사람들은 일단 도심부의 저급 주택지에 정착한 후 경제적 수준이 향상되면 그보다 좋은 주거 환경을 찾아 외곽으로 뻗어가면서 지대화되어 간다는 이론은?
① 부채꼴 이론
② 다핵심 이론
③ 동심원 이론
④ 중심적 축적 성장 이론

문 15. 우리나라 국토종합계획의 연혁(차수)별 목표로 옳지 않은 것은?
① 제1차 국토종합계획 – 고도경제성장을 위

한 기반시설 조성을 목표로 호남권과 서해안 공업벨트 중심의 거점개발 추진
② 제2차 국토종합계획 – 인구의 지방정착과 생활환경 개선을 목표로 수도권 집중억제와 권역개발을 추진
③ 제3차 국토종합계획 – 국민 복지향상과 환경보전을 목표로 서해안 산업지대와 지방 도시 육성을 통한 지방 분산형 국토개발 추진
④ 제4차 국토종합계획 – 지역 간의 통합, 동북아 지역과의 통합을 목표로 균형개발, 개발과 환경의 조화를 통한 개방형 통합국토 추진

문 16. 용도지역 안에서 면적 100 m²의 대지에 건축면적 80 m², 연면적 1,000 m²인 건물을 지으려 할 때 건축 가능한 용도 지역은?
① 주거지역
② 공업지역
③ 상업지역
④ 녹지지역

문 17. 터널 발파 진동 저감 대책에 대한 설명으로 옳지 않은 것은?
① 지발당 폭약량의 감소
② 발파공 위치별 지발당 장약량의 차등 설계
③ 선진도갱에 의한 분할 굴착 및 방진공 천공
④ 터널 갱구부에 방음 갱문 설치

문 18. 하천의 이용 방법에 대한 설명으로 옳은 것은?
① 댐은 하천의 물을 조절하기 위해서 인공적으로 저수지를 만드는 것이다.
② 어도는 주로 각종 용수의 취수, 주운 등을 위하여 수위를 높이거나 조수의 역류를 방지하기 위하여 하천의 횡단 방향으로 설치하는 시설을 말한다.
③ 수제는 하천의 흐름을 원활하게 하고 제내지를 보호하기 위하여 하천을 따라 흙으로 축조한 공작물을 말한다.
④ 수문은 하천의 흐름에 의한 파괴와 침식으로부터 하안을 보호하기 위해 제방 앞 비탈면에 설치하는 구조물을 말한다.

문 19. 도시 활동의 기본 요소 중 인간 생활의 가장 기본적인 욕구를 만족시키는 활동은?
① 교통 활동
② 경제 활동
③ 여가 활동
④ 주거 활동

문 20. 인구수 30만의 도시에서 1인 1일 평균 급수량이 200 ℓ 일 때, 1일 최대 급수량[ℓ]은?
① 90,000,000
② 75,000,000
③ 60,000,000
④ 30,000,000

[기출문제 - 2] 정답 및 해설

번호	1	2	3	4	5	6	7	8	9	10
정답	④	①	③	③	③	①	②	①	②	②
번호	11	12	13	14	15	16	17	18	19	20
정답	①	③	②	③	①	③	④	①	④	①

2. 철도 보선 장비의 기능
멀티플 타이 탬퍼 - 도상 다지기 작업, 줄맞춤 작업, 궤도 들기 작업 등
밸러스트 클리너 - 혼입된 토사 석분 등의 불순물 제거
밸러스트 레귤레이터 - 궤도 살포 자갈 정리 등
밸러스트 콤팩터 - 침목 도상내 고정 작업, 침목 청소

3. 스프롤(urban sprawl) 현상
- 도시기반 시설이 미비하고 정비되지 못한 상태에서 주택지 개발이 개별적으로 일어나는 무질서한 시가지 확산 현상

4. 집산도로(集散道路)
- 다른 도로로부터 모이는 교통을 처리하는 기능을 가진 도로. 통행의 말단인 주거지나 각종 시설물과 접속되는 국지 도로의 교통을 보조 간선 도로로 연결하여 주는 기능이 있다
- 집산 - 모여들었다 흩어졌다 함(**집중**, **분산**)

5. ③ **문전 접근성이 나쁘며**, 특히 화물의 경우 최종 수요처까지 **다른 교통수단을 통한 연계가 필수적**이다.(철도의 단점)

6. 도 종합계획
- 도가 보유하고 있는 인적·물적 자원을 효율적으로 이용·개발·보전하기 위하며 장단기 정책 방행과 지침을 설정하고 추진
- 계획기간 : 20년
- 계획안 작성(도지사), 승인(국토교통부장관)

7. 도로법에 의한 도로의 분류
- 1등급 고속국도
- 2등급 일반국도
- 3등급 특별시도·광역시도
- 4등급 지방도
- 5등급 시도
- 6등급 군도
- 7등급 구도

지방도
도지사 또는 특별자치도지사는 도(道) 또는 특별자치도의 관할구역에 있는 도로 중 해당 지역의 간선도로망을 이루는 다음 각 호의 어느 하나에 해당하는 도로
1. **도청 소재지에서 시청 또는 군청 소재지에 이르는 도로**
2. 시청 또는 군청 소재지를 연결하는 도로
3. 도 또는 특별자치도에 있거나 해당 도 또는 특별자치도와 밀접한 관계에 있는 공항·항만·역을 연결하는 도로
4. 도 또는 특별자치도에 있는 공항·항만 또는 역에서 해당 도 또는 특별자치도와 밀접한 관계가 있는 고속국도·일반국도 또는 지방도를 연결하는 도로
5. 제1호부터 제4호까지의 규정에 따른 도로 외의 도로로서 도 또는 특별자치도의 개발을 위하여 특히 중요한 도로

8. ① 계절에 따른 강수량의 변화가 커서 각종 용수 공급에 **불리**하다.

9. ① 다목적댐, 하구둑 등 저수량 **500만 ㎥ 이상**의 저류지를 갖추고 국가적 물 이용이 이루어지는 하천
③ 범람으로 인한 피해, 하천시설 또는 하천공작물의 안전도 등을 고려하여 **대통령령**으로 정하는 하천
④ 인구 **20만명 이상**의 도시를 관류하거나 범람구역 안의 인구가 **1만명 이상**인 지역을 지나는 하천

10. ② 조차가 큰 해안의 지형형성과정에서 파랑보다는 **조류의 영향을 많이 받음**

12. ③ **해수의 혼입이 없고** 안전하며 취수와 관리가 쉬워야 한다.

13. 호기성과 혐기성의 비교

구분	호기성	혐기성
BOD	상등액의 BOD가 낮음	상등액의 BOD가 높음
냄새	냄새가 없다	냄새가 많이 남
운전	운전이 용이	운전이 어려움
시설비	적게 든다	많이 든다
비료	비료로 사용 가능	비료로 사용이 적다
규모	공장이나 소규모에 적합	대규모 시설에 적합
적용	2차 슬러지에 적용 가능	1차 슬러지에 적합

14. **동심원 이론** - 버제스(E. W. Burgess)

15. ① 제1차 국토 종합 개발 계획(1972~1981년)
목표 : 고도 경제 성장을 위한 기반 시설 조성
역점 : **수도권과 동·남해안 공업 벨트 중심의 거점 개발 추진**

16.
$$건폐율(\%) = \frac{건축 면적}{대지 면적} \times 100$$
$$= \frac{80}{100} \times 100$$
$$= 80(\%)$$

$$용적률(\%) = \frac{건축물의 연면적}{대지면적} \times 100$$
$$= \frac{1,000}{100} \times 100$$
$$= 1,000(\%)$$

용도지역의 건폐율과 용적률

구분		건폐율	용적률
도시지역	주거지역	70% 이하	500% 이하
	상업지역	90% 이하	1,500% 이하
	공업지역	70% 이하	400% 이하
	녹지지역	20% 이하	100% 이하
관리지역	계획관리지역	40% 이하	100% 이하
	생산관리지역	20% 이하	80% 이하
	보전관리지역	20% 이하	80% 이하
농림지역		20% 이하	80% 이하
자연환경보전지역		20% 이하	80% 이하

17. ④ 터널 갱구부에 방음 갱문을 설치하는 것은 **터널 발파 폭음의 저감 대책에 해당**한다.

18. ②의 설명은 "**보**"에 해당
③의 설명은 "**제방**"에 해당
④의 설명은 "**호안**"에 해당

19. ④ **주거활동** - 의식주 등 인간 생활의 가장 기본적인 욕구를 만족시키는 활동을 의미하며, 가계를 중심으로 하는 개인 생활과 근린 교류 등을 기초로 하는 사회생활 전반을 포함한다.

20.
1일 평균급수량
- 1일 평균급수량
= 1인 1일 평균급수량 × 계획급수인구
= $200(l) \times 300,000$
= $60,000,000(l)$

1일 최대급수량
- 1일 최대급수량
= 1일 평균급수량 × 급수계수
= 1일 평균급수량 × 1.3(대도시 및 공업도시)
  　　　　　　　　1.5(중소도시)
  　　　　　　　　2.0(농촌, 주택단지, 소도시)
= $60,000,000(l) \times *1.5$
= $90,000,000(l)$

*문제에 따로 주어진 급수계수가 없으므로, 선택지를 보고 최적의 답을 고르도록 한다.
*인구 30만의 도시는 중소도시에 해당.

2022년도 지방공무원 9급 경력경쟁임용 필기시험 (2022. 10.)

토목일반

문 1. 국토의 영역에 대한 설명으로 옳지 않은 것은?
① 영토는 국제법상 매매·교환·증여의 대상이 될 수 없다.
② 영공이란 영토와 영해의 한계선에서 수직으로 그은 선의 내부 공간을 말한다.
③ 영토의 조차는 법률적으로 입법·사법·행정 면에서 조차국의 영토가 된 것과 동일한 효과를 지닌다.
④ 영해는 연안국의 주권에 복종하나, 영해 내에서 외국 선박의 무해항행(無害航行)을 인정하여야 한다고 국제관습법은 모든 국가에 부과된 영역권을 제한하고 있다.

문 2. 아스팔트 콘크리트 포장층 구성을 상단부터 차례로 나열한 것이다. (가) ~ (다)의 순서로 맞는 것은?

표층 - 중간층 - (가) - (나) - 동상방지층 - (다)

	(가)	(나)	(다)
①	기층	보조기층	노상
②	기층	노상	보조기층
③	노상	기층	보조기층
④	보조기층	기층	노상

문 3. 바람에 의하여 이동한 모래가 퇴적하여 형성된 언덕이나 둑 모양의 지형은?
① 사구
② 사빈
③ 석호
④ 조차

문 4. 도심과 외곽을 잇는 주요 간선도로에 버스 전용 차로를 설치하여 급행 버스를 운행하게 하는 대중교통 시스템은?
① M버스(Metropolitan bus)
② BRT(Bus rapid transit)
③ BTX(Bus transit express)
④ GTX(Great train express)

문 5. 「국토의 계획 및 이용에 관한 법률」상 도시·군 계획 수립 대상지역의 일부에 대하여 토지 이용을 합리화하고 그 기능을 증진시키며 미관을 개선하고 양호한 환경을 확보하며, 그 지역을 체계적·계획적으로 관리하기 위하여 수립하는 것은?
① 비오톱 지도
② 지구 단위 계획
③ 국가도로망종합계획
④ 차세대 지능형 교통 시스템

문 6. 제5차 국토 종합 계획의 전략 중 '세대와 계층을 아우르는 안심 생활 공간 조성'을 위한 방안에 포함되지 않는 것은?
① 안전하고 회복력 높은 국토대응체계 구축
② 인구 감소에 대응한 유연한 도시 개발·관리
③ 인구 구조 변화에 대응한 도시·생활공간 조성
④ 인프라의 전략적 운영과 포용적 교통 정책 추진

문 7. 「국토기본법」상 국토종합계획에 포함되어야 하는 기본적이고 장기적인 정책방향 내용을 모두 고른 것은?

ㄱ. 수해, 풍해(風害), 그 밖의 재해의 방제(防除)에 관한 사항
ㄴ. 소득인증액 산정방식과 기준 중위소득의 결정에 관한 사항
ㄷ. 주택, 상하수도 등 생활여건의 조성 및 삶의 질 개선에 관한 사항
ㄹ. 지속가능한 국토 발전을 위한 국토 환경의 보전 및 개선에 관한 사항

① ㄱ, ㄴ
② ㄷ, ㄹ
③ ㄱ, ㄷ, ㄹ
④ ㄴ, ㄷ, ㄹ

문 8. 환경정책기본법령상 하천의 '생활환경 기준'에 따른 매우좋음(Ⅰa) 등급에 해당하는 것은? (단, 제시된 항목을 제외한 시험 항목은 매우좋음(Ⅰa) 등급기준을 모두 만족하는 것으로 가정한다)

	용존산소량(DO)(mg/L)	총인(T-P)(mg/L)	부유물질량(SS)(mg/L)
①	2.8	0.025	13
②	5.5	0.020	18
③	7.8	0.015	23
④	9.2	0.010	28

문 9. 도시 공간의 형태 중에서 보조공간에 해당하는 것은?
① 인간의 주 생활을 담당하는 공간
② 물질을 생산할 수 있는 노동 공간
③ 문화적 취미 활동으로 만나는 공간
④ 각종 도시 기반 시설이 차지하는 공간

문 10. 감입곡류 하천에 대한 특징으로 옳은 것만을 모두 고른 것은?

ㄱ. 신생대 제3기 경동성 요곡운동에 의해 융기하면서 나타났다.
ㄴ. 곡류 하천의 일부가 분리되어 생긴 소뿔모양의 호수를 우각호라고 한다.
ㄷ. 경사가 완만한 평야 위를 흐르기 때문에 하천의 옆을 깎는 측방 침식이 우세하다.
ㄹ. 큰 하천의 중상류 지역에서 잘 나타나며, 하방침식으로 산지 사이를 굽이쳐 흐르는 모양이 된다.

① ㄱ, ㄹ
② ㄴ, ㄷ
③ ㄱ, ㄴ, ㄹ
④ ㄱ, ㄷ, ㄹ

문 11. 터널의 기능으로 옳지 않은 것은?
① 수로 기능
② 도로 기능
③ 지역 거점 기능
④ 채굴 및 저장 기능

문 12. 국토의 계획 및 이용에 관한 법령상 기반시설의 종류 중 보건위생시설에 해당하는 것은?
① 폐차장
② 장례식장
③ 폐기물처리시설
④ 수질오염방지시설

문 13. 하수 슬러지 처리 과정을 순서에 맞게 나열한 것은?
① 개량→농축→탈수→소화→소각→최종처분
② 개량→소화→소각→탈수→농축→최종처분
③ 농축→개량→탈수→소화→소각→최종처분
④ 농축→소화→개량→탈수→소각→최종처분

문 14. 해안 침식 지형을 모두 고른 것은?

ㄱ. 사취	ㄴ. 파식대
ㄷ. 하중도	ㄹ. 해식동
ㅁ. 하안단구	ㅂ. 시 스택(Sea stack)

① ㄱ, ㄴ, ㄹ
② ㄴ, ㄷ, ㄹ
③ ㄴ, ㄹ, ㅂ
④ ㄷ, ㅁ, ㅂ

문 15. 열차를 한 궤도에서 다른 궤도로 옮기기 위하여 궤도상에 설치한 설비는?
① 분기기
② 이음매판
③ 제1종 건널목
④ 레일 체결 장치

문 16. 하수도 맨홀 설치에 대한 설명으로 옳지 않은 것은?
① 하수관로가 합류하는 곳에 설치한다.
② 하수관로의 단차가 발생하는 곳에 설치한다.
③ 하수관로의 기점, 방향, 경사 등이 변하는 곳에 설치한다.
④ 관의 내경이 90 cm일 때 직선부에서 150 m 간격으로 설치한다.

문 17. 하천에 설치되는 구조물인 댐에 대한 설명으로 옳지 않은 것은?
① 방류로 인한 수력을 이용하여 전기를 생산한다.
② 평상시 물을 저류하였다가 생활용수, 공업용수, 농업용수, 환경 개선 용수 등을 공급하는 기능을 한다.
③ 각종 용수의 취수, 주운 등을 위하여 수위를 높이거나 조수의 역류를 방지하기 위해 하천을 따라 종단으로 설치된다.
④ 큰 홍수가 발생하면 유입되는 홍수량의 일부를 저류함과 동시에 하류에서의 홍수 피해가 최소가 되도록 서서히 방류한다.

문 18. 철도 선로 구조물 중 콘크리트 도상에 대한 설명으로 옳지 않은 것은?
① 궤도의 세척이 용이하다.
② 건설비가 적게 들고 수리가 용이하다.
③ 도상의 진동과 차량의 흔들림이 적다.
④ 궤도의 탄성이 적어 충격과 소음이 크다.

문 19. 터널 공법 중 침매 공법에 대한 설명으로 옳지 않은 것은?
① 단면 형상이 비교적 자유롭다.
② 연약 지반상에서도 시공이 가능하다.
③ 지상에서 제작하므로 공사 기간이 오래 걸린다.
④ 암초가 있을 때는 터널을 놓기 위한 트렌치 굴착이 곤란하다.

문 20. 도로의 공간 기능에 대한 설명으로 옳은 것은?
① 주변 도로와 시설에 편리하고 안전하게 출입할 수 있는 접근 기능
② 자동차, 보행자 등이 안전하고 원활하며 쾌적하게 통행할 수 있는 이동 기능
③ 자동차를 주차하거나 보행자가 보도나 광장에 안전하게 머무를 수 있는 체류 기능
④ 도시의 골격을 형성하거나 도로 주변의 개발을 촉진하는 등 시가지 형성 기능

[기출문제] 정답 및 해설

번호	1	2	3	4	5	6	7	8	9	10
정답	①	①	①	②	②	④	③	③	④	①
번호	11	12	13	14	15	16	17	18	19	20
정답	③	②	④	③	①	④	③	②	③	④

1. ① 영토는 국제법상 매매·교환·증여의 대상이 될 수 있다.

2. **아스팔트 콘크리트 포장의 단면 구성**

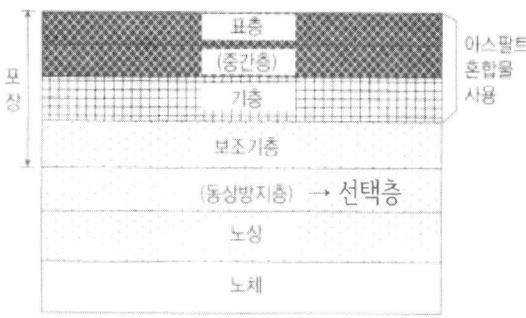

3. **(해안)사구**
   - 사빈의 모래가 바람에 의해 운반, 퇴적되어 형성된 모래언덕이다
   - 사빈보다 퇴적물의 평균 입자 크기가 작다

4. **BRT(Bus Rapid Transit, 간선급행 버스체계)**
   - 도심과 외곽을 잇는 주요한 간선도로에 버스전용차로를 설치하여 급행버스를 운행하게 하는 대중교통시스템

   BTX(Bus Transit eXpress)
   - 고속 전용 차로, 종점부 지하 차도 및 환승 센터 설치로 지하철 철도와 연계하며 기존보다 30% 이상 속도를 향상시키는 버스교통체계

5. **지구단위계획(국토의 계획 및 이용에 관한 법률 제2조)**
   - 도시 내 일정 구역에 대하여 수립하는 도시계획
   - 인간과 자연이 공존하는 환경친화적 도시 환경을 조성하기 위한 도시계획
   - 평면적 계획과 입체적 계획과의 조화에 중점을 둠
   - 일반 도시계획보다 구체화된 특수 계획

6. ④ 제5차 국토종합계획의 전략 중 '**인프라의 효율적 운영과 국토 지능화**'를 위한 방안 중의 하나이다.

7. 국토기본법의 장기 정책방향 포함 내용 - 국토기본법 제10조(국토 종합계획의 내용)
   가) 국토의 현황 및 여건 변화 전망에 관한 사항
   나) 국토발전의 기본 이념 및 바람직한 국토 미래상의 정립에 관한 사항
   다) 교통, 물류, 공간정보 등에 관한 신기술의 개발과 활용을 통한 국토의 효율적인 발전 방향과 혁신 기반 조성에 관한 사항
   라) 국토의 공간구조의 정비 및 지역별 기능 분담 방향에 관한 사항
   마) 국토의 균형발전을 위한 시책 및 지역산업 육성에 관한 사항
   바) 국가경쟁력 향상 및 국민생활의 기반이 되는 국토 기간 시설의 확충에 관한 사항
   사) 토지, 수자원, 산림자원, 해양수산자원 등 국토자원의 효율적 이용 및 관리에 관한 사항

아) 주택, 상하수도 등 생활 여건의 조성 및 삶의 질 개선에 관한 사항
자) 수해, 풍해(風害), 그 밖의 재해의 방제(防除)에 관한 사항
차) 지하 공간의 합리적 이용 및 관리에 관한 사항
카) 지속가능한 국토 발전을 위한 국토 환경의 보전 및 개선에 관한 사항

8. 하천의 생활환경 기준

등급	상태 (캐릭터)	기 준			등급별 수질 및 수생태계 상태
		부유 물질량 (SS) (mg/L)	용존 산소량 (DO) (mg/L)	총인 (T-P) (mg/L)	
매우 좋음	Ia	25 이하	7.5 이상	0.02 이하	용존산소가 풍부하고 오염물질이 없는 청정상태의 생태계로 간단한 정수 처리 후 생활용수 사용

9. ① 주거 공간
   ② 생산 서비스 공간
   ③ 위락 문화 공간

10. 우리나라 하천 지형의 비교

하천 중·상류에 발달하는 지형	하천 중·하류에 발달하는 지형
▶ **감입 곡류** 하천 : 산지 사이를 곡류하는 하천으로 지반의 융기 이후 **하방 침식**이 진행되면서 형성 ▶ 대표적인 지형 ① **하안 단구** : 지반의 융기 과정에서 과거 하천의 하상이나 범람원이었던 지역이 계단 모양으로 남은 지형	▶ **자유 곡류** 하천 : 넓은 평야 위를 흐르는 하천으로 **측방 침식**이 활발하여 유로 변경이 쉬움. → 유로 변경 과정에서 **하중도, 우각호, 구하도** 등의 지형 발달 ▶ 대표적인 지형 ① **범람원** : 하천의 범람으로 운반 물질이 퇴적되어 형성 → 자연 제방과 배후 습지로 구성 ② **삼각주** : 하천 하구에 유속의 감소로 하천 운반 물질이 퇴적되어 형성 → 조차가 큰 하구에서는 발달이 미약함

② 침식 분지 : 하천이 합류하거나 화강암이 관입한 지역에서 암석의 차별 침식으로 형성된 분지	
③ **선상지** : 골짜기 입구에서 하천 유속의 감소로 하천 운반 물질이 퇴적되어 형성된 부채 모양의 지형	

11. ③ **철도역의 지역거점기능** - 철도가 정차하거나 출발하는 역은 역사와 더불어 지역의 상징성을 갖게 되며 주변지역의 거점 기능 역할을 하게 된다.

12. ② 보건위생시설 - 화장장, 공동묘지, 납골 시설, 장례식장, 도축장, 종합의료시설 등

13. 슬러지 처리 과정
• 슬러지 처리 방법은 농축 → 소화 → 개량 → 탈수 → 소각 → 최종 처분의 과정을 거친다

14. 해안침식지형
• 해식애 : 파랑의 침식으로 형성된 해안 절벽
• 파식대 : 해식애 전면에 파랑의 침식으로 형성된 평탄한 침식면
• 시 스택 : 파랑의 침식으로 파식대에서 분리된 지형
• 해식동굴 : 해식애의 약한 부분이 침식되어 형성된 동굴
• 해안 단구 : 과거 파식대 혹은 해안 퇴적 지형이 지반의 융기나 해수면 변동에 의해 육지로 드러난 계단 모양의 지형 → 마을이 형성되거나 농경지, 도로 등으로 이용

15. 분기기 장치

16. 맨홀의 설치장소
- 관거의 기점, 방향, 경사 관경이 변하는 곳
- 단차가 발생하고, 관거가 합류하는 곳
- 관거의 유지관리상 필요한 곳

맨홀의 설치 간격

관의 내경	60cm 이하	60~100 cm	100~150 cm	165cm 초과
오수관거 맨홀간격	75m	100m	150m	200m

17. ③ **보** - 각종 용수의 취수, 주운 등을 위하여 수위를 높이거나 조수의 역류를 방지하기 위하여 **하천의 횡단방향으로 설치**된 시설

18. 콘크리트 도상 시공

장점	보선비 절약, 배수 양호, 잡초 발생이 없다. 도상의 진동과 차량 흔들림이 적고 궤도의 세척이 용이
단점	궤도의 탄성이 적어 충격과 소음이 크고, 건설비가 많이 들며 레일이 닳을 우려가 있고 수리가 어려움

19. ③ **침매공법**은 지상에서 제작하므로 터널 본체의 품질이 좋고, **공사기간이 단축**된다.

20. 도로의 기능

통행 기능	공간 기능
• 이동기능 – 자동차 보행자 자전거 등이 안전하고 원활하며 쾌적하게 통행 • 접근기능 – 주변 도로와 시설에 편리하고 안전하게 출입 • 체류기능 – 자동차의 주차나 자전거 이용자, 보행자가 보도나 광장부 등에 안전하게 머무름	• 시가지 형성기능 – 도시의 골격을 형성하거나 도로 주변의 개발을 촉진 • 수용기능 – 대중 교통수단의 수용 • 방재기능 – 임도나 소방 도로와 같이 재난·재해로부터의 재해 예방 • 환경기능 – 녹화나 경관의 형성, 주변 도로환경의 보전 • 교류기능 – 문화·정보의 교류

2023년도 지방공무원 9급 경력경쟁임용 필기시험 (2023. 10.)

토목일반

문 1. 철도에 대한 설명으로 옳지 않은 것은?
① 교통량 분담으로 도로 및 항공 수송의 혼잡을 완화한다.
② 도로보다 이산화탄소 배출량이 적은 친환경 교통수단이다.
③ 도로보다 교통사고 사상자 수가 적은 안전한 교통수단이다.
④ 문전 접근성이 우수하여 다른 교통수단과의 연계가 필요 없다.

문 2. 「국토의 계획 및 이용에 관한 법률」상 다음 설명에 해당하는 용도지역은?

> 도시 지역으로의 편입이 예상되는 지역이나 자연환경을 고려하여 제한적인 이용·개발을 하려는 지역

① 계획관리지역
② 보전녹지지역
③ 생산관리지역
④ 생산녹지지역

문 3. 자유 곡류 하천에 대한 설명으로 옳지 않은 것은?
① 사행하천이라고 부르기도 한다.
② 주로 상류 지역에서 잘 나타난다.
③ 평야 지대를 자유롭게 곡류하면서 흐른다.
④ 하천의 옆을 깎는 측방침식이 우세하다.

문 4. 다음 설명에 해당하는 터널 굴착 공법은?

> - 단면이 큰 터널을 좌우로 분할하는 공법이다.
> - 하반의 지반 조건이 양호하고 상반의 지반 조건이 좋지 않은 경우에 지반이 내려앉는 것을 최대한 방지하기 위해 사용한다.

① 상·하 반단면 굴착
② 선진 도갱 굴착
③ 전단면 굴착
④ 중벽 분할 굴착

문 5. 도수 관로의 수압을 경감하기 위해 설치하는 부대설비는?
① 맨홀
② 양수정
③ 접합정
④ 침사지

문 6. 터널 공법 중 TBM 공법에 대한 설명으로 옳지 않은 것은?
① 지반변화에 대한 적응성이 NATM 공법에 비해 유리하다.
② 소음 진동에 의한 환경 피해를 줄일 수 있다.
③ 굴착에 따른 지반 변형을 최소화할 수 있다.
④ 원형 단면으로 굴착되어 역학적으로 안정적이다.

문 7. 「국토의 계획 및 이용에 관한 법률」상 다음 설명에 해당하는 계획은?

> 인접한 2개 이상의 시·도를 대상으로 공간 구조 및 기능을 상호 연계시키고, 환경

을 보전하며 시설을 체계적으로 정비하기 위해 장기적인 발전 방향을 제시하는 계획

① 토지이용계획
② 광역도시계획
③ 도시기본계획
④ 도시관리계획

문 8. 아스팔트 콘크리트 포장 표면에 발생한 균열부로 수분이나 분진 등의 출입을 억제하기 위한 보수공법으로 균열에 채움재 주입 전 컷팅을 실시하는 것은?
① 균열 실링(crack sealing)
② 그루빙(grooving)
③ 패칭(patching)
④ 포그 실(fog seal)

문 9. 「환경정책기본법 시행령」상 하천의 생활환경 기준 중 매우 좋음(Ia) 등급의 BOD(mg/L)와 COD(mg/L) 기준은?

	BOD	COD
①	1 이하	2 이하
②	2 이하	4 이하
③	3 이하	5 이하
④	5 이하	7 이하

문 10. 도로를 기능별로 분류할 때 다음 설명에 해당하는 도로는?

시·군내 주요지역을 연결하거나 시·군 상호간을 연결하여 대량통과교통을 처리하는 도로로서 시·군의 골격을 형성하는 도로

① 국지도로
② 보조간선도로
③ 주간선도로
④ 집산도로

문 11. 우리나라의 제5차 국토종합계획(2020~2040년)의 추진 전략 및 주요 정책 과제로 옳지 않은 것은?
① 5 + 2 광역 경제권의 발전 견인
② 품격 있고 환경친화적인 공간 창출
③ 대륙과 해양을 잇는 평화 국토 조성
④ 지역 산업 혁신과 문화 관광 활성화

문 12. 우리나라의 제5차 국토종합계획(2020~2040년)의 수립 배경으로 옳지 않은 것은?
① 혁신적 국토 운영 전략 마련
② 국내외 여건 변화에 체계적 대응
③ 개발 중심의 국토 비전과 전략 마련
④ 최상위 국가 공간 계획으로 위상 재정립과 실효성 제고

문 13. 다음 설명에 해당하는 하천의 기능은?

수변 레크리에이션과 관광, 수변 경관과 정서 함양, 문화와 민속 등 물문화의 창조 기능

① 수질 정화 기능
② 이수 기능
③ 치수 기능
④ 친수 기능

문 14. 다음 설명에 해당하는 해안 지형은?

과거의 파식대나 해안 퇴적 지형이 지반의 융기 혹은 해수면의 하강으로 인해 현재 해수면보다 높은 곳에 위치하게 된 계단 모형의 지형

① 시 스택(sea stack)
② 시 아치(sea arch)
③ 해식애
④ 해안 단구

문 15. 중심성과 미관이 양호하고 주택 지대와 상업 지대 조성에 유리하나 도심 교통 혼잡이 발생할 수 있는 도시 구조 형태는?
① 혼합형
② 방사형
③ 대각선 삽입형
④ 직교형

문 16. 암석 터널 주변의 암반 자체를 지보재로 활용하기 위해 굴착면과 원지반에 앵커를 걸어 터널 안의 공간을 유지시키는 공법은?
① 강지보재
② 록볼트(rock bolt)
③ 숏크리트(shotcrete)
④ 인버트(invert)

문 17. 대지 면적에 대한 건축물의 연면적 비율을 용적률이라고 한다. 도시지역에서 용적률 상한선이 가장 높은 지역은?
① 공업지역
② 녹지지역
③ 상업지역
④ 주거지역

문 18. 상수도의 도수 및 송수 방식에서 가압식의 특징으로 옳지 않은 것은?
① 수압으로 누수의 우려가 있다.
② 전력 등의 유지 관리비가 많이 든다.
③ 외부로부터의 수질 오염 우려가 있다.
④ 수원을 급수 지역 가까운 곳에서 자유로이 선택할 수 있다.

문 19. 국토의 의의로 옳지 않은 것은?
① 민족의 가치 공간으로서 민족의 얼과 뜻이 담긴 소중하고 의미 있는 공간이다.
② 과거 지향적 산실로서 도시화의 수용 무대이며, 나아가 통일 국가의 터전이다.
③ 민족의 문화 공간으로서 민족의 고유문화와 역사, 생활양식을 형성·발전시켜 온 바탕이다.
④ 민족의 존재 기반으로서 조상으로부터 물려받아 후손에게 물려주는 귀중한 재산의 가치를 가진다.

문 20. 도시 구성 요소 중 가장 기본이 되는 것은?
① 시민
② 시설
③ 토지
④ 활동

 [기출문제] 정답 및 해설

번호	1	2	3	4	5	6	7	8	9	10
정답	④	①	②	④	③	①	②	①	①	③
번호	11	12	13	14	15	16	17	18	19	20
정답	①	③	④	④	②	②	③	③	②	①

1. ④ 문전 접근성이 나쁘며 특히, 화물의 경우 최종 수요처까지 **다른 교통수단을 통한 연계가 필수적이다.**

2. 계획관리지역

3. **자유 곡류 하천**
   - **하천의 중, 하류 일대에 나타남**
   - 하천의 유로변경 과정에서 우각호, 구하도 등이 형성
   - 감입 곡류 하천보다 하상의 해발고도가 낮으므로 하방침식보다는 측방침식이 우세

4. **중벽분할 굴착(CD굴착)**

5. **송수관로 부대설비**
   - 침사지 : 하천수를 취입할 경우에 가급적 취입구의 부근에 설치하여 원수와 같이 유입하는 토사·사리 등을 침전시켜서 제거하기 위해 설치
   - 양수정(guaging well) : 송수관로의 시점과 종점에 설치하여 송수량을 측정, 이 두 곳의 유량을 비교하여 관로의 고장이나 누수 등을 발견할 수 있다.
   - **접합정(junction well, 연결정)** : 도수 및 송수관로에서 관로의 수압을 경감시키기 위해 설치한다.
   - 맨홀 : 암거 내부의 점검 및 보수, 청소를 하기 위한 목적으로 100~500m 간격으로 설치

6. ① 지반변화에 대한 적응성이 NATM 공법에 비해 **불리하다.**

7. **광역도시계획(국토의 계획 및 이용에 관한 법률)**
   - 제2조 "광역도시계획"이란 제10조에 따라 지정된 광역계획권의 <u>장기발전방향을 제시</u>하는 계획을 말한다.
   - 제10조 ① 국토교통부장관 또는 도지사는 둘 이상의 특별시·광역시·특별자치시·특별자치도·시 또는 군의 공간구조 및 기능을 상호 연계시키고 환경을 보전하며 광역시설을 체계적으로 정비하기 위하여 필요한 경우에는 다음 각 호의 구분에 따라 **인접한 둘 이상의 특별시·광역시·특별자치시·특별자치도·시 또는 군의 관할 구역 전부 또는 일부**를 대통령령으로 정하는 바에 따라 광역계획권으로 지정할 수 있다

8. **실링**
   - **균열에 채움재 주입 전 컷팅을 실시**
   cf) 충전 - 컷팅 작업 없이 채움재를 채워 넣는 것

9. **하천의 생활환경 기준**

등급	상태(캐릭터)	기준		등급별 수질 및 수생태계 상태
		생물화학적 산소요구량(BOD)(mg/L)	화학적 산소요구량(COD)(mg/L)	
매우 좋음	Ia	1이하	2이하	용존산소가 풍부하고 오염물질이 없는 청정상태의 생태계로 간단한 정수처리 후 생활용수 사용

10. **도로의 기능별 구분(도시·군계획시설의 결정·구조 및 설치기준에 관한 규칙)**
    - 주간선도로 : 시·군내 주요지역을 연결하거나 시·군 상호간을 연결하여 대량통과교통을 처리하는 도로로서 시·군의 골격을 형성하는 도로
    - 보조간선도로 : 주간선도로를 집산도로 또는 주요 교통발생원과 연결하여 시·군 교통이 모였다 흩어지도록 하는 도로로서 근린주거구역의 외곽을 형성하는 도로
    - 집산도로(集散道路) : 근린주거구역의 교통을 보조간선도로에 연결하여 근린주거구역내 교통이 모였다 흩어지도록 하는 도로로서 근린주거구역의 내부를 구획하는 도로

- 국지도로 : 가구(街區 : 도로로 둘러싸인 일단의 지역을 말한다. 이하 같다)를 구획하는 도로
- 특수도로 : 보행자전용도로·자전거전용도로 등 자동차 외의 교통에 전용되는 도로

11. 제5차 국토 종합 계획 6대 추진전략

(1) 개성있는 지역발전과 연대·협력 촉진
(2) 지역 산업혁신과 문화관광 활성화
(3) 세대와 계층을 아우르는 안심 생활공간 조성
(4) 품격있고 환경 친화적 공간 창출
(5) 인프라의 효율적 운영과 국토 지능화
(6) 대륙과 해양을 잇는 평화국토 조성

cf) "5 + 2 광역 경제권의 발전 견인"은 제4차 국토종합계획 수정계획(2011~2020년)의 추진전략에 해당한다.

12. 국토 종합 계획의 수립 배경

(1) 국내·외 여건변화에 체계적 대응
(2) 혁신적 국토 운영 전략 마련
(3) 사람 중심의 국토 비전과 전략 마련
(4) 최상위 국가 공간 계획으로 위상 재정립과 실효성 제고

13. 하천의 기능

치수기능	수해로 인한 피해로부터 인명과 재산을 보호하는 기능
이수기능	각종 용수의 공급 등이 인간 생활에 물을 이용하는 기능
친수기능	수변 레크리에이션과 관광, 수변 경관과 정서 함양, 문화와 민속 등 물문화의 창조 기능

14. 해안침식지형

- 해식애 : 파랑의 침식으로 형성된 해안 절벽
- 파식대 : 해식애 전면에 파랑의 침식으로 형성된 평탄한 침식면
- 시 스택 : 파랑의 침식으로 파식대에서 분리된 지형
- 해식동굴 : 해식애의 약한 부분이 침식되어 형성된 동굴
- 해안 단구 : 과거 파식대 혹은 해안 퇴적 지형이 지반의 융기나 해수면 변동에 의해 육지로 드러난 계단 모양의 지형 → 마을이 형성되거나 농경지, 도로 등으로 이용

15. 방사형 가로망

- 중심성과 미관이 양호하고 주택 지대와 상업 지대 조성에 유리하나 도심 교통 혼잡이 발생할 수 있다.

16. 록볼트(rock bolt)

- 암석 터널 주변의 암반 자체를 지보재로 활용하기 위해 굴착 면과 원 지반에 앵커를 걸어 터널 안의 공간을 유지시키는 공법이다.
- 봉합 작용, 보형성 작용, 내압 작용, 아치 형성 작용, 지반 보강 작용기능을 한다.

17. 용도지역의 건폐율과 용적률

구분		건폐율	용적률
도시지역	주거지역	70% 이하	500% 이하
	상업지역	90% 이하	1,500% 이하
	공업지역	70% 이하	400% 이하
	녹지지역	20% 이하	100% 이하
관리지역	계획관리지역	40% 이하	100% 이하
	생산관리지역	20% 이하	80% 이하
	보전관리지역	20% 이하	80% 이하
농림지역		20% 이하	80% 이하
자연환경보전지역		20% 이하	80% 이하

18. 가압식

- 경사에 관계없이 도수로를 짧게 할 수 있어 건설비를 절감 가능
- 수원을 급수 지역 가까운 곳에서 자유로이 선택 가능
- 외부로부터 오염의 우려가 없음
- 관수로만 이용할 수 있으며 수압으로 인한 누수의 우려가 큼
- 전력 등의 유지 관리비가 많이 들며, 도수의 안

정성이 없음
- 정전이나 펌프의 고장 등으로 인한 송수의 안정성과 확실성이 떨어짐

※ **자연유하식**
- 도수 및 송수가 안전하고 확실
- 유지 관리가 용이하고 비용이 적게 듦
- 수원의 위치가 높고 도수로가 길 때 특히 적당함
- 반면에 수로가 길어지면 건설비가 많이 듦
- 개거의 경우 외부로부터의 수질 오염 우려가 있음

19. ② **국토는 열린 미래의 산실로서** 지방화와 세계화의 수용 무대이며, 나아가 통일 국가의 터전이다.

20. **도시의 구성요소**
    - **시민 : 시민의 수, 도시의 제1조건**
    - 활동 : 주거, 생산, 위락, 교통, 유통, 교육, 공급처리
    - 토지 및 시설 : 건축적 시설, 교통시설, 평면적 시설

2024년도 지방공무원 9급 경력경쟁임용 필기시험 (2024. 11.)

토목일반

문 1. 전 지역의 하수를 나뭇가지형으로 배치된 배수 계통을 통하여 한정된 한 장소로 집수한 후 처리하는 하수도의 배수 계통 방식은?
① 선형식
② 방사식
③ 집중식
④ 차집식

문 2. 수역 시설에 대한 설명으로 적절하지 않은 것은?
① 선유장: 소형선이 안전하게 정박할 수 있는 수역이다.
② 항로: 항내에서 선박이 안전하게 항행할 수 있는 통로로서, 조류 방향과 직각 방향이 가장 유리하다.
③ 선회장: 선박이 출입할 때 방향을 바꿀 수 있는 수역으로, 선박 길이의 2배 정도의 지름을 가지는 수역을 확보해야 한다.
④ 정박지: 선박이 안전하게 계류하여 하역하고 대기할 수 있는 수역으로, 바람 등의 외력을 방파제에 의해 차단하는 경우가 많다.

문 3. 시가지가 자연발생적이며, 도로가 불규칙한 도시 구조 형태는?
① 직교 방사형
② 미로형 가로망
③ 방사형 가로망
④ 직교형 가로망

문 4. 개발도상국의 도시화 현상 중 타 도시에 비해 수위 도시의 성장이 집중되는 현상은?

① 가도시화
② 과승 도시화
③ 집중적 도시화
④ 종주 도시의 도시화

문 5. 터널공법에 대한 설명으로 옳지 않은 것은?
① NATM 공법: 주지보재로는 록볼트, 숏크리트, 강지보재가 있다.
② TBM 공법: 전단면 굴착공법이다.
③ TBM 공법: 일반적으로 원형단면으로 굴착되므로 역학적으로 안정적이다.
④ TBM 공법: 커터헤드를 회전시켜 암반을 압쇄하여 굴착하는 공법으로 NATM에 비해 소음 및 진동이 크다.

문 6. 상수도의 수질 검사 항목 중 물리적 검사에 해당하는 것은?
① 탁도 검사
② 산도 검사
③ 경도 검사
④ 증발 잔류물 검사

문 7. 철도 선로 구조물에 대한 설명으로 옳지 않은 것은?
① 노반의 횡단 형상은 중심부를 높게, 양쪽은 약간 낮게 한다.
② 침목은 레일을 체결하여 궤간을 정확하게 유지하는 역할을 한다.
③ 콘크리트 도상은 탄성이 적어 충격과 소음이 적고, 건설비가 높다.
④ 도상은 레일 및 침목으로부터 전달되는 차량 하중을 노반에 넓게 분산시킨다.

문 8. 우리나라 지형과 기후에 대한 설명으로 옳지 않은 것은?
① 여름에는 북태평양 고기압의 영향을 주로 받고, 겨울에는 대륙 고기압의 영향을 주로 받는다.
② 동해안은 함경산맥과 태백산맥의 급사면이 있어 수심이 깊은 리아스식 해안이 발달되어 있다.
③ 서해와 남해 방향으로는 큰 하천이 완만하게 흐르고, 동해 방향의 하천은 길이가 짧은 급류가 많다.
④ 산지는 오랫동안 침식에 의해 개마고원과 일부 지역을 제외하고는 중위면 또는 저위면의 지형을 이루고 있다.

문 9. 「국토의 계획 및 이용에 관한 법률」상 국토는 토지의 이용실태 및 특성, 장래의 토지 이용 방향, 지역 간 균형발전 등을 고려하여 4개의 용도지역으로 구분한다. 이에 해당하지 않는 것은?
① 공업지역
② 농림지역
③ 도시지역
④ 자연환경보전지역

문 10. 도로 설계 및 시공 시 고려할 사항으로 옳지 않은 것은?
① 토공 설계 시 기상, 지형, 토질 및 지질 조건 등을 사전에 충분히 파악하여야 한다.
② 설계기준 자동차는 소형자동차, 중형자동차, 대형자동차, 세미 트레일러 등 4가지로 구분한다.
③ 횡단면 구성 시 출입 제한의 방식, 교차 접속부의 교통 처리 능력, 교통 처리 방식 등도 연관하여 검토해야 한다.
④ 횡단면 구성 시 계획 목표 연도의 교통 수요와 요구되는 계획 수준에 적응할 수 있는 교통처리 능력을 갖도록 해야 한다.

문 11. 우리나라 제5차 국토종합계획(2020~2040년)에서 물류 산업의 글로벌 경쟁력 강화를 위한 항만별 특성화 전략을 옳게 짝지은 것은?
① 목포신항 – 동북아 중심 항만으로 특화
② 부산항신항 – 아시아의 로테르담 모델로 개발
③ 새만금신항 – 맞춤형 산업 지원 항만으로 특화
④ 울산신항 – 동북아 에너지 허브 항만으로 특화

문 12. 내경 1,200 mm인 도수관을 별도의 관보호공 없이 도로 하중을 고려하여 매설할 경우, 필요한 최소 흙덮기 두께[m]는? (단, 동결 깊이는 고려하지 않는다)
① 1.0
② 1.2
③ 1.4
④ 1.5

문 13. 다음 설명에 해당하는 하천 지형은?

> 하천의 유속이 느려지면서 퇴적물이 쌓여 강 가운데 만들어진 지형이다.

① 석호
② 파식대
③ 하중도
④ 하안 단구

문 14. 터널이 시공되는 지질조건과 터널에 작용하는 토압조건에 따라 채택된 터널 단면 형상으로 적절하지 않은 것은?
① 높은 토압을 받는 조건에서 원형 터널 적용
② 지질조건이 불량하고 높은 토압을 받는 조건에서 수직측벽형 터널 적용
③ 지질조건이 불량하고 높은 토압을 받는 조건에서 난형(복잡 원형) 터널 적용

④ 지질조건이 보통이고 크지 않은 토압이 작용되는 조건에서 말굽형(마제형) 터널 적용

문 15. 시멘트 콘크리트 포장공에 대한 설명으로 옳지 않은 것은?
① 내구성이 커서 유지 관리비가 저렴하다.
② 콘크리트 양생 및 줄눈 설치작업 등이 필요하다.
③ 국부적 파손 보수가 아스팔트 콘크리트 포장에 비해 어렵다.
④ 기층, 보조기층에 큰 응력이 작용하여 포장 일체가 교통 하중을 지지한다고 가정한다.

문 16. 「국토기본법」상 국토계획에 해당하지 않는 것은?
① 전국계획
② 지역계획
③ 도종합계획
④ 시·군종합계획

문 17. 도시의 분류 기준과 그에 속하는 도시 유형을 옳게 짝지은 것은?

	분류 기준	도시 유형
①	인구에 의한 분류	대도시, 전원도시
②	기능에 따른 분류	교육 도시, 신산업 도시
③	법 제도에 따른 분류	광역시, 연합 도시
④	개발 정책에 따른 분류	성장 거점 도시, 문화 도시

문 18. 터널 굴착 중 현안문제(트러블)와 그에 따른 대응방안(공법)의 연결이 적절하지 않은 것은?

	굴착 중 현안문제	대응방안
①	막장면 밀림	막장면 록볼트 적용
②	지하수 과다 유입	훠폴링 적용
③	변위 과다 발생	신속한 폐합
④	천단부의 진행성 변형	천단부 보조공법 적용

문 19. 하천요소의 측정값이 다음과 같을 때 하상계수와 유역의 형상계수(form factor)는? (단, 유량은 하천의 임의 지점에서 특정 연도에 측정한 값이다)

- 최대 유량: 1,000 m^3/s
- 최소 유량: 10 m^3/s
- 유역 면적: 10,000 km^2
- 하천 본류 길이: 200 km

	하상계수	형상계수
①	10	0.25
②	10	0.50
③	100	0.25
④	100	0.50

문 20. 국내에서 가장 많이 사용되고, '천공 - 발파 - 버력 처리 - 지보재 설치'의 순으로 반복하여 시공되는 터널공법의 특징으로 옳지 않은 것은?
① 발파로 인해 교란된 암반의 낙반 사고 가능성이 있다.
② 범용성이 높고 보조 공법과 조합하여 굴착할 수 있다.
③ 적용 단면의 범위가 넓어 시공성 및 경제성이 우수하다.
④ 원지반의 자체강도는 무시하고 터널에 작용하는 전체하중을 지보재로 지지하면서 굴착하는 공법이다.

[기출문제] 정답 및 해설

번호	1	2	3	4	5	6	7	8	9	10
정답	①	②	②	④	④	①	③	②	①	②
번호	11	12	13	14	15	16	17	18	19	20
정답	④	④	③	②	④	①	③	②	③	④

1. **선형식**
   = 부채(선) 모양(형) 식
   = 수지상식
   = 나뭇(수) 가지(지) 형상(상) 식

   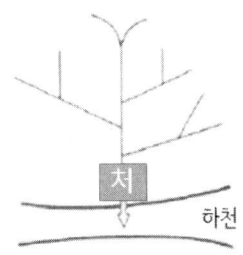

2. ② 항로
   - 항내에서 선박이 안전하게 항행할 수 있는 통로
   - 적어도 선박길이의 너비가 요구됨
   - 바람과 파랑 방향에 대하여 30~60° 이내의 각을 가지는 것이 좋음
   - **조류 방향과의 각이 작은 것이 좋음**

3. **미로형 가로망**
   자연 발생적인 시가지, 불규칙한 도로

   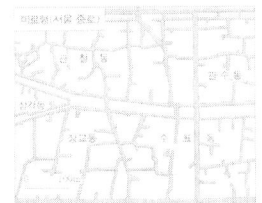

4. **종주 도시의 도시화**
   = 종주 : 종(맏이, 제일 앞) 주(달리다)
   = 수위 : 수(머리) 위(위치)
   = 1등
   = '내가 제일 잘 나가'

5. ④ NATM 공법에 비해 **소음 및 진동이 적다.**

6. **물리적 검사**
   외관, 온도, 탁도, 색도, 맛, 냄새

7. ③ 콘크리트 도상
   - 도상의 진동과 차량 흔들림이 적음
   - 궤도의 세척이 용이
   - 궤도의 탄성이 적어 충격과 소음이 큼
   - 건설비가 많이 듦
   - 레일이 닳을 우려가 있고, 수리가 어려움

8. ② 동해안 - 단조로운 해안선
   cf) 리아스식 해안 - 해안선이 매우 복잡한 지형 (남해안)

9. **용도지역**
   - 도시지역, 관리지역, 농림지역, 자연환경보전지역
   cf) 공업지역은 "도시지역"의 세분에 해당함

10. ② **설계기준 자동차**
    소형(승용)자동차, 대형자동차, 세미트레일러

11. ④ **지역별 항만의 특성화 전략(제5차 국토종합계획)**
    - 부산항 신항 - 동북아 중심항
    - 광양항 - 아시아의 로테르담 모델
    - 제주신항 - 해양관광 허브항만
    - **울산신항 - 동북아 에너지 허브 항만**
    - 새만금신항 - 환황해권 지역 거점 항만
    - 평택·당진항 - 맞춤형 산업 지원 항만
    - 부산항신항 - 동북아 Mega Port

12. **관의 매설 깊이와 위치**
    - 내경 900mm 이하 : 흙덮기 120cm 이상
    - 내경 1,000mm 이상 : 흙덮기 150cm 이상
    - 한랭지 : 동결깊이보다 20cm 이상 깊게 매설

13. **하중도**
    - 하천의 유속이 느려지면서 퇴적물이 쌓여 강 가운데에 만들어진 섬을 말함
    - 주로 큰 강의 하류에 많이 생기는데, 압록강, 한강, 대동강, 두만강, 낙동강에 주로 분포하며, 특히 압록강 하류에 큰 섬들이 많다. 한강의 여의도, 밤섬 등이며, 하중도를 모랫뚱, 안섬이라고도 함
    - 삼각주는 이러한 하중도가 여러 개 모여 있는 지형이다

14. **터널 단면의 종류**

말굽형	원형	복합원형	수직측벽형
지질이 보통일 때	대단히 큰 토압이 작용시	지질이 나쁘고 토압이 클 때	지질이 좋을 때

15. ④ **아스팔트 콘크리트 포장공**
    - 포장일체가 교통 하중을 지지하고 노상으로 윤 하중을 분산
    - 기층과 보조 기층에도 큰 응력이 작용
    - 반복되는 교통 하중에 민감

16. **국토계획의 구분(국토기본법 제6조)**
    - 국토종합계획
    - 초광역권계획
    - 도종합계획
    - 시·군 종합계획
    - 지역계획 및 부문별계획

17. **도시의 분류**

분류기준	도시의 분류
인구	소도시, 중도시, 대도시, 거대도시, 초거대 도시, 세계도시
기능	정치·행정 도시, 문화도시, 교육도시, 관광·휴양도시, 침상도시, 광공업도시, 군사도시
개발정책	전원도시, 신도시, 성장거점도시, 신산업도시
법 제도	특별시, 광역시, 일반시, 연합도시
시가지 형태	격자형도시, 방사상도시, 성운상도시 등

18. ② **지하수 과다 유입 발생시 조치 사항**
    - 응급초지 차수그라우팅 실시
    - 숏크리트의 부착성을 강화
    - 지하수 유입량 수시 확인
    - **cf) 훠폴링 : 천단부 보강 공법**

19. - 하상계수 = 최대유량/최소유량
      =1,000/10=100
    - 형상계수 = 유역면적/본류하천길이^2
      =10,000/200^2 = 0.25

20. **NATM 공법**
    ④ 원 지반 본래의 강도를 유지시켜 **원 지반 자체를 주요지반 보호 자재로 이용**하는 공법으로, 원지반이 지보의 역할을 하도록 한 공법

토목일반 이론·문제해설

2025년 1월 10일 증보 제4판 인쇄
2025년 1월 15일 증보 제4판 발행
저 자 장 성 묵
발행자 성 대 준
발행처 도서출판 금 호
        서울특별시 성동구 성수2가 333-15
        한라시그마밸리 2차 512호
전 화 02) 498-4816
팩 스 02) 462-1426
등 록 303-2004-000005

※ 본서의 무단복제를 금합니다.

정가 28,000원